Anke de Graaf

Een nieuwe weg naar morgen

De herinnering blijft

Een nieuwe horizon

Er is een weg naar morgen

UITGEVERIJ WESTFRIESLAND

Eerste druk in deze uitvoering 2003
Oorpronkelijke uitgave *Een nieuwe horizon*, Uitgeverij J.H. Gottmer, 1985
Oorpronkelijke uitgave *Er is een weg naar morgen*, Uitgeverij J.H. Gottmer, 1986

NUR 344
ISBN 90.205.2642.1

DE HERINNERING BLIJFT

Loudy schikte de bonbons op het schaaltje. Straks als 'de meiden' er waren dronken ze eerst een kopje thee met elkaar, zij en haar dochters. Daarna zette ze koffie. Ze had gistermorgen heerlijke koeken gekocht bij Bavema. De bakker had een kleine bakkerij en ook een kleine winkel in hun dorp en mensen die niet bekend waren in Hartelinge vroegen zich verbaasd af of die man er wel van kon leven; hoeveel inwoners telde het dorp? Weinig toch? Ze aten wel alle dagen brood, maar koek en gebak zou er in de meeste huizen niet elke dag op tafel komen. Maar als die mensen, mensen 'van buiten' dus, het gebak en de oranjekoek van Bavema hadden geproefd begrepen ze hoe hij toch een goede broodwinning had in het dorp. Loudy glimlachte even. In het telefoongesprek waarin Frieda, natuurlijk Frieda – hun komst had aangekondigd vroeg ze: „Mam, gaat u nog even naar Bavema? U weet het wel, hè?"

Ja, ze wist het wel. De voorkeur van haar dochters ging uit naar de verse oranjekoek en dat had ze gekocht. En opgeborgen in de grote trommel in de kast.

Het was gezellig dat de meisjes een middagje samen kwamen, maar voor Loudy hield het woord 'gezellig' eigenlijk weinig in. Het was meer dan gezellig, het was fijn, het was heerlijk. Frieda en Els waren twee van haar drie kinderen, Simon, Frieda en Els; ze waren dus zusters.

Ze scheelden anderhalf jaar in leeftijd en je zou als weldenkend mens verwachten dat ze heel goed met elkaar konden opschieten. Echt zusters, op elkaar gesteld zijn, elkaar alles (of bijna alles) over elkaars leven vertellen, weinig geheimen en in tijden van tegenslag en problemen elkaar helpen, in elk geval steun bij elkaar zoeken. Zij, Loudy verlangde vroeger heftig naar een zus. Als jong kind om dat zusje als speelkameraadje te hebben. En in hetzelfde huis wonen leek haar helemaal het einde. Allebei 's avonds in pyjama naast mama of papa op de bank zitten als een verhaaltje werd voorgelezen. En in bed naar elkaar roepen als dat zusje en zij niet in dezelfde kamer mochten slapen omdat ze dan in de avond te veel gekkigheid uithaalden…

In hun tienerjaren zouden ze overal samen op afstappen. Alleen durfde zij niet zoveel, maar het zusje durfde dat vast wel. En in de latere jaren lachten ze veel samen en vertelden elkaar over hun liefdetjes en verdrietjes. Maar zij had nooit een zusje gehad. Daarom was ze blij toen na Simon en na Frieda, nog een meisje werd geboren. Ze werd

Elsje genoemd toen ze klein was, maar vanaf haar dertiende jaar wilde ze Els genoemd worden.

Loudy zette de theepot op het aanrecht, de theemuts en het mandje, waarin de theepot moest staan. Alles stond klaar. Ook het blaadje met het suikerpotje. Het melkkannetje kon in de kast blijven, want ze gebruikten geen van drieën melk in de thee.

De zusjes, ja, maar het waren eigenlijk nooit de leuke zusjes voor elkaar geweest waarop Loudy had gehoopt. De naturen verschilden te veel. Frieda was een bijdehandje. Als dreumes al. Ze zag veel, ze reageerde snel en ze wist wat ze wilde. Elsje was meer in zichzelf gekeerd.

Ze had een ruime fantasie en kon heerlijk alleen spelen. Met de poppen, waarvan ze de mammie was en andere dagen was ze voor hen het juffie van de school. Frieda kon niet zo verdiept zijn in een spel. Zij wilde voortdurend iets anders doen, met andere dingen bezig zijn. En Loudy moest oppassen dat Frieda het spel van Elsje niet voortdurend in het honderd ging schoppen.

„Kijk, Frieda, hoe lief ze speelt... Zo bezig met haar poppenkinderen." Maar ze leerde algauw dat ze dat niet moest zeggen. Want Frieda reageerde niet zoals zij verwachtte, mild tegenover het jongere zusje met de blonde haren, nee, het kind riep in haar geen warmte op, maar jaloezie. En als reactie ging ze zich met Elsjes spel bemoeien. Iets vragen, vaak zelfs met een lief stemmetje, de kleine dondersteen: „Moeten de poppen de hele dag in de stoeltjes zitten?" en als Elsje dan verschrikt opkeek, compleet uit haar fantasie gehaald, voegde ze er iets aan toe als: „Ze kunnen wel houten kontjes krijgen van dat zitten!" En dan lachte ze schaterend.

Loudy was geschrokken van de reactie toen iets dergelijks voor de eerste maal plaatsvond. De angst in Elsjes ogen, de blik van overwinning bij Frieda. En zo was het in grote lijnen gebleven tussen haar dochters. Er waren ook betere tijden, zo somber moest ze er nu ook weer niet over denken, maar er was van Frieda's kant een stille jaloezie tegenover het zusje. En waarom? Loudy had lang de waarheid ervan niet willen inzien. Ze trok Elsje niet voor, natuurlijk niet, maar in het kind Frieda waren daarover andere gedachten.

Ze had er meermalen met Sjoerd over gepraat. „Het is eigenlijk onbegrijpelijk dat onze twee meisjes zo veel verschillen. Dezelfde vader, dezelfde moeder, dezelfde onmstandigheden in huis en dezelfde opvoeding..."

Nu ze volwassen waren ging het beter tussen de twee, maar om te zeggen 'wat hebben onze dochters het heerlijk met elkaar', dat niet. Ze woonden en werkten nu allebei in Heerenveen en hadden allebei een vriend, Tom voor Frieda, Hans voor Els.

Loudy hoorde een auto langzaam in de straat rijden. Dat zouden ze zijn! Frieda achter het stuur van het rode wagentje. Frieda vond autorijden heerlijk, Els had wel een rijbewijs, maar er was een aarzeling voor haar achter het stuur te gaan zitten. „Autorijden houdt gevaar in. Een klein foutje of even afgeleid worden kan tot vreselijke ongelukken leiden."

Frieda lachte daarom. „Welnee! En zonder auto zijn pap en mam in Hartelinge volkomen onbereikbaar! Als je een vreemdeling de weg vraagt naar dat dorp roepen ze: waar ligt dat nou? Nog nooit van gehoord!"

Loudy liep naar de voordeur De dochters stapten uit, leuke jonge vrouwen om te zien en deze middag lachend en blij. „Ha, mam!!" Tasjes over de schouders, kussen op de wangen.

Loudy schonk de thee in. „Lekkere bonbons! Ik zoek er alvast één uit, mam, dat mag wel, hè? En deze, Els, op dit soort hen jij zo gek! Witte chocolade en een noot er bovenop."

„Ja, die pik ik er meestal uit." Met z'n drietjes rond de lage salontafel.

„Hoe is het in Heerenveen? Met de jongens en het werk?"

„Goed," begon Frieda, Els knikte, de bonbon nog in de mond, „met Tom is het prima. Met de liefde tussen ons ook! Dat kan niet beter. En ook met zijn werk gaat het uitstekend. Hij werkt nu hij Scholten en Huisman, dat weet u, dat hebben we verteld. Hij voelt zich daar veel beter op zijn plaats dan op het vorige kantoor. Ik vond ook dat hij iets anders moest zoeken. Als je niet met plezier werkt duren de dagen vreselijk lang en je hebt geen voldoening in je werk. Tom had daar totaal geen inbreng. En het is juist een jongen die inbreng kan geven! Hij heeft een goede kijk op de business en hij is actief. Geen papieren laten liggen tot morgen. De zaken afhandelen, er iets mee doen, maar Ralf Klooster, zijn vroegere chef, was een man van 'leg maar even op dat stapeltje'. Dat waren de papieren waarover nog nagedacht moest worden. Of over gepraat moest worden. Daar kan Tom niet tegen. Bij Scholten en Huisman bevalt het hem prima."

Frieda reikte naar het kopje op de tafel.

Ze nam het in de hand. Loudy keek naar Els en zag een lachje over

het smalle gezicht glijden, een milde lach: Frieda vertelt…
„En mijn werk loopt ook op rolletjes! Jullie vinden me te bemoeiallerig, wat een raar woord, maar het is zo. Ik bemoei me gauw met veel dingen, maar mijn chef, Thomas van Westen, is daar juist heel blij mee! 'Frieda, je had het snel door waar de fout zat!' zei hij gisteren nog. En dat was ook zo. Ik had het snel door." Ze dronk twee slokjes, toen zei ze: „Laat Els nu eerst maar vertellen over Hans en over de winkel. Daarna willen we een onderwerp aanvoeren waarover we vorige week samen hebben gepraat."
Ze knikte naar haar zus en die knikte terug. Ja, samen over gepraat.
„Met Hans is het uitstekend. Lief, geduldig, noem maar op. En ik kan heel goed opschieten met zijn zus Greetje. We hebben dezelfde belangstelling voor frutseltjes, zoals Hans dat noemt. Die belangstelling is nodig in de winkel. We draaien heel goed, dat vertelde Maaike vorige week weer. We hebben de winkel ook leuk ingericht, met mooie dingen. Veel vrouwen, mannen iets minder, lopen bij ons binnen. De deur staat altijd open, als het niet vriest tenminste. De dames kijken rond en als ze zonder iets te kopen de deur uit wandelen knikken we ze toch vriendelijk toe en zeggen: 'Tot ziens."
Daar schiet je niks mee op," reageerde Frieda, „je hebt een winkel om te verkopen, maar ik begrijp het wel, jullie hopen dat ze terugkomen. En wanneer je nors naar ze kijkt als ze met een lege boodschappentas de winkel uit wapperen durven ze niet meer binnen te stappen."
„Je hebt het goed," lachte Els, „en de meesten komen terug. Het zijn vrouwen die van gezellige en knusse dingen om zich heen houden en af en toe veranderingen willen aanbrengen in hun interieur, maar het moet niet te veel geld kosten. Wij verkopen snuisterijen die een kamer een ander aanzicht geven en niet kostbaar zijn. Ik werk met veel plezier. Maaike en ik voelen elkaar aan. Ja, ik werk óók met plezier. Mam, u kunt dus gerust zijn. Het gaat goed met de meiden. En hoe is het hier? Met papa? En met Simon en Janneke? Ook blij en gelukkig?" en toen Loudy knikte, 'het hele gezin blij en gelukkig'.
„Ja," haakte Frieda daarop in, „Els noemt het woord: het gezin. En het verlengde daarvan is: de familie. Daarover hebben we vorige week gesproken. Ik weet niet meer hoe we op dat onderwerp kwamen, weet jij dat nog?" Ze keek vragend naar Els.
„Ja. Het kwam door het verhaal van Klaas Overbos."
„O, ja, zo was het. Tom heeft een vriend, nou nee, een vriend is het

niet. Maar hij kent Klaas. Ze kennen elkaar van vroeger. Nu zien ze elkaar bij de kegelclub, want Tom kegelt een avondje in de week voor ontspanning. De ontspanning zit niet direct in het kegelen, maar in het kletsen na de wedstrijd met een pilsje en nog een pilsje. Op zo'n avond vertelde Klaas over zijn problemen. Hij is ouder dan Tom, zeker zeven of acht jaar Klaas is getrouwd met Henny. Ze hebben een zoontje, dat jochie heet Bennie. Het is volgens Klaas en Henny een vreemd jochie, want hij is niet zoals andere jongetjes van zijn leeftijd. Hij springt niet als een jonge hond op en van alles af, en hij doet niet gek, malle snoeten trekken of zoiets en hij schreeuwt niet. Het klonk Tom in de oren alsof dat juist vreemd is, maar volgens Henny is dat normaal voor jongetjes van zes, zeven jaar. En Benny doet dat niet. Hij kijkt naar die jongens alsof hij zich afvraagt of ze een beetje vreemd zijn, zo vertelde Klaas het aan Tom, maar Bennie zegt er niets over."

„Daarvoor is hij misschien té verstandig," dacht Els, „misschien moeten ze blij zijn dat hij zo reageert."

„Ja, misschien wel. Maar Klaas en Henny zouden zich er niet druk over maken als er niet meer aan de hand was, dat begrijpt u wel."

Ze richtte zich nu tot haar moeder. Els kende het hele verhaal tenslotte al. „Bennie is een vreemde jongen, volgens Klaas. Maar het voert te ver omdat allemaal ten tonele te brengen. Maar waar het om draaide in het gesprek tussen Klaas en Tom was dat hij zei zo weinig te weten van zijn familie. Hij heeft een vader en een moeder, van beide kanten waren er natuurlijk grootouders, maar die mensen zag hij weinig. De grootouders van vaders kant woonden in Groningen en met hen was vrijwel geen omgang. Waarom niet? Onbekend. Er werd bij hem thuis nooit over ze gesproken. Of die grootvader broers had en zusters, totaal onbekend. Als Klaas de naam Overbos hoort of leest denkt hij: is dat familie van me, een neef misschien, maar hij weet het niet. Dat is ook zo met de grootmoeder. Niets van bekend. Zij komt oorspronkelijk uit Zeeland. De grootvader van Klaas ontmoette haar tijdens een vakantiereisje. Hij was meteen tot over zijn oren verliefd, maar haar ouders zagen niets in de vriendschap. Waarom moest ze met een Groninger vrijen, er waren genoeg leuke Zeeuwse jongens, maar nee, ze trok naar Groningen. Ook van die familie weten de twee weinig. Toen grootmama uit Zeeland wegging was ze heel jong en over de achtergronden van de familie werd vrijwel niet gepraat. Klaas wil er meer over weten in verband met

Bennie. Is het iets wat meerdere familieleden hebben? Toen ik het Els vertelde, zomaar, bij van een glaasje rode wijn, zei ze: 'Weten wij veel van onze familie?' Daarover zijn we doorgegaan. En we kwamen tot de conclusie dat we eigenlijk weinig weten van de familie. Er werden en worden wel namen genoemd, bijvoorbeeld: opa Tjeerd. Maar wat weten wij van het voorbije leven van opa Tjeerd? Als hij bij ons thuis kwam kregen we soms een geldstuk van hem om wat lekkers te kopen bij vrouwtje Souverein."

„We weten zijn achternaam natuurlijk wel, dezelfde als u hebt, Swinkels. En, dat ook, ik heb wel eens gehoord dat de naam Swinkels in Berawolde niet bepaald een goede klank had."

Loudy knikte met een hoofdbeweging van: nou ja... Ze zei: „Och, kinderen, de naam Swinkels... Die naam is uitgestorven in Berawolde. Er wordt nu en dan misschien door oudere mensen iets opgehaald over vroeger en dan valt die naam. Ik kan jullie wel wat over de Swinkels vertellen. Ik zet eerst de koffie aan. En leg stukjes oranjekoek op schaaltjes."

„Heerlijk, oranjekoek van Bavema!" Frieda zei het bijna juichend, ze overdreef haar gespeelde blijheid, „alleen al voor oranjekoek van Bavema zouden we naar hier komen."

„Ja," stemde Els lachend in, „bewaart u de familiefoto's maar in zo'n prachtige trommel van Bavema."

„Er zijn geen foto's van de Swinkels-familie," zei Loudy vanuit de keuken. „Voor foto's was geen geld en men vond het onzin zichzelf op een portretje te zetten. Trouwens, de Swinkels dachten er gewoon niet aan naar een fotograaf te gaan."

Ze kwam terug in de kamer. Ze ging zitten. „En jullie moeten bij alle vertellingen over vroeger goed in de gaten houden dat het een compleet andere tijd was. Vooral voor de mensen die deze verhalen aangaat. Er waren in die tijd ook mensen die ruim in het geld zaten, ook hier in Friesland. Rijke boeren, eigenaren van sigarenfabrieken en andere bedrijven, mensen in de productie en handel van sterke drank, maar er waren veel meer mensen die hard moesten werken voor hun dagelijkse brood. En echt dagelijks brood, want veel om op dat brood te leggen hadden ze niet. Soms was er alleen een schraapje reuzel. Zo was het in elk geval in het gezin Swinkels. De vader maakte lange dagen bij een boer, de moeder had het druk met het gezin. Ik heb opa weleens horen zeggen dat zijn moeder zei: 'We kregen geen kinderen, ze kwamen gewoon'. Het werden er vijf. Drie zonen en twee dochters. Daarvoor moest elke dag eten op tafel komen, de kleren moesten worden en genaaid, nou ja, jullie kennen de verhalen wel. Maar je moet proberen de omstandigheden voor je te zien. Geen groot huis, niet voor ieder van de kinderen een eigen slaapkamer. Twee jongens in één bed, geen plekje om je even terug te trekken. Om spulletjes van jezelf, als ze die al hadden, neer te zetten, er blij mee te zijn en ermee te spelen. Een kachel in de kamer, een fornuis in de keuken, de rest van het huis was koud. In een strenge winter bitterkoud, want mogelijk was de zolder waar de kinderen sliepen wat men noemde 'onbeschoten'. Dat betekende geen wanden die kou tegenhielden. Ribben, panlatten en daarop lagen de dakpannen.

En de ouders van die tijd hadden wel wat anders te doen dan zich te verdiepen en bezig te houden met de zieltjes van hun kroost. Alleen de zorg al voor de kleren vroeg veel tijd. Kousen breien en sokken stoppen bij het licht van een petroleumlamp. De kinderen hadden geluk als ze de lagere school konden aflopen. In de meeste arbeidersgezinnen gebeurde dat niet. Maar voor de kinderen Swinkels was die weelde wel weggelegd. Na hun dertiende, veertiende jaar moesten ze werken. Twee van de jongens gingen 'in de bouw'. Niet de bouw op het land, aardappels poten en rooien, maar in de woningbouw De één werd metselaar en van de ander weet ik het niet precies. Timmerman misschien of opperman. Dat is de man die de stenen sjouwt voor de metselaar. Specie klaarmaakt en die karweitjes. Zwaar werk en alles moest met mankracht gebeuren. Er kwam geen vrachtwagen voorrijden die met hefkracht de pallets van de wagen tilde en ze keurig dicht bij het karwei neerzette. Ik heb wel eens gehoord dat het materiaal in vrachtschepen door de vaart werd aangevoerd, stenen, zand en grind."

Loudy zweeg even en keek naar haar dochters. Frieda leunde gemakkelijk in de bank, keurig pakje aan, schoteltje met een stuk koek in de hand.

Els zat in een stoel en luisterde met aandacht naar haar moeder.

„De derde jongen Swinkels was opa Tjeerd. Hij zocht werk in een sigarenfabriek. Daar werden ook lange dagen gemaakt. De dochters zochten 'dienstjes' bij rijke families. Vaak boerenfamilies, want de boerinnen konden wel hulp gebruiken.

In de kindertijd van de mensen van toen, niet alleen de Swinkels, ik zei het al, kwam het in de hoofden van de ouders niet op zich af te vragen wat er aan gedachten in de kopjes van hun kinderen waren. Ze hadden amper weet van hun eigen gedachten. Ik heb me wel eens afgevraagd of ze echt blij met het leven zijn geweest. Ploeteren, zorgen en meer was het eigenlijk niet. Als de kinderen Swinkels 'een grote bek' opzetten, kregen ze een behoorlijk pak rammel van vader, dan liep dat kind de eerste dagen weer in het gareel. Aan onderling geharrewar tussen het kroost gaven ze geen aandacht. Ieder moest maar voor zichzelf opkomen. In de werkomgeving van de mannen waren mensen van hetzelfde soort. Daar werden ruwe grappen gemaakt, grof gepraat en gescholden. Echte opvoeding was er nooit geweest. Keurig eten, niet smakken, noem maar op."

Loudy zweeg even, toen zei ze: „Uit zo'n gezin kwam opa Swinkels."

„Dan heeft hij later toch veel geleerd," lachte Els, „want in mijn herinnering was het een keurig mannetje. Hij liep wat hinkepinkerig en zijn brilletje balanceerde op de punt van zijn neus; als hij niet hoefde te lezen gluurde hij over de glazen heen. Ik heb wel eens gedacht, toen ik klein was, dat opa eigenlijk een kabouter had moeten zijn! In een rood bloesje en blauw broekje. Ik vond hem soms een beetje vreemd mannetje."

„Nou, Els, nee!" riep Loudy met een lachje, maar ze schrok toch van deze woorden, haar vader, „nee, opa was een aardige man."

„En oma?" vroeg Frieda. Ze boog zich voorover, „weet u, Els en ik vroegen ons af waar onze karakters vandaan komen. Want Els en ik kunnen nu met elkaar opschieten omdat ons verstand meespreekt, maar we verschillen toch erg."

„Dat is zeker zo. Mijn moeder. Het meisje Geeske, toen ze jong was. Zij kwam uit een compleet andere familie dan mijn vader. Ook geen rijkdom, maar niet de bittere armoede van het Friese platteland van die jaren. Mijn moeder kwam uit Noord-Holland, 'het westen', zei men in Friesland. Ik heb jullie over mijn leven daar verteld. Mijn vader verhuisde naar Noord-Holland toen hij Geeske had ontmoet op een bruiloft. Ik geloof tenminste dat het een bruiloft is geweest. Maar dat is niet belangrijk. Oma Swinkels was een stille vrouw. Van haar jeugd en haar achtergronden weet ik weinig. Het huwelijk van mijn ouders was wat men noemt 'het was niet goed en het was niet slecht'. Ze hielden wel van elkaar, maar toch op een wat vreemde manier. In die jaren ging men na een fikse ruzie niet uiteen en voor hen telde hun dochter, die ze geen van beiden wilde missen. Maar er is iets voorgevallen in hun leven dat verwijdering heeft gebracht. Mijn moeder verdiepte zich niet in mijn gedachten. Dat denk ik tenminste. Ik heb er nooit iets van gemerkt. Alles ging goed met het kind. Ik speelde met kinderen van de buurt en ik kon goed meekomen op school, niets aan de hand dus. Ze overleed toen ik twintig jaar was. Zij was erg jong om te sterven en ik was te jong om haar te moeten missen. Vader en ik bleven samen achter. De volgende jaren waren saai. Dat is de beste en kortste omschrijving. Maar de feiten lagen nu eenmaal zo. We moesten verder. Het ging redelijk goed, er waren geen ruzies, vader deed naast zijn werk in de fabriek ook een en ander in huis en ik zorgde voor de rest. Maar het was geen blij, zonnig leven. Weinig mensen over de vloer, want mijn ouders bemoeiden zich vrijwel niet met de buren en vrienden of kennissen hadden ze niet.

Jullie vragen naar het karakter van mijn moeder. Maar wat weet ik van haar? Achteraf veel te weinig. Tot haar ziekte was ik daar niet echt nieuwsgierig naar. Ik had mijn werk en daardoor mensen waarmee ik goed ontging. Ik vroeg niets en mijn moeder vertelde niets. Wel, daarvóór, waren er opmerkingen geweest zoals: 'Vroeger, toen we in de Venenlaan woonden', maar dat was in haar kindertijd.

Moeder was stil en vaak teruggetrokken. Maar op een totaal andere manier dan Els. Het leven had mijn moeder stil gemaakt. Het was niet haar karakter. Want uit de weinige verhalen over haar kinderjaren was voor mij een positief beeld naar voren gekomen. Ze was ongelukkig in haar huwelijk. Mogelijk pasten mijn ouders niet bij elkaar. De vriendschap en verkering is denk ik ook te overhaast gegaan. Hij blij met een vriendin, zij blij met een vriend. Ik ben ervan overtuigd dat haar zwijgen niet voortkwam uit haar karakter, maar uit de levensomstandigheden. De omstandigheden, die je leven laten voortrollen over wegen die je niet wilt, maar die je worden opgedrongen. En mijn moeder had beslist niet de moed die Frieda heeft," een lach voor haar dochter, „te denken: zo vind ik het helemaal niet leuk! Er moeten veranderingen komen! Ik pak het aan!"

„Jij hebt het dus niet van oma Swinkels," merkte Els lachend op, „toch leuk dit praten over karakters in de familie. Jij hebt het bemoeiallige, weer dat woord, het direct aanpakken, niemand aan het woord te laten, helemaal van jezelf. Toch knap!!"

„En jij, Els," ging Loudy er op dezelfde luchtige toon op door, „heb je karakter ook niet van oma Swinkels. Zij voelde zich niet prettig in de stilte die ze, door die omstandigheden, om zich heen had gebouwd en waarin ze gevangenzat. Haar zwijgzaamheid, haar leven vol gedachten, want zo zal het toch geweest zijn, bracht ze niet naar buiten. Een leven van binnen, 'in zichzelf gekeerd' is daar de uitdrukking voor. Jij voelt je prettig met je leven. Dingen doen die je graag wilt doen, mensen om je heen die je zelf hebt uitgekozen. bezig zijn met leuke werken. Ietwat verscholen, niet in de schijnwerper, je eigen weg gaan."

„Dus," stelde Frieda vast, „in de familie Swinkels moeten we het niet zoeken. Opa was heus wel een lieve man, maar te simpel. En oma, daarover hebben we het net gehad. De andere kant, mam, de familie van papa? Maar er is toch iets wat ik nog wil aanroeren. We zijn tot het besluit gekomen dat ik een nieuwe persoonlijkheid op aarde ben."

Frieda keek gespeeld trots van haar moeder naar haar zus, „maar ik moet zeggen dat ik tevreden ben met mezelf. Ik leer langzaamaan de scherpe kanten eraf te vijlen. Niet snel iemand in de reden vallen pas als het me te lang duurt en het langdradig dreigt te worden – en ook iets meer tijd te nemen om te denken over de in me opkomende plannen en ideeën. Het zal me wel lukken."

„Een heerlijk vooruitzicht," meende Els en ze knikte naar Frieda.

„Maar ik wil toch even praten over de jaloezie, die ik als kind voelde. Waar kwam die jaloezie vandaan? Uit mezelf of zijn er familieleden die dat hebben gehad of nog hebben? Verstandige ouders, zoals pap en u, volgen hun kinderen zoals jullie deden met mij, met Simon en met Els. Maar mijn gevoelens van jaloezie waren echt. Ik voelde ze heftig. Het maakte me als kind intens verdrietig. Ervan overtuigd dat je te kort aandacht krijgt, dat je moeder niet zoveel van jou houdt als van je zus, dat is voor een kind van zeven, acht jaar een zware last. Ik heb me in diepe buien intens verlaten, eenzaam en misdeeld gevoeld. Maar door het andere deel in mijn karakter kon ik me er niet stilletje bij neerleggen. Dat lag me toen al niet. Maar achteraf gezien deed ik lelijke dingen. Het bleef doorgaan tot ik twaalf was. Jullie zagen mijn houding in de eerste plaats als 'het op de voorgrond willen treden van Friedaatje' en dat moest afgeremd worden, en dat afremmen riep in mij weer gevoelens op van: zie je wel, ze hebben geen aandacht voor me! Maar toen jullie, en u vooral, mam, zag wat er gebeurde en in welke richting het ging, heeft u het aangepakt. Veel met me praten, uitleggen en noem maar op, maar ik ben erdoor veranderd.

Ik was nog jong toen die geschiedenis speelde van ons optreden op de kleuterschool. Ik had de hoofdrol,wie anders! Ik weet nog hoe ongelukkig ik me na afloop want u was er niet! U zat niet in de zaal! Ik ging aan alles voorbij. De ziekte van Els, jullie zorgen om haar, er was maar één ding dat telde en dat was: mama zag me niet, mama zag me niet hoe goed ik dit deed!

Ik denk dat veel kinderen bij buien een gevoel van te kort aandacht krijgen doormaken en dat zal niet abnormaal zijn, maar het is goed er aandacht aan te besteden. Anders blijft het in de kindergedachten zitten en wroeten en gaat het groeien en ik weet niet of er veel mensen zijn die er, als ze volwassen zijn, op de juiste manier naar kunnen kijken. En het loslaten. Ik vraag me af, zo onder ons gesprek door, of iets in deze richting tussen opa en oma Swinkels heeft gespeeld. Er is iets gebeurd in hun leven wat moeilijk te verwerken was. Misschien was het helemaal niet te verwerken. Allebei gedachten en gevoelens erover en allebei iets van jaloezie voelen. Misschien was het meer dan 'iets'. En, ik weet het natuurlijk niet, ik heb oma Geeske nooit gekend, maar ik denk dat zij er het meest onder heeft geleden. Misschien was het iets wat niet met gedachten en praten opgelost kon worden. Iets, zó vreselijk, dat er geen oplossing was. Het wel kunnen begrijpen, maar er niet mee kunnen leven, er geen vrede mee hebben. En opa… Als er geen oplossing voor was kon hij die ook niet vinden. En aanreiken aan zijn vrouw. Ik heb in de laatste jaren ontdekt dat jaloezie een heel belangrijke en gevaarlijke rol kan spelen in het leven. Ik kan er voorbeelden van geven."

Frieda wachtte even en lachte, „maar als ik daarover begin kunnen Els en ik beter afspreken hier vannacht te blijven! Dat doe ik dus niet. Maar het kan in het huwelijk van de grootouders Swinkels een rol hebben gespeeld. En wie weet waartoe het leidde…"

„Het is heel goed mogelijk," stemde Els in, „maar nu gaan we naar papa's familie. Mam, wat weet u van hen?"

„Daar ligt alles simpeler. Opa Simon is een rustige man en papa is een rustige man. Wat ik van opa weet van vroeger is dat hij een gezellige, vlotte jongeman was. Hij had veel vrienden en de meisjes wilden graag met hem uitgaan. Opa Simon heeft een groot verdriet in zijn leven gekend. En dat verdriet heeft hij moeten verwerken. Toen hij een jonge kerel was werd hij verliefd en kreeg hij verkering met een meisje uit Makkum. Ze trouwden, zij raakte zwanger en ze waren allebei gelukkig met het verwachten van hun eerste kindje.

Maar het liep vreselijk verdrietig af. De eerste vrouw van opa Simon is in het kraambed overleden. Je begrijpt dat dat verdrietige tijden voor hem zijn geweest, zijn moeder heeft me verteld: het maakte van Simon een gebroken man. Hij kon het moeilijk verwerken, maar hij besefte dat hij verder moest na deze tragedie in zijn leven. Hij bleef eenzaam in hun woning achter. Hard werken, de avonden alleen met gedachten hoe mooi het had kunnen zijn. Er waren, volgens de verhalen, jonge vrouwen die een huwelijk met deze man wel zagen zitten. Hij had een goed karakter, hij was niet arm, hij had een mooi huis, maar geen van die vrouwen deed hem iets. Tot hij Frieda ontmoette. Zij was de vrouw die bij hem paste. Hij hield van haar en zij van hem en ze zijn getrouwd. Het is een goed huwelijk geweest. Met de kinderen Sjoerd en Jillie."

Moest ze hierover meer vertellen? Loudy dacht er snel over na. Maar het was niet belangrijk. Frieda wilde het destijds als een geheim bewaren en het was goed het tegenover deze jonge vrouwen als een geheim van hun overleden oma te houden. Als erover gepraat moest worden wilde zij, Loudy, dat in elk geval niet doen.

„Wat de karakters van die kant betreft; ik kan jullie er niet in terug vinden. Hoewel, opa Simon is een goede man en oma Frieda was een lieve, rustige en hartelijk vrouw. Ze was gezellig, ze had gevoel voor humor ze was bereid te helpen in tijden van nood en, lieve dochters van me, jullie zijn toch ook goede mensen? De één stapt misschien wat te snel door het leven, de ander doet het bedachtzamer, maar jullie zijn goede mensen. En lieve mensen. Het is prettig over de familie te praten. Ook het zoeken naar meer achtergronden geeft voldoening. Je leert je voorouders – en zover gaan we niet terug – beter kennen. Mijn vader heb ik lang bij me mogen houden, jullie hebben hem gekend. Ik denk veel aan mijn moeder.

Na dit gesprek zal ik weer aan haar denken. En is ze dichtbij me. En ik leer haar, na haar dood, beetje bij beetje kennen. zo is het ook voor oma Frieda. Ik heb van haar gehouden. Ze accepteerde volkomen de keuzes van haar kinderen wat echtgenote en echtgenoot betrof. Als Sjoerd met dat meisje wilde trouwen en Jillie met die jongen, sloot zij ze ook in haar hart. Maar, na alles wat we deze middag hebben besproken, zou het prettig zijn van alle achtergronden te weten…"

Loudy zweeg.

Frieda en Els knikten instemmend.

EEN NIEUWE HORIZON

Loudy Swinkels keek naar David. Hij leunde met zijn rug tegen de hoge kast die in het onderwijzerskamertje tegen de muur stond. Zijn rechtervoet steunde op de sport van een stoel, zijn handen waren om zijn knie gevouwen.

Loudy zag dat alles niet, want ze keek alleen naar Davids mond. De bewegende lippen en de tanden. De lippen waren smal en recht, heel anders dan de lippen van Gerard Roolvink. Die had dikke lippen, ze maakten de vorm van zijn mond een beetje rond. „Dat zijn zoenlippen," had Letta van Straten vroeger eens gezegd, 'pas op voor een jongen met zo'n mond. Je kunt vooruit weten wat hij wil: zoenen!' Daar hadden ze toen om gelachen.

Ze dacht, terwijl ze naar Davids mond bleef kijken, aan Letta's glinsterende ogen en hun gegiechel. Haar gezicht verraadde het gedachtesprongetje niet. Ze was er ook vlug van terug. Ze luisterde naar wat David zei. Natuurlijk luisterde ze naar hem als hij praatte, al dacht hij misschien dat zijn woorden over haar heen gleden, zoals de meeste van de woorden die dagelijks gezegd worden, over haar heen gleden. Wat David zei, was eigenlijk niet nieuw. Veel mensen hadden ditzelfde gezegd, vaak op eert andere manier, vaak met hetzelfde voorbeeld. Maar zijn woorden brachten haar terug naar gedachten die ze ooit zelf had gehad en diep verborgen bewaarde. Daarom luisterde ze. Met verbazing, herkenning en iets van opwinding.

„Meestal is het leven als een lekker stromend riviertje," zei hij. Hij had een prettige stem, een beetje laag, en hij praatte langzaam. „Als je met vakantie in het buitenland bent, zie je zulke watertjes vaak. Als je erbij staat, denk je: wat kabbelt dat heerlijk! Maar als je zo'n riviertje met je leven vergelijkt, gaat het veel te snel. Het spoelt langs en over je heen, de ene dag komt na de andere, zoals die golfjes. Je denkt er niet bij na, ik tenminste niet, ik weet niet hoe een ander dat heeft," – hij keek even op, Loudy bleef alleen luisteren, ze knikte niet eens instemmend – „maar soms zijn er dagen," – hij boog voorover, ze zag zijn ogen, donkergrijze ogen waren het, dat wist ze allang – „of uren, die ik bewust beleef. En die ik me later heel goed kan herinneren. Alles ervan." Hij haalde zijn voet van de sport van de stoel en leunde nu tegen de hoge rugleuning.

Gerard Roolvink, die aan de lange tafel zat, knikte. Hij zei eerst niets op deze overpeinzing, grijnsde toen even en zei met een wrange glimlach: „Een lekker stromend riviertje noem je het." Het klinkt alsof hij het geen goed voorbeeld was echt iets voor Gerard. Die wilde altijd verbeteren. „Dat ik van mijn leven niet zeggen. Af en toe was het een waterval, heel áf en toe, nu is het een stilstaand poel." Dat laatste voegde hij er zachter aan toe. En het stinkt een beetje toe. David en Loudy hoorden het. Ze wisselden een vlugge blik van verstandhouding.

Niet op ingaan, betekende dat. Dan kregen ze weer de trieste verhalen over zijn sukkelende vrouw, de kinderen die niet hielpen en de buren die geen poot uitstaken. „Naastenliefde," zou Gerard zeggen, „praat me er niet van. Dat is alleen een woord dat de een of andere fantast heeft uitgevonden. Het bestaat niet."

De woorden van David lieten Loudy die middag niet meer los. David zou het nooit weten, maar wat hij zei, zou ze niet gauw vergeten. Dit was voor haar één van de momenten die niet zomaar voorbijgaan. Ze hield dit vast. Ze bewaarde het om er straks, misschien vanavond, over na te denken. Als ze alleen op haar slaapkamer was. Als vader sliep. Gerard Roolvink stond op en schoof zijn stoel onder de tafel. „Nou ja, riviertje of waterval of doodlopend slootje, we zullen langs ons eigen oevertje moeten stappen." Hij lachte naar Loudy. Langs hem heen zag ze de grijns op Davids gezicht. „De routine van elke dag in deze school, daar hoeven we niet over na te denken. Kijken of de ramen dicht zijn, de deuren sluiten en zeggen: tot morgen."

Ze deed een paar boodschappen in het winkelcentrum. Met de tas in haar armen, om met haar handen de zware flessen te steunen, liep ze naar huis. Ze stapte door de achterdeur de bijkeuken binnen. In de keuken hoorde ze vaders stem vanuit de kamer. Een vriendelijke, hartelijke stem. „Ben je daar, Loudy? Heb je boodschappen gedaan? Het was zeker druk in de winkel? Je bent een beetje laat."

Ze zette de tas op het aanrecht en leunde ertegenaan. Ze voelde zich geïrriteerd, maar waarom? Vader was een lieve man, hij vroeg bezorgd of het druk was in de winkel. Hij had medelijden met haar omdat ze moest wachten en sjouwen met de zware tas. Helpen kon hij haar niet, hij kon geen zware tassen meer tillen.

Het kwam door wat David had gezegd. Dat sommige momenten bij je blijven. Zoals dit nu met vader. Een kleine momentopname, totaal onbelangrijk, maar ze had er honderden van. Allemaal opgeslagen ergens in haar hoofd. Of dieper verborgen, in haar onderbewustzijn. Zijn vriendelijke stem, zijn vragen. Ze kon beslist niet zeggen dat hij ooit onhartelijk was of ongeduldig. Vader was een schat van een man en ze hield van hem. Toch opeens bewust dat er iets in hem was dat haar hinderde. Ze het nu bewust, maar vaak was dat gevoel er onbewust het uitpluizen, voor zichzelf nu niet.

„Heb je pijptabak meegebracht? En ga je koffie zetten?" Ze hoorde zijn sloffende voetstappen in kamer.

Ze zette elke middag als ze uit school kwam, koffie en ze bracht altijd pijptabak voor hem mee als ze dacht dat hij aan een nieuw pakje toe was. Meestal vroeg hij erom. De man had niets anders te doen dan over zulke kleine dingen na te denken. Hij was de hele middag alleen en was blij wat te kunnen zeggen. In de vraag om pijptabak lag iets van meedenken, betrokken zijn. Andere dagen vroeg hij of ze koffie had gekocht; ze zei vanmorgen toch dat de bus bijna leeg was? Loudy begreep het altijd van hem en ze hoorde zijn gepraat met een glimlach aan, maar vandaag kwamen er andere gevoelens bij. Ze wist wat erachter verborgen lag. Dat was wat David zei over sommige dagen, soms alleen uren, die je niet vergeet. Ze dacht nu niet aan de herinneringen die ieder mens heeft. Fijne of verdrietige dingen uit je leven die je nooit zult vergeten. Beelden die je kunt oproepen om ernaar te kijken. Hoe je eruitzag op het verjaardagsfeestje op de kleuterschool, dolgelukkig met een lint in je haar en een strik op je jurk, of het beeld van een sinterklaasavond, of mama die naar je lachte toen je in het ziekenhuis lag, het gezicht van vader toen hij vertelde dat oma was overleden. Zo zijn er veel beelden, Je hebt ze, je kent ze en je kunt ze te voorschijn toveren om ze te zien. Maar Loudy had ook andere plaatjes en daaraan dacht ze nu. Het waren korte, vluchtige herinneringen, momentopnamen zou een filmer ze noemen. Ze waren in enkele minuten ontstaan, maar ze vergat ze niet, hoewel ze er destijds niets van begreep en niet wist waar het over ging. Dat maakte haar nieuwsgierig en bang tegelijk.

De eerste keer dat er zoiets gebeurde, was ze een jaar of tien. Mama praatte op een felle, bitse toon en dat was vreemd, want mama was een rustige, lieve vrouw. Bij hen thuis werd nooit geschreeuwd. Echt schreeuwen was het ook niet, maar toch was mama's stem luid en boos.

Loudy zat op de bank, verscholen achter een boek. Gelukkig was het een groot boek, zodat ze haar gezicht er goed achter kon verbergen. Ze wist nog dat ze stil bleef zitten, de ogen strak gericht op de zwarte lettertjes. Ze deed alsof ze las, maar trilde inwendig. Papa en mama hadden het over iemand in de laan, een man die een paar huizen van hen af woonde. Papa roddelde over die man, ja, echt waar. Roddelen was lelijk, dat leerde hij haar altijd. Ze mocht geen onaardige dingen zeggen over andere kinderen, maar papa deed het wel over meneer Zwartjes.

En toen zei mama: „En... wat heb jij te vertellen..." Dat was een raar zinnetje en zij begreep er niets van. Wat moest vader vertellen? Over zijn werk en over de mensen die in de fabriek waren of over iets wat hij op straat had gehoord of gezien? Maar zulke dingen bedoelde mama niet, dat voelde ze heel goed. En vader begreep drommels goed wat moeder bedoelde, want zijn stem was opeens vreselijk boos en ook verdrietig. Dat hoorde Loudy, want als vader 'aangedaan' was, zoals hij het noemde, was zijn stem hoger, lichter. Hij zei: „Ik dacht dat je daar niet meer over zou praten. Het is gemeen van je daar nu weer over te beginnen. Dat is voorbij, dat zouden we achter ons laten..." En toen zei mama: „Zoiets is nooit voorbij. Ja, je ziet het niet meer als je niet omkijkt en dat doe jij, zo ben je. Lachend vooruit, alleen zien wat je wilt zien."

Het waren natuurlijk niet letterlijk de woorden die toen gezegd werden. Die wist ze niet meer, maar ze had de betekenis ervan in zich opgenomen. Vooral het eerste dat mama had gezegd, dat geheimzinnige: „En wat heb jij te vertellen?" Het betekende dat papa wel wat te vertellen had, maar dat hij het niet deed. Tegen mama ook niet? Wist mama dat er iets was, maar wist ze niet wat? Nee, zo was het niet. Mama wist het wel. Maar andere mensen niet. Het kon van alles betekenen. Onder de dekens in bed piekerde ze erover. Tien jaar was ze en ze had een bang hartje. Misschien had papa iemand vermoord! Stiekem, niemand wist het, alleen mama, de politie wist het ook niet. Natuurlijk niet, want als de politie het wist, moest papa naar de gevangenis. Papa deed net of hij van de prins geen kwaad wist en leefde vrolijk verder. Maar nee, dat kon niet. Haar papa was zo'n rustige, goede man, die vermoordde niemand. Dan was het wat anders. Misschien had hij iemand heel erg geslagen. Meneer Peters van zijn werk bijvoorbeeld. Papa had een hekel aan die man. „Het is een etter," zei hij altijd. „Hij treitert het bloed onder je nagels vandaan." Maar ze zag meneer Peters af en toe en hij mankeerde niets. Hij groette haar. „Dag Loudy, ga je naar school?" Het kind van de man die je in elkaar heeft geslagen, groet je niet zo vriendelijk.

De eerste avonden piekerde ze er nog over, ook overdag, als ze thuis was. Dan had ze genoeg tijd om te denken. Er was geen broertje of zusje om mee spelen of om mee te kibbelen, papa was meestal naar zijn werk en mama ergens in huis bezig. Tijd genoeg om te fantaseren over een moord of vechtpartij of een overval. Maar na een paar dagen was het voorbij. Toen was er weer wat anders dat haar bezighield en het plaatje werd opgeborgen in wat David 'je eigen prentenkabinetje' noemde. „Alleen jij kunt die prentjes zien," zei hij en dat was ook zo.

De stemming in huis was geleidelijk bijgedraaid. Papa zei de eerste dagen bijna niets; aan zijn gezicht was te zien dat hij danig uit zijn humeur was. „Mijn vader is een bullebak," zei ze tegen een schoolvriendinnetje. Die moest daar vreselijk om lachen. Bullebakken bestonden niet echt.

Haar moeder probeerde het weer goed te krijgen tussen papa en haar. Toen zag Loudy die pogingen niet, dat voorzichtige naar het oude pad terugkrabbelen van mama en ze zag ook het koppig volhouden van papa niet. Pas later wist ze dat veel moeilijkheden tussen haar ouders, op deze manier voorbijgingen. Mama probeerde het goed te maken, papa wachtte met haar in genade aannemen. Pas als hij vond dat hij weer kon bijdraaien en Geeske haar les had geleerd, gebeurde dat.

Toen Loudy ouder werd en als bijna volwassene met haar vader praatte, zei hij eens: „Wij voelen elkaar aan en begrijpen elkaar omdat we dezelfde karakters hebben. Wat het geharrewar met moeder betreft, ze zeurt altijd door, ze kan niet over iets heenstappen. Kleine ruzies blaast ze op en rekt ze uit en daar kan ik niet tegen."

Loudy geloofde toen dat vader gelijk had. Moeder zei: „Vader is een goede man, maar hij is ook een dictator. Hij straft me als ik iets heb misdaan door dagenlang zijn mond te houden. Hij weet dat ik daar vreselijk zenuwachtig van word. Ik kan er niet tegen. En je kunt er zo weinig van zeggen, want hij doet toch niets? Hij scheldt niet, hij slaat niet, hij houdt alleen zijn mond. Maar lang houdt hij het niet vol. Als hij 's avonds niet direct wil slapen, heeft hij me nodig. Ik vind het niet goed op deze manier de strubbelingen op te lossen, maar ja, zo gaat het nu eenmaal. Als ik niet toegeef, houdt hij zijn mond dicht en daar word ik gek van."

Ruim een jaar na die eerste keer was er weer een opmerking van mama geweest die ze vasthield. Ze was toen een jaar of twaalf. De opmerking kwam na een gesprek over Friesland. Papa was in Friesland geboren, dat wist Loudy. Toen hij een jongen was, woonde hij in een klein dorp, in de buurt van Drachten. Die avond vertelde papa Friesland. Over het huis waarin 'we' woonden. We, zei vader steeds. Hij sprak wel van 'mijn vader' en 'mijn moeder', maar namen van broertjes of zusjes hoorde Loudy niet. Het huis was groot en laag en stond aan een vaart.

In de vaart visten ze zomers en soms, als het erg warm was, zwommen ze erin. Maar dat mocht niet, want het water was niet schoon. Je kon er een ziekte van krijgen. De ziekte van Weil bijvoorbeeld. In de winter schaatsten ze op de vaart. En papa trok met vriendjes de weilanden in om kievitseieren te zoeken, dat was in het vroege voorjaar, en ze sprongen met een polsstok over de sloten en ze roeiden met een boot naar een groot meer en... Zo te horen was het er heerlijk.

„Waarom gaan we er nooit heen?" vroeg ze toen. Ja, waarom niet? Andere kinderen logeerden bij hun grootouders en bij ooms en tantes. Zij gingen wel naar oom Jaap en tante Lenie, maar die woonden in dezelfde stad, daar logeerde je niet. Zij waren familie van mama.

„Ik heb daar geen familie meer," zei papa.

Toen zei mama: „Je moet niet liegen, Tjeerd. Je hebt er wel familie, maar je gaat er niet mee om."

„Dat maakt voor het kind geen verschil," gromde vader, echt grommen was het, „we komen er niet."

Loudy dacht: waarom zegt mama dat nou, papa wordt er boos om. Het is ook niet leuk als ze tegen je zeggen dat je niet moet liegen. Wat gemeen van haar om dat tegen papa te zeggen.

Maar 's avonds in bed fantaseerde ze over mensen, familieleden. Wie weet hoeveel er in Friesland woonden! Ze kende ze niet, maar ze waren vast erg aardig. Papa was tenslotte ook aardig. Misschien woonden ze op een boerderij, waar je heerlijk kon spelen. Het was jammer dat papa er niet meer heenging. Ze hadden vast en zeker ruzie gehad. Die ooms en tantes maakten natuurlijk ruzie. Papa niet.

Een van de volgende dagen vertelde mama nog iets over Friesland. Papa en zij hadden elkaar ontmoet op een feestdag in Heerenveen, een bruiloft, vreselijk gezellig.

Toen ze pas getrouwd waren, woonden ze in een dorp in die buurt. Maar ze waren daar vandaan gegaan en naar Noord-Holland gekomen.

„Waarom?"

„Papa kon hier een goede baan krijgen."

„Daar was zijn familie zeker om?"

Mama zei: „Kind, waarom zo gelopen is, vertel ik je later wel eens. Daar ben je nog te jong voor, dat begrijp je niet." Ze vroeg nog vlug: „Heeft papa wel broers en zusters?"

„Ja. Twee broers en ook twee zusters."

Van dat vertellen was nooit iets gekomen. Als Loudy erover begon, zei moeder dat ze daar nu niet over wilde praten, een ander keertje, maar het kwam er niet van. De plaatjes bleven onbegrepen bewaard. Later was er nog iets. Toen was moeder al ziek. Ze lag niet de hele dag in bed, maar liep door het huis en zorgde voor het eten. Wel was ze gauw moe. Dan ging ze op de bank liggen. Ze was langzaam in haar bewegingen en traag en afwezig in haar praten. Heel geleidelijk verslechterde haar toestand. Ze was geestelijk niet in staat tegen haar lichamelijke kwalen te strijden. Ze gaf toe, berustte, vocht niet om in leven te blijven. Toen Loudy twintig jaar was, overleed haar moeder op een zonnige dag in het voorjaar. Nog één keer, na mama's dood, vroeg Loudy naar vaders familie. Ze begon erover tegen oom Jaap, de enige broer van moeder.

„Ik weet dat ze opeens hier kwamen wonen. Ze vertelden dat je moeder niet kon wennen in Friesland en dat je vader. bij Venekamp een goede baan kon krijgen. Maar dat was niet helemaal waar. Je moeder vond Friesland een mooi land en ze had een huis naar haar zin, maar ze werd niet opgenomen door je vaders familie. Ze voelde zich een vreemde eend in de bijt. Misschien maakte je vader daarom ruzie met zijn familie, dat is heel goed mogelijk. Het was natuurlijk niet goed van hen, je moeder niet te accepteren."

Oom Jaap zweeg even, daarna zei hij: „Maar ik heb altijd het gevoel gehad dat er meer aan de hand was."

„Wat dan?"

„Ik weet het niet, Loudy, eerlijk, ik weet het niet. Maar ik hoorde wel eens wat. Uitlatingen van je moeder en de reacties van je vader. Die voegde ik samen en ik denk dat het iets met geld is geweest. Je vader werkte op een grote tabaks- en sigarenfabriek, waar hij pakhuischef was. Het zou me niet verbazen als er af en toe een partij sigaren de fabriekspoort uitging waarvoor de bazen geen rooie cent ontvingen. Toen hij gesnapt werd, had je de poppen aan het dansen. Toen vluchtte je vader. Maar nogmaals, alsjeblieft, geloof het niet direct, want ik heb geen zekerheid. Maar het verhaal dat het werk dat hij hier kreeg, beter betaald werd dan zijn werk daar, geloof ik niet." Loudy tobde erover. Eerst niet, want het verdriet om mama was groot en ze moest vader opvangen en steunen, maar af en toe kwam de vraag boven: „En wat heb jij te vertellen..." Als ze 's avonds in de stille huiskamer zaten, keek ze dikwijls naar hem. Hij was haar vader en ze hield van hem, maar kende ze hem echt?

Ze woonden samen in het huis, vader en zij. Het huis was groot genoeg en ze konden het goed met elkaar vinden. Loudy was onderwijzeres geworden. Ze gaf les op de Prinses Margrietschool aan de kinderen van de tweede klas. Het ging allemaal prima. Ook met haar collega's had ze een uitstekend contact. Het was plezierig en gezellig. Omdat ze nooit laat thuiskwam, zorgde ze voor het eten en ze had tijd genoeg om de kleine dingetjes in huis te doen. Tweemaal in de week kwam mevrouw Krijger voor het echte schoonmaakwerk en op de dagen dat mevrouw Krijger niet kwam, stofzuigde vader af en toe de kamers en de gang, als dat nodig was.

Loudy werkte met nog meer plezier sinds David Willems op school was gekomen om de vijfde klas van Kees Helderman over te nemen. De eerste morgen al, toen ze met hem kennismaakte in het onderwijzerskamertje, voelde ze dat ze met deze man goed zou kunnen opschieten. En zo was het ook. Ze hadden fijne gesprekken met elkaar na schooltijd in een van de lokalen of in het onderwijzerskamertje. Over kinderen natuurlijk, opvoeding en onderwijs, maar ook over het leven, het huwelijk en de menselijke verhoudingen. Loudy ontdekte dat er achter Davids spreken vaak een diepere ernst verborgen lag. Ze had ook gemerkt dat hij mensenkennis bezat.

„Zal ik je eens zeggen wat ik denk van onze collega's hier op school?"

„Ja, doe dat. Het is een goede test. Ik zal zeggen of ik vind dat je gelijk hebt. Als je hier lang genoeg blijft, merk je trouwens zelf wel of je het goed gezien hebt."

Maar met zijn oordeel sloeg hij naar Loudy's gevoel, precies de spijker op de kop. Hij doorzag Robbert Bakker, het hoofd van de school, wist hoe Gerard Roolvink was, tekende een goed portret van Annet, die de eersteklassertjes onder haar hoede had en was op de hoogte van de problemen rond mevrouw Wonderwelle, die in de derde les gaf. Loudy was er echt verbaasd over.

Vanmiddag had hij gezegd hij sommige herinneringen vasthield. Daar wilde ze over nadenken.

Vader kwam de keuken binnen. Hij keek naar de boodschappen die op het aanrecht stonden. „Fijn, je hebt tabak meegebracht. Daar denk je altijd goed om. Dat hoef ik eigenlijk niet te vragen. Maar ja, dan denk ik eraan en dan zeg ik het." Hij lachte met een verlegen trek om zijn mond.

„Dat geeft toch niet! Beter dat u het zegt en ik erom denk dan dat u niets zegt en ik het vergeet. Dan zit u zonder tabak. En dat zou een ramp zijn!"

Ze lachten er allebei om.

Die avond zat ze in haar slaapkamer. Het was de kamer die ze als klein meisje al had. Er was niet veel veranderd. De schilderijtjes van vroeger waren vervangen door mooie tekeningen en foto's, voor de ramen hingen andere gordijnen en de poppen zaten niet meer op de brede plank boven het bed. Het bed was ook niet meer het bed van vroeger. Dit was groter, maar verder was er niets veranderd in de kamer.

„Ik wil eigenlijk liever een grotere kamer," had ze een paar jaar geleden gezegd. Ze speelde toen met de gedachte ergens een kamer te huren, een grote kamer, waar ze helemaal haar eigen gang kon gaan. Maar dat was natuurlijk onzin. Vader en zij konden in huis allebei hun gang gaan.

Toen ze die gedachte meteen weer liet varen, dacht ze: hier in huis zijn tenslotte mogelijkheden genoeg. Als de muur tussen haar kamer en de tussenkamer werd weggebroken, zou ze een mooie lichte, ruime kamer hebben. Maar haar vader zag het nut van zo'n verbouwing niet in.

„Waarom, meiske? Je zit toch nooit boven. Waarom zou je dat ook doen? Hier hebben we zachte, gemakkelijke stoelen, hier staat de televisie, we hebben een prachtige radio en het is gezelliger samen. Boven slaap je alleen maar en daar is die kamer groot genoeg voor." Hij dacht niet aan zijn eigen slaapkamer, die twee keer zo groot was als de hare. Dat begreep ze wel, die zou ze niet eens willen. Dat was vaders kamer. Daar sliep hij al zoveel jaren, eerst met moeder en nu alleen. Maar het zou heerlijk zijn een grote kamer te hebben. Als die muur werd weggebroken... de middenkamer werd toch nooit gebruikt... Maar het zou veel geld kosten. Ze durfde er niet weer over te beginnen, maar bleef erover dromen. Als ze een grote kamer had, kon ze mensen op visite vragen. Nu kwam Annet af en toe en dat ging prima. Annet zat op het bed of op het kleine hoekstoeltje. Maar stel je voor dat ze David eens vroeg... Ze grijnsde er om. Zou je vaders gezicht zien! Nee, misschien toch niet. Een paar maanden geleden had hij gezegd: „Je bent nu zesentwintig. Wanneer kom je eens met een vrijer op de proppen?"

„Wilt u dat graag?"

„Natuurlijk, lieverd. Begrijp me goed, ik heb het uitstekend zo. Ik word verzorgd en heb heerlijk gezelschap aan mijn dochter. Wat wil ik nog meer? Maar ik denk in de eerste plaats aan jou. Jij bent een jonge meid. Je kunt verliefd worden en een leuke vent kan op jou verliefd worden. Dat is toch niet onmogelijk? Ik wil jouw geluk niet in de weg staan, dat weet je wel, ik gun je het allerbeste. Als je verkering krijgt, gaat er veel veranderen, dat begrijpen we allebei. Dan moeten we bekijken waar ik heen moet en waar jij gaat wonen. Maar dat komt wel goed. Mogelijkheden genoeg."

Ze had naar hem gelachen. Lieve papa. „Maar zover is het nog niet!"

„Nou, nou," zei hij met een schelmse blik, „ik hoor je nogal eens praten over die nieuwe onderwijzer bij jullie op school, die David, ik weet het niet... ik geloof dat jij hem graag mag!"

Toen ze de volgende morgen naast elkaar na het speelkwartier over het plein naar de brede schooldeur liepen, zei David: „Zullen we vanmiddag na vieren ergens koffie gaan drinken?"

Ze zei alleen: „Goed," want ze zag dat Bets Wonderwelle langzamer ging lopen om te kunnen horen wat er besproken werd. Even later zat ze voor de klas en keek naar de kinderen. Ze schreven ijverig in hun schriften de lesjes over uit het taalboekje. Haar hart zong een blij liedje.

Koffiedrinken met David. Hij had het zelf voorgesteld. Dat betekende dat hij haar aardig vond en met haar wilde praten. Ze lachte naar Martijntje Doeze, die zuchtte boven zijn schrift. Hij lachte terug. Een leuk, blond ventje met grote, blauwe ogen.

„Gaat het, Martijn?"

„Ja juf, ik heb al twee lesjes af."

Sander, naast hem, reageerde steen. „Twee lesjes!" riep hij ontzet, terwijl hij bijna uit zijn bank viel. „Ik heb er nog maar eentje af!."

„Je hebt nog tijd genoeg, Sander," zei ze kalmerend, „ga maar rustig door. Jij ook, Martijn, niet te vlug, want schrijven, dat weet je, moet je zo doen dat andere mensen kunnen lezen wat jij hebt opgeschreven."

Martijn knikte. Ja, dat wist hij. Dat was de bedoeling van schrijven. Hij schreef iets op en mam kon het lezen. Hij kon het ook tegen mama zeggen natuurlijk, dat gemakkelijker, maar dat was niet schrijven.

David en Loudy tegenover elkaar in de Wielewaal, een klein, rustig koffiehuis op de hoek van de Marktstraat en de Zuiderdam.

„Bevalt het je op onze school?" vroeg ze.

„Prima."

Ze babbelden een poosje over de kinderen van hun klassen, over de ouders van een joch in Davids klas, die met de regelmaat van de klok op school kwamen om te informeren naar de vorderingen van hun Alex.

Sinds David er was, waren ze al drie keer geweest en vanmiddag waren ze er weer. David vertelde wat ze hem hadden gevraagd en wat hij had geantwoord.

Tussen de woorden en zinnen door dwaalden Loudy's gedachten af. Ze hoorde wat David zei en ze gaf ook antwoord, maar toch waren er andere gedachten in haar hoofd. David was nu een maand of vier bij hen op school, maar ze wisten weinig meer van hem dan wat Robbert Bakker hun had verteld toen hij de komst valt David Willems aankondigde.

„Hij is tweeëndertig jaar, ongetrouwd en voorzover ik weet ook niet verloofd. Hij informeerde niet naar de mogelijkheid hier gauw een woning te krijgen. Hij heeft een etage op de Levegoedsweg, waarmee hij volgens zijn zeggen dik tevreden is. Hij heeft dus geen trouwplannen, want zo'n etage lijkt me geen geschikte plek om een gezin te stichten."

Echt de manier van praten van Robbert Bakker, onpersoonlijk en gewichtig.

Geen van de collega's had David naar zijn privé-leven gevraagd.

Annet was na twee dagen al vreselijk nieuwsgierig. Maar ze kon moeilijk vragen: „Waarom ben je niet getrouwd? Voel je niet voor vrouwen? Of ben je alweer gescheiden?"

Nee, dat kon je niet doen. Maar nu voelde Loudy dat hij wel wilde praten. Hij begon zelf te vragen.

„Je woont thuis, bij je vader?"

„Ja. We hebben het prima samen. Ik zie niet in waarom ik alleen op een flatje zou gaan zitten en hij alleen in ons huis. Op deze manier hebben we het allebei veel gezelliger."

„Hoe oud is je vader? Werkt hij niet meer?"

„Hij is zesenvijftig en hij werkt niet meer. Hij heeft vijf jaar geleden een ongeluk gehad. Het zag er allemaal heel ernstig uit, maar achteraf viel het geweldig mee. hij heeft er toch een beschadiging in zijn been aan overgehouden en de dokters vonden het beter dat hij stopte met werken. Soms denk ik dat het beter voor hem was geweest als hij was blijven werken. In geestelijk opzicht, bedoel ik. Nu is hij de hele dag alleen in huis en dat valt niet mee. Alleen op maandagmorgen en op vrijdagmorgen heeft hij gezelschap. Dan komt mevrouw Krijger, onze hulp, en daar heeft hij aanspraak aan. Maar hij is veel uren alleen. Ik weet dat hij zit te wachten tot ik thuiskom. Kijkt uit het raam of hij me al ziet. Maar dat wil hij niet laten merken, want als hij me aan ziet komen, drentelt hij naar de keuken en wanneer ik binnenstap, zegt hij: 'Ben je daar al?' "

„Dat kan ik best begrijpen. Het valt niet mee de hele dag alleen te zijn en hij is met zesenvijftig nog betrekkelijk jong. Je moeder is overleden?"

„Ja. Ruim zes jaar geleden nu. Toen vader dat ongeluk kreeg, was zij al weg. Vader en ik zijn erg op elkaar gesteld, dat was vroeger al zo. Ik kon beter met hem opschieten dan met mijn moeder Ze was een lieve vrouw – je moet me niet verkeerd begrijpen – ik heb erg veel van haar gehouden. Ze was een schat van een moeder, maar stil en teruggetrokken. Ze zei niet veel. Met vader kon ik altijd heerlijk praten. Door het verdriet om mama zijn we dichter bij elkaar gekomen, want we hadden alleen elkaar en moesten elkaar helpen en troosten. Daarna kwam dat ongeluk. Vader had in het begin veel hulp nodig, maar nu redt hij zich gelukkig prima."

David keek naar haar. Wat hij dacht, kon ze niet lezen in de blauwgrijze ogen. Ze keken haar recht aan. Maar het was of ze haar niet echt zagen. Zijn hoofd knikte langzaam, ja… ja. Wat dacht hij? Loudy wist het niet. Ze zou het graag willen weten, maar ze kon zijn gedachten niet raden. Opeens lachte ze.

„Waaraan denk je?" vroeg hij.

„Aan wat je gistermiddag zei. Dat er soms dingen in je leven gebeuren die je altijd onthoudt."

„Dat is toch waar? Ik denk dat iedereen zulke dingen meemaakt. Gerard Roolvink ook. Maar volgens mij onthoudt hij alleen de vervelende, nare dingen. Hij heeft het niet gemakkelijk met zijn zieke vrouw, dat is zo, en zijn kinderen steunen hem niet, maar misschien ligt dat aan hemzelf. Kom, laten we niet over Gerard praten." Hij boog zich over de tafel naar haar toe. „Zeg jij er eens iets over."

„Ik heb ook beelden-alleen-voor-eigen-gebruik, zoals je ze gistermiddag noemde. En bij een van die beelden hoort geluid."

„Dat is een heel moderne dus!"

„Ja."

„Wat voor geluid?"

„Een vraag." Ze was opeens heel ernstig. Dat zag hij in de donkere ogen. Mooie ogen had ze, diepbruin, met warmte, en veel vragen. Hij keek naar haar en luisterde naar de stem, die zachtjes, alsof ze bang was, de woorden uitsprak. „En wat heb jij te vertellen..." Even was hij van zijn stuk gebracht. Wat heb jij te vertellen... Ieder mens heeft wat te vertellen. Elk leven heeft zijn eigen verhaal, een droevig of een prettig verhaal, maar er is altijd een verhaal.

Loudy voelde haar hart kloppen in haar keel. Ze begreep zelf niet hoe het was gekomen, maar met de woorden van haar moeder had ze David opeens een heel rechtstreekse, persoonlijke vraag gesteld. Hoe kwam ze in 's hemelsnaam zo vrijpostig? Ze herademde toen David na enkele ogenblikken stilte, langzaam begon te praten.

„Ja, ik heb wat te vertellen. Ik dacht, Loudy dat ik wat in mijn leven is gebeurd, kon vergeten. Gewoon achter me laten. Als ik er niet meer aan dacht, er niet over praatte en het nooit vertelde, dan was het er niet meer. Ik wist wel dat het onzin was en onmogelijk, maar ik wilde vergeten en het voorbij laten zijn. Nu is het ook voorbij. Ik heb het verwerkt, maar vergeten zal ik het nooit. Je kunt dingen die je in je leven gebeuren, niet wegwissen en opzijschuiven. Je moet ze beleven en als het nare dingen zijn, moet je ze verwerken. Dan pas kun je er echt los van komen. Dan kun je ernaar kijken zonder tranen en erover vertellen zonder dat het je nog verdriet doet. Achteraf vind ik dat ik me alles te veel heb aangetrokken en het dramatischer heb gemaakt dan het eigenlijk was. Er zijn mensen die veel ergere dingen moeten doormaken, maar ik was – en dat ben ik nog – erg emotioneel en tobberig van aard. Ik denk veel te veel. Maar het is nu voorbij. Ik sta nieuw in het leven, Om het zo te zeggen. Ik woon in een andere stad, werk op een andere school, met andere collega's en andere kinderen. Maar laat ik niet zo bespiegelend en in raadsels praten, want je snapt er natuurlijk niets van."

Hij boog voorover en zag lichtjes in zijn ogen. Ze wist niet wat ze ervan moest denken. was er geweest?

„Ik praat nu met jou en we hoeven er geen doekjes om te winden, zoals ze dat noemen, we zijn tenslotte geen kinderen meer. En we weten dat we elkaar graag mogen. Ik vind jou aardig en jij vindt mij aardig. Zo is het toch? Er is nog een meisje geweest in mijn leven dat ik aardig vond. Meer dan aardig. Ik hield ontzettend veel van haar. Sommige mensen zeggen dat jeugdliefdes niets te betekenen hebben. Dat zijn maar kalverliefdes die voorbijgaan. Daarover blijf je je leven lang niet huilen, want die gevoelens gaan niet zo diep. Maar, ik weet dat je als je jong bent, zielsveel van iemand kunt houden. Ik had een vriendinnetje toen ik veertien was. Een meisje uit mijn klas, Annerietje. Een vrolijke meid, heel blond, lichtblauwe ogen, een lachebek, haantje de voorste. Ze kon goed leren, was prima in sport, spontaan en gezellig. We waren altijd samen. David en Annerie, we werden in één adem genoemd op school. 's Morgens ging ik op tijd van huis om haar op te halen. Rinkelen met mijn fietsbel en ze kwam. Na vieren fietsten we naar haar huis of naar mijn huis, soms ook met meer jongelui van de klas de stad in of ergens heen, maar Annerie en ik reden altijd naast elkaar. Na de middelbare school ging ik naar de Pedagogische Academie en Annerie naar de tekenacademie, maar we bleven met elkaar gaan. Ieder weekend alles bijpraten. Zij vertelde over de school, de lessen, de andere leerlingen en de leerkrachten en ik deed mijn verhaal. We moesten alles van elkaar weten. We kusten elkaar en waren verliefd en gelukkig. Ik haalde mijn akte en kon beginnen op een school in onze stad. Annerie had intussen een baan in een kunsthandel. We spraken nooit over de toekomst, dat was niet nodig. Het stond immers vast dat wij ons leven lang bij elkaar zouden blijven. Toen we de twintig gepasseerd waren, begonnen we te praten over een huis en over de meubelen die we erin wilden zetten. We waren het roerend eens.

We verloofden ons. Dat werd een dol feest. Onze vroegere klasgenoten kwamen bijna allemaal opdraven, evenals de jongens en meisjes van de volleybalvereniging, mijn collega's en de mensen die Annerie door de kunsthandel kenden.

Toen kregen we ruzie. We hadden wel eens meer onenigheid, want zo gemakkelijk waren we allebei niet, maar het was nooit ernstig en ging snel voorbij. Maar toen hadden we een ruzie die niet direct voorbijging. Ik weet niet meer precies waar het over ging. Iets heel onbenulligs, ik was te laat op een afspraak gekomen of had vergeten iets mee te brengen. Annerie was nijdig en ik zei dat ze zich niet moest aanstellen. Zo erg was niet. Iets in die geest moet het geweest zijn. We waren boos op elkaar. En in die tijd ontmoette Annerie Guus Rademaker. Wil je wel geloven, Loudy, dat ik ziek van jaloezie werd en koud van woede als ik later die naam in mijn gedachten uitsprak? Guus Rademaker pakte Annerietje van mij af. Als Annerie echt van me hield, kon Guus noch iemand anders haar van me afnemen. Maar Guus deed dat wel. Annerie zei dat ze nu wist wat liefde was. Wat tussen ons bestond was vriendschap. Een heel fijne vriendschap, maar toch vriendschap. Ik geloof nu dat het van haar kant inderdaad zo is geweest. Maar ik heb echt van haar gehouden. Dat zal ik zeggen tegen de vrouw met wie ik ooit trouw. Ik weet wat liefde is. Ik raakte Annerie kwijt. Ik was toen tweeëntwintig. Acht jaar lang was Annerietje het middelpunt in mijn leven geweest. De cadeaus, die we met verjaardagen, bij de verloving, en Sinterklaas hadden gekregen voor ons toekomstige huis, stonden op de zolder bij haar ouders en bij mijn ouders.

Een jaar later trouwde ze met Guus Rademaker. Ik weet dat het overdreven klinkt als ik zeg dat er na die tijd geen meisje is geweest waarop ik verliefd kon worden. En toch is het zo."

David zweeg. Loudy zei ook niets. Ze voelde de blijheid om dit gesprek langzaam wegtrekken. Ze had echt niet gedacht dat David verliefd op haar was, maar als hij naar haar keek, voelde ze dat hij haar graag mocht en als hij lachte, waren er lichtjes in zijn ogen en dat maakte haar warm van binnen. Een beetje blij. Nu was ze verdrietig geworden door de klank in zijn stem toen hij haar vertelde van die verloren liefde. Ze vond het een beetje overdreven van David. Het was nu meer dan tien jaar geleden en hij was jong toen. Hij was nog steeds jong. Hij kon heus wel iemand tegenkomen met wie hij gelukkig werd. Tot nu toe was hij niet meer verliefd geworden, maar dat kon heel goed aan hemzelf liggen. Misschien koesterde hij diep in zijn hart zijn verdriet om Annerie en wilde hij niet meer verliefd worden.

Vreemd om daaraan te denken, maar het kon, een soort martelaarsrol. Ze glimlachte er in stilte om, maar liet niet merken wat ze dacht. Langzaam verdween het gevoel van teleurstelling dat ze had. Misschien had hij na Annerie geen meisje meer ontmoet dat bij hem paste. Gold voor haar eigenlijk niet hetzelfde? Zesentwintig was ze nu en ze kwam heus wel jongelui tegen, maar ze kon niet zeggen: met die of die wil ik trouwen...

Over Davids gezicht gleed een lach. Nu vraag ik me soms af of ik niet meer verliefd werd omdat ik geen meisje ontmoette dat bij mij paste of dat ik verliefd kon worden door de verloren liefde voor Annerietje."

Loudy's gezicht bleef vlak. Kon David gedachten lezen?

„Het eerste denk ik," vervolgde David. „Er zijn duizenden meisjes die lief, aardig en mooi zijn, maar ze raken niets in je hart. Dat is toch waar? Hoeveel jongens heb jij ontmoet en op hoeveel ervan werd je echt verliefd?"

Loudy hoefde op die vraag gelukkig geen antwoord te geven, want hij praatte meteen door. Er waren jongens geweest. Op de kweekschool. Ze was toen stilletjes verliefd op Hans Rijkers en keek naar Bob Reheeg. Ze droomde hoe het zou zijn als ze naast hem liep en met hem praatte, als hij haar hand zou vasthouden. Bob had grote handen. En Gerrit-Jan Rozemeyer, over hem fantaseerde ze als ze alleen was. Maar die jongens zagen haar niet eens. Voor hen was ze gewoon een meisje in de klas, Loudy Swinkels, niet onaardig om te zien, maar veel te stil en met wie niets te beleven was.

„Nu woon ik hier en het bevalt me prima. Alles is nieuw en anders en ik kan met een glimlach aan Annerie denken. Want al wilde ze mij niet als echtgenoot, het is toch een leuke meid. Ze heeft inmiddels een zoon, een jochie van een jaar of vier en alles loopt op rolletjes daar. Ik hoor dat van mijn moeder. Die was er destijds helemaal kapot van. Die zag in Annerie een leuke schoondochter en bij alle verhalen die ze hoorde over schoondochters dacht ze dat zij een lot uit de loterij kreeg. Helaas, het ging niet door."

Ze praatten verder. David bestelde wijn en in Loudy kwam langzaam iets terug van de blijheid om dit gesprek. David dacht nog met weemoed aan zijn liefde voor Annerie, maar in werkelijkheid was die toch voorbij. Hij stond open voor nieuw geluk. Wat draafde ze nu weer door!

Dacht ze soms dat hij haar zou uitkiezen? Onzin natuurlijk. Hij wilde praten, contacten leggen met zijn nieuwe collega's. Hij woonde pas in de stad en wilde vrienden maken. Het was logisch dat hij begon met de mensen van school. Hij begon niet met Annet, want die liep veel te hard van stapel. Zijzelf was veel rustiger van aard. Hij mocht haar graag, maar hield de boot een beetje af.

David liep met haar mee tot voor het huis. „Tot morgen. Ik vond het erg gezellig, jij ook?"

„Ja."

„Dan babbelen we nog eens samen."

Vader zei: „Dat is dus David Willems."

De tafel stond gedekt in de achterkamer. Het broodmandje, de botervloot, de schaaltjes met vleeswaren en kaas. Onder de warme muts wachtte de theepot. Eigenlijk had Loudy na de rode wijn geen trek in thee, maar ze schoof aan tafel! Toch lief van vader om alvast te dekken.

„Ja, dat is David. We hebben gezellig gekletst."

„Waarom wilde hij juist met jou praten?" Vader lachte een beetje ondeugend. Dat 'juist met jou' was ook aardig bedoeld. Zij was het meisje met wie David graag praatte...

„Hij wil niet juist met mij praten, paps. Hij wil kennissen en vrienden in de stad hebben, want hij zit alleen op zijn kamers aan de Levegoedsweg. Hij begint met ons, de lui van school. Misschien bezorgen wij hem contacten. Wat dat betreft, schiet hij met mij niet veel op, want ik ben geen uitgaanstype. Ik kan hem op zaterdag-avonden niet meenemen naar een café waar allerlei gezellige vrien-den van mij ook komen en ik sleep hem evenmin mee naar een dol feest, waar hij de geschikte relaties kan uitzoeken."

„Nee, wij gaan niet naar cafés en feesten. Als dat zijn bedoeling is, is hij bij jou aan het verkeerde adres."

De volgende morgen zocht David haar op in de klas tijdens het vrije kwartier. Bets Wonderwelle en Robbert Bakker hadden pleindienst, zoals ze dat noemden.

„Zullen we zaterdagavond ergens gaan eten? Het koffiedrinken is me bijzonder goed bevallen."

„Prima idee."

Zo groeide er een band tussen Loudy en David. Ze durfde niet verder te denken en leefde bij de dag. David was zelden uit haar gedachten, maar ze durfde niet te fantaseren. Zou David echt van haar gaan hou-den? Zou hij haar vragen of ze met hem wilde trouwen? Vond hij haar niet te stil en te saai? Zij hield van hem, dat wist ze. Ze was gelukkig als ze bij hem was. Hij had een mooie stem, waarnaar je moest lui-steren. En een prettig gezicht, daar moest ze steeds naar kijken, vooral naar zijn ogen. Echt mooie ogen waren het niet, niet wat kleur betreft tenminste, gewoon, grijsblauw, maar er lag zoveel warmte in zijn blik. Misschien alleen als hij naar haar keek, misschien was die warmte alleen voor haar bestemd. Als ze zo dacht, voelde ze zich helemaal opgewonden en blij van binnen. Zijn aandacht voor haar, zijn toewijding, het was heerlijk. Maar ze moest haar verstand erbij houden. Ze had dit meegemaakt. Ze had nog nooit een vriend gehad. Ze was leuk omgegaan met de jongens op de Pedagogische Academie, ze had niet buiten de groep gestaan, ze was geen muurbloem geweest, maar er was geen jongen die speciale aandacht aan haar besteedde. Daarom moest ze nu haar gevoelens in bedwang houden. Voorbereid zijn op een teleurstelling, want het was mogelijk dat David vandaag of morgen genoeg van haar kreeg. Dat zou hij niet uitspreken, maar ze zou het merken doordat hij haar niet meer vroeg om ergens heen te gaan. Of nog wel een enkele keer, maar hij bouwde het langzaam af. Hij zou een breuk tussen hen willen vermijden, dat konden ze op school niet gebruiken. Langzaam terug naar 'af', dat zou het worden. Daar moest ze rekening mee houden. Maar zolang dat niet gebeurde, mocht ze genieten van het uitgaan. Heerlijk was het om met hem een restaurant binnen te konden. De laatste tijd hield hij haar arm vast en leidde haar naar een tafeltje.

„Daar in dat hoekje. dat is een rustig plekje voor ons."

Dan tegenover hem te zitten, naar hem te kijken, naar hem te luisteren en met hem te praten. Ze was nog nooit zo gelukkig geweest.

„Ik wil graag kennismaken met je vader," zei hij op een zondagavond.

„Dat kan. Zeg maar wanneer je wilt komen."

Ze spraken een avond af en David kwam.

Vader ontving hem vriendelijk en beleefd. Het gesprek kwam snel op gang. David vroeg naar vaders gezondheid. Ja, hij wist van het ongeluk. Loudy had hem erover verteld.

„Ik wil er niet lang over praten," zei vader. „Het is niet direct een leuk onderwerp. Het was echt moeilijk om zo vroeg al niet meer te mogen werken. Ik was ruim vijftig en had een goede baan. Mijn vrouw was een jaar daarvoor overleden, dat verdriet hadden we ook en ik zat hier overdag in mijn eentje. Veel tijd om te piekeren dus, dat begrijp je, en tijd om medelijden met mezelf te krijgen. Maar daar heb ik altijd voor gewaakt. Dat wil ik beslist niet. Het valt allemaal niet mee, maar ik tel op wat ik heb. En dat is in de eerste plaats dat ik nog leef!. Ja, zo is het toch? Bij een ongeluk kunt je ook doodgaan of heel ernstig letsel oplopen. En ik heb Loudy. We hebben het goed samen."

Loudy bracht het gesprek op hun school, de kinderen en David vertelde over Lochem, de plaats waar hij vandaan kwam Het werd een genoeglijke, gezellige avond. David, vader en ik, dacht Loudy tevreden. Wij drieën liggen elkaar wel.

Toen David was weggegaan en zij en vader samen de boel opruimden, lachte vader. „Eens mens praat honderduit als je eens iemand ontmoet die je nog niet kent. Dan hoor je ook eens nieuwe verhalen. Die David is een aardige vent. Maar of hij bij jou past, betwijfel ik. Ach, daar zullen we het niet over hebben, want zover is het, geloof ik, nog niet."

„Nee. We zijn goede vrienden." Maar Loudy was pijnlijk getroffen door deze woorden van vader. Waarom vond hij dat David niet bij haar paste? Ze vond zelf dat ze bijzonder goed bij elkaar pasten.

De volgende avond liepen ze langs de Spoorsingel. Het was guur en koud weer, er viel een kille motregen. Loudy had zich warm gekleed. David trok haar arm door de zijne en hield haar hand vast.

„We lopen om naar de Levegoedstraat," besliste hij. „We gaan naar mijn kamers. Er zijn er twee. Eén om in te slapen en één om in te wonen. We kunnen er rustig praten. Met dit weer op straat is niets gedaan, we worden nat en koud."

Het was een grote kamer, ruim ook, doordat er niet veel meubelen in stonden. Een bank, twee stoelen, een klein laag tafeltje, dat vol lag met boeken en papieren. Tegen de blinde muur stond een vierkante tafel, aan elke kant één stoel. David is niet van plan veel gasten uit te nodigen, dacht Loudy toen ze de stoelen zag staan.

„Ga zitten, meiske. Je vindt het misschien ongezellig hier, nou, dat is het ook. Leeg en kaal, maar ik heb nog niet veel meubilair. Dat wil ik trouwens niet. Ik hou van ruimte om me heen. Hier kan ik tenminste mijn benen verzetten. Bij mijn ouders zijn de kamers tjokvol. Je moet behoedzaam langs alles heen schuiven om de hele boel niet ondersteboven te gooien. Als je een plantje omkiept, duikt het tafeltje waar dat plantje op staat, mee. Dat valt dan tegen het kastje met de fotolijstjes, die rollen langs de vaas van tante Jet en in een mum van tijd is de ravage niet te overzien. Ik heb het liever zoals hier."

„Het is jouw kamer. Je moet erin zetten wat jij erin wilt hebben en eruit gooien wat je overbodig vindt. Maar ik moet eerlijk zeggen dat ik het wel een beetje kaal en ongezellig vind."

David haalde een fles frisdrank uit de keukenhoek en een paar glazen.

„Wat vind je van mijn vader?" vroeg Loudy toen. Ze was ervan overtuigd dat David een gunstig oordeel over hem zou hebben.

David maakte ruimte op het tafeltje door een paar stapeltjes boeken op de grond te zetten. „Ik vind jouw vader een aardige man. Zoals hij gisteravond praatte en wijn inschonk en hapjes presenteerde, ja, een aardige man. Maar ik vraag me af of hij echt zo aardig is."

„Hoe bedoel je dat?" vroeg Loudy verbluft.

„Hij zegt dat hij tevreden is met het leven dat hij heeft, maar is dat wel zo? Hij heeft geen keus, nietwaar? Het is goed dat hij zich schikt in het onvermijdelijke en de lichtpunten ziet, maar de manier waarop hij erover sprak, de eerste avond van onze kennismaking, gaf me een beetje te denken. Hij wil de indruk wekken een dankbaar mens te zijn. Tevreden. Vooral met jou. Maar hij zal je niet gemakkelijk laten gaan."

„Ik geloof niet dat je papa goed beoordeelt," antwoordde Loudy. „Ik weet zeker dat hij mij vrij zal laten en zal helpen zoveel hij kan als ik op een goede dag uit huis ga. Dat is voor hem natuurlijk niet plezierig, maar hij zal me helpen en mij niets in de weg leggen."

David ging naast haar op de bank zitten. „Wij hebben verkering met elkaar," zei hij kalm, „en ik moet nog zien of je vader daar zo gemakkelijk op zal reageren. Misschien vergis ik me. Jij kent je vader tenslotte al veel langer. Ik zie hem voor het eerst en ik zie hem onbevooroordeeld. Natuurlijk heb ik geen hekel aan je vader en ik zal hem accepteren zoals hij is. Gewoon aanvaarden. Maar ik denk dat hij niet zo gemakkelijk is als jij denkt dat hij is."

„Ik begrijp niet hoe je dat kunt zeggen! Toen ik jou nog niet kende, ging ik vrijwel nooit de deur uit 's avonds. Nu ben ik vaak weg en dat is voor vader niet prettig. Hij heeft er een hekel aan om alleen te zitten. Dan moet hij zelf koffie zetten, zelf inschenken en in zijn eentje de koffie opdrinken. Maar hij heeft er nooit een woord over gezegd."

„Hij kan jou, een dochter van zesentwintig, toch niet verbieden uit te gaan? Hij kan je toch niet verbieden met een man op stap te gaan? Dat kon hij toen je dertien of veertien was, maar nu niet meer. Hij weet dat drommels goed en daarom zegt hij er niets van. Maar ik moet nog zien of hij zo gemakkelijk reageert als jij met plannen op de proppen komt om uit huis te gaan. Je vader is een beste man, begrijp me niet verkeerd, en volmaakt zijn we geen van allen, maar zo goed als jij denkt dat hij is, is hij niet. Dat weet ik zeker."

Loudy leunde achterover in de kussens van de bank. Ze had een glas sinaasappelsap in haar hand, maar dronk er niet van. „Een poosje geleden, David," zei ze langzaam – ze begreep zelf niet waarom ze hierover begon, maar David moest het weten, tussen hem en haar waren geen geheimen – „praatte je over dingen in je leven die je niet vergeet. Ik heb die herinneringen ook. Er zijn een paar herinneringen, die ik niet begrijp. Ik heb ze wel, maar ik begrijp ze niet."

„Vertel er wat over."

„Ik weet nog allerlei dingen van vroeger. Bijvoorbeeld toen ik kaboutertje mocht spelen in een toneelstukje op school. Ik had een leuk pakje aan en er was een baard aan mijn kin geplakt. Van dat hele stukje herinner ik me niets meer, maar ik weet nog dat ik daar stond en mama in de zaal zag. Dat was het heerlijkste moment van de avond. Mama was er en mama zag hoe ik kaboutertje was. Dat is een plaatje waarnaar ik kan kijken en dat begrijp ik helemaal. Zo is het met veel plaatjes. Maar er zijn herinneringen die ik niet begrijp."

„Welke dan bijvoorbeeld?"

„Het gaat over vader. Daarom denk ik er nu aan. Er is iets met vader geweest, vroeger, maar ik weet niet wat. Misschien was het niets ernstigs, maar het was toch iets wat tussen mijn ouders heeft gestaan. Op een avond praatte vader over meneer Zwartjes, iemand die in onze laan woonde. Ik vond het een aardige man, maar hij had kennelijk iets verkeerds gedaan. Vader praatte nogal lelijk over hem en toen zei moeder iets waaruit je kon opmaken dat vader over zichzelf ook wel een lelijk verhaal kon vertellen. Daar kwam het op neer. Vader werd vreselijk boos en bleef dagenlang zwijgen. Wat moeder precies bedoelde, wist ik niet. En vandaag de dag weet ik het nog niet."

„Je zou zeggen dat het iets belangrijks geweest moet zijn, anders hoefde je vader er niet zo nijdig om te worden."

„Mijn vader is een Fries. Zijn jeugd heeft hij in Friesland doorgebracht. Daar heeft hij een enkele keer iets over verteld. Er zijn vaders die dolle verhalen vertellen over hun jonge jaren. Ze maken het altijd veel mooier dan het was en ze waren moediger dan in werkelijkheid, maar het zijn toch prachtige verhalen voor kinderen. Mijn vader sprak bijna nooit over zijn jeugd. Hij vertelde ook niet of hij broers of zusters had. Dat hoorde ik van mijn moeder. Twee broers en twee zusters. Hij woonde in Friesland toen hij mijn moeder ontmoette. Moeder was uitgenodigd voor een echte Friese bruiloft en daar was Tjeerd Swinkels ook. Hij vond het leuk, zo'n meisje uit het westen en zij was gecharmeerd van de grote, blonde Fries. Ze kregen verkering

41

en toen ze pas getrouwd waren, woonden ze in Friesland, in de buurt van Drachten. Een paar jaar daarna moet gebeurd zijn wat ik bedoel. Plotseling verhuisden ze naar hier. Ik heb een oom van me, een broer van mijn moeder, ernaar gevraagd, maar die wist er weinig van. Wel dat ze, zoals hij het noemde, hals over kop uit Friesland zijn vertrokken. Alsof de duivel hen op de hielen zat. Ze zijn eerst bij mijn grootouders in huis geweest omdat ze geen huis hadden. En hij geen baan. Maar ze namen de eerste woning die ze konden krijgen en vader had vlug werk bij Venekamp, waar hij tot aan dat ongeluk heeft gewerkt. Ze zijn nooit meer in Friesland geweest. Ze hebben volkomen gebroken met de hele familie daar."

David knikte. „Oom Jaap zegt dat hij vermoedt dat het iets met geld is geweest. Vader werkte op een sigarenfabriek, daar was hij pakhuischef. Hij moest de goederen noteren die de fabriek uitgingen, de vrachtbrieven verzorgen en alles op lijsten schrijven en zo. Ik weet niet precies wat ervoor komt kijken, maar dat was zo'n beetje zijn werk. Oom Jaap denkt dat vader op de een of andere manier soms wat achterover drukte en het geld in zijn eigen zak stak. Toen het uitkwam, of dreigde uit te komen, pakte vader zijn biezen en verdween naar Noord-Holland. Oom Jaap denkt dat het vooral angst is geweest die hem hier naartoe dreef want voorzover hij weet, is er hier nooit een deurwaarder of iemand van de politie aan de deur geweest."

„Het moet toch iets ernstigs geweest zijn als hij daardoor zijn hele familie van zich vervreemd heeft. Dat lijkt me erg."

Loudy knikte. „Niet alleen hij vervreemdde van zijn familie, ik ook. Mijn grootouders heb ik nooit gezien en de ooms en tantes ook niet. Ik weet niet of ze nog leven en ik weet ook niet of ze kinderen hebben. Dat zijn dan neven en nichten van mij."

„Het is iets om uit te pluizen."

David stond op. „Ik haal eerst iets anders te drinken. Sinaasappelsap is veel te nuchter, dat past niet bij deze intrigerende zaak." Hij lachte en Loudy lachte mee.

„We hoeven er geen drama van te maken," zei ze luid tegen David die nu in de keukenhoek was. „Dat doe ik beslist niet. Het is allemaal vijf- of zesentwintig jaar geleden gebeurd. Ik geloof dat ik nog niet geboren was toen ze uit Friesland vluchtten, zo zal ik het maar noemen. Ik was op komst, tenminste, volgens oom Jaap."

David kwam terug in de kamer met een fles wijn en de kurkentrekker in de handen. „Het feit op zich, wat hij misdreven heeft, bedoel ik, is misschien niet meer te achterhalen. Vooral niet als de oplichting, laten we het zo grof noemen, niet ontdekt is. Maar er moet iets aan de hand zijn geweest. De breuk met de familie moet een reden hebben. De familie heeft van de dubieuze handelwijze geweten en als zij een zeer rechtschapen, eerlijke familie was, wilden ze zo'n lid niet in hun midden. Misschien was je vader bang dat ze hem zouden afstoten en verdween hij liever zelf. We kunnen er een heel verhaal omheen maken met prachtige titels. De goede naam van de Swinkels bedoezeld…"

David maakte de wijnfles open. Hij liep naar een kast in de hoek van de kamer en haalde er twee glazen uit. Hij schonk de wijn in de glazen. Hij nam een van de glazen op en gaf het Loudy in de hand, die nog steeds achteroverleunde op de bank. Ze voelde zich moe en wist waardoor het kwam. Er was opeens zoveel om aan te denken en over te denken. Haar gedachten sprongen wild heen en weer. Het liet haar niet los wat David over vader had gezegd. Dat was niet waar. Vader was goed en behulpzaam, dat wist ze zeker, maar toch was er onzekerheid in haar hart. En in flitsen zag ze moeders gezicht, de bedroefde ogen. Waarom bracht ze wat David zei, met moeder in verband? Wat was er met moeder aan de hand geweest? Ze was ziek en kon niet meer beter worden.

Misschien wel, zei dokter Borghuis, het is geen echt dodelijke ziekte, maar de patiënte werkt niet mee. En hij zei nog meer. Dat moeder niet alleen lichamelijk ziek was, maar ook geestelijk. Ze was wel goed bij haar verstand, daar mankeerde niets aan, maar de wilskracht om te leven ontbrak. Ze vocht niet en dat noemde de dokter een vorm van ziek-zijn. Loudy herinnerde zich haar moeder nog heel goed. Ze lag in het bed op de grote slaapkamer. Een smal, bleek gezicht, waarin de donkere ogen vlekken waren. In die vlekken onrust, zoeken naar hulp, en angst. De ogen volgden haar als ze in de kamer was. Ook als vader in de kamer was, keek mama naar haar.

„Ze vecht niet voor het leven," zei de dokter en Loudy had toen gedacht: ze vecht niet om bij ons te blijven. Nu dacht ze: misschien wilde ze wel bij mij blijven, maar niet bij vader…

Maar vader was ontzettend lief voor haar geweest, ze kon niet anders zeggen. Zorgzaam, soms liep hij drie, vier keer achter elkaar naar beneden om iets te halen wat ze wilde hebben. Een beetje vla, een paar schijfjes sinaasappel of wat dan ook. Ze hoorde hem er nooit over mopperen. Vader was lief. Maar David zei dat hij anders was dan zij dacht. Hoe kon hij dat zeggen? En waarom had zij hem verteld over wat ze wist – of eigenlijk niet wist – van vader? Dat ha de niet moeten doen. Het was zo verwarrend.

David kwam naast haar zitten. „Ik geloof dat het allemaal een beetje te veel voor je is." Hij trok haar naar zich toe en hield zijn arm om haar heengeslagen. Ze voelde zich veilig. Ze moest flink zijn. Haar verstand gebruiken. Er was niets aan de hand. Vader was vader, zoals hij dat al jaren was, haar vader. David kende hem niet. En dat andere van vader was langgeleden gebeurd. Daar hoefde ze zich niet over op te winden.

En de familie… die kende ze niet en die miste ze niet. Ze voelde zich rustiger worden.

„We praten er later nog wel eens over," en David kuste haar.

Vader wist niets van alle stormen die in haar hoofd woedden. De volgende zondagmorgen, toen ze samen aan de ontbijttafel zaten, begon hij te praten.

„Loudy het is moeilijk voor me om hierover te beginnen. Ik weet wel, je bent zesentwintig, dus ik hoef niets meer tegen je te zeggen, maar ik denk dat je met mama zou praten als zij nog bij ons was. En mama zou met jou praten. Nu moet ik het doen. Dat is voor een vader moeilijk."

Ze keek hem over haar theekopje heen lachend aan. Ze wilde vragen: „U gaat me toch geen voorlichting geven?" Maar dat was een grapje en vader was nu niet in de stemming voor grapjes, dus zweeg ze.

„Ik wil met je praten over David," vervolgde hij. „Je hebt nog niet echt verkering met hem…"

Hij keek op, ze las een vraag in zijn ogen, maar deed of ze die niet zag. Ze reageerde niet. Wanneer had je verkering? Als je elkaar kuste en hand in hand liep en alles van elkaar wilde weten?

Vader ging verder. „…maar het lijkt in die richting te gaan. Ik heb je een poosje geleden gezegd dat ik absoluut geen bezwaren heb tegen een schoonzoon in ons gezinnetje en dat ik zou proberen alles zo goed mogelijk voor jou te regelen, ook financieel en wat onze huisvesting betreft, maar ik moet zeggen dat ik met deze jongen niet blij ben."

Dat was wat David bedoelde, wist Loudy, deze manier van praten. Ze was op haar hoede.

„Het zal best een goede man zijn, maar hij is voor jou niet geschikt.

Ik weet precies hoe je bent. Je lijkt veel op mij, we hebben dezelfde karakters, maar je lijkt ook op je moeder. Je moeder was een meegaande, lieve vrouw, dat weet je. Jij bent ook lief en meegaand, al lijk je naar buiten zelfstandig en flink. Je bent dat niet. David is een heerszuchtige man. Neem van mij aan dat dat zo is. Ik ken de mensen. Hij zal je leiden zonder jou naar je mening te vragen. Hij is… ik wil het woord dictator niet gebruiken, dat voert te ver, maar hij is een overheersend type. Als je met hem trouwt, zul je niet veel te vertellen hebben. Je hebt dat nog niet in de gaten, want hij is lief en vriendelijk en hulpvaardig. Natuurlijk kan hij het ook niet helpen dat hij zo is, maar hij moet een vrouw zoeken die tegen hem is opgewassen."

„Ik vind hem erg aardig." Ze liet niet merken wat ze dacht en praatte zoals ze anders met hem zou praten. „Ik hou van hem en u hoeft echt niet bang te zijn dat hij de baas over mij zal spelen. Ik lijk misschien wel meegaand, maar ik weet heel goed wat ik wil. Dat heb ik van u. Misschien is dat het Friese bloed dat we in ons hebben."

Hij schudde zijn hoofd. „Lieve kind, nee, dat is niet waar. Je denkt dat nu, maar heus je wordt door David bij de hand genomen en geleid naar waar hij je wil hebben. En zoals hij je wil hebben."

„Ik wil niets liever dan door David bij de hand genomen worden," glimlachte ze.

Hij werd een beetje boos. Ze sloeg zijn goedbedoelde raadgevingen in de wind. Snapte ze dan niet dat een vader als hij alleen het beste voor zijn kind wilde? „Ik kan je niet tegenhouden als jij met die jongen wilt doorgaan, dat weet jij en dat weet ik. Maar als jij tegen beter weten in met hem blijft omgaan, voel ik me niet geroepen je te helpen. Dan help ik je de narigheid in en daar pas ik voor."

Na het gesprek ging ze naar boven. Ze duizelde even, toen ze de trap opliep en moest zich vasthouden aan de leuning. Ze ging haar slaapkamer binnen en draaide de deur op slot.

„Ik ga douchen en me aankleden," had ze tegen vader gezegd. Ze had geprobeerd haar stem zo gewoon mogelijk te laten klinken na zijn slotwoorden: „Je weet nu hoe ik erover denk,"

Ja, ze wist nu hoe hij erover dacht. En ze wist wat het inhield. Zijn gepraat van een tijdje geleden dat hij haar geluk niet in de weg wilde staan, dat hij zou helpen met geld en dat er, wat woonruimte betrof, allerlei oplossingen mogelijk waren, sloeg nergens op. Gepraat in de ruimte. Ze had toen geen vriend en wist niet of ze ooit zou trouwen, maar ze vond het lief wat vader zei. Nu wist ze dat hij niet zou helpen. Niet omdat hij David ongeschikt voor haar vond, maar gewoon omdat hij niet wilde dat ze trouwde. Met welke jongen ze ook thuiskwam, hij zou niet deugen. Vader wilde niet dat ze uit huis ging, dat was het in de allereerste plaats. Ze moest bij hem blijven, hem voor eenzaamheid behoeden en voor hem zorgen. Zolang er geen vrijer te bekennen was, kon hij mooi praten, de fijne vader uithangen, vader dacht al aan later en hoe hij dan kon helpen...

Ze zakte neer op het bed. Ze wist zelf niet wat ze voelde. Teleurstelling, ja, ze was teleurgesteld in vader. Ze voelde zich ook verdrietig. Ze hield van David, maar ze hield ook van vader. Ze wilde hem niet missen, maar misschien moest ze eens kiezen. Ze kon niet kiezen. Ze voelde zich machteloos. Ze kon dit niet voorkomen en niet veranderen. En door haar denken heen was steeds het beeld van moeder. „Ze was een lieve, meegaande vrouw..." had vader gezegd. Was hij ervan overtuigd dat hij moeder had geleid zoals het voor haar het beste was? Nee, daar ging het niet om, niet zoals zij het wilde.

Opeens zat ze heel stil, ze voelde haar hart in haar keel kloppen. Geloofde hij zelf dat hij mama geleid had zoals ze geleid wilde worden...?

Beelden van hun huiskamer. Moeder, stil, een beetje voorovergebogen aan tafel en vader, die praatte. Soms zei ze wat en dan antwoordde hij. Soms lachte ze wat voor zich heen.

Ze zag het huwelijk van haar ouders. En de vraag die haar het meest bezighield, die haar niet meer losliet, die steeds terugkwam en alle andere gedachten doorkruiste, was: denkt vader echt dat hij zo'n aardige man is en dat hij zo goed is geweest voor moeder...?

Ze wist nu zeker dat dat niet zo was. „Ze wil niet vechten om in leven te blijven," zei dokter Borghuis. Er was een avond geweest waarop vader zei: „Geeske, je wilt toch bij ons zijn...?" Maar Geeske glimlachte vermoeid en gaf er geen antwoord op.

HOOFDSTUK 2

Dokter Borghuis schoof met zijn lange, dunne, witte vingers het stapeltje onbeschreven receptenblaadjes keurig op elkaar.

Loudy keek ernaar.

„Ik heb je beluisterd en beklopt, je bloed en je urine zijn onderzocht; lichamelijk is alles in orde."

Ze lachte opgelucht. Gelukkig. Ze voelde zich de laatste weken niet goed en was bang dat er iets aan de hand was, bloedarmoede of iets met haar bloeddruk, suiker misschien...

„Maar er is toch iets." De dokter keek haar strak aan. „En dat is ernstig genoeg om er aandacht aan te besteden. Je bent overspannen. Daar wijzen de uiterlijke tekenen op. Je hebt dat zelf in de gaten, je bent onrustig, je trekt met je mond, je hebt iets nerveus over je." Hij bleef haar aankijken. „Dat je zelf toch ook wel?"

„Nou, overspannen lijkt me overdreven, maar ik ben inderdaad erg nerveus."

„Kun je me vertellen wat er aan de hand is?"

„Nee dokter. Ik vertrouw u volkomen en u weet dat ik u graag mag. Ik zou ook wel willen vertellen wat er is, maar ik kan het gewoon niet. Ik voel zoveel van binnen, ik denk me suf maar ik kan het niet onder woorden brengen."

„Je vader was vorige week hier in verband met zijn been. Hij vertelde me dat je een vriend hebt."

Vader was dus hier geweest. Dat had hij niet aan haar verteld. Hij wachtte een geschikt moment af dan zou hij het zeggen. Hij had weer pijn, dat kwam van de spanning natuurlijk, en die spanning kwam door haar. Hij hoefde geen geschikt moment meer af te wachten, ze wist het nu. Voor vader was dit nog beter. Ze schrok van haar eigen gedachten.

Zo mocht ze niet denken, dat was achterdochtig en gemeen. Maar ze wist dat het de waarheid was.

„Ik heb een vriend, maar dat heeft er niets mee te maken. Tenminste, niet rechtstreeks."

„Ik dring niet aan, Loudy. Ik geloof dat het een winstpunt is dat je zelf weet dat je – laat ik het woord overspannen laten varen – dat je nerveus bent. Er is iets dat je dwarszit en dat moet je verwerken. Ik raad je aan dat ook te doen. Er zijn problemen die na verloop van tijd vanzelf oplossen, er zijn ook moeilijkheden die besproken moeten worden en waarbij gezocht moet worden naar een oplossing. In geval van financiële zorgen bijvoorbeeld. Maar dat zal het bij jou niet zijn. Ik ben altijd bereid naar je te luisteren. Ik kan ook zeggen: met je te praten, maar ik denk dat jij in dit geval de persoon moet zijn die praat. Misschien lucht het op als je er met iemand over praat. Als je een neutraal iemand zoekt, die ook kan en mag zwijgen, ben ik dat."

Ze gaf geen antwoord.

„Ik geef je niets dat je zal kalmeren. Dat is in dit geval niet goed. Je moet zelf de oplossing zoeken, zonder pillen of poeders. Niet het probleem wegstoppen, want dan blijft het van binnen doorvreten. En als je er geen oplossing voor kunt vinden, probeer dan er zo'n denkwijze tegenover te stellen, dat je er voor jezelf voorlopig genoegen mee kunt nemen. Het kunt aanvaarden en ermee kunt leven. Begrijp je wat ik bedoel?" Hij keek haar nog steeds recht aan, maar nu was er een glimlach op zijn gezicht.

„Ik zal je een raad geven. Je zult eerst denken dat het geen goede raad is en hem naast je neerleggen. Maar neem hem toch aan, want heus, het is een goed advies. Het is bijna pinkstervakantie, de school gaat een poosje dicht. Ga ertussenuit. Probeer in een andere omgeving tot rust te komen, in elk geval jezelf te vinden. Ik zeg dit niet voor de aardigheid, Loudy. Je weet dat ik je moeder goed heb gekend en we weten allebei dat zij niet sterk was wat haar zenuwgestel betreft. Ik wil je niet bang maken. Het is beslist niet nodig daar bang voor te zijn, maar ik wil je er wel op wijzen dat je op jezelf moet passen. Jij hebt genoeg gezond verstand om dat ook te beseffen. Een andere omgeving zal je goed doen. En" – hij boog zich over zijn brede bureau naar haar toe – „je moet alleen gaan. Ik weet dat je vriend ook in het onderwijs zit en dus gelijktijdig vakantie heeft, maar je moet alleen gaan. Niemand meenemen die je doet denken aan wat je nerveus maakt. Je moet vanaf een afstand naar je probleem kunnen kijken."

Ze stond buiten. Ze wist dat ze niet zou doen wat dokter had gezegd. Stel je voor, in haar eentje ergens heengaan, ze moest er niet aan denken. Alleen in een hotelletje op de Veluwe zeker, alleen wandelen in de bossen, ze zou het niet eens durven! Alleen op een kamer zitten en alleen aan een tafeltje in de eetzaal. Obers geven een mens alleen vaak een klein tafeltje, waarop amper de maaltijd geserveerd kan worden. Nee, ze deed het niet. Maar het zou goed voor haar zijn, dat was ze met dokter Borghuis eens.

Ze liep langzaam de Beukenlaan uit. De frisse voorjaarswind streek langs haar warme gezicht, heerlijk was het. Ze hief haar hoofd op om de wind goed op haar wangen te voelen. De lucht was blauw, er dreven witte wolken langs. Als er een voor de zon gleed, was het opeens fris, maar nu Ze hier liep, was er geen wolk voor de zon. Ze nam flinke passen. Ze wist niet waarheen ze liep. Niet naar huis. Ze hoefde vanmiddag niet naar school, het was woensdag. Vader wist niet dat ze naar dokter Borghuis was gegaan. En ze had de dokter verzocht: „Als vader één komt, vertelt u hem dan niet dat ik geweest ben." Hij knikte alsof hij nooit vertelde wie er op zijn spreekuur kwam. Maar dat was niet waar, want hij had gezegd dat vader geweest was. Dat betekende dat vader weer pijn had. Door de gespannen sfeer de schuldige? Zij. De ongehoorzame dochter van zesentwintig, die niet naar haar wijze vader wilde luisteren. Terwijl ze van de Beukenlaan overstak naar het Rozenplantsoen gleed een lach om haar mond. „Je moet op een afstand naar je probleem kijken." Ze wist precies wat de dokter bedoelde. Er was op dit moment geen oplossing, maar ze moest voor zichzelf overdenken wat het beste was, daar vrede mee hebben en daarnaar handelen. Een beslissing kon ze niet nemen. Ze had verkering met David en wilde hem beslist niet kwijt. Hoe vader ook tegenwerkte, ze maakte het met David niet uit om vader. Ze wist nu wat liefde was, de warmte van een stem, alleen voor haar, de liefkozingen, het heel andere leven, het blije vanbinnen ondanks haar zorgen, de dromen over een fijne toekomst met David samen. Met hem ergens wonen, met hem praten, lachen en vrijen. Dromen ook over de kinderen die er misschien kwamen. Het waren nog dromen en ze durfde ze tegen niemand uit te spreken, het was nog te pril en te kort.

Ze kon niet zeggen: „Ik wil trouwen." Stel je voor dat zij dat zei, dat zou helemaal zot zijn! Misschien wilde David het wel, maar dat moesten ze nog niet doen. Elkaar eerst beter leren kennen. Maar leerde je elkaar kennen voor het huwelijk? Gerard Roolvink zei laatst dat ze tegenwoordig andere opvattingen hebben over het huwelijk dan vroeger. Trouwen hoeft niet, het boekje van het stadhuis maakt geen verschil. Als je bij elkaar woont en met elkaar leeft, is het precies hetzelfde. Dat boekje ligt onder in de geldkist en niemand kijkt ernaar. Robbert zei toen dat hij er niet mee eens was. Het is heel vreemd, zei Robbert, het is eigenlijk niet te verklaren, maar toch maakt dat boekje en het jawoord tegenover de ambtenaar verschil. Robbert had in zijn omgeving en familiekring jongelui geobserveerd, die niet getrouwd waren, maar wel samenwoonden. Hij vond dat er toch steeds iets was van: ze kan zo bij me weggaan, ik heb haar nog niet echt, ik moet haar veroveren. Dat was van de kant van de man. De vrouwen hadden iets van: hij kan me verlaten, hij kan me wegsturen, maar ik wil bij hem blijven.

Maar leerde je elkaar echt kennen in de tijd voor het jawoord? Het was vreemd dat bij zulke overdenkingen steeds de beelden van haar ouders naar voren kwamen. Ze vreemd was dat eigenlijk niet, want ze had geen andere voorbeelden.

Ze was in het Rozenplantsoen. Het was er stil. De wind speelde met de dunne takken en bladeren van de bomen en struiken. Een zacht, ritselend geluid, alsof ze met elkaar fluisterden. De zon kuste de bloemen van de bloeiende planten in de perken. Het rood en geel werd er stralender door. Het gazon, dat langzaam afliep naar de vijver, was groen en kaalgeschoren. Twee witte eenden waggelden in haar richting. Ze dachten zeker dat ze brood had meegebracht om het aan ze op te voeren.

Een paar grijze mussen wipten over het pad van kleine kiezelsteentjes. Wachtend op de kruimeltjes. Maar er was geen brood.

Ze ging zitten op de bank, die tussen de ribesstruiken stond. De eenden waggelden terug naar het water. De musjes zochten een plekje in een boom en bleven wachten.

Hoe was vader geweest toen hij jong was? En hoe was haar moeder geweest? Dat was wat haar bezighield. En waarover ze zelfs met David niet wilde praten. Alleen met zichzelf Ze had de vragen in haar hart en daar, zittend op die bank in het plantsoen, wist ze dat ze ook de antwoorden in haar hart had. Maar ze wilde er niet naar luisteren en ze niet geloven.

Toen David zei hoe hij over vader dacht, was ze geschrokken. Was het echt schrikken? Of was het iets dat zij allang en diep verborgen wist, maar opeens helder zag en wist dat het waarheid was? Natuurlijk had vader ook minder prettige eigenschappen, maar die heeft elk mens en iedereen is wel eens nukkig en kortaf. Vader had tegenslag in zijn leven gehad. Misschien door dingen waaraan hij schuldig was, maar ook dingen waaraan hij niet schuldig was. Zoals moeders ziekte. Het was voor haar vreselijk geweest, maar ook voor hem. Een gezonde man, die geen kameraad meer had, wiens vrouw geen minnares meer was.

Ze bleef stilzitten. Het had geen zin hierover te piekeren, het was dom en onnodig. Moeder was dood en vader was een man die achter in de vijftig was, nog niet oud, maar het leven van haar ouders samen was voorbij. Alles te willen weten van wat er tussen hen was geweest, hoe het was ontstaan en gegroeid, had geen zin meer. En toch wilde ze het weten.

Ze kon niemand erover vragen. Vader zou geen antwoord geven. In elk geval geen waarachtig antwoord. Het was moeilijk te zeggen wat de waarheid was. Vader vertelde op zijn manier en dat was voor hem de waarheid. Zij geloofde het niet. Ze zag opeens het leven van haar moeder als een leven met veel verdriet, stil verdriet.

Als ze met alle geweld wilde kennen, moest ze voor zichzelf de herinneringen die ze had, uitdiepen en proberen zich nog meer dingen te herinneren. Er waren boven, weggestopt in de kast op haar kamer, boekjes en schriften waarin ze vroeger nu en dan wat opschreef. Een echt dagboek, zoals Tineke Jansen had, een dik boekje met een slotje, waarin je kon opschrijven wat er die dag gebeurd was, had ze nooit gehad. Ze wilde het dolgraag hebben, maar ze kreeg het niet. Ze vroeg het als ze jarig was en ook met Sinterklaas.

Mama vond het een leuk cadeautje. „Wat geeft dat nou, Tjeerd, het kind wil het graag hebben en ze leert ervan. Ze moet opschrijven wat ze denkt," pleitte moeder voor haar, maar vader vond het onzinnig. Wat moest een kind van negen jaar nu opschrijven van haar belevenissen? Onzin toch zeker! En ze kreeg geen dagboek. Maar ze kreeg van moeder wel schriften en daarin had ze af en toe geschreven, niet elke dag, want zoveel bijzonders gebeurde er niet, maar af en toe schreef ze er toch in. Ze verstopte die schriften vroeger al en ook nu wist vader niet wat er verborgen was in de grote doos onder in haar kast. Ze kon die blaadjes doorlezen, maar er zou niet veel in staan waaraan ze nu nog wat had. Want ze was toen te jong om te voelen dat er iets was tussen haar ouders dat niet helemaal goed was. Het was onzichtbaar. Vader zag het niet eens, tenminste, dat wilde ze nu aannemen, en moeder droeg het in stilte. Omdat vader het toch niet begreep. Hij begreep niet wat zij tekortkwam. Wat ze miste. Maar het was voor haar moeder vreselijk belangrijk geweest. Zichzelf te kunnen zijn. Te leven zoals ze wilde leven. Begrepen te worden, te kunnen praten, niet bijna al haar gedachten voor zichzelf te moeten houden, omdat hij er geen belangstelling voor had en er niets van begreep. Was dat het probleem geweest?

Loudy zuchtte zachtjes. Ze zou ernaar zoeken. Alleen. Ook niet geholpen door David. Hij wilde helpen, dat wist ze, maar hij kon niet helpen.

Iemand met mensenkennis kon ontleden en zeggen hoe het huwelijk van haar ouders geweest was door af te gaan op de karakters en de mogelijkheden, maar Loudy wilde meer weten. Vooral van haar moeder.

Ze stond op. De eenden keken haar vanaf de kant van de vijver aan. De kopjes een beetje schuin. Maar zè wisten: ze had daarnet geen brood, dan heeft ze het nu ook niet. Ze lieten zich, eerst de één, daarna de ander, in het water glijden en dreven rustig en statig naar het midden van de vijver.

Loudy liep langzaam in van de stad. David zou om drie uur in de Wielewaal zijn. Hij wist dat ze naar dokter Borghuis zou gaan. Hij zat aan een tafeltje voor het raam. Toen hij haar zag aankomen, stak hij zijn hand op en lachte.

Het was rustig in de vrij kleine, gezellige zaal.

„Hallo, mijn meisje. Wat wil je drinken?"

„Koffie graag."

„Wat zei de dokter?"

„Hij heeft me onderzocht, beklopt en geprikt, je kent dat wel. Lichamelijk mankeer ik niets. Dat is natuurlijk fijn."

„Ja, dat is heerlijk. Kwam hij dus tot de conclusie, net als wij, dat je klachten hoogstwaarschijnlijk door nervositeit worden veroorzaakt?"

„Ja. Maar hij deed er niet luchtig over. Zo van: dat gaat wel weer over, niet tobben, leg alles naast je neer, laat de boel maar waaien. Nee, hij zei dat ik er serieus aandacht aan moest besteden. Anders vreet het door."

„Dat heb ik je ook gezegd."

„Ja. Jij had dokter kunnen zijn."

„Ik begrijp andere mensen niet, maar jou wel. Ik ben een prima dokter voor jou, denk daar goed om." Hij zei het lachend, maar dat vrolijke was maar voor even. Ernstig ging hij verder: „Wat raadt hij je aan? Vroeg hij wat de problemen waren?"

„Dat vroeg hij, maar gek genoeg wist ik niets te noemen."

David keek haar aan. „Heus niet?"

„Nee. Echte zorgen heb ik niet. Ik heb jou, met jou ben ik echt blij. Ik heb een goede baan, geen moeilijkheden met mijn werk, thuis is alles prima, met vader kan ik goed opschieten en toch is er iets."

Als David er nu maar niet te diep op inging. Ze wilde er niet over praten. Het zoeken naar moeders leven wilde ze voor zichzelf houden.

„Je wilt dingen weten van vroeger. Je weet zelf ook, lieveling, dat dat de kern van de zaak is. Maar misschien bestaan er helemaal geen dingen van vroeger. Wat zegt de dokter dat je moet doen?"

„Er een paar weken tussenuit gaan. Om uit te zoeken wat me dwarszit."

Opeens lachte David. „Dan weet ik een mooie oplossing! We gaan naar Friesland en proberen op een slinkse manier iets te weten te komen over het verleden van Tjeerd Swinkels."

„Dokter Borghuis zegt dat het beter is dat ik er alleen op uitga."

„Jij alleen, mijn meisje, waar moet jij in je eentje naartoe? Dat is toch niets voor jou? Ik neem aan dat Borghuis een goede dokter is, maar echt kijk op jouw psychische toestand heeft hij niet. Kun jij je voorstellen dat je alleen in een hotelletje op de Veluwe gaat zitten? Lekker in het bos? Nadenken over jezelf? Of op de Drentse hei? Of in Zuid-Limburg voor mijn part?"

„Nee." Ze had nog geen plannen gemaakt. Maar ze was het met David eens dat dit niets voor haar was. Toch was het een aanlokkelijke gedachte, een poosje alleen te zijn. Het voorstel was volslagen nieuw. Het zou nooit in haar opgekomen zijn alleen ergens heen te gaan. Toen dokter het zei, verwierp ze het idee meteen, maar het bleef van binnen bewaard.

Nu nam ze het op, want ze wist dat het een goed advies was.

„Ik wil toch de raad van de dokter. wel opvolgen. Ik weet alleen niet hoe."

David Willems keek haar bevreemd aan. Dit begreep hij niet. Loudy die weg wilde, maar zonder hem… Ze had hem als begeleider nodig, zijn steun, zijn hulp en nu wilde ze zonder hem gaan. „Je kunt bij een reisbureau informeren." Hij zei het op vlakke toon en verwachtte dat ze meteen zou zeggen: „Nee hoor, dat doe ik niet!"

Tot zijn verbazing zei ze: „Dat is een goed idee."

„Wil je het echt? In je eentje weggaan?"

„Ja, ik wil alleen weggaan, maar moet andere mensen om me heen hebben. Mensen die ik niet ken en aan wie ik niets over mezelf hoef te vertellen. Ik wil ergens heen waar alles anders is, een andere omgeving, zodat de dagen volkomen anders zullen zijn."

„Eerlijk gezegd begrijp ik dit niet van jou."

„Ik begrijp het ook niet van mezelf, maar ik geloof dat het een goed plan is."

„Maar ik wil met je mee. Ik hoef niet met je op één kamer en ik hoef niet bij je in bed, als je daar soms bang voor bent. Ik wil niet dat je alleen gaat."

„Ik moet juist alleen gaan. Ik heb het gevoel dat alles wat me dwarszit, heel simpel in elkaar zit. Eigenlijk is er niets aan de hand. Maar het maakt me nerveus. Ik moet het oplossen."

Het meisje op het reisbureau keek haar over de balie heen vriendelijk aan.

„U wilt alleen met vakantie? Dat is niet zo bijzonder, hoor. Er gaan elk jaar duizenden mensen alleen op vakantie. Weet u wat u moet doen – dat kan ik u echt aanraden – u moet een busreis maken naar een leuke bestemming in buitenland. Veel mensen denken dat een busreis niets voor hen is, maar zo'n reis is juist uitermate geschikt voor iemand die alleen op reis gaat. In de bus ontmoet u mensen die u tot dusver niet kende, maar u reist samen, u wandelt samen, u zit samen aan tafel, het worden echt medereizigers en dat is erg gezellig. U bent niet alleen, maar u bent ook niet gebonden."

Het meisje babbelde nog door en voorstel vastere vormen aan. Ze zag het omlijnd, meer afgebakend. Een busreis... Ze was nog nooit met vakantie geweest. toen ze elf jaar was, waren ze in de zomer een weekje in een huisje van een collega van vader geweest In Schoorl was dat. In een zomerhuisje. Het was klein, maar het was er erg leuk. Op de fiets naar het strand en op het terrein, waar het huisje stond, had ze heerlijk gespeeld met de andere kinderen die daar ook in huisjes logeerden.

„Er zijn zoveel heerlijke vakantiebestemmingen," jubelde de jonge stem aan de andere kant van de balie. „We hebben busreizen naar Italië en Frankrijk, maar u kunt ook dichterbij iets uitzoeken, Bretagne, Het Zwarte Woud bijvoorbeeld, of..."

„Nee, ik wil liever verder weg." Waarom ze dat zei, begreep ze niet. Even was er het beeld van zichzelf in een bus. Ze zat op haar plaatsje en om haar heen waren vreemde gezichten. Allemaal vreemde gezichten. Als de bus reed, bleef ze zitten. Dan hoefde ze niet te praten. Alleen naar buiten te kijken. Als de bus ver reed, kon ze lang zitten. Kijken en denken. Gewoon zitten en denken.

„We hebben een heel mooie reis naar Joegoslavië."

Joegoslavië, dat was ver weg. Ze had erover gelezen. Het moest een schitterend land zijn, Joegoslavië. Zou zij naar Joegoslavië gaan? Mijn hemel, nee, dat was veel te ver en wat zou vader zeggen... Hij wist nog niets van haar plannen. Hij zou het onzin vinden. Waarom moest ze weg? Vader zou niet begrijpen waarom ze weg moest Maar hij kon haar niet tegenhouden. „Ik ben nog nooit op vakantie geweest," zou ze zeggen. Dat moest hij toegeven, nee, vakantie houden, dat was er voor hen niet bij geweest. Eerst moeders ziekte en toen haar overlijden, daarna zijn ongeluk en zijn gesukkel de eerste jaren. Ze hadden wel wat anders aan hun hoofd gehad dan over vakantie te denken, maar als ze met alle geweld wilde...

Het meisje pakte een paar folders uit een vak en legde die voor Loudy neer. Zonnige stranden, mensen in badkleding, kleurige parasols, blauwe golven met kleine, witte schuimkoppen, foto's van mooie, oude gebouwen, hotels, terrassen met bloembakken vol stralende bloemen en opeens voelde Loudy een vreemde spanning, plezier ook en vreugde, bij het vooruitzicht hierheen te gaan, dit allemaal te zien en mee te maken, een andere wereld binnen te stappen en te beleven. Robbert Bakker en Gerard gingen elk jaar naar het buitenland, Zwitserland, Frankrijk. Ze kwamen met enthousiaste verhalen op school en zij luisterde ernaar en knikte instemmend. Ja, dat was prachtig, maar ze wist niet waarover ze praatten. Nu lag het voor haar, de blauwe lucht op de foto riep: „Kom, kom naar me toe!" Ze leek wel mal dat ze zich liet verleiden door een mooi plaatje, maar ze verlangde opeens naar het nieuwe en onbekende.

„Het lijkt me heel mooi."

„Joegoslavië is een heerlijk land. En onze standplaats Opatya is een verrukkelijke stad. Ik ben er vorig jaar zelf geweest. We hebben daar twee schitterende hotels, werkelijk formidabel. Ik kan het u zo aanraden..."

„Wanneer kan ik gaan? Het moet op korte termijn. Ik zit in het onderwijs, ik heb vanaf Hemelvaartsdag vrij tot na Pinksteren."

Het meisje liep verder het kantoor in, tikte op een toetsenbord, keek op een scherm.

„U kunt negentien mei vertrekken," zei ze. „Er is nog plaats, zo vroeg in het seizoen."

„Enne..." Nu het dichterbij kwam, aarzelde ze. Als ze de beslissing nam, als ze ja zei, zat ze eraan vast, dan moest ze gaan. „Zijn het allemaal echtparen die geboekt hebben? Ik bedoel, het lijkt me toch... ik ben alleen..."

„Nee hoor, er gaan meer alleenstaanden. Maar u hoeft beslist niet bang te zijn dat u zich eenzaam voelt. Wij hebben ervaring met busreizen, al jarenlang, en in de praktijk is het reisgezelschap één grote familie. Als er veertig mensen in de bus zitten, zijn er misschien tien die zich af en toe afzonderen, maar de andere dertig vinden het heerlijk met hun medereizigers contact te hebben. Gewoon met elkaar praten en lachen, grapjes maken, gezelligheid bij elkaar vinden. Daarom kiezen veel mensen voor een busreis."

In Loudy's binnenste spraken twee stemmen door elkaar heen. „Doe het, spreek dit af, zet het vast," jubelde een enthousiast stemmetje, „dit is prachtig, dit is een buitenkansje, en het is goed voor je, dat weet je," en daardoorheen klonk de andere, zeurderige stem: „Wat moet jij in je eentje in zo'n gezelschap, dat is niets voor jou…" Ze wilde niet naar die tweede stem luisteren. Ze keek het meisje over de balie heen aan.

Nog even uitstel proberen. „Wanneer moet ik uiterlijk beslissen?"

„Dat is moeilijk te zeggen. Er zijn nog vier plaatsen voor de reis vrij. Misschien blijft dat zo, maar het kan ook dat er straks twee echtparen binnenstappen en deze reis uitkiezen. Dan is hij volgeboekt."

„Boekt u dan maar voor mij." Ze voelde triomf vanbinnen. Kijk eens aan, dit durfde ze, dit deed ze en ze zou wel zien hoe alles liep. Ze voelde zich flink opeens. Wat kon haar gebeuren, toch niets? Ze ging voor haar plezier uit en alle mensen in de bus gingen voor hun plezier uit. Vakantie, dat was een toverwoord. Waarom zou het voor haar geen toverwoord betekenen en plezier brengen?

Toen ze buiten stond, zakte het gevoel van triomf een beetje weg. Was het niet beter geweest, er eerst met David over te praten of met vader? Had ze niet beter nog even kunnen wachten? Maar ze wist dat David haar zou hebben aangeraden niet te gaan. „Mijn lieverd, dat moet je niet doen en dan meteen zo'n verre reis! En tien dagen, je loopt veel te hard van stapel."

Vader zou zelfs schrikken. Joegoslavië, dat lag voor zijn gevoel aan de andere kant van de wereld. Mijn hemel, ging ze zover weg en waarom… Maar ze had geboekt, haar handtekening gezet en ze ging. Toen ze thuiskwam zat vader aan de tafel de krant te lezen. Zijn leesbril zakte een beetje af op zijn neus.

„Hallo," begroette ze hem opgewekt. „Nieuws in de krant?"

„Hij staat vol lettertjes, maar dat het allemaal nieuws is, kan ik niet zeggen."

„Ik heb wel nieuws."

„Zo." De bril ging af vader keek haar glimlachend aan. „Je ziet er opgewekt uit. Dat heb ik de laatste tijd wel eens anders gezien."

„Ik ga met vakantie!" Ze zei het overdreven juichend om hem te laten zien hoe blij ze ermee was.

„Met vakantie? Jij? Wanneer dan?"

„De hele pinkstervakantie."

Opeens dacht hij dat hij het doorhad. „Met David?"

„Nee, ik ga alleen."

„Eerlijk gezegd snap ik er niets van."

„Ik zal het u uitleggen. Ik ga met vakantie. Ik heb zojuist een reis geboekt naar Joegoslavië."

„Naar Joegoslavië? Loudy, hoe kom je daar nu bij? En waarom ga je in je eentje? Heb je er niet aan gedacht dat ik het ook wel eens leuk zou vinden, uit dit huis weg te zijn? Ik zit de hele dag achter de ramen te koekeloeren, ik ken elk grassprietje in ons tuintje en weet precies hoeveel tegels er liggen in het paadje naar de straat. Maar goed, daar denk jij kennelijk niet aan. Jij gaat in je eentje weg. Ook zonder David? Of zeg je tegen mij dat je alleen gaat en gaat David stiekem met je mee? Zo hoef je dat niet aan te pakken, ik…"

„Zo is het ook niet. Ik ben zesentwintig. Als ik met een jongen samen op vakantie wil, doe ik dat gewoon."

„Zo is het ook." Ze hoorde dat hij boos was. Maar hij wilde het niet laten merken. Hij was misschien teleurgesteld en ze begreep dat wel. Natuurlijk zou het ook voor hem prettig zijn, eens in een andere omgeving te komen. Dat was waar. Zij had de kinderen en de collega's, hij was bijna elke dag alleen in huis. Ze vond het opeens zielig voor hem en schaamde zich een beetje dat ze nooit eerder aan vakantie had gedacht. Ze hadden in vorige jaren best weg kunnen gaan. Ergens een huisje huren of desnoods een goedkoop hotelletje nemen. Zo slecht hadden ze het financieel niet, maar het was nooit in haar hoofd opgekomen, met vader uit te gaan…

„Je wilt dus alleen gaan. Zonder mij en zonder David. Mag ik vragen wat daarachter steekt? Want je voelt zelf wel dat het op zijn zachtst gezegd vreemd is."

„Ik heb er behoefte aan, een poosje alleen te zijn, geen mensen om me heen te hebben die ik heel goed ken."

Vader schudde zijn hoofd. „Ik blijf het abnormaal vinden. Dat je zonder mij wilt gaan, is nog tot daaraan toe, maar dat je David niet om je heen wilt hebben, is heel vreemd. Ik maak eruit op dat er iets mankeert aan de verhouding tussen David en jou. Dat voel je zelf natuurlijk ook wel. Het verbaast me niet, want ik zei het je al eerder, er is iets in die jongen dat mij niet aanstaat. Hij past niet bij jou." Vader zweeg en keek nadenkend voor zich heen. „Is dit misschien een middel om van hem af te komen? Om hem te laten weten dat jij niet echt voor hem voelt?"

Dat hoopt vader, bonsde het in Loudy's hoofd. Vader wil niets liever.

Al zijn woorden, dat hij het beste voor haar wilde, waren niet waar. Hij dacht alleen aan zichzelf...

„Ik vind, meisje," – „dat je het wel op een heel ingewikkelde manier doet. Aan de andere kant is het goed voor je, er eens helemaal uit te zijn. Zo gemakkelijk heb je het de laatste jaren niet gehad. Ons verdriet om moeder... we praten er bijna niet over, maar we weten allebei dat ze dagelijks in onze gedachten is. En je hebt het druk, de school en het werk hier in huis, voor het eten zorgen, opruimen... Och, ik zeg het niet vaak, want wat heb je daaraan, maar ik besef heel goed hoeveel werk je hier hebt. Gelukkig gaat het met mij steeds beter. Ik kan meer doen en dat doe ik ook."

Hij lachte opeens. Ze waren weer vrienden, een vader en een dochter, die het goed hadden samen. „Dat heb je toch wel in de gaten?"

Ze vertelde David diezelfde avond over de reis.

„Zo, zo, Joegoslavië nog wel, je zoekt het meteen ver weg! Ik zal je precies zeggen hoe ik erover denk, Loudy mijn meiske. Het is goed – dat weet ik zeker en daarom pruttel ik niet tegen – dat je er een paar dagen alleen tussenuit gaat om na te denken. Je moet gelegenheid krijgen om alles wat in je hoofd tolt en borrelt en schreeuwt, over je vader en misschien ook over je moeder, op een rijtje te zetten. Je zou daar niet aan toekomen als ik met je meeging. Maar ik vind deze reis te lang en te ver. Je zou ook alleen kunnen zijn in een hotelletje in Zeeland. Daar zou je meer rust hebben dan op zo'n drukke reis. Een reis naar een heerlijk land als Joegoslavië zouden we eigenlijk samen moeten maken. Maar jij boekt doodleuk voor jezelf een tiendaagse reis daarheen. Ik denk dat het voor veel verloofde paartjes een struikelblok zou kunnen zijn. Voor ons is het dat niet, want ik begrijp hoe je ertoe gekomen bent. Ik kan je gedachten volgen en weet het hoe en het waarom. En al vind ik het vreselijk vervelend dat ik je zo lang niet zal zien, ik hoop toch dat je een fijne vakantie hebt en veel aan me denkt. Je moet elke avond aan me denken, beloof je dat? 's Avonds Om elf uur denk jij aan mij en ik aan jou. Waar ga je heen? Opatya, zei je, dat ligt aan de Adriatische Zee. Je loopt 's avonds niet met een donkere Joegoslaaf langs de boulevard, denk erom! Je denkt alleen aan mij."

„Ik zal het doen," beloofde ze.

HOOFDSTUK 3

Een grote touringcar, die uit diverse opstapplaatsen de passagiers naar het verzamelpunt in Didam bracht, pikte Loudy 's morgens om zes uur op bij het stationsplein. David bracht haar erheen met de grote koffer en een klein koffertje voor onderweg.

„Goede reis, mijn meisje." Hij kuste haar innig. „Ik zal je ontzettend missen. Ik denk aan je. Hou je goed, raak niet in paniek, er is niets om bang voor te zijn. Niet in de bus, vlakbij je, en evenmin hier, bij alles wat je achterlaat. Je wilt alleen wéten." Hij praatte vlug, alsof hij deze zinnen ingestudeerd had om ze haar op het laatste moment te zeggen. Dan bleven ze het eerste deel van de reis bij haar en zou ze er steun in vinden. „Je wilt allen wéten, maar er verandert niets. Ik hou van jou en jij houdt van mij en de toekomst is voor ons samen."

„We gaan starten!" riep de chauffeur lachend, een lange, stevige man, die breeduit achter het grote stuur zat.

Loudy stapte in. Ze zocht een plaatsje voorin. Er zaten nog vier mensen in de bus. Ze groetten op haar vriendelijke 'goedemorgen' hartelijk terug.

Langs nog rustige wegen, langs weilanden waarover de morgendauw als een dunne waas was uitgespreid, langs huizen en boerderijen waar rondom alles nog stil was, reden ze naar Amsterdam.

Loudy zat op haar plaats. De reis was begonnen. Ze kon niet meer terug. Alles wat vertrouwd en eigen was, liet ze achter. David, vader, het huis, haar kamer, de stad, elke kilometer die de grote touringcar reed, voerde haar daar verder vandaan. Ze was alleen. Voor het eerst van haar leven alleen tussen allerlei vreemde mensen. Er was altijd iemand bij haar geweest, moeder of vader of allebei, schoolvriendinnen, collega's, David... Nu was ze alleen. Achter zich hoorde ze het praten van de vier mensen. Of nee, twee praatten samen. Een vrouw met een heldere stem en een man, die kort een brommerig antwoord gaf. Het was voor hem misschien nog te vroeg om lange verhalen af te steken. De twee anderen praatten niet. Misschien sliepen ze even of zaten ze gewoon met hun ogen dicht. Of ze aten een broodje als ontbijt. Dat zou het zijn. Ze hoorde ritselen van papier.

Aan de achterkant van het Centraal Station stapten acht mensen in. Vier jongelui, twee meisjes en twee jongens van een jaar of achttien, lacherig en al erg druk, twee oudere mannen en een echtpaar van begin veertig.

Er was nu meer gepraat in de bus. Loudy zat op de bank, tweede bank links en luisterde er met een glimlach naar. Voor het restaurant in Didam, op de ruime parkeerplaats, stonden al enkele 'ophaalbussen'.

Mensen liepen heen en weer met koffers en tassen. Regenjassen over de arm.

„Gaat u eerst rustig naar binnen en drink een heerlijk kopje koffie," raadde de chauffeur hen aan. „In de tussentijd komen alle bussen binnen. Op elke bus komt een reisnummer en de plaats van bestemming te staan. Tijdens het koffiedrinken roept de hostess om met welke bus u de reis gaat maken. Als u koffie heeft gedronken, gaat u naar de bus waarin u nu zit. De koffers zijn dan uitgeladen. U neemt uw bagage op en zoekt de bus van bestemming. Bent u vergeten wat de hostess zei, geen nood, niets aan de hand, op elke bus staat duidelijk geschreven waarheen de reis zal zijn. Het is allemaal echt heel simpel. Ik wens u een prettige vakantie."

Met de donkerrode tas losjes over haar schouder liep Loudy in de richting van het restaurant. Ze moest zich wat ontspannen, haar nek niet zo strak houden, haar gezicht ook wat losser, niet zo'n strakke mond, niemand hoefde te zien hoe nerveus ze was en hoe vreselijk ze het vond. Er was niets om vreselijk te vinden. Jawel, hier liep ze nou en niemand zei een woord tegen haar. Logisch, want niemand kende haar. Het meisje aan de balie had gezegd: „Er reizen veel mensen alleen," maar dat was niet waar. Ze zag geen mensen alleen. Het waren mannen en vrouwen, die met elkaar praatten en vrolijke grapjes maakten. Loudy voelde zich verloren. Maar ze moest verder. Ze stapte het restaurant binnen. Lange tafels, gedekt met groene kleden. Aan weerskanten stoelen. Op de tafels witte koppen en schotels. Ze schoof op een stoel naast een oudere mevrouw, die vriendelijk naar haar knikte. Een ober kwam met een grote koffiepot en schonk de kopjes vol.

Loudy deed suiker en melk in de sterke koffie, roerde even in het kopje, nam het op en begon te drinken. Ze keek naar de deur tussen de hal en het restaurant. Door die deur kwamen nog steeds vakantiegangers binnen en opeens zag ze hem. Waarom juist hij haar opviel, kon ze niet zeggen.

Ze kende hem niet, ze had hem nog nooit eerder gezien. Er was ook niets bijzonders aan hem. Hij was niet bijzonder knap of lelijk, daardoor viel hij niet op. Hij droeg geen bijzondere kleren en toch had hij iets wat haar blik gevangen hield. Hij had er – gelukkig – geen erg in. Hij schuifelde tussen de mensen door en opeens wendde hij zijn hoofd naar de man die achter hem liep. Weer voelde Loudy heel even een schokje van binnen. Hij was wat groter dan de mensen om hem heen en droeg een jasje van een mooie kleur blauw. Ze bleef naar hem kijken.

Zijn haar was blond en dik, een beetje krullend, golvend en het zat slordig. Zijn gezicht was smal, gebruind en voorover ze het vanaf die afstand kon zien, waren zijn ogen blauw. Ze bleef naar hem kijken. Hij was nu uit de drukte gekomen en ze kon hem goed zien. Ze wist dat zijn manier van bewegen haar boeide, dat plotselinge draaien met zijn hoofd in een vlugge beweging, en zijn manier van lopen. Hij liep voorbij de lange tafels waaraan zij zat. Ze zou zich moeten omdraaien om hem nog te zien en dat deed ze natuurlijk niet.

Ze hield het koffiekopje in de hand.

„Wat is de koffie heet, hè?" zei een stem naast haar. „Wel lekker, hoor, zo bedoel ik het niet, maar erg heet."

„Ja," zei ze tegen de mevrouw die naast haar zat. Ze dronk het kopje leeg.

„Gaat u ook naar Rome?"

„Nee, ik ga naar Joegoslavië."

„O, Joegoslavië, dat is prachtig! Wij zijn daar vorig jaar geweest, mijn man en ik, erg mooi. Wij zaten in Split. Gaat u ook naar Split?"

„Nee, naar Opatya."

„Opatya. Daar zijn mijn zuster en haar man een keer geweest. Ze vonden het er schitterend. Ze hadden alleen geen mooi weer, ja, dat moet je treffen, hè? Ze zeggen altijd: het weer maakt je vakantie. Mijn man zegt: het weer is je koopman. Dat is anders gezegd, maar hij bedoelt hetzelfde en het is de waarheid. Als het regent, is nergens aardigheid aan. Dan ben je thuis het beste af en als het mooi weer is, is het overal mooi. Zo is het toch?"

Loudy knikte. Tien minuten geleden vond ze het vervelend dat niemand iets tegen haar zei, nu was ze blij dat deze mevrouw, hoe aardig ze ook was, niet de hele reis tegen haar aan zou praten. Ze had gelukkig een ander reisdoel.

Uit een geluidbox klonk een duidelijke, vriendelijke stem.

„O, dat is de hostess, opletten nou, Jan, goed luisteren welk nummer wij moeten hebben. Op de andere nummers hoeven we niet te letten, alleen Rome, dat is voor ons."

Loudy luisterde ook. Bus nummer zes was voor haar bestemd. De zaal begon leeg te lopen. Wensen voor een prettige vakantie klonken over en weer, terwijl iedereen naar de uitgang schuifelde.

Met haar grote koffer in de ene hand, het kleine koffertje met spulletjes voor de overnachting in de andere hand en haar tas over de schouder, liep Loudy in de richting van bus nummer zes. Ze keek niet meer om zich heen of ze die jongeman zag. Het was onzin naar hem te kijken. Ze begreep ook niet waarom ze zo aandachtig naar hem gekeken had. Het was niet te verklaren. Maar ze hoefde daarover niet meer na te denken. Hij was nu op weg naar zijn bus en ze zou hem nooit meer zien. Maar toen ze bij bus nummer zes kwam, zag ze hem. Hij stond naast een grote, lichtbruine koffer. Ze keek naar hem. Dat bijzondere van daarnet was opeens weg. Hij was gewoon een jongeman, die in haar buurt stond. Ze zuchtte opgelucht. De chauffeur nam haar koffer op en schoof hem in de grote laadruimte van de touringcar.

„Stapt u maar in, hoor," – hij keek snel op de label met haar naam – „juffrouw Swinkels. Zoekt u maar een lekker plaatsje uit."

Ze vond het prettig, dit welkom voor haar. Hij zei natuurlijk tegen iedereen iets, maar dat hinderde niet. Hij begroette haar.

Ze stapte de bus binnen. Er zaten ongeveer twintig mensen in. Ze zocht een plaatsje, niet zo vooraan, maar ook niet achterin. „Je moet niet achterin gaan zitten," had vader haar aangeraden. „Ik zit tegenwoordig nooit meer in een bus en ze zullen nu wel beter rijden dan vroeger, maar toen klapte je bij elke kuil in de weg een meter omhoog als je op de achterbank zat."

Ze zat alleen op de bank. Misschien bleef ze alleen zitten, dat wilde ze graag.

Hij stapte in. Ze voelde niets van binnen. Ze begreep niet waarom ze daarnet zo naar hem had gekeken. Hij schuifelde door het pad. Ze hoorde aan het geluid van zijn voetpassen dat hij zeker drie, vier plaatsen achter haar op een bank schoof. Ze keek naar buiten. Op het parkeerterrein liepen geen mensen meer. Ze zaten in de bussen. Vol verwachting om aan hun reis te beginnen. Was zij ook zo vol verwachting? Nee. Echt blij om deze vakantie was ze niet. Er was te veel onzekerheid. En angst voor alleen-zijn. En weten dat ze niet terug kon voordat de tien dagen om waren. En tien dagen, en vooral tien nachten, kunnen lang zijn.

De reis begon. De chauffeur stelde zich voor, ze moesten hem gewoon Martin noemen. Hij maakte een gezellig babbeltje, vertelde het en ander over de reiswagen, waarmee ze nu op weg waren naar hun vakantiebestemming. Hij zei iets over het wisselen van plaats in de bus. Uit ervaring was gebleken dat alle mensen graag een keer voorin wilden zitten. Daarom was het de gewoonte om elke morgen en elke middag op te schuiven.

Loudy luisterde naar de stem en ze voelde zich rustiger worden. Tot nu toe ging het goed. Ze was op weg, ze zat in de bus. Deze mensen waren voor tien dagen haar gezelschap. Ze kon het echtpaar dat voor haar zat, goed zien. Ze schatte ze goed in de vijftig. Zo te zien lieve, aardige mensen. En daarvoor zaten ook een man en een vrouw. Het moest fijn zijn samen zo'n reis te maken. Niets te verzorgen en niets te regelen, gezelligheid en aanspraak aan de medereizigers en toch vrijheid op de kamer en vrijheid om te doen waarin je zin had, want aan de excursies deelnemen was geheel vrijblijvend. „Hebt u zin om een dag te luieren, dan doet u dat toch!" zei Martin erover.

Aan de andere kant van het pad zat een jonge vrouw voor het raam. Loudy keek naar haar Ze was iets ouder dan zij, schatte ze, begin dertig. Ze was kennelijk ook alleen op pad, want er zat niemand naast haar op de bank. Ze had heel blond, bijna wit haar, dat in een bol kapsel om haar hoofd was opgestoken. Ze droeg een vlot licht-blauw mantelpakje.

Zou ze misschien met deze vrouw kunnen omgaan tijdens de reis? Och nee, liever niet. Maar ze kon natuurlijk niet tien dagen haar mond dichthouden en zich met niemand bemoeien. Dat was niet nodig ook. Ze was tenslotte niet mensenschuw Misschien wilde die vrouw geen contact. Ze moest het afwachten.

Ze hoorde achter zich een mannenstem, die lachend iets vertelde. Naast hem lachte een vrouw met hem mee.

De eerste stop was voor de lunch. Het restaurant waarvoor Martin de grote wagen neerzette, zag er gezellig uit. Loudy wachtte tot bijna alle mensen waren uitgestapt. En toen wachtte ze weer tot bijna iedereen in het restaurant naar de eetzaal was verdwenen. Ze schoof aan de eerste tafel, waar op de hoek nog een plaatsje vrij was.

Er ontstond een lichte, oppervlakkige conversatie. Loudy hoefde er niet aan deel te nemen, luisteren was genoeg. Als het zo doorging, zou ze het volhouden. En de tijd die ze alleen was op haar kamer, zou ze benutten om te denken over de vragen die haar bezighielden. Daarvoor was ze immers op reis gegaan?

Ze zag de jongeman aan de volgende tafel zitten. Ze kon hem nu goed zien. Hij zat een beetje voorovergebogen en praatte met de man naast hem, die ouder was dan hij. Maar zijn vader kon het niet zijn. De jongeman was zeker begin dertig en die ander niet ouder dan even in de veertig. Misschien zijn broer. Dat kon, ze leken wel een beetje op elkaar.

Het was leuk alle mensen aan de tafel op te nemen en te fantaseren over hun leven. Want al deze mensen hadden 'iets te vertellen'.

Na de lunch stapte de hele club weer in de bus. De mensen links – achter de chauffeur – gingen twee banken naar voren, de mensen rechts twee plaatsen naar achteren. Loudy keek naar buiten. Ze reden over de Duitse Autobahn. Het landschap gleed langs haar heen. Veel groen, heerlijk veel groen in weilanden en bomen. Steden en dorpen, soms vlak langs de autoweg, soms verder ervan verwijderd, rode daken in de zon.

Ze nam haar gedachten van zo-even weer op. Elk mens heeft zijn verhaal. Wellicht zaten er mensen in de bus die een heel gewoon verhaal hadden. Misschien de man en de vrouw aan de andere kant van het pad.

Loudy keek naar ze. Een niet zo slanke vrouw in een jurk met kleine bloemetjes. Roze, zachtgele en blauwe bloemetjes met dunne groene steeltjes en blaadjes op een bijna witte ondergrond. Een gezellige zomerjurk. De man had zijn jasje uitgetrokken. Hij zat in zijn overhemd, de mouwen opgestroopt tot zover de krappe manchetten dat toelieten. Hij had de armen over elkaar geslagen en keek op zijn gemak door de grote ramen van de touringcar naar buiten. Misschien hadden zij het gewone verhaal te vertellen. „We gingen met elkaar toen we een jaar of zeventien, achttien waren…"

Eerst was het 'spelerij' geweest, zoals oom Jaap zo'n eerste kennismaking noemde, ginnegappen, elkaar uitdagen, alles prachtig en mooi vinden en overal om lachen. Daarna werd het echt verkering. Na een paar jaar, toen ze geld gespaard hadden en een huis konden kopen of huren, gingen ze trouwen. Drie kinderen, twee jongens en een meisje. Soms zorgen om geld, soms een beetje ruzie, vaak gezellig en druk. Nu waren de kinderen het huis uit. Alle drie getrouwd. Met de schoondochters hadden ze het aardig getroffen, alleen met de schoonzoon, daar hadden ze een ander voor uitgezocht als zij hadden mogen kiezen. Maar ja, dat mag je nu eenmaal niet. Je dochter zoekt zelf en pakt volgens jou de verkeerde. Maar ze zeiden er niets van en hadden ook geen ruzie met hem, maar het was niet zo'n fijne verhouding als met de schoondochters. Ze waren in hun huwelijk vaak met vakantie geweest, met de kinderen. Eerst in een tent, maar daar is het in Nederland te koud en te nat voor of zij troffen het steeds zo beroerd. Daar waren ze vlug vanaf gestapt.

Ze huurden liever een huisje. Nu gingen ze fijn met de bus. Nergens voor te zorgen, stap in en laat je rijden. Kleinkinderen... ha, ha, eentje op komst, ja, dat heb je goed geraden.

Loudy voelde zelf de grijns op haar gezicht. Ze hoorde de man in gedachten praten. Maar wellicht was het verhaal heel anders als hij echt over hun leven ging vertellen.

De blonde vrouw op de bank voor hen dan? Loudy keek naar haar. Een verbroken verloving? Misschien was ze getrouwd, maar wilde ze alleen op reis. Maar het was geen huwelijksvakantie, daarvoor zat ze te rustig en te ontspannen naar buiten te kijken. Hoewel dat natuurlijk ook gespeeld kon zijn. Of haar man was in het buitenland, op zakenreis. En zij wilde eruit, desnoods in haar eentje als het niet anders kon.

Misschien dacht en fantaseerde dat vrouwtje nu over haar. Waarom zat zij hier alleen'? Niemand kon raden waarom zij alleen was. Om na te kunnen denken over het leven van haar moeder. Dat was het. Het was niet zinvol, dat wist ze zelf ook wel, het had totaal geen zin. Moeder was dood, haar leven was voorbij. Maar zij wilde weten. Ook veel over het leven van vader. Ze zag hem altijd als een lieve, goede en wijze man. Als kind was ze gek op hem geweest. Maar langzaam was het besef gekomen dat achter veel van wat zij als kind niet mocht en niet kreeg, de beslissing van vader lag. Vader vond het niet goed, maar moeder moest het haar zeggen. Vader bleef glimlachend buiten schot. Ze wilde proberen iets te ontdekken van de woorden? 'En wat heb jij te vertellen...?' Maar daar zou ze op deze reis natuurlijk de sleutel niet toe vinden. Die moest ze ergens anders zoeken. Zoals David zei: naar Friesland gaan en daar vragen en kijken.

Toen ze na de koffiestop in de middag – het was inmiddels ruim vier uur – weer naar de bus liepen, zei de blonde vrouw: „U reist ook alleen?"

„Ja."

„Zal ik een poosje naast u komen zitten? Dat is gezellig."

„Ja, dat lijkt me zeker gezellig." Ze kon moeilijk iets anders zeggen en eigenlijk vond ze het ook wel leuk.

Ze zaten naast elkaar.

„Vorig jaar heb ik voor het eerst een busreis gemaakt," vertelde de ander. „Ik zag er als een berg tegenop, maar het is me erg goed bevallen. Naar de Eifel, niet zo dus, maar om het te proberen vond ik het ver genoeg. Het was zeven dagen, en buitengewoon gezellig. Ik heb er leuke vrienden aan overgehouden. Een echtpaar uit Delft bijvoorbeeld, daar heb ik nog contact mee. Het begon met foto's sturen, daar doe je dan een klein briefje bij, met de groetjes en zo, en toen zijn zij een middagje bij mij op bezoek geweest. Later ben ik een paar maal naar hen gegaan. Ik kan gemakkelijk weg, ik ben maar alleen. Zij hebben twee jonge kinderen, dan is het moeilijker." Loudy begreep dat zij ook iets moest zeggen. Maar ze had niet veel vakantieverhalen te vertellen. Ze zei dat ze als kind met vakantie was geweest, maar de laatste jaren niet meer. „Mijn moeder is lang ziek geweest. Ze is overleden."

„Ik begrijp het. Ik ben getrouwd geweest, mijn man is overleden. Vier jaar geleden. Dat was verschrikkelijk. We hadden het altijd zo fijn. We hadden zoveel plezier samen. Ik denk dat het kwam door hetzelfde gevoel voor humor. Ik kan in kleine, onnozele dingen iets lolligs zien en Hugo zag dat ook. Een blik was genoeg om ons in lachen te doen uitbarsten. Als we in gezelschap waren, hadden we allebei binnenpretjes. Er waren mensen die ons soms een flauw stel vonden, maar dat kwam doordat ze het niet begrepen en niet aanvoelden. Ik vond het heerlijk en mis het ontzettend. Het leven is stil en saai geworden. De eerste tijd was helemaal vreselijk. Ik was mijn huis bijna niet uit te krijgen. Maar ja, je groeit er toch overheen, dat wordt allemaal wat milder en zachter. Vergeten doe maar je neemt afstand. Het spreekwoord 'de tijd heelt alle wonden' is misschien niet helemaal waar, want helemaal over zijn, daar geloof ik niet in, maar het wordt wel milder. Dat is maar goed ook. Want met zoveel verdriet kun je niet leven. Vorig jaar ben ik op aanraden en aandringen van mijn ouders op reis gegaan. En ik vond het heerlijk. De dagen waren heel anders dan thuis. Er was steeds iets te doen. 's Avonds zaten we gezellig bij elkaar. Het was altijd laat als ik naar mijn kamer ging. Dan tolde ik om van vermoeidheid en sliep direct. Geen tijd om te piekeren." Ze lachte even. Een blije lach. „Na die reis ben ik weer gaan werken. Ik sloot me veel te veel op. Ik was de hele dag in huis. Er kwam natuurlijk wel familie op bezoek, mijn ouders en mijn broer en zijn vrouw, die me geregeld opzochten, maar ik was te veel uren alleen. Ik ging helemaal op in mijn verdriet. In het begin hinderde dat niet. Ik geloof dat het goed is een verdriet te verwerken. In de eerste tijd huilde ik om Hugo. Ik kon het niet begrijpen en bevatten en dat hij weg was en dat ik hem nooit meer zou zien. Dat zijn leven voorbij was, al zijn plannen voor de toekomst, zomaar voorbij. Het onrecht dat hem met zijn dood werd aangedaan, waarom moest hem dit treffen en mij…

Later ontdekte ik dat duizenden mensen zo'n noodlot treft. Maar daar heb je niet veel aan. Na een jaar ging mijn verdriet om Hugo over in medelijden met mezelf. Waarom moest mij dit treffen, waarom had ik zoveel ongeluk in mijn leven? Na die reis ben ik anders gaan denken. Vreemd eigenlijk dat je in zo'n korte tijd verandert, want wat is nu een week? Ik voelde dat het leven voor mij niet voorbij was. Ik had nog toekomst. Ik was jong, tweeëndertig. Wie weet hoeveel jaren ik nog voor me had en hoe mooi die jaren konden zijn, als ik er tenminste voor wilde openstaan." Ze keek van opzij naar Loudy.

„Een raar gesprek in een bus, maar als we niets van elkaar weten, kunnen we niet met elkaar praten. Dan kunnen we alleen wat zeggen over het weer en het prachtige uitzicht en dat we Martin tot nu toe een aardige vent vinden en een goede chauffeur."

Loudy knikte.

„Ik sta weer in een modezaak. Verkoopster. Dat vind ik heerlijk werk. Altijd mensen om me heen, want als er geen klanten konden, zijn mijn twee collegaatjes er in elk geval. En dat zijn jonge, vrolijke meiden vol verhalen over vriendjes en uitgaan, en ze zitten vol toekomstplannen."

De stem babbelde verder. Loudy hoefde niets te zeggen. Ze luisterde en glimlachte vanbinnen om dit gesprek. Het was leuk om de verhalen aan te horen. Het vrouwtje heette Cora. Ongeveer een kwartier voor dat de pleisterplaats voor die nacht, het dorp Enkering, werd bereikt, besloten ze elkaar bij de voornaam te noemen.

De bus stopte voor het hotel. „Als u even wacht," zei Martin, „meld ik dat we gearriveerd zijn. Dan komt de baas met de sleutels van de kamers."

Loudy's kamer voor die nacht was niet groot, maar wel gezellig. Een bed met een donzig warm dekbed en een opgerold kussen. Schone handdoeken bij de wastafel, twee schemerlampjes, een raam dat op een kier openstond.

Ze draaide de sleutel in het slot en ging op het bed zitten. Op de gang hoorde ze de opgewekte stemmen van haar busgenoten. Grapjes vlogen over en weer.

Loudy haalde de jurk die ze vanavond wilde aantrekken, uit de koffer en hing hem op een hangertje aan de kastdeur. Het was een heerlijke jurk. Er zat geen vouwtje in. Ze had hem speciaal voor deze reis gekocht en de verkoopster had haar gegarandeerd dat ze 'het japonnetje' zo in de koffer kon stoppen, uitpakken en aantrekken. Het was inderdaad zo.

Het diner was pas om acht uur, nog tijd genoeg dus. Ze friste zich heerlijk op. Ze had geen douche op de kamer, maar aan de wastafel ging het ook. Ze ging op bed liggen. Ze was moe. Vanmorgen was ze erg vroeg opgestaan en er waren zoveel indrukken geweest. Ze had zoveel gezien. Heerlijk om languit op het bed te liggen en te weten dat niemand haar zou storen. Ze deed haar ogen even dicht. Ze soesde wat, maar sliep niet echt.

Tegen acht uur liep ze de trap af naar de eetzaal. Het was een gezellige, grote eetzaal, een beetje in Beierse stijl. Stoelen en banken met zachtgroene en rood gebloemde bekleding, op de tafels lagen grijswitte kleden.

„Loudy." Ze hoorde Cora's stem, zacht roepend.

Cora wees op het plaatsje aard haar rechterhand. Ze wilde graag dat Loudy naast haar kwam zitten. De stoel aan de andere kant van haar was ook nog leeg. En twee plaatsen tegenover hen. Daarom kon Cora op zachte toon babbelen over het gezelschap.

„Ik heb nu een beetje overzicht van onze club. Er zijn acht echtparen. Of ze echt getrouwd zijn, weet ik natuurlijk niet, maar ze horen wel bij elkaar, een mannetje en een vrouwtje. Dan de twee oudere heren. Ik heb hun namen nagekeken op de lijst, dat zijn beslist de heren Rodens en De Smeth. Ze zijn met mij in de bus gestapt in Leiden. Twee erbij dus, achttien personen. Dan die drie dames daar, aan de andere tafel. Ik denk dat het schoonzusters zijn of twee zusters en één schoonzus. Ze zijn in Breda ingestapt, maar dat wil natuurlijk niet zeggen dat ze daar ook wonen. Ik heb het idee dat ze nu al veel plezier hebben. Ze zitten met z'n drieën op één kamer naast me. En ze lachen wat af. Ik weet al Bets en Leentje. Jij en ik zijn de twee eenzame, jonge vrouwen. Dan heb ik bij de koppels niet de tortelduiven opgeteld, je weet wel, dat jonge stel dat het grote geluk heeft gevonden. Ze zitten achter in de bus, misschien heb je ze nog niet gezien. Hij is een lange jongen met fletse ogen, haar als van een boender en een snorretje dat op een afgesleten tandenborstel lijkt. Zij is een klein, donker, leuk meisje, om te zien. Je snapt niet wat ze in die jongen ziet."

„Je moet niet op het uiterlijk afgaan," zei Loudy lachend, „hoe vaak heb ik dat in mijn leven al niet moeten horen! Wie weet hoe goed, lief, behulpzaam en zorgzaam hij is."

„Dat weet zij dus."

De vrouw van de hotelier kwam de soep brengen.

Het jonge stel, de armen om elkaar heengeslagen, kwam binnen. Ze liepen door naar twee nog lege stoelen aan de volgende tafel.

Er kwam nog drie mensen binnen. Deze mensen had Cora nog niet opgenoemd. Een van hen was de jongen in het blauwe jasje. Wat zou Cora over hem zeggen? Aan hun tafeltje waren nog drie plaatsen vrij. Ze schoven bij.

„Het ziet er goed uit", zei een van hen, knikkend naar de soepkommen.

„Het smaakt ook prima," zei Cora terwijl ze hem aankeek. „en ik heb trek. Ruim acht uur, zo laat zit ik nooit aan tafel."

Na het eten liepen ze door het rustige dorp.

„De drie die bij ons aan tafel schoven, heb ik nog niet opgenoemd in het overzicht van de levende have. Twee ervan komen uit Friesland…"

Loudy voelde even een schokje. Friesland. Daar kwam dus de jongen in het blauwe jasje vandaan.

„Ze zijn in Sneek ingestapt. De derde komt uit Drenthe, Assen. De hele club bekeken. Mooi hè?"

„Keurig. Ik heb thuis niet op de lijst van deelnemers gekeken. Ik dacht: ik ken er toch niemand van. En ik weet ook nog niet welke gezichten in onze bus thuishoren."

„Het is nog maar de eerste dag! Je zult zien, als we teruggaan, is de stemming heel anders. Dan ken je elkaar."

Terug in het hotel zochten ze meteen hun kamers op om te gaan slapen. Het was een lange dag geweest en de volgende morgen moesten ze om half zeven aan het ontbijt zijn, omdat het traject van die dag lang en ver was.

Loudy lag in het bed. Ze trok het dekbed, dat was gehuld in een fleurige overtrek in zachtrood en wit, over zich heen. Het kleine schemerlampje naast het bed brandde. Vanmorgen, toen ze bij het station afscheid nam van David, had ze zich onzeker gevoeld, ongelukkig bijna, en ze had spijt deze reis geboekt te hebben. In de bus had ze zich alleen gevoeld. Maar er een genoeglijk gevoel van verwachting in haar. Ze was eenzaam in de groep. Naast haar zat Cora en Cora was gezellig en vol humor.

Ze dacht aan de jongen in het blauwe jasje. Waarom had ze vanmorgen zo naar hem gekeken? Wat was het in hem dat haar opviel...? Zijn manier van bewegen, dacht ze vanmorgen. Aan tafel vanavond had ze weer naar hem gekeken en opnieuw had ze het gevoel gehad, iets bekends in hem te zien. Wat het was, kon ze niet omschrijven. Hij had met smaak de ietwat vette rollade gegeten en iets over de reis tegen Cora en haar gezegd. Cora had voor hen beiden geantwoord, maar hij had naar haar, Loudy, gekeken. Zijn ogen waren blauw. Vriendelijke ogen.

Ze moest nu aan David denken. David dacht aan haar. Opeens gleed er een glimlach over haar gezicht. Hoogstwaarschijnlijk dacht David een beetje bekommerd aan haar, met een zweem van medelijden. Zij alleen tussen al die vreemde mensen, maar David zou tegen zichzelf zeggen dat ze het gewild. En ze zou zich best goed redden, want ze was geen verlegen bang vrouwtje. Op school, tegenover haar collega's en tegenover de ouders van de kinderen kon ze haar woordje altijd prima doen.

Hij hoefde geen medelijden te hebben. Ze had het gevoel dat dit een prettige reis werd. In elk geval genoot ze van de mensen om zich heen. Het zou beslist gaan zoals Cora zei. In de loop van de tien dagen leerden ze elkaar beter kennen, praatten met elkaar en wisselden ze levensverhalen uit.

Ze knipte het schemerlampje uit. Met iets van kneuterig genoegen kroop ze weg onder het warme dekbed. Ze had zich deze dag en deze avond heel anders voorgesteld. Het was veel prettiger geweest dan ze had verwacht. En er kwamen nog negen dagen.

De volgende morgen klopte de hotelier om zes uur op alle kamerdeuren.

„Gute Morgen, danke!" riep Loudy naar hem.

Cora zat al aan de ontbijttafel. „Goeiemorgen, wat wil je drinken, koffie of thee? We hebben allebei, kijk maar, twee grote potten op de tafel."

De twee Friezen kwamen de eetzaal binnen en liepen op hun tafel toe.

„Goeiemorgen, dames. We komen weer bij jullie zitten. Dit is de hoek van de eenlingen. Vrijgezellen wil ik niet zeggen."

Het was de vriend van het blauwe jasje die sprak. Hij trok een stoel achteruit en ging zitten. „Van de anderen weet ik zeker dat ze tot paartjes tezamen geschoven zijn."

„Dat kun je ook horen," ging Cora er lekker op in. „Aan die tafels zegt men: zal ik koffie voor je inschenken? Aan deze tafel zorgt ieder voor zichzelf."

„Het lijkt mij trouwens heerlijk als u koffie voor me zou inschenken!"

„U… Ik ben Cora Verhoeven."

Hij stak zijn hand uit over de volle tafel. „Peter Havenkamp." Het blauwe jasje lachte. Voortaan zou hij geen blauw jasje meer zijn.

Hij kreeg een naam. „Sjoerd Rijswijk," zei hij en toen noemde Loudy haar naam: „Loudy Swinkels."

„Ik vermoed dat onze Drentenaar ook bij ons aan tafel zal schuiven. Dan horen we hoe hij heet. Vinden jullie dit brood lekker? Het lijkt me zo hard."

„Het valt erg mee. Beetje boter erop, of twee beetjes en jam. Je kunt uitzoeken, we hebben drie smaken. Frambozen, rode bessen en ananas."

„Het kan niet op," zei Peter en peuterde vergeefs aan het kleine doosje verpakte jam om het open te krijgen.

Cora bood hem haar hulp aan. „Geef maar hier. Je vingers zijn er te dik voor."

„Een vrouw is eigenlijk onmisbaar. Daar is meneer Govers. Goeiemorgen. Wij hebben op deze vroege morgen besloten elkaar bij de voornaam te noemen. Zal ik dit gezelschap aan je voorstellen?"

Het ging allemaal lachend en gemakkelijk en gewoon. „Loudy, Cora, Peter en Sjoerd."

„Ik ben Hans Govers. Ik wens jullie smakelijk eten en hoop dat er iets voor me is overgebleven."

„Als er niets meer is: eigen schuld. Je bent te laat aan tafel verschenen. Maar we hebben wat voor je bewaard. Wat wil je drinken, thee of koffie?"

„Alsjeblieft geen thee! Wie drinkt er nu 's morgens thee? Nee, ik graag koffie. Krijgen we geen lekkere Duitse broodjes? Mijn broer zei nog: 'Jongen, daar zul je van genieten. Heerlijk zijn die. Knapperige zachte broodjes.' Hij had deze reis wel willen meemaken, alleen al om die broodjes in Duitsland te kunnen eten. Maar ik zie ze niet in het mandje. Een bittere teleurstelling. Of hebben jullie ze opgegeten?"

„We hebben de kuch voor jou overgelaten. Nee hoor, Hans, dit is het normale brood in Enkering. Tenminste voor de gasten. Een stevige ondergrond voor de komende uren, want het wordt een lange, vermoeiende dag in de bus."

„Ja, het is nog een lekker eind. Wat een gemodder, die boter in zulke kleine papiertjes. Een botervloot op tafel kennen ze zeker niet. Als ik hier weer naartoe ga, zal ik er eentje voor ze meenemen." Al pratend en lachend werkten ze het ontbijt naar binnen.

Na een halfuur reed de bus het plaatsje uit en zocht Martin de grote Autobahn op, richting München. Cora zat naast Loudy. Maar erg veel werd er zo vroeg in de morgen niet gezegd. Via Rosenheim, Kufstein, St. Johann, Mittersill en de Felbertauerntunnel reden ze naar Lienz voor de lunch. Ze zaten nu aan een grote tafel, waaraan ook ander gasten hadden plaatsgenomen.

„We krijgen straks een schitterende rit," zei een van de heren. „Ik heb daarnet met Martin gesproken. We gaan niet over de Würzeltpass, maar over de Plöckenpass. Die moet schitterend zijn. Er ligt nog veel sneeuw. Moet je nagaan, nu nog sneeuw! Nou vrouw als we eruit gaan, zal ik je inwassen."

Het werd een schitterende rit.

Cora was teruggegaan naar haar oude plekje. „Dan kunnen we allebei voor het raam zitten en zien we het beter."

Loudy genoot van het prachtige uitzicht. Het was fantastisch. Dit was echt een bergpas zoals ze zich die had voorgesteld. Een vrij smalle weg, diepe afgronden, veel haardspeldbochten, veel naaldbomen en bijna geen huis te zien.

Na de Plöckenpass reden ze langs Tormezzo, waar de noodwoningen, gebouwd voor de slachtoffers van de laatste aardbeving, nog bewoond werden, over een deel van de Povlakte naar de Italiaans-Joegoslavische grens.

Het land was nu vlak. Vergeleken bij wat ze die middag hadden gezien, was het landschap niet bijzonder mooi. Loudy voelde zich moe. Haar ogen waren vermoeid van het kijken en het opnemen van de schitterende natuur. Ze deed ze even dicht.

Na de passencontrole bij de grens reden ze Joegoslavië binnen. Het weer dat de hele dag niet bijzonder stralend was geweest, werd nu uitgesproken slecht. Een heel donkere wolkenlucht koepelde over het landschap. Het was een dun bevolkte streek. Veel groen, smalle wegen, een enkel dorp, maar er waren vrijwel geen mensen te zien. De regen begon tegen de grote ramen te kletteren.

„Martin, ga maar terug," riep een jolige stem van achter in de bus. „Dit is ons weertje niet."

Maar Martin zei dat het weer in Joegoslavië in deze tijd van het jaar bijna altijd stralend was en dat een enkele regenbui dat niet van slag kon brengen.

„U zult zien, als u morgenochtend wakker wordt, een helderblauwe hemel en een heerlijk zonnetje. Dan gaat u lekker flaneren langs de boulevard. Probeert u met uw grote teen alvast hoe warm het water van de Adriatische is en ga een drankje op een terrasje drinken."

Hij zei het leuk en ze wilden hem graag geloven, maar dat viel niet mee in deze plenzende regen.

Laat in de avond reden ze Opatya binnen. De bus stopte voor het grote hotel.

„Ik zal u de sleutels van de kamers geven, dan brengt u de koffers naar boven, maar ik verzoek u daarna direct naar de eetzaal te komen voor het diner. We zijn later gearriveerd dan het plan was en in de keuken komt het personeel daardoor in de problemen."

Loudy kreeg de sleutel van haar kamer. Ze opende de deur en stapte het vertrek binnen. Het was een ruime kamer, maar ze keek niet naar het bed en de kast die er stonden. Ze liep meteen door naar de twee balkondeuren, schoof de lange, witte gordijnen opzij en hield haar adem in.

Het regende nog steeds, maar voor haar lag de Adriatische Zee. Nu donkerblauw, zwart bijna, golvend en deinend onder de striemende regen, maar het was prachtig. De gebogen kustlijn, met veel lichtjes, de huizen en hoge gebouwen.

Beneden lag het brede stuk beton, in ronde vormen – zandstrand was hier niet – dat bij droog weer zachtwit van kleur was. Martin had erover verteld. Daar zochten de badgasten een heerlijk plekje onder een kleurige parasol of ze koesterden zich in de zon. Nu was het platform verlaten. De regen kletterde erop neer. Over de wandelboulevard, tussen het water en de rijweg, liepen gehaaste mensen onder paraplu's. Over de rijweg gleden natglanzende auto's met brandende koplampen.

Loudy duwde de deuren open. Het geluid van buiten kwam haar tegemoet. Het gebrom van automotoren, het zuigen van de banden over het natte wegdek, het roepen van een paar jongetjes. Ze stapte

op het balkonnetje. Ze stond er droog, omdat het balkon zich verschool onder de overstekende muur van de verdieping erboven.
Ze bleef kijken. Ze moest naar beneden. Martin had gezegd dat het
personeel wachtte met het diner, maar dit uitzicht fascineerde haar.
Misschien werd ze vastgehouden door het donkere van het golven-
de water, het dreigende van de zwarte luchten erboven en het neer-
ruisen van de regen. Ze wilde blijven kijken. Maar dat kon niet, ze
moest naar de eetzaal. Ze bleef hier nog zes dagen. Zes dagen en zes
nachten waren deze kamer en dit uitzicht voor haar. Ze voelde zich
warm en blij. Ze sloot de deur af, stopte de sleutel in haar tasje en
liep ze de trappen af.
Het was een grote, prachtige eetzaal. Veel lampen, veel kleurig
gedekte tafels, lakens in zachtblauw, brandende kaarsen en feestelijk gevouwen servetten. De obers droegen donkerrode jasjes en
zwarte broeken. Toen ze in de deuropening stond, zag ze Sjoerd. Hij
wenkte haar. Hun groepje zat met de drie dames aan een tafel die
voor acht personen gedekt was.
Na het diner stelde Hans voor een eindje te gaan wandelen.
„Het regent nog wel een beetje, maar niet zo erg. Na zo'n lange dag
in de bus is het lekker om een eindje te lopen."
Maar Loudy had er geen zin in. „Ik ben moe. En ik wil mijn koffer
uitpakken. De jurken zitten er nu al zo lang opgevouwen in."
Ze liep naar boven, over de brede trappen met de rode lopers en
over de gang, waar donkerrode vloerbedekking lag. Ze ging haar
kamer binnen en draaide de deur op slot. Toen ze haar koffer had
uitgepakt, ging ze douchen. Daarna trok ze een lange, ruime nacht-
pon aan en ging languit op het bed liggen. De deken teruggeslagen
over het voeteneind. Het onderlaken was koel en glad. Ze was moe,
maar ze wilde niet slapen. Er was zoveel waarover ze wilde denken
en waarover ze moest denken. Deze dagen waren geen vakantiedagen. Ze waren bedoeld, zoals dokter Borghuis had gezegd, om tot
rust te komen. In deze dagen moest ze antwoorden vinden op de vragen die ze had, en ze kon die alleen vinden als ze de stilte in de
natuur, maar stilte in zichzelf. Alleen met zichzelf. Zoals nu. Ze hoorde de geluiden van buiten. Het waren veel geluiden, maar ze stoor-
den haar niet. Ze had er niets mee te maken, die geluiden waren niet
voor haar bedoeld. De stemmen van de jongelui riepen haar naam
niet en de automobilist die claxonneerde, wachtte niet op haar. Er
was volop leven om haar heen en ze hoorde erbij, in de bus, tussen

Cora en Sjoerd en Peter en de anderen. En thuis dachten David en vader aan haar. Ze voelde zich gelukkig. Ze moest nadenken over vader en moeder. En proberen zoveel mogelijk beelden van vroeger naar boven te halen. Maar gedachten dwarrelden en sprongen heen en weer. Ze waren bij de busreis, ze zag Sjoerds gezicht, zijn blauwe ogen. Nog steeds vroeg ze zich af wat er in hem was dat haar aantrok. Ze dacht aan David. Morgen zou ze hem bellen, morgenavond, en ze zou hem schrijven.

Als ze de brief vlug op de post deed, kreeg hij hem misschien voordat zij weer thuis was. En ze dacht aan vader, die nu alleen in hun kamer aan de Oosterlaan zat. Misschien wachtte hij op een telefoontje van haar. Maar voordat ze wegging, had hij gezegd: „Bel maar niet, want het kost veel geld, daar helemaal vandaan bellen. Als er iets met je is, hoor ik dat vlug genoeg. Geen bericht, goed bericht." Toen dacht ze: nou, dan bel ik ook niet.

Ze deed haar ogen dicht. Ze lag heel stil en probeerde haar gedachten te grijpen en vast te houden. Vader zat nu in de kamer. Ze wist hoe hij daar zat. In de stoel met de hoge rugleuning voor het raam. Maar het raam was niet te zien, want hij had de gordijnen dichtgetrokken. Elke avond, als de schemering overging in duisternis, trok vader de gordijnen dicht.

Hij had zijn voeten op het haardbankje gelegd. Misschien keek hij naar de televisie of las hij de krant. Och nee, voor de televisie was het al te laat en de krant had hij allang uit. Misschien was hij boven het laatste blad in slaap gevallen. Ze zag het beeld scherp voor zich en opeens had ze medelijden met hem. Hij was alleen en had niets om naar uit te kijken of naar te verlangen. Ze wist eigenlijk weinig van hem, niet wat hij dacht en voelde. Hun gesprekken waren oppervlakkig, maar misschien had vader verlangens... Hij had ze, dat geloofde ze zeker, nu ze erover nadacht. Ja, natuurlijk had vader verlangens, maar hij wist dat die nooit werkelijkheid zouden worden. Dromen, gekoesterde wensen, geheimen van binnen en er stilletjes mee leven. Ze had opeens diep medelijden met hem. Ze soesde erover door. Vader had het niet fijn. Wat was zijn leven eigenlijk? Het had geen doel...

Opeens zag ze hun huiskamer voor zich, zoals deze vroeger geweest was. Veel donkerder. De lichte, gebloemde gordijnen die er nu hingen, waren er nog niet. In de avond, zodra het duister werd, sloot moeder de gordijnen. Die waren donkerbruin. Saaie, lange lappen, die de lichtjes van buiten afschermden en hen opsloten in het vertrek. Er stonden vier stoelen met rechte rugleuningen om de tafel, daarop lag een kleed van handweefstof in banen van zachtgroen, beige en bruin. Moeder was in de kamer. Ze zat op haar stoel. Het was of moeder er altijd was. Niet in de keuken, bezig met het eten of de afwas, maar altijd in de kamer en ze zat op haar stoel. Ze zag moeders smalle gezicht met de vriendelijke ogen, waarin iets van weemoed was. Opeens wist ze hoe het dikwijls was gegaan als zij als kind iets aan moeder vroeg. Hoe ze op die gedachte kwam, wist ze niet. Het was een flits, en ze dacht erover na. Ze vroeg veel dingen aan moeder. Ze leefde zonder nadenken in het denkbeeld dat papa en mama één waren. Het maakte niet uit aan wie ze het vroeg en mama was veel vaker thuis dan papa. Daarom vroeg ze meestal aan mama of ze iets mocht hebben of ergens heen mocht gaan. Ze kreeg bijna nooit meteen een definitief antwoord. Moeder was geen vrouw die snel beslissingen nam. Ze zei: „Dat weet ik zo niet, Loudy, daar moet ik even over nadenken." En dan hoorde zij de volgende morgen het ja of nee. Ze begreep nu dat moeder 's avonds de vraag aan vader voorlegde en vader besliste. Ze wist bijna zeker dat het zo was. Toen ze groter werd, maar toch nog kind was, voelde ze onbewust dat ze beter iets aan vader kon vragen. Hij weigerde niet gauw en ze begreep waarom. Hij wilde dat ze hem aardig vond. Van mama mocht ze niet veel, van papa wel. Zo wilde hij het opbouwen, maar het was hem niet echt gelukt. Ze hield ontzettend veel van haar moeder. Maar ze werd meer naar vader toegebogen, zo was het wel. Mama was lief maar zei nooit direct ja of nee. Meestal was het antwoord de volgende dag nee. Ze kon er niet over praten met mama, niet onderhandelen of pleiten. Met papa wel.

De beelden van de kamer bleven, moeder op de stoel en zij als kind eromheen. Kleine voorvallen kwamen haar voor de geest. Ze reeg ze aaneen en zo ontstond er een beeld van het weifelende, het onzekere van mama. Daarnaast papa, die met een lach en zijn handen om haar gezicht alles goedmaakte. Ze wist nu wat de achtergrond was. Mama zei niets omdat de beslissing toch bij papa lag.

Ze doezelde een beetje weg. Zo was het geweest toen ze klein was, tien of twaalf jaar misschien. Vader was toch altijd lief voor moeder, later ook... als zij erbij was... Mijn hemel, nee! Ze schrok klaar wakker uit haar gesoes. Dat mocht ze niet denken! Vader was altijd goed en bezorgd en hulpvaardig voor moeder als zij erbij was, of iemand anders, oom Jaap en tante Lenie, buurvrouw Bartels, de dokter, later de wijkverpleegster. Nooit iemand gezegd dat vader niet lief en vol geduld was voor moeder. Hoe kon ze zo denken? Ze wilde zoeken naar iets wat tussen hen was geweest, maar dit was geen zoeken. Dit was beschuldigen. Dat kwam door moeders verdrietige ogen, waarin soms iets stond te lezen wat Loudy bijna deed vragen: „Is er iets dat u wilt zeggen, mam?" Maar ze had het nooit gevraagd. Zoveel vertrouwelijkheid was er niet tussen hen. Ze woonden in hetzelfde huis, ze hielden van elkaar, maar ze leefden toch naast elkaar. De echte gedachten en gevoelens kenden ze niet. Vader en moeder niet van haar en zij niet van hen. Misschien had zich vlak bij haar een stil, menselijk drama afgespeeld waarvan ze toen niets had gezien en gevoeld.

De beelden van de kamer bleven, ook van het huis. Ze zweefden om haar heen. Geleidelijk zag ze steeds meer voorvallen en altijd was mama op de achtergrond. Zo was het dikwijls gegaan, vader besliste, vader was de aardige man… Ze doezelde weer weg en viel in slaap. In haar droom hoorde ze opeens duidelijk moeders stem: „Zo was het niet, ik…" Ze schrok wakker en ging rechtop in bed zitten. Met trillende vingers knipte ze het lampje naast het bed aan. Het licht was een weldaad. Ze haalde diep adem. Ze had bijna kunnen zweren dat ze moeders stem had gehoord, maar dat kon natuurlijk niet. Moeder was dood en dit was een droom, maar ze wist nog dat moeder in die droom zei: „Zo was het niet, ik…" Wat bedoelde ze daarmee?

Loudy sloeg de deken terug en stapte uit het bed. Ze voelde haar hart kloppen in haar keel. Haar handen hield ze ineen, ze voelde de kramp in haar vingers, maar het was of ze ze niet los kon maken. Ze keek op het reiswekkertje. Twee uur in de nacht. Ze maakte haar vingers los en streek door haar haren. Ze kon niet terug in bed. Ze zou niet kunnen slapen, niet rustig tenminste. Maar misschien kwam de droom terug en praatte moeder verder. Dat was natuurlijk onzin! Waarschijnlijk kwam die droom niet terug en als hij wel terugkwam, was het toch maar een droom, meer niet.

Ze schoof de balkondeuren verder open, trok het stoeltje dat bij de lage tafel stond, naar zich toe en ging erop zitten. Het regende niet meer. Het wolkendek was nog donker en grauw. Ze stond op en stapte op het balkon om de zee te zien. De watermassa bewoog in een zelfde ritme. Ze bleef ernaar kijken.

„Zo was het niet, ik…"

Misschien wilde moeder zeggen dat zij er schuldig aan was dat vader zo'n overheersende rol had gespeeld in hun huwelijk. Dat was natuurlijk ook zo. Ze had veel meer voor zichzelf moeten opkomen. In die tijd waren niet alle vrouwen onderdanig aan hun man. Hoe lang was het geleden? Vijftien, zestien jaar. Ze kende genoeg vrouwen die in die tijd hun woordje best konden doen. Oma Herlingen, die toen nog leefde, en tante Lenie en buurvrouw Bartels en ga zo maar door. Maar moeder weifelde, moeder wist het niet, moeder nam geen beslissingen. Dan was het logisch dat een man als vader, die heel goed wist wat hij wilde, het heft in handen nam.

Het beeld van vader bleef in haar hoofd. Een aardige man, een vriendelijke man. Hij heerste op een onopvallende manier. Maar hij heerste wel. Ook over haar. Toen moeder ziek was – die periode duurde enkele jaren – deden vader en zij alles om moeder te helpen. Samen trachtten ze het huis leefbaar te houden voor henzelf. Toen moeder was overleden, had vader haar vastgehouden, dat wist ze nu. Ze had niet echt plannen gehad om weg te gaan, maar ze had er wel eens over gedacht, een baan in een andere stad te zoeken en daar op kamers te gaan wonen. Zelfstandig te zijn. Dan had ze een eigen leven. Dan kon ze in die kamers doen wat ze zelf wilde. Misschien kreeg ze vriendinnen en vrienden. Ze kon op een toneelclub gaan of een andere vereniging, waar ze jonge mensen zou ontmoeten. Dat kon ze nu ook, vader hield haar niet tegen, maar jongelui mee naar huis nemen naar haar eigen kamer, nee, dat ging niet. Op een kamer in een andere stad wel. Het was bij dromen gebleven. Ze speelde met die gedachten en in haar fantasie leidde ze zo'n leven. Misschien kwam het ook doordat ze bang was de stap te zetten; er was niemand die haar aanmoedigde. Vader zeker niet. Ze durfde het niet eens tegen hem te zeggen. Hij zei nu en dan vergenoegd: „Wat hebben we het gezellig en goed met elkaar, kindje," en ze moest toegeven dat het waar was. Hij was vriendelijk en had bijna altijd wat te vertellen, kleine voorvalletjes, gesprekken in winkels of iets dat hij in de krant had gelezen of voor de radio gehoord. En hij luisterde belangstellend naar haar verhalen over de school en gaf zijn mening in conflicten met collega's en ouders van anderen. Ze hadden het goed samen, dat was zo, maar ze wist nu dat ze graag een ander leven had willen leiden. Ze was er nooit aan toegekomen. Door vader. Het was op een rustige manier dwingen van hem. Misschien kwam het geen moment in zijn hoofd op dat dit leven voor haar niet echt geschikt en bevredigend was. Een jonge vrouw die bij haar vader woonde en weinig privacy had. Hij had het in elk geval naar zijn zin: beter dan zo kon het niet. Zijn vrouw was overleden, maar zijn dochter zorgde voor hem.

Loudy stapte terug in de kamer en ging in het stoeltje zitten. Ze glimlachte opeens. Vreemd dat ze hier, zo ver van huis, tot deze gedachten kwam. Kon ze dat thuis, in haar eigen bed en op haar slaapkamer niet bedenken? Het waren toch de gedachten die in haar eigen hoofd huisden. Ze had ze van huis meegenomen, jarenlang waren ze in haar onderbewustzijn opgeborgen geweest en nu kwamen ze boven.

Ze bleef nog een poosje zitten wachten tot ze van binnen rustig was geworden. Toen stapte ze weer in bed, trok het laken en de deken over zich heen en viel in slaap.

HOOFDSTUK 4

De volgende morgen scheen de zon en boven de zee stond een mooie, blauwe hemel. Loudy keek naar buiten. Het was fantastisch. Langs het water liepen al mensen en beneden haar, tussen de bomen langs de wandelboulevard, installeerde een vrouw een klein kraampje. Ze hing kleedjes over de rand en aan de baleinen van een grote parasol, die ze had opgezet.

Met Cora had Loudy gisteravond afgesproken dat ze om half negen zouden ontbijten. „Wat we dan gaan doen, zien we wel. We hebben een heerlijke, vrije dag. We maken ons niet druk, slenteren langs de boulevard, het stadje even in, winkeltjes kijken."

Cora zat al aan tafel met de drie dames toen Loudy binnenkwam.

„Ik heb daarnet een wandeling gemaakt," vertelde mevrouw Bakker. „Het is hier heerlijk."

„Nu al?" vroeg Cora vol verbazing.

„Ja. Ik sta altijd vroeg op. Thuis ook. Mijn man noemt het: voor dag en dauw. Ik heb dat altijd gehad, toen ik jong was al. En toen ik getrouwd was en de kinderen nog thuis waren. Op zich is er niets tegen. De vroegte haalt uit, zei mijn grootmoeder vroeger en dat was een wijze vrouw. Ik heb meestal het werk in huis af voor de klok tien uur slaat, maar het ellendige is," – ze lachte er zelf om – „dat ik het eigenlijk niet kan uitstaan dat andere mensen in hun bed blijven liggen. Het is zo heerlijk 's morgens, zo fris en stil. Ik ging altijd zingend door het huis, tot wanhoop van mijn jongens die wilden uitslapen. Uitslapen, dat vind ik een vreselijk woord. Kom uit je bed, verdorie, het is prachtig buiten, wat doe je dan in je bed, met je ogen dicht een beetje liggen! Zoveel slaap heb je echt niet nodig. Ik ga tegen twaalven naar bed, maar om zes uur ben ik klaarwakker. Zes uur slaap is voor mij genoeg. Laat een ander zeven uur hebben, nou, ga dan om elf uur de koffer in, dan is het donker."

Cora lachte. „U slaapt met de andere dames op één kamer?"

„Wij doen of we haar niet horen," antwoordde mevrouw Berends, „maar het is wel een opgaaf want ze gaat niet rustig en stilletjes haar gang. Welnee, kletteren met de kastdeuren en jubelen in de badkamer. Het regent straks klachten bij de directie van het hotel."

„Ik hoop dat het gauw gebeurt," zei mevrouw Leentje de Vries plagend, „dan krijgt ze een kamer in afzondering. Op zolder of in de kelder. Voor ons breekt dan een periode van rust en uitslapen aan."

„Ik trommel jullie uit bed zodra ik mijn kleren aan heb," dreigde mevrouw Bakker. „Zou die jongeman nog thee komen brengen of wordt het vanmorgen niets?"

Het werd een gezellig ontbijt met veel gepraat en gelach. Na een kwartiertje arriveerden Peter Havenkamp en Sjoerd. „De dames hebben de stemming erin?"

„Ja, jongen en we waarschuwen je voor mevrouw Bakker. Zij houdt van vroeg uit de veren, niet luieren, opstaan, kop onder de kraan en met de vogels kwinkeleren in het morgenlicht."

„Ik moet het hele jaar al vroeg mijn bed uit," zuchtte Peter, terwijl hij een broodje uit het mandje nam. „Elke morgen gaat de wekker om zes uur. In mijn vakantie denk ik er niet over voor acht uur op te staan."

„Heb je gezien hoe schitterend het hier is? Ik was om half zeven al beneden. Jongens, de wereld was een wondertuin."

„Dat is hij straks nog," meende Sjoerd, „als we met een kop koffie op een terrasje aan zee zitten. En vanmiddag met een koel pilsje en vanavond met een glas wijn."

„We houden van een goed leven," vulde Peter aan. „En we hebben het hier gevonden."

Na het ontbijt liepen Cora en Loudy naar buiten. Ze staken de rijweg over en wandelden langs de boulevard.

„Ik geloof dat die drie vrouwen erg veel plezier hebben met elkaar. Ik weet nu hoe de familie in elkaar zit. Mevrouw Berends en mevrouw De Vries zijn zusters, mevrouw Bakker is een schoonzus. Ze plagen elkaar, maar ze kunnen het best met elkaar vinden. Gisteravond, toen jij al naar boven was, heb ik een poosje met mevrouw De Vries gepraat. Ze vertelde over zichzelf en over haar zuster en schoonzuster. Er was niets bijzonders maar juist daardoor was het zo apart en heerlijk. Want die mensen hebben geen narigheid. Goede huwelijken, geen strubbelingen met de kinderen, geen zware ziektes. Ik vond het fijn om dat te horen. Als je alle ellende om je heen ziet, denk je soms dat een gewoon, genoeglijk leven niet mogelijk is. Maar dat is het wel. 'We hebben het geen van drieën ooit rijk gehad,' zei Lenie – ze vroeg me of ik haar zo wilde noemen – 'maar dat was geen gemis. We hadden het goed.' En nu kunnen ze om de paar jaar met zijn drietjes op pad. De mannen houden niet van reizen, die blijven liever thuis."

Ze wandelden langs het water en keken bij de Joegoslavische vrouwen, die op tafeltjes of op de banken die langs de boulevard stonden, hun koopwaar hadden uitgestald. Gehaakte kleedjes en kleden, vestjes in allerlei kleuren, stola's, mutsen en ander handwerk. Ze stonden bij hun handel, terwijl ze ijverig haakten. Loudy en Cora bleven even staan bij een van de stalletjes en meteen kwam de vrouw op hen af om haar koopwaar aan te prijzen.

„Het is inderdaad wel mooi," vond Cora. „Niet dat ik zo'n gehaakte spencer zou willen hebben. Zo'n ding draag ik beslist niet en zo'n stola hoef ik evenmin, maar de kleedjes zijn mooi en niet duur. Voordat we naar huis gaan, lopen we alles af om te kijken waar de mooiste hangt. Die neem ik dan mee naar huis. Het is een leuke herinnering en ik gun het die vrouwen dat ze wat verkopen. Je zult hier de hele dag staan met je haakwerkje en bijna niets kwijtraken."

Ze wandelden terug. Opeens hoorden ze roepen: „Hier is koffie!" Ze keken op. Peter en Sjoerd zaten op een terrasje.

„Prima koffie. Als jullie bij ons komen zitten, trakteer ik," nodigde Peter hen uit.

Ze schoven aan. Eerst een babbeltje over het weer. Hoe was het mogelijk, zo'n heerlijke zon na de regen van gisteravond.

Toen vroeg Cora: „Jullie komen allebei uit Friesland, hè?"

Loudy keek op. Cora had dit al eerder gezegd, maar ze had er geen aandacht aan besteed. waarom zou ze ook? Het enige verband met Friesland was dat haar vader er geboren en getogen was, maar dat had geen enkel verband met deze jongens. Maar opeens flitste er een andere gedachte door haar hoofd. Ze herinnerde zich hoe ze de morgen van het vertrek naar Sjoerd had gekeken. Toen meende ze iets bekends in hem te zien. Was het misschien iets wat haar aan vader deed denken? Ja, dat was het, ze wist het zeker, het draaien van zijn hoofd. Maar dat was onzin natuurlijk! Ze moest zich niets inbeelden en niet zo mal denken.

Waarom zou vader net zo met zijn hoofd draaien als Sjoerd of andersom? Waarom zouden die twee hun hoofd anders omdraaien dan andere mensen? Nee, natuurlijk niet, ze zag iets dat niet bestond. Toch wist ze dat iets in hem haar toen had getroffen. Ze keek naar Sjoerd. Hij zat een beetje voorovergebogen en droeg een licht zomershirt, een wit en blauw streepje. Het stond hem goed. Zijn gezicht was ontspannen, terwijl hij praatte met Cora en Peter. Hij had een beetje hoekig gezicht. Dat had vader ook, maar er zijn duizenden mannen met hoekige gezichten.

Ze zat erbij en deed of ze luisterde, maar het gesprek ging aan haar voorbij. Zou Sjoerd op de een of andere manier familie van vader zijn? Het kon, misschien de zoon van een neef wie weet. Soms is de wereld heel klein. Of een zoon van zijn zuster, dat kon ook. Vader had twee zusters.

Alsof Sjoerd iets voelde van haar gedachten, zei hij: „Het is misschien dom, maar ik weet jullie achternamen niet meer. Je hebt ze wel gezegd, maar ik weet ze niet meer."

„We zeggen ze met alle plezier nog een keer."

Cora maakte er geen probleem van. „Verhoeven, Cora Verhoeven. Het is de naam van mijn man. Zoals je weet, is hij overleden, maar ik blijf mevrouw Verhoeven."

„Natuurlijk." Sjoerd knikte naar Cora, toen draaide hij zijn hoofd om en keek Loudy aan.

Ze sprak haar naam langzaam uit. Als in zijn familie deze naam voorkwam, zou ze herkenning zien of horen. „Swinkels. Loudy Swinkels."

Zijn gezicht bleef vlak.

Het was dus niet de naam van zijn moeder: Swinkels. Dan had hij erop gereageerd.

„Waar wonen jullie in Friesland?" babbelde Cora verder. „Ik ben er een beetje bekend. De vrouw van mijn broer komt er vandaan en met hen ben ik meer dan eens in Friesland geweest."

„Ik zit in de zuidwesthoek. Bijna Gaasterland. In de buurt van het

IJsselmeer. Daar zijn veel kleine plaatsjes en in een van die dorpen Hartelinge, woon ik. Peter woont in Sneek."

Dus niet in de omgeving van Drachten. toch was het mogelijk dat hij op de een of andere manier familie was van vader. Ze kon het niet vragen.

„Loudy, wat ben je stil. Waarom? Hou je niet van Friezen?"

„O ja. Mijn vader is een echte Fries en ik ben dol op hem."

„Swinkels zei je? Ik ken geen familie Swinkels bij ons in de buurt. Jij wel, Peter?"

„Vader komt uit Drachten."

„Daar heb ik een oom en tante wonen. Ome Bouwe en tante Jeltsje." Sjoerd sprak de namen met een Friese klank uit.

Loudy vroeg niet verder. Waarom zou ze ook? Het was onzin om te denken dat er verband was tussen vader en Sjoerd. Ze had geen enkel aanknopingspunt, alleen dat haar die morgen in de hal van het restaurant aan Sjoerd iets was opgevallen. Maar het betekende niets. Het gebeurde wel vaker dat ze iemand zag en vond dat die persoon leek op iemand anders die ze kende. Het was hetzelfde type mens en zo was het hier ook. Ze grinnikte er stilletjes om. Allebei een Friese kop. Ze wandelden met zijn vieren verder. Langs de winkeltjes aan de boulevard, waar leren tassen, schoenen, pantoffels en riemen werden verkocht. Houtsnijwerk, posters en blouses, geborduurd in patronen van de Joegoslavische folklore. Daarna liepen ze door de straten van de stad. Voor de lunch waren ze terug in het hotel.

„Ik ga met je mee naar jouw kamer," zei Cora. „Jij hebt een kamer aan de voorkant, hè? Dat lijkt me enig. Ik zit achter en kijk tegen een hoog gebouw aan. Maar het is wel een ruime kamer. Lenie de Vries zegt dat het achter veel rustiger is en dat is ook wat waard."

Toen ze in Loudy's kamer waren, vroeg Cora: „Hoe vind jij Peter?"

„Waarom vraag je dat?"

„Je moet er niets achter zoeken, dat is onzin. Maar hij is na Hugo's dood de eerste man die ik bekijk, die ik echt zie. Er zijn mannen geweest die, zoals ze dat noemen 'aandacht aan me besteedden' niet direct verliefd of zo, maar ze wilden praten en zochten contact. Ik ben er nooit op ingegaan, ik was er niet aan toe, denk ik. Maar deze Peter Havenkamp heeft iets dat me aanstaat. Hij is niet flirterig, maar gewoon vriendelijk en zelfs op een afstand. Hij dringt zich absoluut niet op. Dat doet Sjoerd trouwens ook niet. Het zijn echte reismakkers. Vrienden. en dat vind ik leuk."

„Ik vind ze allebei aardig, maar we kennen ze natuurlijk niet."

„Peter vroeg of we met ze willen wandelen. Martin heeft hem vertelt, dat er een pad loopt langs het water, vlak langs de zee, in de richting van Lorran. Dat is een dorp een kilometer of zes, zeven hier vandaan. Over de rijweg dan, niet kronkelend langs de kustlijn. Ze willen na de lunch die kant een stuk uitgaan. Je komt langs grote buitenhuizen van vroeger, ook langs een huis dat Tito als buitenverblijf gebruikte."

„Als ze niet te ver gaan, wil ik wel mee, maar ik ben niet van plan een kilometer of tien te lopen. Tenslotte is deze dag bedoeld als rustdag."

„Dat hoeft toch niet? We zien ze straks aan tafel, dan kunnen we iets afspreken."

Loudy liep naast Sjoerd over het pad langs de zee. Een ijzeren hekje, dat eens wit geschilderd was geweest, maar nu op vele plaatsen roestplekken vertoonde, was de enige afscheiding. Het water klotste tegen de rotsige stenen.

„Ik vind deze reis erg leuk," begon hij te praten. Hij had een rustige stem. „Ik had er helemaal geen zin in. Een busreis leek me niets. Een paar dagen lang in zo'n ding hobbelen, nee, maar Peter vroeg steeds weer of ik met hem mee wilde. We kennen elkaar door ons werk. Ik ben boekhouder bij een groot winkelbedrijf en Peter zit op het accountantskantoor dat mijn boeken controleert, de eindbalans opmaakt en voor de belastingtoestanden zorgt. Hij wilde graag naar Joegoslavië, maar had geen zin om alleen te gaan. Hij was bang dat ze hem zouden zetten naast de eerste de beste eenzame figuur die ook instapte, en daar werd hij dan voor alle tien dagen aan vastgekoppeld. Ik had geen vakantieplannen, dus op het laatst dacht ik: waarom ook niet, het zijn maar tien dagen. Maar het is heel anders dan ik me had voorgesteld. Het is of je een ander wereldje wordt binnengeschoven met mensen die je nog nooit hebt gezien en die je na tien dagen waarschijnlijk nooit meer zult zien, maar in die tien dagen zijn het bekenden van je, Je zit met ze aan tafel, je praat met ze," – hij keek opzij en lachte naar haar – „en je wandelt met ze. Ik vind het erg leuk."

Loudy knikte. „Ik geloof ook dat het komt doordat we alle vier, zoals we hier lopen, toch bang waren alleen te zijn op deze reis. Cora heeft ons van haar verdriet in het verleden verteld. Het is vreselijk voor haar dat ze haar man verloren heeft. Ik vind het erg flink dat ze

deze reis wilde maken, helemaal in haar eentje. Gelukkig kwam ze naast jou terecht. Jij reist toch ook alleen?"
„Ja." Ze verwachtte zijn vraag.
„Geen man, geen verloofde?"
„Verloofde is een te groot woord, dat is net een stap te ver, maar ik heb wel een heel goede vriend."
Sjoerd knikte. Het was of ze iets van teleurstelling zag in zijn gezicht. Het maakte haar van binnen een beetje opgewonden. Zou hij haar aardig vinden? Meer dan gewoon aardig? Hij zei: „Ik dacht het wel. Jij bent een meisje om een vriend te hebben."
„Waarom?" Ze was zesentwintig en had pas sinds kort een vriend. Maar dat zei ze Sjoerd niet.
„Dat vind ik. Waarom, ja, hoe moet ik dat uitleggen! Ik vind jou een meisje van wie veel mannen kunnen houden. Maar je bent trouw aan één, als je van hem houdt."
„En jij, ben jij verloofd?"
„Ik heb wat ze noemen een ongelukkige liefde achter de rug. Of liefde, liefde, ik weet niet of het wel liefde is geweest. We gingen jaren met elkaar om, bijna vijf jaar, maar opeens was het voorbij. Er was geen ander in het spel, voor mij niet en voor Ansje niet, maar het was alsof alles, wat we voor elkaar hadden gevoeld, er opeens niet meer was. Ik heb later vaak gedacht dat er nooit echt iets is geweest. Ik ben nu tweeëndertig; toen ik Ansje leerde kennen was ik zesentwintig. Dat is niet zo jong meer om met een meisje te beginnen. Tenminste bij ons op het dorp niet. Als je zesentwintig bent en nog geen verkering hebt, ben je een overblijvertje. Onzin natuurlijk. De meeste jongens die ik kende, waren allang getrouwd, soms al vader maar ik had nog geen meisje. Ik werd ermee geplaagd, je weet hoe dat gaat: 'Ben je te verlegen om er een te vragen? Zullen wij dat voor je doen? Vind je die niet leuk en is dat geen aardig meisje voor je? Ben je bang voor de liefde of voel je niets voor meisjes?' Dat krijg je tegenwoordig ook nog. Ze denken meteen dat je anders bent dan anderen en wat dan nog! Maar goed, ik had geen meisje. Gewoon omdat ik er geeneen tegenkwam die me wat deed. Ansje is twee jaar jonger, zij was vierentwintig toen we elkaar ontmoetten. Ze had nog geen vriend gehad. Ze wilde wel graag, maar er was geen jongen die haar vroeg. Waarom, dat weet ik niet. Het is om te zien echt een leuk ding, blond haar, blauwe ogen, goed figuur, vrolijk, maar heel vreemd, geen jongen kwam op haar af. We zagen elkaar op een dans-

avond in een zaaltje in een van de dorpen bij ons in de buurt. We praatten wat samen en ik vroeg of ik haar naar huis mocht brengen. Dat vond ze een prima idee. Er was verder niets aan de hand. Ik zoende haar niet, maar ik vond het wel gezellig en ik dacht: 'Wie weet, is dit het ware meisje voor mij.' En Ansje wilde in mij de ware Jacob zien. Ik vond het heerlijk dat ik er nu bij hoorde. Nu was ik net als de anderen, ik had een meisje en trouwplannen. Ik weet nu dat zulke gedachten nooit moeten meespelen. We bleven met elkaar gaan. We wenden aan elkaar. Er waren geen zaterdagavonden meer waarop ik dacht: waar zal ik heengaan of wat zal ik doen? Nee, ik ging naar Ansje. We gingen samen ergens heen of we wandelden een eindje. Ik hield van haar en zij van mij, maar het was opgeschroefd, het was niet echt. We wilden het graag, maar we maakten onszelf iets wijs. Begrijp je dat?"

Loudy knikte.

„Onze ouders vonden het prachtig. Mijn moeder was blij dat ik een meisje had gevonden en Ansjes ouders waren opgelucht dat hun dochter Ansje eindelijk verkering had. En niet eens zo'n gekke knul." Sjoerd lachte zachtjes. „Ik zeg het een beetje raar, maar ik weet dat het zo was. We sukkelden door. Maar diep vanbinnen voelde ik dat het niet goed was. Ik heb een zus die acht jaar ouder is dan ik. In feite is ze mijn zuster niet, we zijn zelfs geen bloedverwanten van elkaar. Ze is het kind uit een eerder huwelijk van mijn stiefvader. Hij bleef als jong weduwnaar met haar achter en trouwde daarna met mijn moeder, die ook een en ander achter de rug had. Maar dat vertel ik je misschien nog. Dat is een andere geschiedenis. Met Jillie, zo heet die zus, kan ik heel goed opschieten. Misschien omdat we het allebei de eerste jaren van ons leven niet zo fijn hebben gehad! Jillie was nog geen drie jaar toen haar moeder bij de geboorte van het tweede kindje overleed. Je weet hoe het dan dikwijls gaat. Eerst wil iedereen helpen. Haar vader en zij waren overal welkom, maar dat ging gauw voorbij. Zwerven van de een naar de ander dus, vrouwen in huis die haar vader wel graag als man wilden en haar dan maar op de koop toe namen. Dat wilde vader Simon niet. Tot hij mijn moeder tegenkwam. Die hield echt van Jillie. Maar toen was ze al negen of tien jaar. Jillie had in de gaten dat ik me niet helemaal happy voelde en op een avond, toen ik even bij hen aanwipte, begon ze tegen me te praten. Eelke, haar man, was niet thuis en de kinderen lagen al in bed. We zaten samen in de huiskamer. Ze zei dat ik niet moest geloven in de grote liefde. Dat had zij wel gedaan toen ze jong was en Eelke leerde kennen. Ze had niet direct een paradijs op aarde verwacht, maar tussen Eelke en haar zou het anders zijn dan tussen de vele echtelieden die ze kende. Want al was ze jong toen ze bij ooms en tantes over de vloer kwam en al begreep ze niet alles, de sfeer en de spanning voelde ze aan. Het zou tussen hen anders gaan, want zij hielden ontzettend veel van elkaar. Ze zouden alle kleine en grote problemen samen oplossen en altijd alles bepraten. Ze kenden elkaars gedachten en de een wilde niets liever dan de ander gelukkig maken. In de praktijk bleek dat het niet zo was. Eelke en zij hebben veel ruzies gehad. Ze zei, niet eens bitter, meer berustend, dat het gevoel van eenheid en het voornemen alles van elkaar te weten en te kennen algauw dromen bleken te zijn. Ze vertelde me dat ze vroeger had geloofd in sprookjes. Omdat ze het als jong kind erg moeilijk en verdrietig had, wilde ze geloven dat zij later een groot geluk zou krijgen. Zoals in sprookjes gebeurt. Maar het gebeurde niet.

Ze sliep met Eelke en dat was het huwelijk. Daarnaast waren ze vrienden. Maar ze hadden allebei hun eigen leven en hun gedachtenwereld. Ze wilden bij elkaar blijven, vooral toen er kinderen waren. En scheiden, och, dat kwam in hun hoofd niet op. Jillie zei dat ze ook niet geloofde dat ze dan gelukkiger zou zijn. Maar ze wilde me zeggen dat ik niet met mijn hoofd in een roze wolk moest lopen, maar het nuchter moest zien. Ze dacht me hiermee te helpen. Misschien had ze ook wel gelijk en is het huwelijk op die manier het langst vol te houden, maar zo wilde ik het niet. Ik heb er met Ansje over gepraat. Ze vond het vreselijk dat ik de verkering uitmaakte. Ze huilde verschrikkelijk, maar toen we er nuchter over konden praten, zei ze dat ze eigenlijk ook een illusie voor zichzelf had opgebouwd. Ze vond me erg aardig en wilde graag met me trouwen, maar echt dolverliefd was ze niet. Maar als ik ons huwelijk toch wilde doorzetten, zou ze altijd bij me slapen. Ze beloofde echt mijn vrouw te zijn, voor mij te zorgen en voor de kinderen die we misschien kregen en dan kon het toch goed tussen ons zijn. Maar ik wilde het niet. Toen het uit was, heb ik het er moeilijker mee gehad dan ik had verwacht. Ik miste Ansje toch. Het was geen verlossing, zal ik maar zeggen. Ik was niet blij dat ik er vanaf was. Ik was weer teruggeworpen op het leven van vóór Ansje, veel alleen, een beetje doelloos. Vrienden had ik niet meer en als ik 's avonds in het café kwam, voelde ik me een oude vent tussen al die jongelui. Maar dat is geen reden om een meisje bij de hand te nemen en samen naar het stadhuis te gaan. Om onderdak te hebben, van de vloer te zijn, zoals mijn moeder dat noemt. Deze reis is eigenlijk een mooie gelegenheid er eens helemaal uit te zijn. Ik heb er geen ogenblik spijt van gehad dat ik met Peter ben meegegaan. Wonderlijk, zo snel als wij vieren elkaar hebben leren kennen."

„Is Peter ook alleen?"

„Hij is gescheiden. Dat mag ik je wel vertellen, daar maakt hij geen geheim van. Hij zal het Cora ook wel zeggen."

Zo hebben we allemaal wat te vertellen, dacht Loudy. Wat heb jij te vertellen...

Ze liep naast Sjoerd. Ze regelden hun voetstappen, zonder er iets over te zeggen, naar elkaar. Hij nam kleinere passen dan hij gewend was en zij iets grotere.

Van over zee kwam een frisse, maar niet koude wind, de golven klotsten tegen de grote stenen. Rechts van hen stonden de grote, bijna vierkante huizen met tuinen tot aan het pad. De meeste huizen en ook de tuinen zagen er verwaarloosd uit. Achter hen hoorde ze de stemmen van Cora en Peter. Wat ze zeiden, konden ze niet verstaan. Maar opeens riep Cora: „Kunnen we niet ergens gaan zitten? En wat drinken?" Ze bleven staan.

„Misschien is er een cafeetje of koffiehuisje langs het water. We moeten nog even doorlopen. Hier is in elk geval niets dan wind, water en lucht."

Toen ze om een hoekige, hoge rotswand kwamen, zagen ze een klein haventje. Er lagen vissersboten aan de ketting. Een man vroeg of ze over de zee wilden varen. Hij zou hun schipper zijn, maar ze hadden geen zin om op de golven te dobberen. Er was een restaurant met een terras.

„Wat willen jullie? IJs, vruchtensap, een glas bier, koffie...?"

„Koffie graag. En als ze iets te eten hebben, lekker gebak, daar heb ik trek in."

„Gebak misschien wel, maar of het lekker is, moet je afwachten. Ik ken niet genoeg Joegoslavisch om het te vragen. En als ik zou vragen, zou ik toch als antwoord krijgen dat het heerlijk is."

Na de koffie en het gebak – het dienstertje was met een grote schaal vol gekomen, zodat ze konden uitzoeken – liepen ze verder.

„Nog een klein stukje, dan gaan we terug," stelde Cora voor.

Toen ze weer liepen, begon Sjoerd: „Het verhaal van Peter."

Opeens lachte hij en keek Loudy aan. „Het lijkt wel of ik uit een verhalenboek ga voordragen. Het verhaal van Sjoerd en het verhaal van Peter. Maar het zijn geen verhalen. Het is werkelijkheid, het zijn stukken van ons leven. Belangrijke stukken van ons leven. Want de jaren met Ansje zijn belangrijk voor me geweest. Ik heb ze bewust beleefd. Wanneer ik oud ben en als mijn verstand me niet in de steek laat, zal ik nog weten hoe het was. Elk mens draagt alles uit zijn leven met zich mee. Ik tenminste wel. Het is voorbij, er is niets tastbaars van over, maar vanbinnen blijft het toch bewaard. Dat vind ik zo wonderlijk."

Hij keek van opzij naar Loudy en zag dat ze naar hem luisterde. Vreemd dat hij dit met haar besprak. Hij praatte er nooit met iemand over, zelfs niet met Jillie. En dit meisje kende hij nog maar twee dagen. En wat heet kennen? Alleen van naam en gezicht. Maar ze had iets wat hem aantrok.

Hij voelde dat zij hem zou begrijpen, en precies wist wat hij bedoelde. „Ansje was het middelpunt in mijn leven. Ik vertelde haar veel, luisterde naar haar, hield haar in mijn armen en zoende haar. Ik heb echt jarenlang gedacht dat zij mijn verdere leven bij me zou zijn, maar opeens was er niets meer. Ik weet dat ik het zelf zo wilde, maar dat maakt het niet minder moeilijk. Ik zie haar niet meer en alles wat we samen van plan waren, is voorbij. Er is niets van over. Alleen als ik aan haar denk, kan ik het verleden terugroepen. Herinneringen, noemt men dat." Hij zweeg. Loudy wist niets te zeggen. Herinneringen. Van vroeger is er niets over dat je nog kunt zien en vastpakken. Zij wilde zoeken naar herinneringen, het verleden oproepen om te weten hoe het was geweest. Daarvoor was ze hier.

Ze had het gevoel of ze nu, terwijl ze naast Sjoerd liep, iets vond dat voor haar waarde had. Het kwam door dit gesprek. Maar wat Sjoerd bezighield, was iets heel anders dan wat haar bezighield. Hij dacht aan zijn eigen leven, aan Ansje. Zij zocht naar het leven van haar vader, zoals het echt geweest was en naar het wezenlijke van haar moeder.

„Zeg, hallo lui, zullen we teruggaan? We lopen wel lekker, maar het is al een heel eind. Het is hier schitterend, zien jullie dat wel? Jullie zijn zo diep in gesprek! Peter zegt: Ze geven elkaar raadsels op, maar dat geloof ik niet!"

Sjoerd keek Loudy aan. Er was een twinkelende lach in zijn ogen.

„Raadsels… nee. Maar we kunnen beter teruggaan. We hebben zeker drie kilometer gelopen."

„Ik heb vanavond blaren mijn hielen en eksterogen op mijntenen," grapte Peter.

Ze liepen nu vlak bij elkaar.

„Loudy heeft een kamer aan de voorkant van het hotel," vertelde Cora.

„Uitzicht op zee, meesterlijk!"

„Wat een bofferd ben jij! wij zitten aan de zijkant, laatste kamer op de gang. Geen zee te zien. Als we ons platdrukken tegen de muur, kunnen we een stukje van de boulevard zien. Maar ik vind het niet zo erg. We zullen weinig op de kamer zijn. Eigenlijk alleen om te slapen."

„Wat dat betreft is zo'n kamer prettiger, want het is 's avonds laat een vreselijke herrie aan de voorkant. Veel auto's, motoren en schreeuwende jongelui."

Ze bleven bij elkaar lopen. Daardoor kreeg Loudy het verhaal van Peter, zoals Sjoerd het had genoemd, niet te horen.

Na het diner belde Loudy naar David. Het gesprek kwam duidelijk door.

„Lieveling, hoe gaat het? Ik denk steeds aan je. Red je het wel of moet ik naar je toekomen?"

„Nee, David, het gaat prima. De omgeving is hier ongelofelijk mooi. Ik kom tot rust en dat is de bedoeling."

„Ja. Niet piekeren, hoor! Er is niets waarover je hoeft te piekeren. Alles wat achter je ligt, is verleden tijd en de toekomst is met mij samen. Ik zorg voor je en ik pas op je, Loudy. Ik mis je. Het is leeg zonder jou. Maar ik gun je deze vakantie van harte, dat weet je wel, hè? Ik heb geen medelijden met mezelf. Pas je goed op, zo'n vreemd land en allemaal vreemde mensen… Is er in het gezelschap iemand met wie je kunt optrekken?"

„O ja, ze zijn allemaal erg aardig. Ik denk dat de verbinding gauw wordt verbroken, want mijn munten zijn op. David, lieveling, ga je naar papa om te zeggen dat ik gebeld heb? Ja, fijn, dag…"

Ze stapte de telefooncel uit. Nu ze David had gesproken, besefte ze opeens dat ze heel weinig dacht aan thuis, aan vader en aan David. Er waren zoveel andere dingen, zoveel nieuwe indrukken.

Ze liep langs de boulevard naar het terrasje waar ze met Cora had afgesproken.

Loudy vond het heerlijk alleen te lopen. Ze bleef staan en keek uit over de zee. De lichtjes twinkelden weer, zoals alle avonden, langs de gebogen kustlijn.

Ze vond Cora op de afgesproken plaats. „Alles goed thuis? Heerlijk met je verloofde gebabbeld? Ik kan me voorstellen dat je hem mist. Waarom is hij eigenlijk niet meegegaan? Hij heeft toch ook vrije dagen? Jullie zitten allebei in het onderwijs."

„Ik kan dat moeilijk uitleggen," zei ze. Ze zou moeten zeggen: als je de reden hoort, begrijp je het toch niet. Niemand zal begrijpen waarom ik wil weten hoe het was tussen mijn ouders. Ze zullen zeggen dat het weinig zin heeft daarover te piekeren of verdriet te hebben. Het is voorbij. Er valt niets meer aan te veranderen of te verbeteren. Ze gaf Cora een ontwijkend antwoord. „Er zijn zoveel dingen die David in zijn vrije tijd wil doen. Het leek mij gewoon leuk helemaal alleen weg te gaan."

Cora knikte. „Ik vind het moedig van je. Ik heb er echt een paar weken tegenaan gehikt voor ik naar het reisbureau stapte. Maar eigenlijk is het onzin. We redden ons best. We hebben het zelfs heerlijk. Er zijn altijd mensen met wie je kunt omgaan. Zoals nu Peter en Sjoerd. Vind je het geen fijne jongens? Peter is geen jongen meer, hij is gescheiden, weet je dat?"

„Sjoerd heeft me dat in één zinnetje verteld. Peter is gescheiden. Meer weet ik er niet van."

„Ik ook niet, want daarover hebben we niet gepraat. Maar hij zei het wel direct. Hij loopt tegen de veertig." Opeens begon ze te lachen. „Straks denk je nog dat ik iets in hem zie, maar dat is voorlopig niet zo. Ik geloof niet dat Peter bij mij past. Hij is aardig, maar erg zelfbewust, een kordate vent. Zo heel anders dan Hugo."

„Och, je kent hem pas drie dagen, dan kun je nog weinig van iemand zeggen," meende Loudy. „Maar Cora, wie je ook nog eens tegenkomt, je moet hem niet vergelijken met Hugo. Dat is niet eerlijk en je schiet er niets mee op."

„Wat een ernstig gesprek op een terrasje bij de zee," zei Cora lachend en ze praatte vlug door. „We blijven hier niet zitten, hoor. Wat vind jij ervan? Een heel stel van onze groep gaat naar een dancing, een stukje verder langs de boulevard. Ze vroegen of ik ook meeging. Ik zei dat ik op jou wachtte. Ze zullen twee stoelen voor ons vrijhouden. Er speelt een leuk bandje, volgens meneer De Smeth tenminste. Ja, zo'n oude baas, maar ze zijn er gisteravond al geweest. Wijntje drinken, Trijntje kijken, zei hij. Hij mag dat geschuifel over de dansvloer graag zien."

Ze gingen erheen. Het was er vol en warm, maar het was reuze gezellig met z'n allen om de tafeltjes te zitten. Er werd veel gelachen en gepraat.

Loudy danste met Peter en met Sjoerd en met meneer De Smeth, die een heel goed danseur bleek te zijn. De zussen Lenie en Bets zwierden alle walsen mee.

Ze kwamen laat in het hotel terug.

„Strompelend," zei Lenie de Vries, „ik ben tenminste aan het eind van mijn Latijn. Dat zei mijn vader vroeger. Maar ik ben nooit aan het begin van mijn Latijn geweest, het eind zal ik dus nooit halen. Ik ben gewoon bekaf."

„Ja," lachte mevrouw Swiers, „je dacht dat je voor je rust op reis ging, maar dat is niet waar."

„Voor je plezier wel," vulde haar man aan, „mens, wat heb ik gelachen vanavond!"

„Ik ga met de lift," kreunde Loudy. „Ik heb geen benen meer. Ik kan geen trap opklauteren."

„En morgenochtend moeten we vroeg uit de veren. Om half zeven aan het ontbijt! Dat doe ik thuis onder geen voorwaarde en nu, in de vakantie, krijgen ze me zo gek. Het is toch niet te geloven!"

„Maar we krijgen een schitterende dag," wist meneer Overheem.

Ze stonden bij elkaar in de hal. Een paar wachtten op de lift. De drie zusters zaten rustig naast elkaar op de één na onderste tree van de trap.

„Kunnen we hier niet tegen elkaar geleund blijven zitten? Het is haast niet de moeite om naar bed te gaan."

„De Plitvice-meren moeten fantastisch zijn."

„Kijken we daar alleen of…"

„Nee, we moeten lopen. Drie uur klimmen en dalen van de ene waterval naar de andere."

„Drie uur, nee toch? Nou, ik blijf wel beneden kijken hoe het water valt."

„Geloof Wim maar niet hoor, hij weet er niets van. Drie uur, het idee al! Maar dat zien we morgen wel. Daar is de lift. Wie gaat er mee? Jij, Loudy, jij kunt er nog bij. Slaap lekker allemaal, tot morgenochtend. Moet ik op deuren beuken om zes uur?"

De lift zoefde naar boven.

„Zullen we de deur open laten staan op vierhoog?"

„Ik denk dat de zussen in hun woede dan zoveel energie krijgen dat ze de trappen als barricaden bestormen. En ze verdenken jou, want je hebt ze de hele avond al geplaagd. Morgen moet je op je tellen passen bij de waterval."

„Dat is waar. Een gewaarschuwd man telt voor twee. En drie boze vrouwen voor zes. Dat is me te veel."

Op haar kamer schopte Loudy eerst haar schoenen uit. Haar voeten waren branderig, warm en een beetje opgezet. Als ze zich douchte, spoelde misschien veel van de vermoeidheid van haar af. Want in bed stappen en slapen wilde ze niet, al was het eigenlijk te laat om nog wakker te blijven.

Ze douchte zich, waarvan ze heerlijk opfriste. Ze liet een bijna koude waterstraal over haar voeten lopen. Daarna ging ze languit op bed liggen. Het was een dolgezellige avond geweest. Lachen om Cora, die echt uit was, blij en ongeremd, de kwinkslagen van Ted Jongling en plezier om de leuke verhalen van de drie zusters. Ze konden het zo mooi vertellen! Vrolijk, gevat en nooit hatelijk. Ze namen, als het voor de clou van de geschiedenis nodig was, zichzelf als lijdend voorwerp.

De hele dag passeerde de revue. Ze zag zich zitten op het terras, lekker in de zon, babbelend met Cora, Peter en Sjoerd. Vanmiddag de wandeling langs de zee, luisterend naar Sjoerd. En vanavond had ze Davids stem gehoord. Lieve David. Hij voelde zich eenzaam zonder haar. Toen het gesprek met Cora op het terrasje. Cora had gevraagd waarom David niet mee was gegaan met haar. Ze had niet willen zeggen dat ze hem niet mee wilde hebben. Dat zou Cora vreemd hebben gevonden en eigenlijk was het dat ook. Ieder meisje wil haar verloofde graag bij zich hebben. Ze dacht aan vader en moeder, en in een flits was er verdriet. Ze hield het vast en nu kwam het terug. Ze wist dat moeder verdriet had gehad en niet gelukkig was geweest. Naar het waarom wilde ze zoeken. Dat was de kern van al haar gedachten. En daarna kwam de vraag: was het vaders schuld…? Volgens David was vader een vriendelijke man, die in die vriendelijkheid alleen deed wat hij zelf wilde. Was dat zo?

Ze zocht in haar herinneringen. Ze moest iets gemerkt hebben van de spanning tussen haar ouders. Zoeken in alles wat achter haar lag. Er was niets geheimzinnigs aan. Ze moest gewoon proberen, beelden op te halen die diep in haar onderbewustzijn verborgen waren. Ze lag stil in het bed. Het lawaai van buiten hoorde ze niet. En opeens wist ze weer hoe ze als kind van een jaar of twaalf in de keuken stond met een kloppend hart van schrik omdat ze vader hoorde praten. Niet schreeuwen. Eerst dacht ze dat hij gewoon iets zei en ze wilde al doorlopen naar de kamer, toen ze de woorden hoorde: „Hou alsjeblieft op met dat gegrien." Ze maakte zich klein achter de deur, schoudertjes naar voren, handen in elkaar. Was dat papa en wie 'griende', huilde er? Het kon niemand anders zijn dan mama. Had ze pijn, was ze ziek? Nee, want dan zou papa anders praten, zachter en liever. Hij was boos.

Ze wist nu nog dat ze er met gebogen hoofd stond en de kale punten van haar bruine schoenen zag en de roze streepjes in de boorden van de korte sokjes.

De woorden, één voor één, wist ze niet meer, maar wel de strekking. „Ik wil niet dat Loudy als ze thuiskomt, geconfronteerd wordt met jouw gejammer. Dat heb ik je al meer gezegd: dat wil ik niet. Wat je me verwijt, heb je me al tientallen malen verweten, maar je weet dat er niets aan te doen is. Je maakt me gek met je gezeur. Ik probeer er het beste van te maken..." En toen zei moeder: „Wat jij het beste vindt..."

Loudy was terug in de kamer van hotel Bellevue in Opatya. Ver van huis. Maar met de beelden van thuis, van vroeger, dertien, veertien jaar geleden, helder voor ogen.

Ze was stilletjes de keuken uitgevlucht. Door de poort naar buiten, waar de buurkinderen heen en weer holden en haar meteen weer opnamen in het spel. Daarom had ze er op dat moment niet verder over nagedacht.

Later misschien wel, 's avonds in bed bijvoorbeeld, dat wist ze niet meer. Maar iets van de spanning tussen haar ouders was altijd in huis geweest, al was haar moeder lief voor haar en heel geduldig en vader haar beste kameraad. De sfeer van echte harmonie hing er niet. Ze voelde dat als kind niet bewust. Ze wist ook niet wat echte harmonie was, maar nu nog voelde ze de lichte spanning in huis.

Wat je me verwijt, heb je me al tientallen keren verweten... Wat was het? Misschien toch iets met geld, zoals oom Jaap dacht? Een geval van oplichting? Moeder vond dat verschrikkelijk en dat begreep Loudy heel goed. Hoe het ook in elkaar zat en wat voor verzachtende omstandigheden er ook waren, het was niet eerlijk, het was onbetrouwbaar. Oom Jaap zei: „Misschien was de verleiding te groot. Ze hadden het arm en het geld lag voor het grijpen."

Loudy kon begrijpen dat zo'n gebeurtenis moeder dwarszat en hinderde. Hals over kop te vertrekken uit Friesland en de breuk met vaders familie moesten hen allebei veel pijn hebben gedaan. En daarna was het onderwerp taboe. Daarin was vader een echte Fries. Er werd niet meer over gepraat. De namen uit Friesland werden doodgezwegen. Maar in zijn hart bleef de pijn. Waarom verweet moeder hem steeds wat hij verkeerd had gedaan? Het kon niet meer ongedaan gemaakt worden en met verwijten hielp ze hem niet en zichzelf niet. Misschien wilde ze hem niet helpen. Dit was haar verweer en wapen. Hier trof ze hem mee.

Loudy stond op. Ze liep het balkon op en leunde over de balustrade. De zee was rustig, de nachtwind zoel en strelend. Ze zou de geheimen misschien nooit te weten komen.

HOOFDSTUK 5

De volgende morgen zaten ze om zeven uur allemaal in de bus. Er hadden zich ook groepjes gevormd bij de echtparen, die nu bij elkaar een plaatsje zochten. Cora zat naast Loudy, Peter en Sjoerd zaten achter hen. Hans Govers sloot zich aan bij twee nog vrij jonge echtparen. Met zijn vijven schoven ze door de bus naar de achterbank.

Langs de kustweg reden ze naar Ryeka en verder naar Celj, waar een koffiestop werd gehouden. Celj is een klein plaatsje aan de kust. Op het plein staat een groot beeld ter nagedachtenis aan de voor de vrijheid van Joegoslavië gevallen partisanen. De drie zussen wilden bij het beeld op de foto. Jo Lenters knipte, na veel aanwijzingen en opmerkingen af.

„Leentje, je voet staat scheef "

„Allebei mijn voeten staan scheef, ik heb geen linker- en rechtervoet, maar een oost- en een westbeen."

„Betsje, voor je kijken."

„Ja, maar ik vind die vent achter me zo dreigend, straks grijpt hij me." Ze kwamen er schaterlachend op te staan.

„Dat past niet bij zo'n monument," vond Jo, de fotograaf. „Als jullie thuiskomen, krijg je van iedereen gemopper over oneerbiedigheid. We doen het nog een keer over. Ernstig kijken. Denken aan die arme jongens. Deze foto plak je in het album, de andere bewaar je stiekem in de linnenkast. Als je ernaar kijkt, denk je aan mij. Attentie, de camera loopt…" De tweede foto werd afgedrukt. Instappen en weer verder.

Via een bergpas, waarvan niet veel was te zien omdat er een dikke, grijsgrauwe mist om de toppen hing, reed de bus het binnenland in. Kale, rotsige bergen, in de lager gelegen stukken veel stenen, hier en daar een herder en schapen, die graasden op het korte gras, een paar paarden. Volgens Martin waren het wilde paarden, die nooit een eigenaar zouden krijgen omdat het praktisch onmogelijk was ze te vangen.

Het was een hele rit naar de Plitvice-meren. Martin vertelde onderweg over Joegoslavië en wees op de collectieve boerderijen, die waren opgezet op de plekken waar de bodem iets gunstiger was voor de landbouw. In het grote restaurant bij de ingang van het nationale park 'Plitvicka Jezera' luchten ze.

„Nu gaan we naar de meren. Er zijn twee mogelijkheden. U kunt een uur lopen en u kunt tweeënhalfuur lopen. We gaan in twee groepen."

Cora en Loudy besloten de korte wandeling te nemen. „Het is iedere dag raak hier. Thuis peins ik er niet over om aan de vierdaagse van Nijmegen mee te doen, maar als het zo doorgaat, marcheer ik hier de zesdaagse van Opatya. Ik krijg aan het eind geen medaille en geen bloemen en niemand prikt liefdevol mijn blaren door."

Peter en Sjoerd kozen voor de lange route.

Een treintje bracht het gezelschap naar het beginpunt van de wandeling.

Ze liepen over smalle paadjes, klommen langs trappetjes omhoog en weer omlaag en gingen over het water via bruggetjes zonder leuningen, vlonders eigenlijk. Ze waren gemaakt van rondhout, dat door de nattigheid hier en daar glad was. Het water klotste en kolkte onder hen door en langs hen heen. De bomen in het park hadden alle kleuren groen, van heel licht, als de zon erop scheen, tot heel donker, als de dichte, volle bladerkronen in de schaduw van andere bomen stonden.

Loudy genoot intens. Het was schitterend. Terug in de bus waren ze allemaal veel stiller dan op de heenweg. Voldaan, vermoeid en vol van al het mooie dat ze hadden gezien.

Cora zat op haar oude plekje, zoals ze het noemde, omdat ze, nu de mist was verdwenen en de zon volop scheen, het Joegoslavische land goed wilde zien.

Loudy keek naar buiten en zag het landschap voorbijglijden. Ze kon alles zien zonder erbij na te denken. Haar gedachten gingen hun eigen weg. Ze zat hier met het hoofd tegen de rugleuning en haar handen in de schoot naar buiten te kijken. De mensen in de bus zouden – als ze over haar dachten tenminste – denken dat ze een vermoeid meisje was, dat naar buiten keek en genoot. Van binnen was ze met heel andere dingen bezig. De vragen er waren.

Hadden veel mensen in deze bus zo'n dubbelleven? Cora bijvoorbeeld. Ze keek naar Cora. Die had haar schoenen uitgetrokken en zat lui onderuitgezakt op de bank. Waar dacht Cora nu aan? Aan de Plitvice-meren? Misschien dacht ze hoe verdrietig het was dat Hugo dit moois nooit had gezien. Of ze dacht eraan hoe het zou zijn als ze weer thuis was, alleen in huis. Nu waren er steeds mensen om haar heen, iedereen was vrolijk en er werd veel gelachen. Misschien dacht ze aan Peter. Peter en zij… Onzin natuurlijk, er was helemaal niets, ze kenden elkaar pas een paar dagen. Toch was het mogelijk dat er tussen hen iets opbloeide. Ze konden goed met elkaar opschieten. Veel mensen hebben een dubbelleven. Leentje en Bets vertelden ook niet alles. En niemand kan raden wat de ander bezighoudt. Wie kon vermoeden dat zij naar het voorbije leven van haar moeder zocht en haar vader met andere ogen bekeek dan zoals ze hem altijd had gezien? Wie kon dat raden, niemand toch?

De volgende morgen aan het ontbijt kondigde Cora enthousiast aan: „Ik ga zwemmen. Niet in de zee, die is me veel te koud, ik ga naar het zwembad. Het water is zalig warm. Dat is goed voor mijn spieren na het geklim en geklauter van gisteren. Ik was steeds bang dat ik van dat plankiertje zou glijden en in het water belanden. Krampachtige kuiten dus en mijn armen zijn stram, op vallen voorbereid. Dat is niet goed voor een mens. Wie gaat er mee?"

„Ik niet," zei Loudy meteen. „Het is zalig weer, ik ga naar buiten. Ik ben even in het zwembad geweest om te kijken. Het is inderdaad een schitterend bad, maar het is me er te benauwd."

„Iedereen mag in deze vakantie doen wat hij zelf wil," stelde Peter vast.

„Ik voel er wel voor om een paar baantjes te trekken. En jij?" Hij keek naar Sjoerd.

„Ik wil wel zwemmen, maar dan in een groot, wijd water. Heen en weer in zo'n tobbe is niets voor mij. Als ik mijn armen heb uitgeslagen, ben ik alweer aan de andere kant. Maar duiken jullie er maar lekker even in, wat let je! Je hebt niet altijd zo'n heerlijk warm watertje tot je beschikking."

Zo verdwenen Cora en Peter na het ontbijt naar het zwembad. Loudy en Sjoerd drentelden naar buiten. „Zullen we op het terras gaan zitten?"

Voor het hotel was een groot terras, waarop veel witte stoelen rond witte tafeltjes geschoven waren. Er was geen mens.

„Goed. Ik geloof niet dat Cora en Peter lang in het water blijven. Ze zullen zo wel terugkomen."

„We hebben eergisteren zo fijn samen gepraat, Loudy. Ik wil graag verdergaan en je over mijn leven vertellen." Ze schoven op de witte stoelen. Loudy voelde de zon warm op haar gezicht.

„Ik vertelde je over Jil. Met Jil is eigenlijk niets bijzonders aan de hand. Zoals je weet overleed haar moeder toen ze nog klein was. Haar vader bleef met haar achter en hertrouwde later met mijn moeder. Hij heeft natuurlijk moeilijke en verdrietige jaren gehad en voor zo'n klein meiske was het ook een heel ding. Ze begon haar leventje zonder moeder en er waren steeds andere vrouwen die de baas over haar speelden. Maar ach, die dingen konden meer voor. Het leven is vol van zulke trieste gevallen. Mijn moeder had al een kind toen ze met Sinton Rijswijk trouwde; dat was ik. Ook dat is niet zo uitzonderlijk." Hij lachte even. „Ik heb er nooit moeite mee gehad. Niet als klein jochie bij pake en beppe in huis en niet met vader Sinton. We kunnen best met elkaar opschieten. Maar de laatste tijd pieker ik vaak over het vroegere leven van mijn moeder. Ik wil weten wat de waarheid is. Niet om haar iets te verwijten of om de man te zoeken die mijn echte vader is, want ik zie hem niet als mijn vader. Hij heeft mijn moeder bevrucht, maar een vader is hij voor mij nooit geweest." Hoe was het mogelijk dat Sjoerd haar dit allemaal toevertrouwde! Werden ze misschien tot elkaar aangetrokken doordat ze allebei bezig waren met vragen over het verleden? Praatte hij er met haar over, omdat hij voelde dat ze ervoor openstond en dat het haar interesseerde, al was zijn verhaal haar verhaal niet?

Ze zaten naast elkaar, elk op een witte stoel op het terras. Loudy had haar voeten op de sport van de stoel voor haar gezet en hief genietend haar gezicht op naar de warme zonnestralen.

„Zo'n geschiedenis als die van mijn moeder kon je zo'n dertig jaar geleden en lang daarvoor overal horen. In Groningen, Friesland, in Drenthe, in Noord-Holland en Zeeland, noem maar op. Overal. Mijn moeder diende op een grote boerderij. Ze vertelde daar nooit over. En het is juist zo leuk voor een kind als zijn moeder vertelt over vroeger. Er zullen genoeg gewone, dagelijkse dingen op de boerderij zijn geweest waarover ze kon vertellen. Zo van: de boer deed dit of dat en de boerin maakte jam van de pruimen uit de boomgaard achter het erf. Ik noem maar wat, maar ze zei er nooit iets over. De laatste jaren wel. Ze kan nu gewoon vertellen over het werk dat ze vroeger deed. Ik weet nu dus dat het een grote boerderij was, die midden in het land stond. Maar waar hij stond en staat, weet ik niet. Ik heb meer dan eens in de omtrek rondgefietst om hier en daar te kijken. Het moet een voorhuis zijn met vier ramen, die ze elke vrijdagmorgen moest lappen. Maar er zijn erg veel voorhuizen met vier ramen! Ze praatte over de schuur, de stal, de regenwaterput en het boenhok, maar alle boerderijen hebben die dingen. Ik kon dus niet vinden op welke boerderij mijn moeder heeft gediend. Zo noemde ze dat zelf: gediend. De boer en de boerin waren aardige mensen en mijn moeder had het er goed. Ze moest flink aanpakken, maar niet abnormaal hard; ze werd niet uitgebuit. De boer en de boerin hadden drie kinderen, twee zoons en een dochter en je begrijpt het al, één van die jongens zag wel wat in mijn moeder. Dat begrijp ik best, want mijn moeder is nog steeds een mooie vrouw om te zien. Ze moet vroeger een knappe meid geweest zijn. Een leuke, lieve meid met een blije natuur. Ze lacht veel en praat leuk. Altijd is ze in de weer en ze probeert het om zich heen gezellig te maken. Dat had ze vroeger al. Of zij wat voor die boerenzoon voelde, weet ik niet. Als ze een vrije avond had, ging ze naar het dorp waar mijn grootouders woonden. Daar had ze vrienden en vriendinnen en ging ze uit met jongens. Ze heeft me verteld dat ze niet met Wietse wilde, omdat ze vooruit wist dat het toch niets kon worden door het standsverschil. Maar Wietse wilde haar wel! Als het 's avonds donker en stil was op de boerderij, sloop hij uit zijn slaapkamer naar haar toe. Nu komt het geheim van de hele geschiedenis. Dat heeft mijn moeder nooit verteld. Maar mijn grootmoeder, beppe, is er altijd van overtuigd geweest dat het zo is gebeurd. Zij zegt dat Wietse 's nachts naar het kamertje van mijn moeder sloop om met haar te vrijen, waarbij hij te ver is gegaan. Ik heb het eenmaal aan mijn moeder gevraagd. Ze ontkende niet dat die boerenzoon een oogje op haar had, maar ze zei dat ze in het dorp een vriend had. Maar je snapt het al, toen bleek dat ze zwanger was, was ze in de kortst mogelijke tijd van de boerderij af.

Mijn grootouders maakten er geen drama van. Ze hadden een kindje van twee jaar na maanden tobben, hopen en zorgen aan een bloedziekte verloren. Daar waren ze kapot van geweest en ze zijn er eigenlijk nooit echt overheen gekomen. Vergeten werd het kindje niet. Het bleef in hun gedachten voortleven en ze praatten er dikwijls over. Vooral Beppe. 'Kleine Berend zou nu naar de kleuterschool zijn gegaan... Kleine Berend zou al vijf jaar zijn geweest...' Mijn grootmoeder zei, toen mijn moeder thuiskwam met de tijding dat ze zwanger was, dat ze duizendmaal liever een kind in huis erbij kreeg dan dat ze er een moest missen.

Dus al was het niet direct een plezierige situatie, ik werd toch vol liefde ontvangen. En beppe was ervan overtuigd dat vroeg of laat alles goed zou komen voor Frieda en mij. Het is ook goed gekomen. Maar af en toe, Loudy," – hij keek opeens naar haar – „denk ik: wie zou het zijn..." Loudy knikte. Ook Sjoerd had vragen.

„Ik geloof niet meer dat het een van die boerenzoons is. Die kan ik natuurlijk vinden. Maar mijn moeder schudde alleen haar hoofd toen ik eens zei dat ik meer wilde weten. Van beppe zou ik de naam van de boer waar moeder gewerkt heeft, aan de weet kunnen komen. Ik was een jaar of achttien, toen ik het gevoel kreeg dat ik in het verleden moest graven."

Loudy keek naar hem. Ze had weer het gevoel iets vertrouwds in hem te zien. Ze wist nu wat het was. Het was zijn Friese uiterlijk. In dat opzicht vader. Een smal, beetje hoekig gezicht, blauwe ogen en krullend, blond haar. Het was zoals je mensen uit Zweden en Noorwegen herkent aan hun blonde lokken en mensen uit Italië of Spanje aan de bruine ogen en vale huidkleur. Zo was Sjoerd een echte Fries.

Ze bleef naar hem luisteren. „Later maakte ik me er niet meer druk over. Wat maakte het uit of ik wel of niet wist wie mijn echte vader was? De man wist misschien zelf niet eens dat hij ergens een zoon had. Ik had het goed bij vader Simon. Maar de laatste jaren houdt het me weer bezig."

„Het komt misschien doordat je verkering met Ansje voorbij is. Je hebt niets anders om over na te denken."

„Daar heb je gelijk in." Hij draaide zich naar haar toe en lachte opeens. Als Sjoerd lachte, was zijn gezicht anders. Het strakke was eruit en de lichte ogen straalden.

„Ik denk dat ik het verleden maar laat rusten. Misschien is mijn vader inmiddels gestorven. Dat kan, nietwaar? Ik ben nu tweeëndertig, stel dat die man tweeëntwintig was toen hij met mijn moeder naar bed ging. Dan zijn er toch heel wat jaren voorbijgegaan waarin van alles kan gebeuren. Misschien leeft hij nog en heeft hij inmiddels al kleinkinderen. Wat heeft het voor nut het verleden op te rakelen? Daar komen in dit geval alleen vervelende geschiedenissen uit voort. Want zijn vrouw heeft misschien al die jaren gedacht dat hij een brave Hendrik was, die alleen met haar vrijde."

Sjoerd zweeg. Hij keek voor zich uit, maar Loudy wist niet of zijn ogen iets zagen van zijn omgeving. „Ik weet niet waarom ik dit allemaal tegen jou zeg," vervolgde hij even later. „Misschien komt het doordat ik over mezelf wil vertellen en daar hoort dit verhaal natuurlijk bij."

Ze keek naar het terras met de witte stoelen, de boulevard, waar het steeds drukker werd en de zee. Een zoele, mildwarme wind streek langs haar wangen.

„Ik begrijp niet goed waarom ik het jou vertel. Misschien komt het doordat ik ver van huis ben, dat maakt me losser. Nee, dat is onzin, dat is het niet. Ik weet het wel. Er is iets in jou dat me aantrekt. Gewoon, als meisje. Je bent erg leuk om te zien. En ik hou van meisjes die niet direct overal een antwoord op weten en lacherig en dol doen. Die vlotte meiden liggen me niet. Vlotte mensen niet. Zoals de dames bij ons aan tafel. Voor de reis vind ik het gezellig dat ze erbij zijn, maar in wezen hou ik niet van die types. Ze zijn me te druk. Doorlopend eisen ze de aandacht op en ze vragen zich nooit af of een ander daar blij mee is. Als zij in de buurt zijn, spelen ze luid de eerste viool en ze nemen zonder meer aan dat iedereen het heerlijk vindt daarnaar te luisteren. Een ander komt niet eens aan zacht meepiepen op een blokfluit toe. Daar hou ik niet van. Jij luistert. En bovendien geloof ik dat jij ook wat te vertellen hebt." Hij keek haar opeens recht aan. „Meer dan die enkele mededeling dat je een vriend hebt."

Ze schrok een beetje van zijn woorden, maar ze glimlachte er ook om. „Ik heb misschien ook een verhaal te vertellen, Sjoerd, maar dat zijn dingen die op een heel ander vlak liggen. Ik geloof niet dat je precies kunt aanvoelen wat ik bedoel."

„Ik vind het jammer dat jij een vriend hebt. Dat mag ik toch wel zeggen, daar ben je toch niet boos om? Ik weet zeker dat wij heel goed bij elkaar zouden passen."

Ze lachte opeens schaterend, een beetje overdreven, dat hoorde ze zelf. Maar Sjoerd moest niet in de gaten hebben dat zij hetzelfde had gevoeld. Praten met Sjoerd was anders dan praten met David. David had over veel dingen zijn mening en dat was een vaststaande mening. Die was goed. Omdat wat hij dacht, juist was. Zoals over vader. „Het is een gemaakt vriendelijke man. Door middel van die vriendelijkheid doet hij precies wat hij wil." Vader was volgens David niet spontaan vriendelijk. Hij verpakte zijn wensen in gemaakte vriendelijkheid en dat misleidde.

Ze vond het niet leuk dat David dat had gezegd. Vader was haar vader. Maar zijn woorden hadden twijfel gezaaid in haar hart en diep verborgen van binnen was ze bang dat David gelijk had. Dan dacht ze aan Wim de Ruyter, een jongen die ze tijdens haar opleiding had leren kennen en op wie ze in stilte verliefd was geweest. Dat liet ze niet merken, voor geen goud van de wereld. Ze wachtte af en hoopte dat Wim haar anders zou gaan zien dan alleen als een meisje met wie hij kon praten over gedichten en literatuur. Het was heerlijk om met Wim te praten.

Toen er op school een avondje was waar ze samen heen zouden gaan, haalde Wim haar van huis. Dat was een van de weinige keren dat hij bij haar thuis was geweest. De volgende middag zei vader dat hij Wim een aardige jongen vond, maar dat hij veel te veel van zichzelf overtuigd was. Hij zei iets als: „Ik weet dat er niets is tussen jullie, kindje, tenminste niets dat je verkering kunt noemen, en daar zou ik met hem ook maar niet aan beginnen."

Zijn lieve lach, toen hij vervolgde: „Hou je oogjes goed open, want dit is een van die knapen die later uitgroeien tot volmaakte egoïsten. Hij leidt zijn eigen leven. En het is moeilijk naast zo iemand te leven. Maar ja, je moet maar zien, de liefde is een mal ding, die kun je soms niet tegenhouden!" En toen lachte hij weer.

Ze was Wim toch anders gaan bekijken en op een andere manier naar hem gaan luisteren. Ze vond dat vader gelijk had. Wim was een beetje eigenwijs. Later begreep ze dat hij jong was geweest en vol idealen. Dat dweperige ging wel voorbij. Toen ze erg jong was, dacht ze zelf ook dat ze anders was dan andere mensen omdat ze mooie gedichten las. Ze meende dat ze een dieper gevoelsleven had dan de mensen die alleen maar nuchtere zaken in de kranten lazen. Maar ach, dat gaat voorbij en je kunt er later om glimlachen. Tussen Wim en haar was het nooit iets geworden. natuurlijk niet alleen door vaders houding tegenover ham, maar toch speelde het mee, dat wist ze. Het beïnvloedde haar, zoals vaders vriendelijke woorden haar altijd beïnvloed hadden.

„Hallo," galmde Cora's stem over het terras, „daar zijn we weer! Zalig gezwommen, ja zalig!"

Sjoerd keek even naar Loudy. „Jammer dat ze terug zijn," zei hij zacht. „Kinderen, jullie moeten morgenochtend ook gaan zwemmen. Het water is heerlijk, hè Peter? We hebben lekker een paar baantjes getrokken, zoals dat officieel heet. Wat mij betreft, is het meer ploeteren om aan de overkant te komen, maar dat hindert niet. Ik doe het voor mijn plezier, niet om er een gouden plak mee te winnen. Zullen we ergens koffie drinken? Daar heb ik trek in, een lekkere, flinke bak koffie."

De dag ging voorbij met wandelen, in de zon zitten, praten en lachen en eten. Na het diner zei Loudy: „Ik ga naar mijn kamer, ik ben moe." „Kind, wat let je, ga gerust je gang," zei Cora hartelijk. „Het is echt niet zo dat je de hele dag met ons moet optrekken, stel je voor! Ga maar languit op het bed liggen, ramen wijdopen, frisse lucht, dan doezel je zo weg. Als je mij zoekt; rammel je maar aan mijn kamerdeur. Komt er geen antwoord, dan kun je aannemen dat ik op de boulevard rondloop of op een terrasje zit."

Op haar kamer draaide Loudy de sleutel in het slot om. Het was heerlijk om alleen te zijn. Ze schopte haar schoenen uit, trok de zomerjurk over haar hoofd en hing hem op een hangertje aan de kast. Ze friste zich in de badkamer wat op en ging op het bed liggen. Ze dacht aan Sjoerd. Het was of hij vlak bij haar was. Ze voelde zijn aanwezigheid. Onzin natuurlijk Sjoerd was ook naar zijn kamer gegaan. Misschien dacht hij aan haar. Het was een vreemde gewaarwording, iets van verbondenheid, van samenzijn, aangetrokken voelen.

Ze bolde het kussen onder haar hoofd wat op.

Waarom dacht ze nu niet aan David? Natuurlijk dacht ze af en toe aan hem. Ze glimlachte, de schat, de lieverd, maar hij was ver weg en paste niet in het onwerkelijke leven dat ze nu had. Alles was anders, de omgeving, de mensen, de hotelkamer. Maar het was tijdelijk. Als ze thuis was, was dit voorbij. Dan was David er en vader en de school.

Ze dacht weer aan Sjoerd. Er was een geheim in zijn leven. Hij wist niet wie zijn vader was. Het was het geheim van zijn moeder.

Zou ze aan iemand verteld hebben wie de vader van haar kind was? Het moest vreselijk zijn zo'n geheim helemaal alleen met je mee te dragen.

Misschien had ze het aan verteld. Of had ze gezegd: „Als je het niet weet, moeder, het ook niet verraden. Het is beter voor iedereen dat niemand weet." Dan was het als een gesloten weten in haar hart gebleven en misschien huilde ze er soms in stilte om. Wist Simon Rijswijk wie de vader van zijn stiefzoon was? En de echte vader, wist hij dat hij een zoon had?

„Misschien niet eens, Loudy. Ze namen het ruim dertig jaar geleden niet zo nauw bij ons in de buurt. Als het donker was, de deuren op slot en de luiken of de gordijnen dicht, gebeurde er meer dan ze overdag in de zonneschijn durfden vertellen."

Maar Loudy kon zich niet voorstellen dat een man of een jongen zoiets deed zonder te beseffen wat hij deed en welke gevolgen de daad kon hebben. En het was mogelijk niet de eerste en enige keer dat de man Frieda in zijn armen had genomen.

Als hij het wist, hoe leefde hij er dan mee? Dacht hij er nooit aan? Frieda was getrouwd, goed verzorgd en het kind had een naam gekregen. Was de man getrouwd en wist zijn vrouw dat hij een kind had? Of praatte hij er nooit over en droeg hij het weten met zich mee zonder dat het een last voor hem was? Ze kon er een hele roman omheen bouwen.

Als die man nu eens geen kinderen had... als hij verlangde naar de zoon... misschien zag hij hem af en toe, dat moest toch verschrikkelijk zijn. Ze fantaseerde verder, een beetje met een glimlach, maar toch... Hoe oud was die man nu ongeveer? Sjoerd had het vanmorgen uitgerekend. Ongeveer drieëntwintig toen het gebeurde, Sjoerd was nu tweeëndertig, dus hij zou rond de zesenvijftig zijn. Een man als vader.

Ze voelde zich opeens koud worden. Het was of ze iets zag dat ze niet mocht zien, iets dacht dat ze niet mocht denken. Ze kon het niet omvatten, de opkomende gedachten vloeiden in elkaar. Zesenvijftig jaar, het geheim dat rond vader was, de gelijkenis, ook al was deze summier, tussen Sjoerd en vader... Ze voelde zich misselijk worden en haar hart klopte te snel.

Het waren zotte gedachten en het kon natuurlijk niet. Ze wist niet wat vaders geheim was, maar dat hij ergens een zoon had, was onmogelijk.

Vader zou nooit een meisje met een kind laten zitten. Dat was gemeen, dat deed vader beslist niet. Hij zou het niet kunnen, want hij was gek op kinderen. Nee, dat deed vader beslist niet. Het kon ook niet dat een meisje een kind van hem had verwacht zonder dat hij het wist; moeder had vaders geheim gekend. Het was dus niet een kind. Ze voelde hoe snel haar hart klopte. Ze moest zich niet zo laten meeslepen door haar verbeelding, maar alles op een rijtje zetten en die malle gedachten uitbannen. Het was onzin. Haar fantasie was op hol geslagen doordat ze een jongen zag die een beetje op vader leek. Het waren gewoon allebei Friezen. Dat was toch geen reden om meteen te denken dat hij een zoon van haar vader kon zijn. Het was te zot, ze was gek!

Ze probeerde de gedachten los te laten. Maar het lukte niet. Het bleef tollen en draaien in haar hoofd. Moeders stem, van zoveel jaren geleden, was terug, duidelijk en helder, als hoorde ze hem nu: „En wat heb jij te vertellen…?"

De duisternis sloop de kamer binnen, maar ze ging niet meer naar beneden. Misschien wachtte Sjoerd op haar, ze wist dat hij op haar wachtte. Hij zat nu in de hal van het hotel in een van de diepe, zachte stoelen of hij was op het terras. Of hij liep op de boulevard en keek naar haar uit. Maar ze kwam niet. Sjoerd had iets dat haar aantrok, er was iets tussen hen. Was het anders dan wat ze voelde voor David toen hij pas op school was? Dat was spanning geweest, verliefd zijn, een leuke jongen, een vlotte jongen en ook de hoop dat er voor haar toch eens iemand zou komen. Ze was zesentwintig en had dromen voor de toekomst. Trouwen, zelf kinderen krijgen, die ze een fijne jeugd en een goede opvoeding wilde geven. Zou David de man van haar dromen zijn? Ze had het intens gehoopt, wist ze nog wel.

Met Sjoerd was het anders. Het was of ze hem altijd gekend had. Dat was natuurlijk onzin. Ze moest haar verstand gebruiken.

Ze deed haar ogen dicht. Ze was vreselijk moe, vooral geestelijk. Ze kon niet slapen, maar zich wel laten wegdrijven op alles wat in haar hoofd opkwam. Ze wilde niet echt bewust denken. Veel liever wilde ze rusten en proberen los te laten, niet met verstand en woorden beredeneren, gevoelens laten wegvloeien.

Vader had in Friesland gewoond. Er waren een paar foto's van hem uit zijn jonge jaren. Geen vlotte vakantiefoto's, maar stijve foto's van een jongen in een grijs pak, haren keurig gekamd, een vriendelijke lach.

Misschien had hij in het dorp het meisje Frieda ontmoet. Ze hoorde weer Sjoerds stem: „Mijn moeder was een knappe meid. Ik kan best begrijpen dat de jongens met haar op stap wilden."

Ze schudde haar hoofd. Ze moest ophouden op die manier te denken. Het was beslist niet zo. Het zou onwaarschijnlijk toevallig zijn. En het was niet zo. Dit was vaders geheim niet.

Ze kwam langzaam overeind van het bed. Het was of al haar spieren gespannen waren, ze voelde zich stijf. Ze liep naar het balkon en zag de zee, die als alle avonden donker was, en bijna zwart deinde als een dikke deken die geschud werd. Het licht van de vaalbleke maan toverde er glanslichtjes op. Niemand kon haar zien. Ze zat op een stoel in de deuropening, verscholen achter de betonnen tussenwanden.

Ze voelde zich leeg, er waren nu geen gedachten meer. Stil zitten en gedachteloos zijn. Niet aan vader en moeder denken. Zij hadden het geheim gekend. Het was iets met vader en maakte moeder verdrietig. Niet aan David denken. Hij wilde vragen en zoeken in Friesland. Dat moest niet. Als dit het geheim was, zou David het nooit vinden. Het was lang geleden en wie ervan wist, zweeg.

Ze bleef een hele tijd zitten. Ze kreeg het koud, de avondwind wakkerde aan. Maar het was prettig om het koud te hebben. Het nam de spanning weg en het onwerkelijke. De lange, dunne gordijnen wiegden heen en weer.

Ze ging veel, veel later weer op het bed liggen. Ze was leeg en moe. Ze had vreemde gedachten, waarvan haar verstand zei dat ze onmogelijk waren. Maar haar gevoel wilde ze niet loslaten.

HOOFDSTUK 6

„De laatste dag hier, kinderen," zei Lenie de Vries aan het ontbijt. Ze keek het kringetje rond alsof ze een heel prettige mededeling lanceerde. Sjoerd en Peter keken op van hun bord en knikten naar haar. Ja, ze had gelijk, de laatste dag alweer. De anderen gingen gewoon door met eten en drinken. Ze hoefden niet te zeggen dat Lenie gelijk had. Dat wisten ze allemaal, het was de laatste dag hier.

Lenie kwetterde door. „Het is vreemd, ik weet niet of jullie dat gevoel ook hebben, maar aan de ene kant is het voor mij omgevlogen. Ik keek er tegenaan, een week lang in Opatya, mijn hemel, dat was een belevenis waar geen eind aan kwam, maar het is veel te vlug gegaan. Aan de andere kant heb ik het gevoel dat het heel lang geleden is dat ik van huis ging."

„Zo voel ik het ook." Cora was bezig een broodje te smeren met boter, maar dat was niet eenvoudig. Ze hield het taaie broodje in de ene en het te botte mes in hand. „Het lijkt wel of ik een dode mol slacht," had ze al gezegd. Ze ging in op de woorden van Lenie. „Ik denk dat het komt doordat we zoveel hebben gezien. Het zijn heel andere dagen geweest dan thuis."

„Zeg dat wel," viel Corrie direct bij, „Thuis ben ik druk in de weer vanaf het moment dat ik uit bed stap. Soms denk ik als de wekker gaat: zal ik nog een kwartiertje blijven liggen? Maar ik weet dat ik dan de route langs de obstakels in huis nog sneller zal moeten nemen. Dus meteen uit bed, maar alles wat je doet, is overbekend. Er is geen enkele verrassing. Tafel dekken, thee zetten in ons eigen keukentje."

Opeens lachte ze. „Het is een fijn keukentje hoor, maar het is zo klein en lijkt nu zo vreselijk ver weg en tegelijk zo gewoon als ik hier in deze eetzaal aan het ontbijt zit. Wilt u thee of koffie, mevrouw? En een gekookt eitje? Dan het werk in huis, jullie kennen de diens-trooster. Eerst opruimen, dan nog eens opruimen, dan stofzuigen en afwassen. Vergelijk dat eens met de weelde hier. Je kunt zo van tafel opstaan om de dag te gaan besteden zoals je wilt."

Er werd nog een poosje over doorgebabbeld. Loudy luisterde er met plezier naar. Een gezellig, vrolijk gesprek. Ze zei zelf niet veel. Wat de anderen voelden, voelde zij ook. Aan de ene kant waren de dagen omgevlogen, aan de andere kant had ze het gevoel veel beleefd te hebben. Te veel voor één week. En de spanning, die was ontstaan na het gesprek over Sjoerds verleden, was nog niet weg. Er waren zoveel vragen waarop ze geen antwoord wist.

Ze wilde terug naar huis. Om David, natuurlijk om David, want ze verlangde naar hem. Ze had hem een paar keer opgebeld en hij had lief gezegd dat het vreselijk stil was zonder haar. Hij telde de uren tot ze terug zou zijn. Ze wist dat het niet helemaal waar was, stel je voor, die zielige David, maar voor hem waren deze vrije dagen natuurlijk anders geweest dan voor haar. Hij was thuis in zijn eigen omgeving gebleven en als hij ergens heenging, ging hij alleen. Dat was niet leuk. Hij had geen vrienden als Sjoerd, Peter en Cora om zich heen. Ze wilde ook naar vader. Omdat ze verder moest met wat ze van binnen voelde. Ze dacht soms: het verhaal afmaken, het ware verhaal weten. Ze had de laatste avonden weer haar herinneringen afgezocht, hopend op beelden van moeder. Andere beelden. Niet het gezicht met de trek van berusting en de zachte blik waarvan ze nu niet zeker wist of het wel een zachte blik geweest was. Hoe het verder moest, wist ze niet. De gedachte die ze die ene avond had gehad, dat het niet uitgesloten was dat de onbekende vader van Sjoerd haar eigen vader was, had ze als veel te veel fantasie van zich afgezet, maar diep van binnen was maar diep van binnen was de twijfel gebleven. Het leven was vol toevalligheden. Misschien was er zelfs een onzichtbare hand die mensen, die bij elkaar hoorden, naar elkaar toedreef.

„Wat is de wereld toch klein," zegt men dan, maar het kon meer dan een toevalligheid zijn, iets van voorzienigheid.

De gedachten die ze had, maakten het praten met Sjoerd moeilijk. Op de achtergrond spookten steeds de vragen: waarom kijk ik naar hem, waarom trekt hij mij aan, is er toch iets van verbondenheid... Het was te zot om waar te zijn en het zou al té toevallig wezen, maar het kon... het kon...

Hoe het verder moest. wist ze absoluut niet. Ze kon het niet aan vader vragen, stel je voor! Ze zou niets overhaasten, maar de draad vasthouden en langs die draad stap voor stap verdergaan. Ze wilde weten wat het geheim was en vooral wilde ze weten hoe vader en moeder in werkelijkheid waren geweest.

„We houden vandaag een rustige dag," stelde Peter voor toen ze nog aan tafel zaten. „Het is morgen een lange rit, maar we mogen onderweg niet in slaap sukkelen, want we gaan weer over de Plöckenpass. Daarvan moeten we genieten."

„Een rustige dag, goed idee," stemde Cora meteen in. „Dat betekent een wandelingetje, een kopje koffie, een ijsje, kijken naar de zee, een stukje lopen, kijken naar de zee, een kopje koffie..."

„Dan beginnen we maar met een stukje lopen." Sjoerd schoof zijn stoel achteruit. „We zijn allemaal klaar, broodmandje leeg en eitjes, op. Wie gaat er mee?"

Toen ze naast elkaar over de boulevard liepen, zei hij: „Morgen weer terug. Het is zoals Lenie zegt: het is vlug voorbijgegaan, maar er is veel gebeurd. Voor mij zeker."

„Hoezo?" Ze wist zelf hoe dom de vraag klonk.

„Dat weet je best. Ik heb jou ontmoet. Maar voor jou is het niet: je hebt mij ontmoet."

Ze knikte niet eens. Wat kon ze daar naar waarheid op zeggen?

„Jij hebt mij ontmoet," vervolgde hij, „en ik neem aan dat je me wel aardig vindt, maar je gaat terug naar David."

„Zo is het."

„Ik kan je niet vergeten."

„Dat zal toch moeten."

„Ik weet het niet. Ik geloof dat je echte liefde niet kunt uitbannen."

„Liefde moet wel van twee keten komen, Sjoerd, dat weet je. En ik hou van David. Bovendien, het is vakantie. Jij bent alleen op reis gegaan, nou ja, met Peter, maar je weet wel wat ik bedoel. Je keek uit naar een meisje. Je hoopte iemand te ontmoeten en wilde dat het zou klikken."

„Misschien heb je een klein beetje gelijk, maar dan is het toch een heel klein beetje, want ik ben echt niet weggegaan met het idee dat ik op deze reis een leuk meisje zou tegenkomen. Ik dacht meer aan wat oudere mensen, gezellige lui, met wie ik genoeglijk uit zou zijn. Maar jij was er en ik voelde me meteen tot je aangetrokken. Jij bént het gewoon."

„Sjoerd, alsjeblieft, je weet dat ik David…" Hij onderbrak haar woorden. „Je houdt van David, maar misschien zou je meer van mij kunnen houden."

Ze bleef midden op de wandelboulevard staan. „Sjoerd, ik weet niet wat je je in je hoofd haalt, maar ik ben verloofd met David, al is het dan niet officieel met ringen, en ik houd van hem. Ik blijf met hem en ik trouw met hem."

Terwijl ze het zei, voelde ze zich vreemd vanbinnen. Als een vlaag kwam het over haar. Het was iets van pijn, maar ook van verbazing. Ze dacht opeens iets dat ze nog nooit had gedacht, dat ze wel wist, maar niet had beseft. Was het waar, hield ze echt veel van David? Was alles met hem het grote geluk, de echte liefde? Ze hield van hem en hij was lief en ze wilde met hem trouwen. Dat was het vooral – de woorden klonken bijna als door stemmen gesproken binnenin haar – ze wilde trouwen. Ze wilde iemand naast zich in het leven, niet doorgaan met alleen vader. Er moest een toekomst zijn, een eigen huis zoals ze het zich droomde, een man, kinderen en niemand bood haar die mogelijkheid dan David. Ze schrok van haar gedachten. Het was gemeen het zo te zien. Dat kwam door Sjoerd en alles rondom hem, het was het vreemde van de situatie. Ze moest haar verstand gebruiken, denken aan Davids armen om haar heen, warm en vertrouwd, Davids stem, Davids kussen. Ze was er toch gelukkig mee? Maar bij Sjoerd voelde ze zich anders.

Naast Sjoerd was ze zichzelf, een gevoel van volmaaktheid, alsof ze daar hoorde. Zo was het goed. Ze moest alle gepieker over zijn afkomst opzijschuiven en dat kon, omdat het onbelangrijk was. Het was voorbij.

Ze leefden nu.

Ze wist niet dat de onrust in haar ogen te zien was. Sjoerd zag het wel.

„Ik laat je niet los, Loudy," zei hij zacht.

Ze schrok van zijn stem en was terug op de boulevard. Ze begon langzaam te lopen. Het was weer gewoon. Ze liep hier met Sjoerd, maar morgen ging ze terug naar huis en naar David.

„Het zal toch moeten, jongetje!" Ze lachte erbij. „Ik stuur je gauw een kaart met de huwelijksaankondiging van David en mij." Toen zei ze, op een andere toon, milder en zachter: „En jij vindt gauw een meisje. Voordat je deze reis begon, zat je toch nog een beetje vast aan Ansje, niet echt, dat weet ik wel, maar je bleef in dezelfde omgeving en je gedachten draaiden in hetzelfde kringetje rond. Na deze reis is de wereld anders."

Voor ons allebei, wist ze. De vragen waarmee zij was weggegaan, waren niet opgelost. Er waren zelfs moeilijker vragen bijgekomen.

„Ik denk het niet. Ik ben een rare vent. Ik weet dat er duizenden meisjes op de aardbodem rondlopen die lief en aardig zijn, maar tussen al die duizenden zijn er maar één of twee van wie ik kan houden. Dat is de waarheid. Gelukkig, zou ik bijna zeggen, want stel je voor dat ik om de haverklap verliefd werd. Dat zou een mooie toestand worden! Ik hield van Ansje en ik houd van jou. En ik ben niet van plan jou op te geven."

„Ik hoor bij David," antwoordde Loudy zacht. „Een ander meisje is voor jou bestemd, Sjoerd. Ik weet zeker dat ik gauw een kaart van je krijg dat je je gaat verloven met een schat van een meid. Verloven is uit de tijd, maar je kunt me een kaart van Gaasterland sturen en in een hoekje schrijven: Ze heet Annemieke, of Thea, of Toosje. Als ik die kaart krijg, zal ik aan deze morgen op de boulevard denken en jij denkt eraan als je haar naam opschrijft. En dan lachen we er allebei om, Sjoerd."

Hij schudde zijn hoofd. „Je kent me nog niet."

De volgende waren ze heel vroeg in de eetzaal. De koffers waren al naar buiten gebracht en werden door Martin, geholpen door een paar mannen, in de bus geladen.

„Ik zie tegen de rit op," bekende Corrie Berends, terwijl ze twee sui-kerklontjes in de hoge theekop liet vallen. „Martin zegt dat het laat wordt voor we vanavond in Enkering aankomen. De hele dag rijden."

„We beginnen met een prachtig stuk, de bergpas, en je bent nu nog fit en flink. Daarna kun je toch je ogen dichtdoen."

Bets had er geen problemen mee. „Weet je wat je moet doen? Achterin de bus gaan zitten. Daar wordt niet zoveel gekletst en gekwetterd. Dan ben je bij Leentje uit de buurt, dat scheelt brokken vermoeidheid. En je mist echt niks, want alles wat interessant was, heeft ze van de week al verteld. Je doet je ogen dicht, je dommelt in, de bus dendert door en voor je het weet, staan we in Enkering onder het balkon van het hotel en zweeft de geur van heerlijke soep en gebraden karbonaadjes in je neus. Dan een badje en naar bed en morgen hobbel je over de Autobahn en brengt elke kilometer je dichter bij Janus. Dan voel je geen vermoeidheid meer."

„Maar zover is het nog lang niet," zuchtte Corrie.

„Ik schat het dertienhonderd kilometer " zei Peter opgewekt.

Die avond na het diner in Enkering – het was intussen bijna half tien – stelde Hans Govers voor met z'n allen een kleine wandeling te maken. „Even frisse lucht happen en onze spieren bewegen."

„Gaan we mee?" vroeg Cora aan Loudy. „Ik vind het prima en wil wel even naar buiten. Maar we gaan niet zo lang. Ik noet je wat vertellen."

Loudy wist allang wat Cora wilde zeggen, dat was niet moeilijk te raden. Het was duidelijk dat tussen Peter en haar een vriendschap was begonnen die na deze reis niet zou eindigen. Ze waren er allebei veel te blij mee.

„Je snapt het natuurlijk al," zei Cora toen ze die avond na de wandeling op Loudy's kamer op het bed zaten. „Peter zei gisteravond dat hij zo vlug mogelijk naar Leiden komt. Hij zei niet: 'Dat zou ik graag willen,' en hij vroeg niet: 'Vind jij dat prettig?' Nee, want we weten dat we het allebei fijn vinden dat we elkaar zijn tegengekomen. Gek hè, ik kon me niet voorstellen dat ik nog eens op een andere man verliefd zou worden. Echt verliefd, zoals vroeger op Hugo, dat is het niet, maar toch, ik ben blij als ik hem zie, blij als hij in de buurt is. Peter is heel anders dan Hugo was en dat is goed. Heel goed zelfs. Ik kan die twee absoluut niet met elkaar vergelijken. Peter is een fijne vent. Ik weet dat ik hem niet kan beoordelen op deze paar vakan-tiedagen. We hoefden niets te doen, we liepen en aten en zaten in de zon als we daar zin in hadden. Ik weet dat Peter andere dagen zal hebben. Dat is logisch. Ik ben ook niet dag in dag uit een zonnestraaltje. Ik weet zelf dat ik hier druk, uitgelaten en vrolijk ben geweest, vermoedelijk door het blije om me heen. Het leven was anders dan zoals het de laatste jaren voor me geweest is. Ik voel me losser, ik zou bijna zeggen 'herboren', maar dat is nou net weer een te groot woord. Maar er is iets tussen Peter en mij. En Loudy," – ze straalde opeens – „ik ben daar gelukkig mee. Iedereen, mijn moeder en mijn buurvrouwtje, met wie ik erg goed kan opschieten, zei het laatste jaar dat er een andere tijd in mijn leven zou komen en dat ik nog jong genoeg was om weer geluk te vinden. Maar als je tegen de veertig loopt, kom je echt niet veel vrije mannen tegen die ook nog lief en aardig zijn. Ik weet dat ik nooit een verhouding zal beginnen met een getrouwde man. Ook een huwelijk met een gescheiden man met een paar kinderen lijkt me ontzettend moeilijk. Ik heb geen ervaring met kinderen. Ik vind ze niet zo lief zoals sommige mensen die alleen vertederd over kinderen kunnen praten. Ik heb neefjes en nichtjes die kleine donderstralen zijn. Misschien zie je dat niet als het je eigen kind is, maar ik zie het wel. Als ik met een gescheiden man met kinderen zou ontgaan, weet ik dat die kinderen een wig gingen vormen. En naar mijn gevoel blijft er altijd iets over: van de band met de vrouw, bij wie hij die kinderen heeft verwekt. Daar zal hij toch wel eens aan denken, evenals aan de geboorten en de eerste levensjaren van de kinderen. Dat zullen ervaringen uit zijn leven zijn die nooit helemaal weggaan. De spanning bij de bevallingen, de angst misschien, daarna de trots en het samen genieten van het nieuwe en blije in hun leven, dat kan niet worden uitgewist. De band met de kinderen zal ook sterk zijn en dat is logisch. Hij zal in hen eigenschappen en uiterlijke kenmerken zien van zichzelf en zijn familie. Het is zijn eigen vlees en bloed, om een wat overdreven uitdrukking te gebruiken. Je moet uit mijn gepraat niet opmaken dat ik dat afkeur. Ik vind het juist heel goed dat een vader, ook al woont hij niet meer bij zijn gezin, contact houdt met zijn kinderen. Die kunnen ook als ze groter worden, zijn steun best gebruiken. Ze hebben het nodig te weten dat er iemand is die ze echt wil helpen. Maar voor mij zou het moeilijk zijn met zo'n man te leven. Ik begrijp het allemaal en ik voel het ook aan, maar ik kan er niet mee leven. Tussen hem en mij zou altijd iets zijn wat stamt uit een periode van zijn leven, een belangrijke periode waaraan ik geen deel heb gehad. Dat zou voor hem mijn leven met Hugo zijn, maar het verschil is dat dat leven voorbij is. Er bleef niets van over dan herinneringen. Daarover ik met hem praten, over 'toen' vertellen. Maar van een gescheiden man leeft de vrouw nog en de kinderen zijn op deze aardbodem. Ze zijn wezenlijk om hem heen. En ze houden hem vast, hoe dan ook." Cora keek Loudy aan. Die knikte. Ze begreep wat Cora bedoelde. Als ze vooruit wist wat de moeilijkheden waren, was het goed ervoor te waken. Maar liefde laat zich niet dwingen. Als Peter nu eens wel een kind had... Maar Peter had geen kinderen, niets te tobben dus.

„Peter heeft me over zijn huwelijk verteld. We hebben gezegd dat we alles van elkaar moeten weten als we met elkaar blijven omgaan. Zijn vrouw heeft hem ruim drie jaar bedrogen met hun beste vriend. Hij had niets in de gaten; het kwam gewoon niet in zijn hoofd op in die richting te denken. Ze hadden een vlotte, vertrouwelijke houding met z'n vieren. Peter was ervan overtuigd dat tussen hen de ware vriendschap bestond. Wilfred, Molly, Els en hij gingen leuk met elkaar om. Altijd gezellig en vrolijk, maar ook als er problemen waren. Toen Wilfreds bedrijf niet goed ging, waren Peter en Els er om zoveel mogelijk te helpen. Molly zag ook niet dat er tussen Wilfred en Els iets gaande was. Ze stoeiden wel eens met elkaar en zoenden elkaar nu en dan, maar het ging speels en uitgelaten en Peter en Molly waren erbij. Ze zochten er niets achter. Tot Molly argwaan kreeg omdat Wilfred haar 's avonds in bed niet meer aanraakte. Dat was vreemd. Ze wachtte een poosje af, drong zelf niet aan op vrijen, daagde hem niet uit en toen Wilfred daarop totaal niet reageerde, wist ze dat er iets fout moest zijn. Ze sprak erover met Peter en kort daarna hebben ze erover gepraat met Wilfred en Els.
Toen bleek dat die twee al drie jaar afspraakjes maakten. Wilfred had een eigen bedrijf, en moest vaak ergens heen voor een bespreking of om inkopen te doen. Hij kon zijn tijd plooien zonder dat Molly argwaan kreeg. Hij was vaak bij Els thuis. Eerst was het alleen samen praten, ze voelden zich tot elkaar aangetrokken. Ze hadden, zo vertelden ze aan Peter en Molly, niet tegen elkaar zitten klagen over hun partner. Daar was ook geen reden toe, want ze hadden allebei best een goed huwelijk. Maar van lieverlee was hun liefde voor elkaar groter en sterker geworden dan de liefde voor hun eigen man en vrouw. Na een poosje kwam de slaapkamer er natuurlijk toch aan te pas. Peter zei: 'Toen ik me dat realiseerde en dacht aan het bed waarin ik naast Els lag, maar waarin ze die middag bloot naast

Wilfred had gelegen en met hem had gevrijd en dat liever met hem deed dan met mij, werd ik witheet van onmacht en woede.' Hij heeft het er ontzettend moeilijk mee gehad. Hij hield van Els en zei me dat hij haar in het begin toch niet kon haten. Maar de breuk was er. Het enige wat Wilfred en Els wilden, was met elkaar verdergaan. Er kwamen dus twee echtscheidingen. Peter en Els hadden een erg leuk huis. Peter zei erover: 'Niet zo groot, maar het was echt een droomhuisje. Gebouwd en ingericht zoals wij, ik net zo goed als Els, het wilden hebben.'

Toen het voorbij was tussen hen, wilde hij er niet blijven wonen. Aan alle dingen zaten herinneringen. Peter is wat dat betreft, erg gevoelig. Als hij het bankstel zag, moest hij er steeds aan denken, met hoeveel zorg ze het samen hadden uitgezocht. En dat was net zo met de schilderstukjes aan de wand en de serviezen in de kast. Uit zulke opmerkingen maakte ik op dat Peter het er ontzettend moeilijk mee heeft gehad. Volgens hem kan de ontdekking, dat de vrouw van wie je houdt en die jij volkomen vertrouwt, zo lang een verhouding heeft gehad met een andere man, de liefde die je voor haar voelde, volkomen kapotmaken. En de dingen waaraan je gehecht was, omdat ze van jullie samen waren, kun je haten en wil je niet meer zien."

Cora zweeg even. Toen zei ze: „Het is nu alweer drie jaar geleden. In het begin van dit jaar ontmoette hij Wilfred en Els op een feestavond. Ze praatten gewoon met elkaar. Dat had Peter drie jaar geleden niet voor mogelijk gehouden. Maar nu voelde hij niets meer. Geen haat en geen jaloezie. Molly heeft ook een vriend. Dat vertelde Wilfred die avond. Met haar heeft Peter ook geen contact meer. Hij heeft een streep onder die periode van zijn leven gezet."

„Het is goed dat er een paar jaar voorbij zijn gegaan. Nu kan hij openstaan voor een nieuwe liefde."

Cora knikte.

Opeens zei ze: „Ik vind het zielig voor Sjoerd dat jij David hebt. Die jongen is gek op je."

„Dat valt wel mee. Ik heb hem trouwens direct gezegd dat ik verloofd ben."

Verloofd ben... Wat klonk dat opeens onwezenlijk. Dacht ze veel aan David, verlangde ze heftig naar hem? Eigenlijk niet. Maar ze was ook niet pril jong en heftig verliefd, het was een rustige liefde, een rijpe liefde...

„Ik zeg ook niet dat je hem hebt voorgelogen." Cora lachte opeens.

„Je hebt hem geen valse hoop maar ondanks jouw verloving is Sjoerd verliefd op je."

„Het is een aardige jongen. Vriendelijk, rustig, ik hou van dat type, je weet wat je eraan hebt. Niet gemaakt vlot en leuk en hij slooft zich niet uit om door iedereen aardig gevonden te worden. Hij is zoals hij is. Dat denk ik tenminste." Ze praatten nog een poosje, tot Cora zich van het bed liet glijden.

„Kom, ik ga naar mijn eigen hokje, we moeten gaan slapen." Bij de deur zei ze: „Ik moest er met je over praten, Loudy. Natuurlijk wist je het, van Peter en mij, maar ik moest het kwijt." Met de deurknop in de hand ging ze verder. „Wij blijven contact houden, hè? Ik weet dat alles anders is als we weer thuis zijn, in de sleur van het dagelijkse leven. Deze dagen waren onwerkelijk, bijna als uit een fantastisch verhaal, maar jij en ik hebben het echt beleefd en we hebben gepraat en gelachen samen. Ik vind dat we elkaar moeten blijven zien."

„Dat is een goed idee. Ik ben ook nieuwsgierig hoe het verdergaat tussen Peter en jou!"

Cora lachte vrolijk. „Als we gaan trouwen, ben jij eregaste op onze bruiloft! En Sjoerd komt dan natuurlijk ook."

Het idee lokte Loudy niet direct aan, maar het was nog ver in het verschiet en misschien kwam er nooit wat van. Ze lachte met Cora mee. Bij de koffiestop in de namiddag van de laatste dag werden adressen en telefoonnummers uitgewisseld.

„Ik wil jouw adres graag." Sjoerd legde een notitieboekje met pen op tafel. „Ik heb foto's gemaakt. Als ze leuk zijn geworden, stuur ik ze je toe."

Ze gaf hem haar adres. Hij schreef het zijne op een blaadje en reikte het haar toe. Ze stopte het in haar tas. Ze wist dat ze hem nooit iets zou toesturen en hem nooit zou schrijven. Misschien een kort briefje om te bedanken voor de foto's en te vragen hoeveel kosten eraan verbonden waren. Gewone, zakelijke vragen. Meer contact kon er niet zijn tussen Sjoerd en haar. Er waren te veel vragen. Wat ze die ene avond had gedacht – het was te mal om eraan vast te houden – spookte nog steeds door haar hoofd. Ze kon het niet vergeten en niet uitbannen. Toeval, noodlot, het zijn dingen in het leven die bestaan. Een onzichtbare kracht die vasthoudt en stuurt, een draad die door het leven loopt en ons leidt.

Welke vreemde aantrekkingskracht had Sjoerd en haar op elkaars wegen gebracht? En nog wel in Joegoslavië! Waarom zover weg?

Wie weet wat dat is, wie kan het verklaren en uitleggen? Geen mens, maar Loudy had sterk het gevoel dat iets dergelijks met haar was gebeurd. En misschien was het eind ervan nog niet in zicht.

Vanuit Didam belde ze te zeggen dat ze ongeveer acht uur op het stationsplein zou zijn. De laatste rit in de bus, die haar van Didam naar huis bracht.

Hij was er. Ze zag hem meteen. Hij stond op het brede trottoir voor de ingang van het station. ze zag zijn gezicht, een beetje lachend en blij toen de bus de parkeerplaats opdraaide. Ze stapte uit.

„Dag meisje, dag lieveling." Hij nam haar in zijn armen, drukte haar tegen zich aan en kuste haar. „Weer veilig bij me terug, heerlijk!"

„Dag jongetje van me." Ze maakte zich vlug los uit zijn armen. „De chauffeur haalt mijn koffer uit de bagageruimte, daar moeten we bij zijn. De bus moet verder, er zitten mensen in die nog naar huis gebracht moeten worden."

Toen de bus wegreed, zwaaiden ze hem enthousiast na. De koffer stond op de trottoirtegels, de 'onderwegtas' erbovenop.

David sloeg zijn armen weer om haar heen. „Ik ben zo blij, meiske, dat ik je weer bij me heb."

„Waren het vervelende dagen zonder mij?"

„Ik heb je gemist, maar ik heb niet stil thuis gezeten. Daar vertel ik straks over. Eerst moet jij vertellen. Ik geloof dat je een heerlijke reis hebt gehad."

„Ja, schitterend."

„Zullen we meteen naar de Oosterlaan gaan of zullen we eerst samen ergens een kopje koffie drinken en bijpraten? Ik heb tegen je vader gejokt en gezegd dat de bus niet voor negen uur, half tien hier kon zijn."

„Ondeugend ventje! Maar misschien is het een goed idee. Vader heeft natuurlijk veel te vragen en ik wil hem alles vertellen. Dat wil ik jou ook."

Dat was niet waar. Ze zou hem niet vertellen wat ze op deze reis had ontdekt en gevoeld en waarvoor ze bang was omdat ze het niet begreep. Als vader een zoon had, hoe kon hij dan leven met zo'n groot geheim? Hoeveel verdriet was er in zijn hart? Of was het voorbijgegaan, had hij het kunnen loslaten en er niet meer aan gedacht? De jaren wissen zoveel uit. Dit zou ze nooit aan David vertellen en aan vader ook niet. Het bleef een geheim dat ze met zich meedroeg.

„Je bent op reis gegaan om tot rust te komen, lieveling." Ze waren inmiddels naar De Wielewaal gereden en zaten aan hun vaste tafeltje aan het raam.

Om tot rust te komen… Ze had willen zoeken naar alles van vroeger, denken aan moeder, dat was het vooral, denken aan moeder. Iets van haar leven zien, beelden vinden van moeders leven, maar ze had weinig gevonden. Misschien was het beter alles te laten rusten. Maar dat kon niet meer. Ze kon het niet loslaten. Het hield haar bezig. Het was te belangrijk en ook te fascinerend om opzij te schuiven. Het nam te veel plaats in haar gedachten in.

„Echt rusten was er op deze reis eigenlijk niet bij. Maar het is wel zo dat je niet meer toekomt aan dingen die je thuis bezighielden. Er is veel te zien en er zijn mensen om je heen met wie je praat en lacht. We hebben zo'n plezier gehad! Het was heerlijk!"

Ze werd enthousiast, vertelde over de prachtige rit, heen en terug, de uitzichten, de tocht naar Istrië, de Adriatische Zee, het hotel en de Plitvice-meren. David luisterde. Ze was losser en blijer dan toen ze wegging en dat was het enige wat belangrijk was. Daarvoor was ze op reis gegaan.

Ze keek op haar horloge. „We kunnen hier niet lang meer blijven, papa wacht op me. Hij heeft tien dagen alleen gezeten. We moeten naar de Oosterlaan. Maar eerst wil ik weten wat jij in je vrije dagen hebt gedaan. Je maakte me daarnet een beetje nieuwsgierig." Ze boog over het tafeltje en lachte naar hem. Hij had fietstochten gemaakt, raadde ze in stilte.

David hield van fietsen. Of hij had mooie boeken gelezen en gewerkt aan een kindertoneelstuk, dat de kinderen van de hoogste klassen konden instuderen en opvoeren.

„Eigenlijk kan ik het niet in een paar woorden zeggen. Het kan wel, maar ik wil het niet. Dus nu een klein tipje van de sluier opgelicht, later de rest. Ik ben naar Friesland geweest om de vraag rond je vader op te lossen. Want daar zit jij mee en daarvoor heb je in Joegoslavië de sleutel natuurlijk niet gevonden."

Een vreemd gevoel kwam in haar boven. In de eerste plaats was het boosheid. David had niet het recht te graven in haar leven en in vaders leven. Hij had er niets mee te maken. Hij moest afwachten wat zij hem erover vertelde. Dan mocht hij haar helpen zoeken, maar niet op zijn eigen houtje. Hij mocht niet meer weten dan zij. Zelfs alles wat zij wist, mocht hij niet weten. Wat had David gehoord? Mijn hemel nee, alsjeblieft niet de waarheid… Opeens voelde ze sterk dat haar vermoeden de waarheid was. Ze voelde ook dat David het niet wist. Uit de klank van zijn stem, de blik in zijn ogen kon ze dat opmaken. David had niets belangrijks gevonden. Het geheim bleef. Ze trilde zacht van binnen, alles in haar trilde, maar David kon het niet zien. Ze glimlachte naar hem en probeerde een blik van onrust uit haar ogen te weren. Ze voelde zich opeens ver van hem afstaan. Dat was vreemd, het schokte haar. Ze was er verbaasd over en had het gevoel of er iets kils in haar hart werd gelegd dat ze niet meer kon verwarmen. Ze voelde scherp dat hij een buitenstaander was. Hij stond los van haar en was geen deel van haar. Ze schrok van haar gedachten. Hoe kon ze zo staan tegenover de man met wie ze ging trouwen? Ze hadden zich voorgenomen elkaar altijd alles te zeggen, maar daar kwam nu al weinig van terecht. Ze wilde het niet en ze kon het niet. Ze keek naar hem over het tafeltje. De blauwgrijze ogen met de verrassing erin. Hij verwachtte dat ze blij zou zijn met alles wat hij vertelde, maar elk woord maakte de afstand tussen. hen groter. En de afweer.

„Het was moeilijk omdat ik weinig aanknopingspunten had. Alleen de naam van je vader en de plaatsnaam Drachten. En dat hij op een sigarenfabriek moet hebben gewerkt. Maar dat is twintig jaar geleden! Bovendien praten Friezen niet gemakkelijk tegen vreemden, dat heb ik ervaren."

„Wat hebben ze je verteld?" Ze moest het vragen. Ze kon niet roepen: houd je mond, ik wil niets horen van jou, jij hoeft niet te zoeken en te wroeten. Ik doe dat! Ze zei het niet en luisterde naar hem.

„Eigenlijk niet veel. De naam Swinkels hadden ze wel eens gehoord, maar voorzover ik kon ontdekken, woont er geen Swinkels meer in een dorp Drachten. Van naaste familie heb ik niets kunnen ontdekken."

Loudy slaakte onhoorbaar een zucht. Hij had niets gevonden. Alles was uitgewist, of wie iets wist, zweeg. Een enkeling wist wat.

„Ik heb een man in een sigarenwinkeltje gesproken. Ja, het was moeilijk. Ik moest ergens een begin hebben en dan hoopte ik van het een naar het ander te komen. Ik kon niet op straat gaan roepen: wie kent Tjeerd Swinkels?! Ik maakte dus hier en daar een praatje als ik in een winkel iemand zag van om en nabij de zestig. Die sigarenhandelaar had de tijd voor me, want er was niemand in zijn zaak en hij vond het prettig om een te maken. 'Tjeerd Swinkels, Tjeerd Swinkels,' zei hij een keer achter elkaar. De naam kwam hem bekend voor, maar hij kon hem toch niet thuisbrengen. Hij stelde een heleboel vragen, zoals: waar hij dan en wat was de voornaam van zijn vader, was dat Ulbe Menno? Die naam zei hem wel wat, Menno Swinkels. En hoe heette zijn moeder? Ik kon daar natuurlijk geen antwoord op geven en dat maakte het moeilijk. Ik vroeg hem of er ruim twintig jaar geleden een kwestie geweest was met geld op een sigarenfabriek. Mijn jongen nee, daar kon hij absoluut niets over zeggen. Een groot schandaal, een grote oplichting was het in elk geval niet geweest, want dan zou hij het weten. Zoals toen bij Bouhuis en Van Vliet. Daar was de boekhouder er op een nacht met de inhoud van de brandkast vandoor gegaan. Dat wist hij nog drommels goed. Het was een geweldige sensatie en het gesprek van de dag geweest. Iedereen had het erover. Wat Swinkels had uitgehaald, als het tenminste in de omgeving van Drachten was geweest, was beslist niet belangrijk. Toen kwam er een man de winkel binnen om pijptabak te kopen. Echt een stoere Fries, groot en breed, een beetje rode kop en dik haar en tegen die man begon de sigarenman in het Fries te praten. Ik verstond er niet veel van, maar het was duidelijk dat hij mijn vragen doorspeelde. Aan het gezicht van die man zag ik dat hij ook niets wist. Hij schudde zijn hoofd, nee, de naam Swinkels had hij wel eens gehoord, maar of er ooit een Swinkels op de sigarenfabriek had gewerkt, zou hij niet weten. Welke fabriek was het? Ze hadden er destijds twee."

Loudy knikte. Langzaam ebde de angst weg en ook het gevoel van boosheid. David probeerde haar te helpen, dat moest ze voor ogen houden.

Als hij helemaal niets had gevonden, was dat het beste.

Maar de kilte bleef.

„Ik heb met meer mensen gesproken. Want wat ik daarstraks zei, dat ik hoopte van het een naar het ander te komen, dat viel tegen. Maar men stuurde me wel van de ene persoon naar de andere."

De angst kwam terug. Dit was Davids manier van praten. Niet meteen de clou vertellen. Er een verhaal van maken. Aandacht vasthouden. De ander naar hem laten luisteren. Interessant zijn. Ze dacht het met koele berekening. Alsof ze naar een vreemde luisterde en niet naar de liefste man van de hele wereld.

„Echt veel wijzer ben ik niet geworden. Ik heb de oplossing niet gevonden. Ik hoopte familie van je te ontdekken. Je zei me dat er twee broers en twee zusters van je vader moeten zijn, maar ik kon niemand van de naam Swinkels te pakken krijgen. Dat is toch vreemd. Ik zou bijna geloven dat ze allemaal uit de streek zijn weggetrokken."

Loudy knikte alleen.

„Maar ik ga verder, want ik weet dat jij er ontzettend mee bezig bent, lieveling. Ik zal doen wat ik! kan om die muizenissen uit je hoofd te verjagen."

Ze had hem nooit zoveel moeten vertellen. Maar het had haar beziggehouden, ze had er met iemand over willen praten. Daarom had ze David alles verteld, maar dat had ze beter niet kunnen doen. Muizenissen, noemde hij het!

„We weten nu dat het geen grote oplichting is geweest."

Ze hoorde zelf hoe vlak en afstandelijk haar stem klonk. Hoe ze zo kon praten, begreep ze zelf niet, maar het lukte wel. „Eigenlijk hadden we kunnen weten dat het hooguit een klein vergrijp is geweest. Mijn vader is een te klein mannetje om de kans te krijgen er met veel geld of goederen vandoor te gaan. Het is beter om alles te laten rusten."

David keek haar verbaasd aan. „Loudy, dit begrijp ik niet van je. Je was er zo mee bezig, je had zoveel vragen en nu opeens..." Toen lachte hij. „Ik begrijp het wel, het komt door de reis. Je bent weggeweest van hier, je hebt veel gezien, mooie, andere en belangrijke dingen. Daardoor is alles van vroeger naar de achtergrond gedrongen. Misschien heb je gelijk en is het beter er niet meer over te denken. Maar ik geloof dat je er geen vrede mee zult hebben. Pas als je kunt zeggen: ik denk er niet meer aan, het interesseert me niet wat er in vaders leven is voorgevallen, het is voorbij en houdt me niet bezig, pas als je dat in alle eerlijkheid kunt zeggen, kun je het loslaten. Ik betwijfel of je al zover bent." Hij legde zijn handen op de hare en keek haar stralend aan.

Hij voelt zich voldaan, dacht ze koel, terwijl ze hoopte dat haar ogen haar gedachten niet verrieden. Hij vindt dat hij goed gehandeld heeft en verstandige dingen heeft gezegd.

„Nu moeten we opstappen. Je vader wacht op ons."

Vader was oprecht verheugd haar weer te zien. „Loudy, wat heerlijk dat je weer veilig en wel thais bent!"

Zoenen deden vader en zij elkaar nooit, maar hij hield haar handen stevig vast en ze zag in zijn ogen hoe blij hij was. „Kom gauw mee naar de kamer, doe je jas uit. Wat wil je drinken? Heb je honger?"

„Nee, eten en drinken heb ik voldoende gehad vandaag."
Vertellen. Over de reis, de mensen in de bus, Martin, de chauffeur, de rit door Duitsland en Oostenrijk, vertellen over Opatya, ansicht-kaarten laten zien. „Dit is de en dit was ons hotel!"
Vader luisterde met knikkend hoofd. „Kind, wat prachtig dat jij dit allemaal hebt gezien. Wat heerlijk voor je! Waren de andere mensen in de bus aardige lui? Gelukkig maar, stel je voor dat je net een ver-velend gezelschap treft."
„Dat komt bijna niet voor. Veertig vervelende mannen en vrouwen bij elkaar om zo'n reis te maken, nee hoor, vervelende mensen boe-ken niet voor zo'n tocht." Het was bijna twee uur toen ze in bed lag. Ze was verschrikkelijk moe.
Een lange rit, veel praten en veel stille gedachten in zichzelf die zich door de woorden heen vlochten. Het was fijn weer in haar eigen bed op haar eigen kamertje te liggen, al was het een heel andere kamer dan die in Opatya.
Ze moest proberen te slapen. Alle gedachten die door haar hoofd spookten, opzijzetten. Wat schoot ze ermee op, te spitten in het ver-leden? David was naar Friesland gereisd en had daar geïnformeerd. Dat was hem wel toevertrouwd, hij was vasthoudend als een terriër. Maar veel was hij niet aan de weet gekomen. Vreemd eigenlijk dat hij niemand had ontmoet die de naam Swinkels kende. Zouden de broers van vader er geen van beiden meer wonen? Ook geen zonen van hen? En de zusters van vader dan? Ze geloofde zonder meer wat de man in de sigarenwinkel had gezegd. Er was destijds geen schan-daal geweest over een geval van grove diefstal uit een sigarenfa-briek. Niet meer denken over vaders geheim. En moeders geheim. Niet meer denken aan moeders verdrietige ogen en haar trieste gezicht. Ze zag het toch weer voor zich. Niet het gezicht van de laat-ste jaren van moeders leven, maar het gezicht van vroeger. Bijna nooit vrolijk. Maar het was onzin te denken dat dat kwam door dat ene geheim in vaders leven. Een geheim was het niet. Ze doezelde een beetje weg. Vader en moeder wisten er beiden van. Maar het was iets met vader. Een misstap. Iets om halsoverkop uit Friesland te vluchten. Als het om een kind ging, was het minderwaardig van vader, verachtelijk, gemeen…

HOOFDSTUK 7

De twee kamers die David bewoonde in het huis van mevrouw Helderman aan de Levegoedsweg, waren vreselijk ongezellig. De ene kamer had David slaap- en studeervertrek, zoals hij het zelf noemde. Het was een kamer aan de achterkant van het huis. Er was één raam, dat met een tussenruimte van ongeveer drie meter uitzicht bood op een muur, waar de specie op veel plaatsen uit de voegen tussen de stenen was verdwenen. Een saai en troosteloos gezicht.

Davids bed stond tegen de vlakke wand, rechts als je de kamer binnenkwam. Het was zijn eigen bed, hij had het van thuis meegekregen. Er lag een donkerrode, pluizige deken op. Meestal slordig, naar Loudy vermoedde, maar als zij op de kamer kwam, was de deken zo goed mogelijk strak getrokken over het bobbelige kussen en het beddengoed eronder.

Schuin in de kamer stond een groot schrijfbureau. Daarop lagen altijd boeken en papieren. Soms was de stapel zo hoog dat het kleine bureaulampje in het midden niet te zien was. „Maar het licht straalt waar ik het wil hebben," zei David.

Op de stoel erachter, een wijde stoel met een ronde leuning, lag een dik kussen in monsterlijke kleuren groen. „Maar het zit prima," zei David en hij wilde het kussen niet missen.

Tegen de muur aan de linkerkant waren drie donkere kasten naast elkaar geschoven. De eerste was een hangkast, waarin Davids pakken en jassen hingen, de middelste was voor het ondergoed, de handdoeken en de schoenen. „En alles wat ik er nog meer in kan proppen, mag erbij."

In de derde kast stonden mappen op een rij op de bovenste plank, meer naar beneden lagen boeken en de weekbladen en tijdschriften die David wilde bewaren. Op de bodem stond een kist, waarin de platen bewaard werden die hij op de pick-up in de andere kamer draaide. De vloerbedekking was grijs en er zaten veel vlekken in.

De voorkamer had een raam dat uitkeek op de Levegoedsweg. Langs de trottoirband stonden lindenbomen, die in de zomer een dikke, volle bladerkroon hadden, zodat er weinig zonlicht door het venster naar binnenkwam.

In die kamer stond een bankstel. David had het van zijn ouders gekregen toen hij uit huis ging. Het had een jaar of drie bij hen in de kamer gestaan en zag er nog netjes uit. Ze wilden zelf iets anders en vonden dat David er nog jaar keurig mee onder de pannen was. Dat was ook zo. Een lage salontafel, de pick-up op de vloer, een kastje waarin hij kopjes en bordjes bewaarde.

In de hoek van de een grote tafel, waarvan de poten een stukje waren afgezaagd. Op die tafel stond een tweepitsgascomfort, waarop David warme maaltijden voor zichzelf klaarmaakte.

„Daar ben ik handig in. Ik kan heerlijk koken en bakken, dus je kunt gerust bij me komen eten. Je zult smullen. Mijn moeder heeft me al vroeg koken geleerd, in de eerste plaats omdat ze er zelf zoveel plezier in heeft. In de tweede plaats joeg ze me de keuken in omdat ze vindt dat jongens net zo goed een maaltijd moeten kunnen bereiden als meisjes en daarin heeft ze gelijk. Net als zij had ik er aardigheid in. Ik doe het nog met plezier. Vooral nieuwe recepten proberen vind ik een avontuur. Beetje zout, beetje peper, kijken in het kruidenrek wat ik er nog meer doorheen kan strooien. Nasi goreng is mijn favoriete gerecht. Stukjes vlees braden, uitjes erbij, kruiden erdoor droge rijst, om en omscheppen, heerlijk!" Dat alles had hij gezegd toen ze de eerste keer op zijn kamers kwam en een beetje beteuterd rondkeek. Ze vond het vreselijk ongezellige hokken.

„En dat gasstel daar, David, dat is toch geen gezicht!"

„Daar heb je gelijk in, het staat niet leuk. Ik mag bij mevrouw Helderman in de keuken koken, want ze heeft graag wat aanspraak, maar ik wil het niet. Dan ben ik niet vrij. Dan zul je zien dat ze me wil helpen en me gaat vertellen hoe ik het wel of niet moet doen. Nee hoor, ik knutsel hier lekker in mijn eigen hoekje. Maar het is waar, het is ongezellig. Maar je moet deze kamer zien als het vertrek waar een eenzaam jongmens onderdak vindt en zich kan redden. Meer is het niet. Ik heb er geen moeite mee. Ik voel me hier op mijn gemak en ben mijn eigen baas. Ik rommel maar wat aan. En ik weet dat het tijdelijk is. Op een goede dag ontmoet ik de vrouw van mijn dromen."

Hij had haar toen in zijn armen genomen. Loudy wist alles nog precies, de warmte in zijn ogen en het kloppen van haar hart. Wat was ze gelukkig geweest!

„Die vrouw heb ik al ontmoet," had David gelachen. „Als we elkaar een beetje beter kennen en de grote stap aandurven, kopen we een knus huis of we huren er een. Dat huis richten we in zoals wij het graag willen hebben. Een bank met kussens met bloemen erop en een tafel met zes stoelen eromheen, zodat je je familie te eten kunt vragen en gordijnen die 's avonds dichtgeschoven worden, zodat niemand kan binnengluren. Dan gaat het bankstel van mijn ouders naar de sloop. En mijn bed, dat veel te smal is voor ons tweetjes, zetten we op zolder. Het is een goed logeerbed. Of wil je geen logés? Dan gaat het mee naar de rommelmarkt. Mijn bureau gaat mee naar ons huis. Ik ben eraan gehecht. Het hoort bij me, zo'n ding mag je niet wegdoen. Ik heb het gekregen toen ik van de middelbare school kwam en mijn opleiding begon. 'Een groot bureau,' zei mijn vader, 'jongen, daar heb je gemak van. Alle spullen om je heen. Als je goed zoekt, kun je alles zittend op je stoel terugvinden.' Daar had die ouwe gelijk in, het is een heerlijk bureau. Ik wil nu geen geld uitgeven om nieuwe dingen in deze kamers te zetten. Het zijn en blijven ongezellige hokken. Ik spaar het geld liever voor later, voor het huis met mijn vrouw samen."

Dat had hij gezegd. Ze wist het nog. Ze dacht er nu over terwijl ze voor de klas zat en over de gebogen kinderkopjes keek. Ze dacht toen dat de wereld voor haar openging. Het grote geluk lachte en wenkte. David, met hem trouwen, een heerlijk huis samen, altijd bij elkaar, elkaar begrijpen, vooral elkaar helpen en de ander gelukkig willen maken.

Ze voelde dat het geluksgevoel langzaam van haar wegdreef. Ze kon het niet vasthouden.

Ze was na die eerste keer vaak op Davids kamer geweest. Het was vreemd, als ze er pas was, vond ze het er ongezellig en rommelig, maar als ze een poosje bleef, werd het anders. Dan overheerste het gemak waarmee David zich omringde. Hij maakte zich niet druk om een stapel bladen op een stoel. Waarom zou hij ze opruimen? Straks had hij ze nodig en kon hij ze zo pakken. De bank was lekker zacht. Ze kon er met haar benen languit op zitten en ze konden er samen op zitten, dicht tegen elkaar aan. Davids armen om haar heen. Ze zoenden elkaar en streelden elkaar en niemand zag het. Alleen de bladeren van de bomen, maar die keken niet echt.

Na de reis was ze tweemaal op Davids kamer geweest. Het was logisch dat ze naar zijn kamer gingen om samen te zijn. Bij haar thuis kon dat niet. Vader was er altijd en ze durfde niet te zeggen: „David en ik hebben wat te bepraten, vader, we gaan naar mijn kamer." Ze wist dat vader dat als een belediging zou voelen. Hij hoorde er kennelijk niet bij, want ze bespraken iets wat niet voor hem bestemd was. Moest dat dan zo nodig in zijn huis gebeuren? Dat konden ze ook doen als ze samen op straat liepen of in de auto zaten. Waarom moest het behandeld worden als hij erop rekende dat ze gezellig bij hem in de huiskamer kwam zitten? Ze hadden verdorie tijd genoeg om te praten, ze zagen elkaar de hele dag op school... Vader had die woorden nooit uitgesproken, omdat zij niet had gezegd dat ze met David naar haar kamer wilde, maar ze hoorde ze zonder dat hij ze uitsprak. En naar haar kamer gaan...

Dat hield voor vader in dat ze op haar bed zouden liggen, samen, en dat er dingen gebeurden die niet hoorden te gebeuren als je nog niet getrouwd was. Sinds Opatya en Sjoerd kon ze daarom gniffelen. Maar als dat waar was, van Sjoerd, wist vader drommels goed hoe gevaarlijk die vrijerijtjes kunnen zijn!

Vader had trouwens op zijn eigen manier laten merken dat hij ertegen was dat ze David meenam naar boven. Hij had over de buren en het buurmeisje, Mieke verteld. Mieke had een vriend en samen waren ze vaak op Miekes kamer. „Je kunt als ouders op je klompen aanvoelen wat daar gebeurt. Ik begrijp Jan en Annie niet. Ik zou het gevoel hebben dat ik er een hoerentent op nahield als zulke dingen op kamertjes boven gebeurden en dan je eigen dochter..."

Tommie de Wilde tilde zijn donkere hoofdje op. Ze knikte vriendelijk naar hem. Hij had moeilijkheden met de sommetjes. Het was een jochie dat niet snel iets doorhad. Hij moest de tijd hebben om te begrijpen en ze zou hem die tijd geven. Als hij in deze rijtjes te veel fouten maakte, nam ze hem straks apart om hem alles nog eens uit te leggen. Tommie glimlachte ook naar haar en boog zich weer over zijn schrift.

De laatste keer dat ze op Davids kamer waren, zei hij: „Ik weet niet wat het is, meisje. Ik vind dat je veranderd bent na de reis."

„Veranderd? Hoe kan dat nou!"

„Ik weet niet hoe ik het moet zeggen."

Zij wist het wel. Het blije om hem als verloofde te hebben, was weg. Ze hield nog van hem, maar wist van zichzelf dat ze graag van hem wilde houden. Ze wilde een man in haar leven, trouwen, een gezin en David bood die mogelijkheid. Ze hield van hem, maar het was niet de grote, heftige liefde. Die probeerde ze zichzelf aan te praten. Ze wilde het denken en geloven en voelen met haar hart, maat in werkelijkheid was het er niet. Ze hield van David, maar op een rustige, bijna nuchtere manier. Ze hoorde de woorden die hij zei zag de dingen die hij deed, maar vaak keek ze erdoorheen.

Misschien was het als basis voor een huwelijk niet slecht. De roze droom bestond niet. Met elkaar kunnen leven, elkaar verdragen en elkaar begrijpen, weten waarom de ander dit of dat doet en hem met een glimlach gadeslaan. Dat zou ze bij David kunnen. Misschien werd het toch een goed huwelijk. En als er kinderen kwamen... Ze verlangde ernaar zelf kinderen te hebben, al was het er maar een.

De klas werd onrustig. Sommige kinderen hadden de vier rijtjes sommen af. Ze keken verheugd naar haar, lekker, het was klaar, en draaiden in de banken.

„Nog even rustig, jongens, niet iedereen is klaar"

„Het zijn moeilijke sommen," meldde Ronnie. Hij legde zijn pen op de bank en keek rond of er instemming volgde op zijn opmerking. Toen geen van de kinderen iets zei, voegde hij eraan toe: „Ik heb ze tenminste niet allemaal goed."

„Ik kijk ze straks na. Wie heeft ze nog niet af?"

Tommie natuurlijk niet.

Toen ze om half vier met de klas meeliep tot de buitendeur, zei David: „Ik moet een babbeltje maken met Robbert."

„Prima, babbel jij maar met Robbert. Ik help Tommie en dan ga ik naar huis."

„Goed. Tot morgen." Ja, tot morgen, want vanavond zagen ze elkaar niet. Het was woensdag en dan ging David naar de schaakclub.

Ze liep door de buitenwijk Van de stad. Het was heerlijk weer. De zon stond stralend aan een blauwe hemel, waaraan af en toe een donzig witte wolk voorbijschoof. Het was volop zomer. Nog een paar weken, dan was het alweer het einde van het schooljaar. Bijna zes weken vakantie.

Daarna gingen haar kinderen naar de derde klas, naar Bets Wonderwelle. Rietje ging niet mee, nee, Rietje beslist niet. Het kind kon het tempo van de klas niet bijhouden. Loudy had een paar weken geleden met de ouders gesproken. Ze wisten het, Rietje was niet vlug van begrip. Net als Loudy dachten ze dat het beter was voor het kind nu een keer te doubleren dan meegesleept te worden naar de volgende klas, daar nog meer op haar tenen te moeten lopen en het toch niet te redden. Dat was voor haar zelfvertrouwen niet goed. Rietje wilde wel een jaartje bij juffrouw Swinkels blijven. „We doen het samen nog een keertje over, Rietje."

En Tommie? Tommie was een twijfelgeval. Met rekenen had hij problemen, maar de taallesjes en het lezen gingen goed. Ze moest Robbert eerdaags eens wat hij ervan vond. En de ouders van Tommie.

Ze liep op het Seringenplein en stak de rijweg over naar de Oosterlaan. Halverwege de laan, ongeveer zeven huizen verwijderd van hun woning, stond een auto geparkeerd, een bruine wagen, en er zat iemand in. Ze zag langs de rugleuning van de voorstoel het grijs van een colbertje. Ze keek nooit naar auto's, maar wist dat de man in deze auto op haar wachtte. Er was geen enkele verklaring voor dit weten. Wie zou nu op haar wachten, maar ze wist dat het zo was. Het gaf iets spannends, maar maakte haar niet bang. Alleen de vraag of het echt zo was, maakte haar een beetje nerveus. Ze liep door, de grote tas met de schriften van de kinderen aan de hand. Toen ze vlakbij de wagen was, ging het portier open en stapte iemand uit. Ze wist het, diep verborgen vanbinnen wist ze dat het Sjoerd was. Ze wist niet of ze blij was hem te zien of bang.

Sjoerd was hier, dicht bij alles in haar leven, Sjoerd was van ver weg. Hij hoorde bij haar herinneringen aan Joegoslavië, waar alles anders was dan thuis. Wat moest hij en wat wilde hij? Waar móest ze met hem naartoe? Niet naar huis, natuurlijk niet naar vader. En David wist niet van Sjoerd. Ze voelde zich in het nauw gedreven, betrapt bijna. Ze wist zelf niet goed waarom en toch was ze blij hem te zien.

„Dag Loudy!"

„Jij hier! Hoe kom jij hier nou?! Dag Sjoerd!"

„Met de auto, meiske."

Hij lachte naar haar en ze zag zijn ogen. Er was een lach in, maar ook dat andere, de warmte die ze in Opatya al had gezien, maar niet wilde zien.

Ze werd opeens bang. Sjoerd wilde haar niet loslaten en dat moest. De vakantie was voorbij. Ze hadden elkaar ontmoet en kenden elkaar. Dat was leuk geweest, maar ze ging verder met David.

„Ik moet met je praten, Loudy. Kunnen we ergens heen gaan waar we rustig kunnen praten?"

„Je komt zomaar uit de lucht vallen!" Ze keek hem verwijtend aan. Dit was een kans, hij moest weggaan. „Ik moet naar huis. Vader wacht op me en ik moet voor het eten zorgen. Bovendien ligt er werk dat ik beslist moet afmaken."

„Ik moet met je praten. Heb je je vader over mij verteld? En David?"

„O ja. Als een van de mensen die bij me in de bus zaten. Ik heb jullie namen genoemd: Cora, Peter, Hans, Sjoerd, Lenie en…"

„Luister een kwartier naar me."

„Goed dan." Ze kon hem niet terugsturen, dat was onmogelijk. „Ik loop naar huis om het tegen vader te zeggen. Rij jij alvast naar het plein."

Vader zou haar ze even wegging. Hij hoefde Sjoerd niet te zien. Ze verzon straks wel iets.

Toen ze naast Sjoerd zat, zei ze: „Als je hier de weg uitrijdt, is er rechts een meertje met een parkeerplaats. Daar kunnen we heengaan." Ze zaten op de groene bank aan het water. Loudy voelde zich vreemd.

Ze had, vanaf het moment dat ze Sjoerd in Didam tussen de mensen zag staan, het gevoel gehad dat haar leven langzaam veranderde. Een onzinnige gedachte natuurlijk. Toen Sjoerd in dezelfde bus stapte, was dat gevoel sterker geworden, evenals toen hij vertelde over zijn leven en dat van zijn moeder. Het was een bijna dreigend gevoel. Ze was er bang voor.

„Ik weet dat je verloofd bent, Loudy, maar ik weet ook dat ik van je houd. Er is iets tussen ons wat nooit voorbij zal gaan. Jij houdt ook van mij. Dat is het. Ik dacht dat ik valt Ansje hield, maar wat ik voel voor jou, is anders. Wat jij voelt voor David, moet zijn als wat ik voor Ansje voelde. Je denkt dat het liefde is. Het is ook liefde. Je mag hem graag, hij heeft iets dat je aantrekt, je bewondert hem, maar het is de grote liefde niet. Ik weet nu dat zo'n gevoel van sympathie veel mensen aanzien voor de grote liefde. Misschien gaan daarom veel huwelijken kapot. Ik geloof ook dat veel mensen de echte liefde in hun leven niet tegenkomen. Misschien doordat ze te vroeg een andere weg kiezen, maar het kan ook zijn dat het niet voor veel mensen is weggelegd."

Loudy luisterde naar hem. Ze voelde zich vreemd. Alsof ze een bloem was, die in een vol boeket in een vaas stond. Ze wiegde haar kopje op het groene steeltje zacht heen en weer, zoals de anderen deden. Ze leek precies op hen, iedereen dacht dat ze was als zij. Ze wisten de naam en de opbouw, maar ze was anders. Haar gedachten en de dingen die ze wist, hield ze verborgen, van binnen. De bloemblaadjes sloten zich eromheen en beschermden het.

„Je moet erover nadenken, Loudy, over David en jou." Ze dacht aan haar stille boosheid toen David vertelde dat hij alleen naar Friesland was gegaan om te zoeken. Ze had zich geërgerd, maar had niets gezegd. Later maakte ze zichzelf wijs dat het onredelijk was om daar boos over te zijn. David deed het toch alleen om haar te helpen? Of was hij eropuit, sensatie zoeken om triomfantelijk te kunnen zeggen: ik heb het voor je opgelost... Zo was David. Een beetje parmantig. Hij oordeelde te gauw. Ook over vader. Je vader is een gemaakt vriendelijke man, die door middel van vriendelijkheid... Dat zat haar nog steeds behoorlijk dwars.

„Beloof je me dat je erover nadenkt? Ik weet dat het niet netjes is om tussen David en jou te komen, maar meisje, ik voel dat je bij mij hoort en dat je niet echt gelukkig zou worden met David... Beloof me dat je erover zult denken..."

„Ik weet het niet, Sjoerd, je overvalt me." Ze kon niet over haar lippen krijgen dat ze van David hield en met hem zou trouwen. Ze had opeens te veel vragen voor zichzelf.

Ze praatten nog een poosje samen. Het was een heel vreemd gesprek geweest, dacht Loudy die avond toen ze alleen op haar kamertje was. Twee mensen die naast elkaar op een bank zaten, niet dicht naast elkaar, toch nog een beetje als vreemden, terwijl hun gesprek juist zo diep ging. Sjoerd had gezegd dat hij van haar hield en dat tussen hen de ware liefde was. Het was eigenlijk om te lachen, zo vreemd, en toch voelde ze dat hij gelijk had. Maar het kon niet. Tussen Sjoerd en haar kon nooit iets zijn. Maar tussen David en haar... Het was of de glans ervan weggleed. Veel mensen trouwen omdat ze denken dat ze het geluk gevonden hebben.

Loudy voegde er voor zichzelf aan toe: omdat ze het geluk graag willen vinden... Zo was het voor haar. Ze lag languit op het bed, in het donker en staarde met open ogen voor zich uit. Zo was het. Ze wilde het graag. Toen David die eerste morgen op school kwam, had hij naar haar gelachen. De lach van een jongeman naar een meisje. Misschien niets bijzonders, maar er spatte voor haar een vonkje af. Het vlammetje van de hoop, dat er een jongen zou komen die naar haar keek, wakkerde aan.

Met de vriendjes van vroeger – veel waren het er niet geweest – was het niets geworden. Misschien ook door vaders houding. David zei dat eens. „Ik geloof dat je vader jouw vriendschappen ook niet bevorderde."

Daarin had hij gelijk. Als ze iemand meebracht naar huis, was vader vriendelijk en aardig tegen de jongen en tegen Loudy. Die eerste keer zei hij altijd dat hij het een geschikte knaap vond, jazeker. Maar na een paar weken – als de tenminste zo lang duurde – begon vader met voorzichtige opmerkingen. Hij is wel erg parmantig... hij denkt dat hij de wereld in zijn zak heeft... hij is nogal zuinig, om geen lelijker woord te gebruiken...

Misschien waren de vriendschappen uitgeraakt omdat de jongens niet veel in haar zagen. Ze was stil en saai, dat wist ze zelf. Geen slons – ze krijgen aan mij een goede huisvrouw, dacht ze soms bitter – maar geen meisje met wie ze dolle pret hadden en zorgeloos konden genieten van hun jeugd.

Toen ze tweeëntwintig was, was het afgelopen met de losse vriendschappen. En het dromen begon. Fantaseren. Hopen dat er voor haar iemand zou komen die haar leven veranderde. Want ze wilde niet bij vader blijven wonen tot hij naar een bejaardentehuis of een verzorgingstehuis moest en zij alleen achterbleef. Ze wilde andere dingen, logisch, zo'n eenzaam leven is niet aantrekkelijk. Ze wilde trouwen en kinderen hebben. Ze hield van kinderen. Ze wist dat het geen poppen waren die je op een bank of op een stoel neerzette en die deden wat jij wilde en zei.

Kinderen zijn mensen, kleine mensen, jonge mensen die de weg naar het leven van later moeten vinden, waarbij ze hulp en leiding van hun ouders nodig hebben. Zij wilde dat graag meemaken. Ze droomde van een flink gezin, vier, vijf kinderen, leven en drukte om haar heen. Want al was ze zelf stil, ze verlangde naar vrolijkheid. Bij vader in huis ontbrak dat volkomen. Ze zag het al, zij samen dolle pret. Waar zouden ze in hemelsnaam om moeten lachen? Ze verlangde naar een gezin waar drukte en vrolijkheid en blijheid zouden heersen.

Ze wilde het opbouwen met David samen. Ze geloofde erin. En de kleine ergernissen die er soms waren, streek ze glad en schoof ze weg. Die waren overal tussen mensen. Je moest niet op alles letten en overal iets achter zoeken. Leven en laten leven. Niet tobben als het niet nodig was. David zei laatst: „Elk mens leeft zijn eigen leven. Ook als je getrouwd bent en van elkaar houdt en voor elkaar zorgt, je bent toch twee aparte mensen. Ik vind het belangrijk dat je jezelf kunt blijven. Je verkoopt je niet aan elkaar, je bent elkaars bezit niet." Ze dacht nu dat hij daarmee een deurtje naar vrijheid had opengezet.

Wat hij zei, was waar. Je had je eigen leven. En eigen gedachten. En geheimen. Zij ook.

Door te veel op kleine dingen te letten en de ergernissen niet van je af te zetten, bouwde je grote obstakels in een huwelijk. Dat zei David.

Daaruit kwamen veel van de mislukte huwelijken voort… Maar dan was het toch de ware liefde niet geweest.

Ze ging zitten in het bed, benen over de rand bengelen, ging staan en liep naar het raam.

Zo had ze ook in Opatya gestaan, voor het raam, kijkend in het donker van de nacht. Hier was het wel even anders! Het raam was klein en ze zag alleen de daken van de huizen in de Overbergstraat met de televisieantennes, die als dunne voelhorens in het duister prikten. Ze zag de hoge, dichte struiken in hun tuin en die van de buren.

In Opatya had ze aan Sjoerd gedacht. Nu dacht ze weer aan hem. Maar anders. Zou een leven met Sjoerd… Daar moest ze niet aan denken.

Sjoerd zei dat hij voelde dat er tussen haar en hem iets was en daar kon ze in het donker ironisch om glimlachen. Er was iets, ja, dat voelde zij ook. Ze trokken elkaar aan, maal. was het liefde?

Ze bleef voor het raam staan tot ze koud werd en moe. Veel gedachten en veel vragen en hoe meer ze erover dacht, hoe minder Ze wist wat ze moest doen.

„Ik kom terug, ik laat je niet los," zei hij vanmiddag toen hij haar op het Seringenplein hielp uitstappen. „Ik kom terug." Ze had hem nagekeken toen hij langzaam wegreed. Ze stak haar hand op. Dag Sjoerd. Ze wist niet of ze blij was hem weer gezien te hebben of niet.

„Waar moest je opeens naartoe?" had vader gevraagd toen ze de keuken binnenstapte. „Het is nu al zes uur." Er klonk geen verwijt in zijn stem. Het was eerder alsof hij toneel speelde en een brommerig mannetje imiteerde. „Ik zat om kwart over vier met een pot koffie te wachten, daar stuif jij als een wervelwind naar binnen. Vader, ik ga nog even weg. Geen uitleg, niets, hups, de deur weer uit. Ik heb maar in mijn eentje koffie gedronken. Werd de pot toch wat leger. Het was bar gezellig." Hij lachte erbij.

„Ik moest even weg. Ik kan het u echt niet zeggen."

„Dat hoeft ook niet, kind."

Stilte, dan: „Ja, dat woord zeg ik zonder nadenken, maar zo voel ik het toch: kind, mijn kind. Ik ben nog altijd bezorgd voor je. Dat heeft niets te maken met dat even weggaan van jou, welnee. Ik bedoel het in het algemeen. Ik wil je voor teleurstellingen en tegenslagen behoeden."

Waarom zei vader dit? Had hij toch iets gezien?

„Dat beschermende hebben veel ouders natuurlijk," vervolgde hij. „Ik moet ervan uitgaan dat je zo langzamerhand oud en wijs genoeg bent om op jezelf te passen."

Ze was naar keuken gegaan om het eten klaar te maken. Dit was wat David bedoelde. Vaders zorgzaamheid – en ze wist dat hij oprecht bezorgd was – maar daarin lag een draad waarmee hij haar wilde vasthouden, binden.

Aan tafel had hij gevraagd: „David komt vanavond zeker niet? Woensdagavond, schaakavond."

Met milde ironie luisterde ze naar zijn woorden. Het had iets grappigs hem op deze manier aan te horen. Te wachten op wat komen ging.

„Inderdaad. Hij moet zich straks in diep gepeins buigen over houten torentjes en paardjes."

„Toen jij op reis was, is hij een avondje hier geweest. Hij zou nog een keertje komen, maar dat is erbij ingeschoten."

„David heeft in die vrije dagen klusjes op zijn kamer gedaan. En er was een vergadering met het schoolbestuur."

„Je hoeft hem niet te verontschuldigen. Ik neem direct aan dat hij het druk had. Alle mensen hebben het druk tegenwoordig. Alleen ik niet. En aan één kant ben ik blij dat hij niet meer kwam, want ik kan niet naar waarheid zeggen dat ik blij was met het onderwerp waarmee hij op de proppen kwam. Ik was het niet met hem eens ook. Ik zie het anders. En ik geloof," – een lach erbij – "beter."

„U maakt me nieuwsgierig! Waar had David het over?"

„Over jullie huwelijk." Ze had zich langzaam rood voelen worden. David had met vader over hun huwelijk gepraat.

„Het kwam vanzelf. Hij vertelde over zijn kamers. Hij was aan het behangen geweest en had kozijnen geverfd. Toen praatte hij over het huis van mevrouw Helderman en van het een kwam het ander. Hij zei dat jullie, als het zover is, een huis willen kopen."

„Ja. Misschien kunnen we iets huren. Dat is vermoedelijk voordeliger, maar er is een lange wachtlijst, dat weet iedereen, en we willen niet meer zo lang wachten."

„Een huis kopen kost veel geld. Ik weet niet hoeveel geld David heeft. Er zal een flink bedrag moeten overblijven voor de inrichting, want een leeg en kaal huis aankleden met gordijnen en vloerbedekking kost een vermogen, dat kun je zelf uitrekenen. Jullie zullen dus met een hypotheek moeten en dat is duur geld. Het rentebedrag liegt er niet om. En dan aflossing nog."

„Ik heb ook een paar centen."

„Natuurlijk. En zoals je weet, heb ik ook een aardig bedrag op de bank staan, waarmee ik je wil helpen als het nodig is. Vroeger hielden we het geld in huis, want moeder hield niet van banken. Een ander op je geld laten passen, vond ze niets. En als je geld nodig had, moest je op je beurt wachten om er wat van te kunnen opnemen. Vragen om je eigen geld, dat wilde ze niet. Daarom bewaarden we het in huis. Ik had er een hekel aan. Er kan brand uitbreken, nietwaar, dan ben je alles kwijt. Of er komt een dief in de nacht."

Dat was het niet, papaatje, dacht ze geamuseerd. Je hoefde mij op deze manier niet de helft van moeders erfdeel te geven. Het stond nergens genoteerd. Ze had er toen geen drukte over gemaakt. Zoveel geld was het nou ook weer niet. Ze zouden het nu voor hun huis kunnen gebruiken, maar het stond op vaders naam op de bank.

„Ik snap het eigenlijk niet. Vindt u het geen goed idee om een huis te kopen? Ik denk dat het niet anders kan. Op een huurhuis moeten we jaren wachten en dat willen we niet. David wordt volgende maand al drieëndertig en ik ben zesentwintig. Kopen is dus de enige mogelijkheid om aan een huis te konden."

„Onzin. Hier staat een huis."

Ze keek hem aan. „Hier staat een huis? Dit huis bedoelt u?"

„Ja, natuurlijk bedoel ik dat. Het staat op naam van de langstlevende, zoals ze dat noemen, je weet er alles van. Ik kan er tot mijn dood in blijven wonen. Ik weet dat je moeders erfdeel erin zit, maar ik kan je dat niet geven. Dan zou ik een hypotheek moeten nemen en de rente daarvan kan ik niet betalen. Maar als ik dood ben, is het helemaal voor jou. En tot ik dood ben, is het groot genoeg voor jou en David en mij."

Ze was geschrokken. Vader wilde dat David en zij bij hem kwamen wonen, maar dat wilde David beslist niet en ook zij voelde er niets voor. Wat zou er overblijven van haar dromen over hun huis, waarin ze 's morgens in duster voor het ontbijt zou zorgen, de tuindeuren open, vogels kwinkelerend in de tuin, David, fris geschoren en gedoucht aan zijn gekookte eitje, daarna het huis schoon en gezellig maken voor de avonden samen in de knusse woonkamer... Hoe moest dat hier? Hoe stelde vader zich dat voor? Ze had het hem niet durven vragen.

Langzaam liep ze van het raam terug naar haar bed. Ze ging erop zitten, de benen over de rand, haar voeten op het wollige kleedje. Ze trok een deken naar zich en sloeg die om haar schouders. Ze rilde. Ze zou zachtjes kunnen huilen. Om het doolhof waarin ze was terechtgekomen. Zoveel wegen, maar het was of ze allemaal doodliepen. David. Ze zag in hem het grote geluk, maar de twijfel deed haar aarzelen de juiste weg te kiezen. Vader. Die was altijd haar vriend geweest.

Hij had een grote plaats in haar leven en hield van haar, maar ook over hem had ze nu vragen. Wilde hij haar oprecht in alles helpen of stuurde hij aan op een regeling die hem het beste uitkwam? Ze wist dat hij het vreselijk vond alleen in huis te zijn. Hij kon niet tegen alleen-zijn. Buurvrouw Smit vertelde dat ze hem door de kamers heen en weer zag ijsberen als zij naar school was. Hij zag nu aankomen dat hij dag en nacht alleen zou zijn als zij met David trouwde. Daarom zocht hij een oplossing. Die was gemakkelijk te vinden; hij haalde hen bij zich in huis.

Dacht hij niet aan haar geluk? Och, ze glimlachte en trok de deken dichter om zich heen. Vader ging er zonder meer van uit dat zij het heerlijk vond bij hem te zijn, precies zoals hij het heerlijk vond, haar om zich heen te hebben. Dat is het verschil in gevoelens tussen ouders en kinderen. Maar daar dacht vader niet aan.

Ze moest nu niet meer denken. Ze zat in het doolhof. Sjoerd. Als ze aan hem dacht, wist ze helemaal geen uitweg meer. Dan voelde ze zich hopeloos vastgelopen en verdwaald. Wat hem betrof, durfde ze niet eens te zoeken naar klaarheid.

Ze schoof de deken terug op het bed en kroop eronder. Ze moest alles loslaten en van zich afzetten. De tijd zou leren welke weg naar de uitgang van het doolhof leidde. Opeens grijnsde ze om haar gedachten.

Hoe kwam ze daar nu bij, een doolhof! Toch voelde ze het zo. Ze kon geen wegen vinden naar de mensen van wie ze hield. En omgekeerd konden die mensen niet bij haar komen. Ze was alleen en onbereikbaar.

Ze moest proberen te slapen, Morgen kwam er een nieuwe dag. En in het zonlicht was alles anders. Minder zwart en moeilijk.

Een week later rinkelde de telefoon toen ze om kwart voor vijf met vader koffiedronk. Ze stond meteen op. Als zij thuis was, nam zij de telefoon aan, want vader had moeite met plotseling opstaan uit zijn stoel.

„Loudy Swinkels."

Van de andere kant stem. „Loudy, met Sjoerd. Ik kom woensdagavond naar je toe. Ik weet dat David dan niet komt. Ik wacht op je op hetzelfde plein. Om acht uur."

En voor ze kon zeggen: „Doe dat niet Sjoerd, het heeft geen zin. Ik ben verloofd met David, we praten al over een huis kopen en trouwen…" klonk het irriterende tuuttuut in haar oor.

Ze had dat allemaal ook niet kunnen zeggen met vader erbij. Ze legde de hoorn terug op de haak.

„Wie was dat?"

„Ik weet het niet. Iemand zei wat, maar ik begreep er niets van. Ik denk dat hij opeens in de gaten had dat hij verkeerd had gedraaid, want hij legde opeens neer."

„Niet erg beleefd, om niet te zeggen onbeschoft," bromde vader Ze voelde zijn priemende blik. Geloofde hij haar niet? „Je kunt toch op zijn minst je excuus aanbieden."

Ze knikte.

Het was dinsdagavond, straks ging ze naar de Levegoedsweg.

Vanmiddag had David gezegd: „Lieveling, vanavond gaan we serieus praten over ons huis. Ik rij langs Wigmans, daar koop ik een fles goede wijn en bij Barten haal ik een zalig stuk Franse kaas en toastjes: We gaan dit gesprek vieren. Lekker santen op de bank babbelen over wat we willen en hoeveel het allemaal mag kosten. Weet je, ik heb eigenlijk al een leuk huisje op het oog…"

Op weg naar huis had ze erover nagedacht. Ze leefde twee levens, die als coulissen op een toneel langs elkaar schoven. Het eerste leven, het leven dat te zien was, was het leven van alledag: hier lopen, over het trottoir, de tas met schriften aan de hand, uitkijken bij het oversteken, denken over het eten van vanavond en denken aan David, die blij was en praatte over een huis voor hen. Ze luisterde naar hem en deed alsof ze blij was. Ze wilde ook blij zijn, want dit was haar toekomst, het vervolg en alles waarnaar ze altijd had verlangd. Maar op de achtergrond bewoog zich het andere, onzichtbare, ongrijpbare, en ook niet te begrijpen leven. Het schoof voorbij als een scherm met onduidelijke beelden. Ze keek ernaar en het hield haar gevangen. Ze zag Sjoerd erin, zijn ogen en zijn mond, en de vragen waarop geen antwoord was.

Hoe kon ze vanavond met David praten over een huis kopen en trouwen?

Ze ontweek een meisje dat met een grote hond over het trottoir holde.

Had David ook twee levens? Verborg ook hij gedachten? Had hij iets te vertellen?

Kon ze doorgaan alsof er niets aan de hand was? Trachten vast te houden aan wat kortgeleden nog geluk was? Blijheid om een huis, de vrijheid die ze daarin zou hebben, baas in eigen huis te zijn, verlangen met David samen te zijn, hopen op een baby…

Misschien voelden veel vrouwen zich onzeker als ze voor de grote dag stonden. De droom in een roze wereld te stappen en op een witte wolk van geluk te zweven werd voor de meesten toch geen werkelijkheid.

Voor haar ook niet. Ze was geen achttien meer, ze wist dat David geen heilige was en zijzelf niet gemakkelijk.

Maar dat alles had haar droom niet aan stukken gescheurd, dat wist ze heel goed. Ze moest zichzelf niets wijsmaken. Ze wist ook dat de achtergrond niet onwerkelijk was, maar steeds dichterbij kwam. Sjoerd wilde niet op de achtergrond blijven. Kon ze hem ooit zeggen waarom er niets tussen hem en haar kon zijn? Ze rilde bij het idee hem te moeten zeggen welke gedachte in Opatya in haar was opgekomen. Ze kon zijn schaterlach bijna horen. „Mijn lief meisje, met je grote fantasie, dan zou je mijn halfzusje zijn!"

Maar als zijn lachen verstomde, zou de ontgoocheling komen. Wat konden ze doen? Zoeken en vragen om de waarheid te achterhalen. Misschien was het beter elkaar een hand te geven en uit elkaar te gaan. Het was voorbij. Als het vlug gebeurde, had ze David nog.

Ze schrok van die gedachten. Dat was gemeen. Ze wilde David niet missen. Maar voelde ze voor hem de grote liefde die nodig was om een huwelijk te beginnen? Een liefde door alles heen. Ze kon mild glimlachen van binnen om sommige hebbelijkheden van hem, omdat ze de oorzaak ervan kende, zoals ouders een zeurend kind in liefde in hun armen sluiten, omdat ze weten dat het aandacht vraagt na een gevoel van jaloezie.

Met zoveel liefde kon ze naast David staan. Maar die grote liefde was er niet. Die was er nooit geweest ook. Wel het verlangen om die liefde te voelen. Ze had het zichzelf aangepraat, gedreven door het verlangen getrouwd te zijn en een ander leven te leiden dan het leven van nu. Kinderen lesgeven vond ze heerlijk, maar ze zag het als een overgangsfase naar het leven van later.

David was de enige kans. Ze zich slecht, harteloos en moe.

„Er staat een huis begon David die avond. „Bob Geertsema van de schaakclub heeft me er vorige week op attent gemaakt. Het is van een oude dame. Die woont er nu nog, maar ze gaat naar een bejaardentehuis. Het huis komt dus leeg en is te koop."

Loudy roerde in haar kopje. Op de schaakclub, dat was dus vorige week woensdag. Nu pas sprak David er met haar over. Misschien omdat hij er in alle rust over wilde praten. Maar daarvoor hadden ze in het weekend volop gelegenheid gehad. Zondagmiddag waren ze met de auto naar de Loosdrechtse Plassen gereden. Bijna anderhalf uur hadden ze, heerlijk in de zon, op een terras gezeten en gekeken naar de mensen en de boten, die met bollende zeilen over het water scheerden. Toen had David niets gezegd over zijn gesprek met Bob Geertsema.

„Ik ben er gisteravond heen gereden. Het is een leuk huis. Niet erg groot, maar dat hebben we voorlopig niet nodig." Hij lachte naar haar.

„Wij samen kunnen er best in en dan kunnen er met gemak twee kinderen bij. Het is een vrijstaand huis, tuin eromheen. Ja, echt geschikt."

„Jij vindt het geschikt."

„Mijn lieveling, wat bedoel je daarmee? Ja, ik vind het geschikt, maar ik weet toch wat jij geschikt vindt? Ik weet precies wat jij van een droomhuis verlangt."

Daar moest ze hem gelijk in geven. David wist wat zij bedoelde. Maar toch bleef de pijn dat hij haar niet had meegenomen toen hij ging kijken.

„Die mevrouw woont er nog. We hoeven dus niet hals over kop te beslissen. Maar volgens Bob moeten we, als we er belangstelling voor hebben, niet te lang wachten met contact opnemen met de zoon van die mevrouw."

„Waarom de zoon? Is zijzelf dement of zo?"

„Dat weet ik niet. Haar zoon regelt alles voor haar. Als we er belangstelling voor hebben, moeten we ons met hem in verbinding stellen."

„En dat heb je al gedaan om de prijs te weten te komen."

Hij keek haar aan, eerder triomfantelijk met een blik van, 'Ja, zo vlot ben ik', dan schuldbewust met iets van, 'Eigenlijk had ik er eerst met jou over moeten praten en jou het huis laten zien'.

„Ik heb hem gebeld. Want als de prijs te hoog ligt, heeft het geen zin er verder op door te gaan."

Het klonk allemaal heel redelijk. Hij had niet eerder over de woning gepraat om haar een eventuele teleurstelling te besparen. Daarom had hij ook naar de prijs geïnformeerd. Dat was lief van hem. Ze keek hem aan en zweeg.

„Loudy, lieveling, zo is het toch? Als die man zegt: tweehonderdduizend gulden, kan ik meteen zeggen: dank u voor de inlichtingen. Dan hoeven we er niet over te praten, want dat is veel te duur voor ons."

„Ik had het prettiger gevonden als ik had geweten waar je mee bezig was."

„Dat vertel ik je toch?"

„Zou je het ook verteld hebben als die man een bedrag van tweehonderdduizend had genoemd?"

Lachend zei David: „Je denkt toch zeker niet dat ik al tientallen kastelen in mijn eentje heb bekeken, die ik vanwege de hoge prijs van de lijst heb afgevoerd? Nee, dit is het eerste huis en voordat ik er met jou over praatte, wilde ik wat weten. Anders zitten we aan elkaar te vragen: wat zou het kosten, kunnen we het opbrengen, enzovoorts. Met zulk geleuter kom je geen stap verder. Nu weten we waar we over praten."

Ze moest hem gelijk geven. „Je weet dus de prijs."

„Ja, moppie en ik heb het huis gezien. Ik zal je vertellen hoe het is gegaan, dan weet je er alles van!" Hij lachte een beetje spottend.

„Ik belde de zoon. Hij heet Hamer, Gijs Hamer. Ik zei dat ik van Bob Geertsema had gehoord dat het huis van zijn moeder... enfin, dat weet je. Het huis is inderdaad te koop en hij noemde meteen de prijs. Ze vragen honderdtwintigduizend gulden. Maar er moet wel wat opgeknapt worden. Verven en behangen is beslist noodzakelijk. Maar dat zijn dingen die in vrijwel alle leegkomende huizen moeten gebeuren. Verder is alles, het dak en de goten, goed onderhouden. Een paar jaar geleden is er centrale verwarming in aangebracht en vorig jaar is de badkamer opnieuw betegeld met witte en lichtblauwe tegels, heel mooi."

„Het klinkt fantastisch."

„Inderdaad. Zo voelde ik het ook. Hij vroeg me of ik het huis wilde zien. Dat leek hem het beste, dan wist ik waarover we praatten.

Maar dat bekijken moest snel gebeuren, want de volgende morgen zou hij in alle vroegte voor een zakenreis van een week naar Italië vertrekken. Daarom, mijn kleine ben ik meteen in de auto gestapt, gisteravond, om het huis te zien." Het gevoel van boosheid en teleurstelling ebde weg. David wist dit alles pas sinds gisteren. Maar naast de nieuwsgierigheid naar huis, de opwinding en de blijdschap erom was er diep in haar binnenste de fluisterstem die haar zei dat ze moest proberen de aankoop uit te stellen."

Ze moest wachten.

„Zoals ik al zei," ging David enthousiast verder, „het is een leuk huis. Twee kamers aan elkaar. Vroeger noemden ze dat 'en suite', maar de suitedeuren zijn er tussenuit gehaald. Je kunt er één grote, rechthoekige kamer van maken, maar ik vind zelf die twee kamers gezelliger. Ik denk dat jij dat ook zult vinden. De voorkamer heeft een groot raam aan de voorkant, met een brede vensterbank, waarop mevrouw Hamer prachtige, bloeiende planten heeft staan. Opzij is een klein raam. Achter een flink venster met uitzicht op de tuin. De keuken is niet zo groot, maar wel knus. Er staat nu een tafeltje in met twee stoelen. Mevrouw Hamer vertelde, dat zij en haar man daar altijd zaten. Maar het lijkt me voor ons een beetje te klein als jij ons wilt verwennen met een uitgebreide maaltijd. Achter de keuken bevindt zich een bijkeuken, waar een wasmachine kan staan en meer van die huishoudelijke dingen. Boven drie slaapkamers. Geen grote kamers, maar de ene, aan de voorkant van het huis, is mooi vierkant. Daar kan een breed bed staan en dan is er nog plaats voor een kaptafel of zoiets. Een prachtige badkamer, werkelijk schitterend, met een tweede toilet. En een ruime zolder over de volle breedte van het huis. Het is echt een leuke woning en hij staat helemaal vrij, dat vind ik erg belangrijk. Geen buurman kan ons horen en geen buurvrouw kan stiekem aan de muur luisteren als we ruzie hebben. Wij kunnen hen ook niet horen, dat is wel jammer," eindigde hij grinnikend.

Loudy zuchtte onhoorbaar. Als het doolhof er niet was – Sjoerd vooral niet – zou ze dolblij zijn. Een maand geleden was dit het geluk waarnaar ze al zo lang verlangde. Toen wilde ze het vastpakken met beide handen en heel haar hart. Nu keek ze ernaar en wilde ze het wegschuiven.

„De volgende stap: het geld," ging Davids stem opgewekt verder. „Honderdtwintigduizend gulden is echt niet te veel. Ik begreep van de heer Hamer dat er over de prijs niet valt te praten en daarin heeft hij gelijk. Het is beslist niet te veel gevraagd. Maar het blijft toch een heel bedrag om bij elkaar te krijgen, als je het niet op je bankboekje hebt staan. En ik heb dat niet. Bovendien komt er nog meer bij kijken. We moeten het huis inrichten en dat kost tegenwoordig ook een lieve duit. Tijd dus, lieveling, om ons over de financiën te buigen. Maar ik zet eerst de koffiekopjes weg en pak de wijnfles."

Hij liep naar de keukenhoek, kwam met de wijnfles en een kurkentrekker terug. Toen de wijn in de glazen stond, zei hij: „Ik zou zeggen 'op ons huis, meiske', want we moeten mogelijkheden vinden om dit waar te maken. Het is voor ons echt een geschikt huis. We moeten het voor elkaar kunnen krijgen. We werken allebei, met een goed salaris, en we hebben allebei een paar centen op de bank."

„Dat is zo," zei Loudy, "maar misschien valt het bedrag je tegen. Ik heb altijd behoorlijk aan ons huishouden meebetaald, want vaders uitkering is niet hoog, dat weet je. En alles is duur. En ik koop natuurlijk mijn eigen kleren."

„Ik leef ook niet goedkoop. Ik moet mevrouw Helderman huur betalen, de auto onderhouden, boodschappen doen, kleren kopen, enfin, we zitten in hetzelfde schuitje, hoewel jij goedkoper uit bent dan ik, doordat je geen auto hebt en geen kamerhuur hoeft te betalen. Is het huis van je vader vrij van hypotheek? Of heeft hij er iets op laten staan vanwege het belastingvoordeel?"

„Nee, dat heeft hij niet. Men raadde het hem wel aan, omdat de rente aftrekbaar is, maar vader zegt dat hij dan toch moet zorgen dat het bedrag voor die rente er elk halfjaar is. Moeder en hij hebben het huis gekocht toen ze hier kwamen wonen, voor een vrij hoge prijs in die tijd. Ze hebben zuinig moeten leven om het af te betalen. De rente en aflossing waren steeds een hele dobber, maar als het pand nu geschat wordt, is het natuurlijk veel meer waard."

„Weet je niet hoeveel? Je weet toch waarop het is geschat toen je moeder overleed?"

„Nee. Het staat op de langstlevende, het huis is dus van vader. Ik heb me er niet in verdiept. Het interesseerde me toen totaal niet. Als vader overlijdt, is het huis voor mij."

„Je hebt dus geen geld gekregen nadat je moeder was gestorven?"

„Nee."

„Je vader gaf me laatst de indruk dat hij een leuk spaarbankboekje heeft."

„Dat heeft hij ook." Ze keek hem strak aan. „Maar dat is zijn geld."

„Wanneer heeft hij het bij elkaar gespaard? Nadat je moeder was overleden." Hij lachte opeens; „Ik ben ervan overtuigd dat jij een te groot deel bijdraagt aan jullie huishouden. Jij mag de biefstuk betalen, zodat hij guldentjes in zijn trommeltje in de kast kan schuiven om af en toe een aardig sommetje naar de bank te brengen. Zo'n ouwe potter!" Hij zei het lachend, maar er was iets in de klank van zijn stem dat Loudy niet prettIg vond.

„Hij komt niet meer aan sparen toe. Het geld dat op de bank staat, heeft hij met moeder samen gespaard in de tijd toen hij nog werkte. Ze leefden vrij zuinig, gingen bijna nooit uit en vader had een goede baan. Hij maakte dikwijls overuren, waarvoor hij extra betaald kreeg. Dat geld bewaarden ze in huis. Mijn moeder hield niet van geld op de bank. Ze vond het niet nodig dat een ander op hun geld paste, dat konden ze zelf wel."

„Griezelig met het oog op brand en diefstal, maar dat is allemaal goed afgelopen. Het geld staat nu veilig op de b ank, op naam van je vader. Nadat je moeder was overleden, heeft hij het erheen gebracht. Hij vond het kennelijk toch veiliger."

„Moeder wilde het niet."

„Maar het staat nu op zijn naam."

Loudy wist wat David hiermee wilde zeggen: jij had recht op een deel ervan. Hij zei het niet. In plaats daarvan verklaarde hij: „Ik vind het een goede regeling dat de langstlevende kan blijven wonen in het huis dat van beiden is geweest. Tenslotte hebben de meeste ouders er zelf voor gewerkt en gespaard. Als er geen regeling is getroffen, hebben de kinderen recht op een deel van vaders of moeders bezit. Dat kan de andere partij in grote moeilijkheden brengen."

Loudy keek met een glimlach naar hem. Meester David. Alles wat hij vertelde, wist ze allang. Maar ze zei niets.

„Neem nu het geval van je vader en stel dat jullie huis wordt geschat op honderdtachtigduizend gulden. Het is een flink, goed onderhouden huis, er is een leuke tuin bij, honderdtachtigduizend dus. Jij zou recht hebben op vijfenveertigduizend. Als je vader dat geld van de bank moet halen, is het gauw een rentepost van een kleine vierduizend gulden. Dat is voor hem, met zijn bescheiden pensioen, een heel bedrag. Bijna tachtig gulden in de week. Ik vind het goed dat het zo is vastgesteld, maar voor ons zou vijfenveertigduizend gulden een leuk ruggensteuntje zijn geweest."

„Ja, dat zou het, maar helaas…"

„Een ander geval is het geld dat in die oude kous is gespaard. Jij hebt recht op een deel daarvan."

Loudy knikte alleen. Ze wist welke kant hij heen wilde, maar liet niets merken.

„Ik weet dat jij alleen het goede in je vader ziet, lieveling, maar ik vraag me toch af of echt je moeder degene was die het geld in huis wilde bewaren. Op deze manier hield je vader het bedrag buiten de, ik zal maar zeggen, erfenis."

„Wat heeft vader aan het geld? Het staat op de bank en hij kijkt misschien af en toe blij naar het eindbedrag. Toen hij jong was, heeft hij nooit geld gehad. Het betekent iets voor hem om het nu te hebben, maar hij doet er niets mee."

„Misschien zou hij ons ermee willen helpen. Hoeveel is het?"

„Dat weet ik niet. Vader bewaart zijn paperassen en het bankboekje in zijn bureau op zijn slaapkamer. Hij sluit de laden niet af, maar ik kijk er nooit in."

„Maar je kunt het wel doen. Jij bent vaak genoeg boven als hij beneden is. Je moet het vandaag of morgen toch eens doen. Als het niet veel is, hoeven we er niet over te praten, maar anders kunnen we het misschien van hem lenen. Als hij het geld toch niet gebruikt… Misschien staat het te wachten tot jij het nodig zult hebben, mijn meiske. Uiteindelijk is het toch voor jou. En bovendien, als je vader echt het beste met je voor heeft, zal hij ons willen helpen."

Loudy knikte. Neuzen in vaders bureau zou ze niet doen. Ze zou het gewoon bespreken, er was niets om geheimzinnig over te doen. Wat David zei, was waar. Als vader hen kon helpen, zou hij het zeker doen.

David schonk de wijnglazen nog eens vol. „Hoeveel heb jij precies?" vroeg hij toen.

„Ongeveer vijftienduizend."

„Zo, leuk gespaard, meisje."

„Ja. En ik heb toch niet zuinig geleefd. Als ik iets leuks zag, kocht ik het, zoals boeken die ik graag wilde hebben of kleding. En ik betaal mee aan ons huishoudentje, Zoals ik al zei. En jij?"

„Ik leef duurder, maar ik heb toch tienduizend gulden op de bank staan. Bij elkaar geteld hebben we misschien genoeg om het huis te laten verven en behangen en de inrichting aan te schaffen. Maar we zullen een hoge hypotheek moeten nemen als we geen geld van je vader kunnen krijgen."

„Ik praat er morgen met hem over."

„Misschien is het handiger om eerst even in het boekje te kijken."

Er groeide iets van stil verdriet in Loudy om de manier waarop ze over hun toekomstig huis praatten. Ze wist dat David gelijk had. Geld was belangrijk. Als ze het geld niet rond konden krijgen, ging de koop niet door en hoefden ze niet te dromen over ontbijten in de zonnige keuken, koffiedrinken op het terras, schriften en proefwerken nakijken aan de grote tafel in de woonkamer en samen slapen op de kamer boven, aan de voorkant van het huis. „De vader- en moederkamer," had David hem in het begin van de avond genoemd. Maar er was nu geen blijheid meer in het praten. Het was nuchter en berekenend.

's Avonds in bed tobde ze erover. Ze hoorde de grote klok in de huiskamer drie uur slaan, drie zware, trage slagen. Ze draaide zich van haar ene zijde op de andere, maar ze kon niet in slaap komen. Er was veel te veel om over na te denken. En vooral de tegenstrijdigheden in haar binnenste maakten haar onrustig. Aan de ene kant wilde ze nog geen huis kopen met David samen. Tegelijkertijd vond ze deze gedachte verraad aan hem. Het was niet oprecht, het was halfslachtig. David was naar het huis gaan kijken en had erover verteld. Hij was nuchter genoeg om te weten dat het financieel haalbaar moest zijn, anders kon het gewoon niet. Daarom praatte hij zo praktisch. En zij hoorde hem aan en was het met hem eens, maar meteen was er dat gemene duiveltje dat zei dat ze moest wachten. Misschien zouden alle vragen die ze had en die haar tegenhielden zich vanzelf oplossen. Wat mankeerde haar toch? Ze verlangde ernaar met David te trouwen, dat betekende een eigen leven. Was haar liefde voor hem groot genoeg…?

Woensdag zou ze in elk geval tegen Sjoerd zeggen – ze nam het zich in het donker voor, hoofd in het kussen – dat ze gauw trouwde met David en dat ze niet wilde dat hij belde of kwam. Misschien was het waar dat hij van haar hield, maar zij hield in elk geval niet genoeg van hem.

Ze waren ook te kort met elkaar omgegaan om over echte liefde te praten. Wat Sjoerd voelde, beeldde hij zich in. Zo zou ze het zeggen. En ze zou verzwijgen waar, volgens haar vermoeden, de aantrekkingskracht tussen hen beiden vandaan kwam.

De volgende middag dronk ze met vader koffie op het terras. Alles was goed en vredig om hen heen, de zon scheen, het gras van het gazon was dicht en mooi groen, de bloemen in de border langs het gazon bloeiden in uitbundige kleuren.

„Er staat een leuk huis te koop aan de Vierdesloot," begon ze rustig. „Er woont een mevrouw Hamer in, die over een poosje naar 'Dennendal' gaat. David heeft de zoon van mevrouw Hamer gesproken, die heeft de verkoop van het pand in handen."

Ze praatte erover door en gaf vader geen gelegenheid iets te zeggen, want ze had zijn gezicht direct al zien verstrakken. Als ze doorpraatte, gaf ze hem de gelegenheid zich te herstellen. Ze vertelde over de indeling van het huis, het gerepareerde dak en de nieuwe badkamer met witte en lichtblauwe tegels.

Zijn reactie had ze kunnen voorspellen. „Je weet hoe ik denk over jullie plan een huis te kopen, Loudy. Het kost veel geld en het is niet nodig."

„Toe, pap, u moet het ook van onze kant zien."

„Ik weet wat je bedoelt, meisje." Zijn stem was vriendelijk en hij sprak langzaam.

Hij wist dat hij haar daarmee raakte. Nu voelde ze weer wat David bedoelde. Dit was de gemaakte vriendelijkheid.

„Jullie willen graag samen zijn, daar heb ik echt alle begrip voor. Maar je weet wel dat ik jullie heus niet de hele dag voor de voeten zal lopen, als jullie hier komen wonen. Het huis is groot genoeg, er is een oplossing te vinden, dat weet ik zeker. Je weet dat ik er vreselijk tegenop zie om alleen in dit huis te blijven. Ik zit liever boven op mijn kamer, als ik maar weet dat er mensen beneden zijn. Als ik af en toe maar wat hoor, al is het een te hard dichtslaan van een deur of een waterkraan die blijft lopen. Het is me allemaal dierbaar boven die vreselijke stilte van alleen in huis te zijn."

„Pap, dat is toch onzin. U kunt niet boven op uw kamer gaan zitten. Dat is te gek om los te lopen. In de praktijk zal er dan ook niets van terechtkomen. Ik zie het al, ik koffie zetten en u een bakje boven brengen. En uw eten op een blaadje, bordje erbij en vork en mes. Het kan gewoon niet. En het is voor ons, voor David en mij, ook niet goed. U moet daar begrip voor hebben. U bent met moeder samen toch ook niet met uw vader in huis begonnen?"

„Dat lag heel anders! Mijn ouders leefden allebei nog toen ik ging trouwen en in hun huis was absoluut geen plaats voor ons. Voor jou staat eigenlijk een opgeschud bedje klaar, al klinkt dat een beetje raar in dit verband," lachte hij. „En het kost geen geld. Dit huis is later toch voor jou, of voor jullie samen, als je in gemeenschap van goederen trouwt."

Het was een poosje stil tussen hen. Loudy schonk de kopjes nog eens vol en hield vader de koektrommel voor. Het was zo gewoon tussen hen.

Mensen die hen zagen, zouden harmonie vermoeden tussen vader en dochter, maar zelf voelde ze de scheuring.

„Daar komt nog bij, Loudy," – vaders stem was zachter – „dat ik niet blij ben met David. Ik denk niet dat hij de juiste man voor jou is."

„Daar hebben we het al eerder over gehad, vader," antwoordde Loudy vermoeid. „U vindt geen enkele man goed genoeg voor mij om de doodeenvoudige reden dat hij mij bij u weghaalt."

„Nee kind, dat zie je verkeerd. Ik wil alleen jouw geluk. Ik ben een oude man. In jaren ben ik weliswaar nog niet zo oud, maar ik voel me oud. Na dat ongeluk kan ik niet meer uit de voeten zoals ik wil en ik ben eenzaam. Het enige wat voor mij telt, is jou gelukkig te zien. Dat klinkt misschien overdreven als ik het zo zeg, maar het is wel de waarheid. En ik zie dat niet gebeuren met David. Ik zal je geen strobreed in de weg leggen als jij met hem wilt trouwen – dat kan ik ook niet, je bent zesentwintig en kunt doen en laten wat je wilt – maar ik ben bang dat je niet echt gelukkig met hem zult worden."

„En ik ben daarvan overtuigd," zei ze heftig.

Weer was het een poosje stil. Een adempauze noemen ze dat, dacht Loudy. Toen begon ze over het geld.

„We weten nog niet hoe we het financieel zullen doen. We kunnen natuurlijk een hoge hypotheek nemen. We werken allebei en hebben een goed salaris, maar het zou fijn zijn als er voor een deel van het geld een andere oplossing was."

Vader grijnsde. „Je zegt het mooi. Je wilt dat ik jullie help."

„Als dat kan."

„Och, kan… Ik weet niet of het kan. Dit pand is vrij van hypotheek, maar het haalt niets uit, op dit huis geld te lenen. Dat kan voor hetzelfde rentebedrag op dat andere huis. Maar ik weet wel wat David bedoelt." Hij keek haar sluw aan, hij wist bij wie de vraag vandaan kwam. „Een poosje geleden heeft hij met mij over geld gepraat. Dat was toen jij op reis was. Hij begon erover als een los gesprekje, maar ik had hem gauw genoeg door. Laat ik eerlijk zeggen: ik heb David helemaal door. Maar daarover wil ik niet praten. Misschien schrijf ik mijn gedachten eerdaags op om de woorden in een la van mijn bureau voor jou te bewaren, voor later. Als ik dood ben, kom je dat briefje tegen en kun je zien of ik gelijk heb gehad. Maar dan zal het te laat zijn om het te veranderen. Maar goed, daar hebben we het nu niet over. Ik voelde dat David wilde weten of ik geld bezat. Dat was niet moeilijk te raden. Ik zei hem dat ik geld had, maar ik zei niet hoeveel. Hij denkt natuurlijk dat ik met opzet dat geld, toen moeder nog leefde, niet op een bank heb gezet om het op die manier te ontrekken aan een verdeling met jou na moeders overlijden. Hij kan dat denken, maar het is niet waar. Je weet dat moeder en ik bij de notaris zijn geweest om het zo te regelen, dat wat we hadden, bleef voor diegene van ons beiden, die het langst zou leven. Volgens de wet heb je dus geen recht op iets van dat geld. Maar ik zou het je direct geven, als ik zeker wist dat ik je daarmee gelukkig maakte."

„Dat is oneerlijk, vader." Ze zei bijna nooit 'vader' tegen hem. Vanaf haar kinderjaren was hij papa en later pap, maar nu voelde ze afstand tussen hem en haar. Hij was haar vader, geen vertrouweling nu. „Dat is oneerlijk. Ik weet zeker dat ik gelukkig word met David en hij is mijn keus. Daar moet u zich bij neerleggen. U zag misschien liever een andere jongen als schoonzoon, al zou ik zo gauw niet weten wie, en u hebt ook geen andere man op het oog. U maakt uzelf wijs dat u liever een ander ziet. Misschien iemand die zich meer met u bemoeit, maar ik kies David en ik vind het niet rechtvaardig dat u mij financieel laat voelen dat u daar op tegen bent. U wilt mij op deze manier dwingen naar uw pijpen te dansen. Als ik met iemand wilde trouwen die u graag mocht, zou u wel helpen. Maar ik trouw met David en het is mijn keus. Ik heb het recht zelf die keus te maken. Dat moet u accepteren." Ze voelde dat hij boos werd. Ze sprak hem nooit zo tegen. Misschien voelde hij ook dat ze gelijk had. „We praten er niet meer over." Ze was opeens sterk tegenover de bedwongen woede en ook de teleurstelling die ze zag op vaders gezicht. „We hebben uw hulp niet nodig. We kunnen geld krijgen van de bank en we zullen de rente ervan betalen."

„Je moet niet meteen zo doordrijven en je kop in de wind gooien!"

„Ik wil geen geld van u als u het niet met liefde wilt lenen of geven." Ze stond op.

Ze was razend. En verdrietig. Vaderliefde! Hij had geld op de bank staan en deed er niets mee. Hij mee doen, alleen kijken naar de zwarte cijfers op het witte papier: mooi bedrag. Maar haar helpen wilde hij niet. Ze mocht nog steeds haar eigen leven niet leiden.

Ze stond op, nam de koffiepot mee naar binnen, zette hem op het aanrecht, liep naar de gang, pakte haar vestje van de kapstok en liep de deur uit.

Ze moest alleen zijn. Nu niet haar David gaan, want ze wist wat hij zou zeggen. Hij had gelijk, maar ze kon de woorden niet verdragen. Zie je, lieve, dat bedoel ik nou als ik zeg dat je vader een gemaakt vriendelijke man is. Hij is niet echt vriendelijk, hij probeert op die manier zijn eigen zin door te drijven. David had gelijk. Ze voelde een wrok tegen vader.

Door al die jaren heen had hij haar zijn wil opgelegd zonder dat ze het in de gaten had. Het was gewoon gegroeid van klein meisje tot nu toe.

Nu pas gingen haar ogen open. Eerder had ze er niet over nagedacht. Op zijn eigen wijze had hij haar vroegere vrienden op een afstand gehouden, maar het zou hem deze keer niet lukken. Ze had David en ze hield van David. Dat waren twee dingen waarover ze moest nadenken.

Ze had David… en ze was blij met hem. Het betekende: toekomst. En ze hield van hem. Ze liep over het brede trottoir van de Schimmelstraat, in de richting van de stad. Maar al kende ze elke straat hier, ze realiseerde zich niet waar ze liep. Dat deed er ook niet toe. Als er maar niemand tegen haar sprak. Eigenlijk was David de enige die echt met haar praatte. Verder had ze met niemand een diepgaand contact. Ze kon een vader of een moeder tegenkomen van één van de schoolkinderen. Die zou dan groeten, maar verder ging het niet. Ze was alleen met haar gedachten. En die gedachten waren verward.

David. Wilde ze dolgraag met David trouwen? Ze wilde met hem trouwen, maar niet omdat ze dolveel van hem hield. Ze droomde niet van het grote geluk. Ze had een poosje geleden een artikel van Rozemarie Neelders over de grote liefde gelezen. Zij schreef dat de verhalen in boeken over romantische liefdesgeschiedenissen een verkeerd beeld gaven van de werkelijkheid. Iedereen wist dat, maar na het lezen van zo'n verhaal bleef er in het hart van de jonge mensen vaak een duiveltje achter dat met een lief stemmetje zei dat voor haar of hem dat grote geluk toch weggelegd zou zijn. Maar de ontgoocheling kwam, want het leven was niet altijd roze gekleurd en de liefde bleef niet allesvergevend en warm.

Het was beter te starten met een zuiver gevoel van vriendschap voor elkaar. Daarin was een vorm van liefde die waardevoller was dan verliefd zijn op twee blauwe ogen. Elkaar een eigen leven willen laten leiden. Rozemarie Neelders bedoelde niet dat de man kon doen en laten wat hij wilde en de vrouw ook, nee, ze bedoelde dat ieder zijn eigen persoonlijkheid kon blijven en dat je die van elkaar accepteerde. Zoals ouders de minder prettige eigenschappen van hun kinderen accepteren en toch veel van ze houden. Zo zou Loudy het met David ingaan. Als al het andere uit het stille doolhof was verdwenen en ze alleen aan hem dacht, zou ze steeds meer van hem gaan houden. Dat geloofde ze vast. Om het leven dat ze samen opbouwden, de gezelligheid met elkaar, misschien kinderen…

Ze liep naar het park. Het was er rustig. Een paar kleine kinderen speelden op het grasveld, de jonge moeders zaten op een bank, babbelend met elkaar. Ze hielden het grut goed in de gaten.

Sjoerd. Was het achterbaks dat ze David niet had verteld wat ze vermoedde over Sjoerd? Nee. Sjoerd was geen 'ander' op wie ze verliefd was. Ze bedroog David niet. Ze kon hem niet vertellen wat er misschien was tussen Sjoerd en haar. Het was zo'n vreemde geschiedenis. Het zou zo'n wonderlijk verhaal zijn dat David er misschien om zou lachen.

„Mijn schatje, wat heb jij een rijke fantasie, hoe kom je daar nu bij!" Maar zij schoof alle beelden bij elkaar. De vragen over wat er was geweest in vaders leven dat een schaduw had geworpen op zijn huwelijk. Die schaduw was er beslist geweest.

De schok van herkenning in Didam en later het praten met Sjoerd. Wat hij vertelde over zijn leven. De aantrekkingskracht die ze op elkaar uitoefenden… Maar voor haar was het geen liefde zoals een vrouw kan voelen voor een man. Het was alsof ze een vraag bevestigd zag. Zeker, er was iets tussen Sjoerd en haar, maar het was iets wat stamde van vroeger, uit het leven van vader. Ze wist zelf dat het een fantastisch verhaal was, maar het kon. Er was ook iets in haar binnenste wat haar verbood erover te praten. Omdat er pijn uit voortkwam, onnodige pijn. Voor wie?

Er stond een lege bank. Ze ging erop zitten. Ver weg hoorde ze het gelach van de kinderen. Ze zag ze ook Ze holden achter elkaar aan over het gras en lieten zich buitelend over elkaar heen vallen.

Ze moest een eind maken aan dit denken. Het vernielde haar. Ze was er te alleen mee.

Vanavond kwam Sjoerd. Ze zou hem zeggen dat ze absoluut niet wilde dat hij nog eens belde of kwam. Daarna zette ze alles opzij wat door haar hoofd spookte en haar gevangenhield. Het had geen enkele zin erover te denken. Niemand was gebaat bij een eventuele waarheid. Ze moest denken en werken aan haar eigen geluk. Haar liefde voor David koesteren en doen toenemen en zijn liefde voor haar de kans geven om te groeien. Een huwelijk gaat niet vanzelf goed, daaraan moet je werken en schaven. Ze was bereid dat te doen, want ze verlangde naar een goed huwelijk.

HOOFDSTUK 8

Ze stapte bij Sjoerd in de auto.
„Dag Loudy," begroette hij haar vriendelijk. Hij draaide zijn hoofd naar haar toe en lachte haar toe.
„Dag Sjoerd. Waarom belde je en waarom kom je?"
„Omdat ik met je moet praten."
„Ik ook met jou."
„Zullen we naar dezelfde parkeerplaats rijden of denk je dat het daar nogal druk is? Het is prachtig weer, misschien zitten er mensen aan het water."
„Je kunt die weg een stukje verder afrijden, daar is een rustig plekje te vinden." Een kwartier later zaten ze naast elkaar op een bank.
„Sjoerd," begon zij het gesprek, „ik weet niet wat jij in je hoofd hebt, maar ik wil niet dat je nog eens belt. Ik ben verloofd met David, we gaan een huis kopen en we gaan trouwen."
Hij zweeg.
„Ik heb David over jou verteld. Voor hem ben jij een van de mensen die bij me in de bus zaten, maar hij weet niet dat jij me belt en dat je me komt opzoeken. Hij zal daar niet boos om worden, want hij weet dat het goed is tussen ons en dat hij me volkomen kan vertrouwen. Daarvoor kent hij me goed genoeg. Maar ik wil niet meer met je praten. Het heeft geen enkele zin. Ik hou van David en ik trouw met hem. Ik voel me gevleid dat jij mij aardig vindt, maar toch wil ik dat je niet meer opbelt en mij niet meer komt opzoeken. Het is totaal verloren tijd."
„Wat ik voel, is heel iets anders dan iemand aardig vinden, Loudy. Ik kan moeilijk omschrijven wat ik voel. Het is liefde, maar het is meer.

Een aantrekkingskracht, ik weet eigenlijk niet hoe ik het moet zeggen. Ik heb erover gedacht of ik kon zeggen wat ik precies voel. Want je moet niet denken dat ik er aardigheid in heb, een verloofd meisje van haar vriend af te halen. Als ik alleen maar verliefd op je was, maar je niet kon krijgen omdat je van een ander hield, zou ik daar verdriet over hebben en het rot vinden, maar ik zou erin berusten. Ja, toch? Dat moet. Als jij niet verliefd bent op mij, kan ik je niet dwingen van me te houden. Zo is het in ons geval misschien wel, maar er is toch ook iets anders. Ik heb meer meisjes gehad, Ansje was niet mijn enige liefde. Maar voor al die meisjes had ik andere gevoelens dan voor jou. Ik vond ze lief, maar ik kon dat beredeneren. De een had een mooi gezichtje met prachtige ogen, daar moest ik gewoon naar kijken, de ander lachte zo vrolijk en Ansje was gewoon aardig, maar met jou is het anders. Alsof ik bij je hoor. Alsof ik je niet kan loslaten."

Hij zat een beetje voorovergebogen. Ze keek naar hem en weer kwam dat gevoel van herkenning.

Ze praatten verder. Het werd eigenlijk gewoon babbelen, ze spraken over gewone dingen. Sjoerd vertelde een voorval van kantoor en zij vertelde over de school. Ze wisten allebei dat deze onderwerpen totaal onbelangrijk waren, maar het was of ze geen van beiden een eind aan het gesprek wilden maken.

Het werd later. De schemering viel over het recreatiegebied waarin ze zaten. De bomen rondom de speelweide doken een beetje weg in de duisternis en over het grasveld lag heel dun een waasje van dauw. Wat vreemd om hier met Sjoerd te zitten.

Loudy dacht opeens: ik zeg het hem. Ik zeg wat ik denk en wat ik voel. Misschien lost het iets op. Ik moet het kwijt. Het zou verkeerd zijn als ik deze onzekerheid en dit geheim mijn leven lang vanbinnen moest bewaren. Ik kan er niet over blijven piekeren. Misschien werd ze door het donker dat langzaam om hen heen sloop en hen insloot, tot deze gedachten gebracht. Het praatte gemakkelijker in het donker.

„Ik moet je wat vertellen, Sjoerd," begon ze aarzelend, „maar ik waarschuw je, het is een heel vreemd verhaal." Hij hief zijn hoofd op en keek haar alleen maar aan.

Loudy begon te vertellen. Over haar vader, die in Friesland was geboren. Een oom, van moeders kant, die zei dat het in de omgeving van Drachten geweest moest zijn. Vader ging daar naar school, speelde er met zijn broer en zusters en toen hij groter werd, vond hij werk op een sigarenfabriek. Moeder kwam uit deze omgeving. Ze ontmoetten elkaar op een Friese bruiloft. Ze werden verliefd op elkaar, trouwden en gingen in Friesland wonen, want vader had daar zijn werk.

Toen moest er iets gebeurd zijn in hun leven. Wat het geweest was, wist ze niet, maar plotseling vertrokken haar ouders naar het westen en met de familie van vader werd het contact totaal verbroken. Er was bij hen thuis nooit gesproken over wat er was gebeurd. Het werd niet echt in woorden verteld, ook niet later, toen zij al groot was en de hele geschiedenis, wat het ook geweest mocht zijn, een beetje aan belangrijkheid moest hebben ingeboet. Maar in de loop der jaren waren er wel een paar voorvalletjes geweest, kleine ruzietjes tussen haar ouders, waaruit bleek dat die oude geschiedenis niet vergeten was. Het gebeurde had in elk geval een verwijdering tussen haar ouders teweeggebracht, die nooit helemaal was verdwenen. Ze bleven bij elkaar en hadden het ook niet slecht samen, maar een goed huwelijk was het niet. Moeder was een stille, wat teruggetrokken vrouw.

„Moeder is vijf jaar geleden gestorven, dat heb ik je in Opatya verteld," ging haar stem zacht verder. „Je weet het al. Vader en ik kunnen goed met elkaar opschieten. Over wat er vroeger is gebeurd, praten we nooit. Het is voorbij, het heeft geen zin ernaar te vragen, maar ik moet eerlijk zeggen dat ik er wel nieuwsgierig naar ben. Omdat ik, als ik zou weten wat er toen is gebeurd, mijn moeder achteraf misschien beter kan begrijpen. Toen ze leefde, begreep ik haar niet echt. Ik had geen fijn contact met haar, zoals sommige van mijn schoolvriendinnen met hun moeder hadden. Ze was lief en zorgzaam voor me, maar het was niet spontaan. Toen ze overleden was, wilde ik dat ik meer met haar had gepraat. Maar ik kon nooit met haar praten. Ze luisterde wel naar mij, maar vertelde zelf niets. Tot nu toe is het verhaal niet zo bijzonder."

Ze zaten op de bank, maar niet dicht naast elkaar. Er kon iemand tussen hen zitten. En die ruimte tussen hen maakte het Loudy aan de ene kant gemakkelijker om te praten, aan de andere kant schiep deze een zekere afstand.

„Toen onze reis naar Joegoslavië begon, zat ik in Didam in de koffiezaal te kijken naar de mensen die binnenkwamen. Opeens zag ik jou. Het was heel vreemd, het was alsof ik je herkende. Dat kon natuurlijk niet, want ik had je nog nooit eerder gezien. Ik kon je niet eens goed zien, ik zag alleen je gezIcht en een stukje schouder, want je stond tussen de mensen in, maar toch was er iets dat ik herkende."

„Wat vreemd."

„We kwamen in dezelfde bus terecht en maakten kennis. Toen dacht ik dat ik in jou iets van een echte Fries gezien moest hebben. Wat dat betreft, lijk je op mijn vader. Beetje hoekig gezicht, grijsblauwe ogen, dik, blond haar. Mijn verwarring begon toen je over jezelf vertelde. Je zei dat je moeder jou had voor ze met Simon Rijswijk trouwde. Je vermoedde een tijdlang dat de zoon van de boer waar je moeder vroeger werkte, misschien je echte vader was. Maar toen jij je moeder daarnaar eens vroeg, schudde ze alleen haar hoofd."

„Mijn hemel, Loudy, waar wil je naar toe! Wat denk je? Wat spookt er in je hoofd! Denk je dat jouw vader en mijn moeder... Mijn hemel nee, dat is niet zo!"

Loudy zei niets. Ook niet wat ze dacht: misschien wel, misschien niet.

Hij was opgestaan en liep voor de bank heen en weer. Na een poosje ging hij weer naast haar zitten. „Ik voel me tot jou aangetrokken, maar Loudy, nee, dat kan het niet zijn! Ik houd van je, dat is het, ik houd van je omdat ik van je houd. Dat kan ik niet verklaren. Jij bent precies zoals ik mij de ideale vrouw altijd heb voorgesteld. Niet te vlot en niet te stil, je bent geen kattenkop, geen haaibaai, maar ook geen doetje. Je kleedt je leuk, niet opvallend en niet saai, je bent in alles precies het type vrouw dat mij ligt. En ik houd van je. Ik hoor bij je en jij hoort bij mij. Dat weet ik, ik voel het, maar dit... dit wat jij zegt... dat kan... dat mag niet waar zijn! Als jouw vader en mijn moeder... dan zijn we bijna broer en zus. Nee, dat kan niet! Het kan niet!"

Hij sloeg zijn arm om haar heen en drukte haar tegen zich aan. „Ik moet je vasthouden. Ik ben vreselijk geschrokken en voel me helemaal leeg van binnen. Wat je gezegd hebt, is zo ongelooflijk. Het kan niet, of het kan wel, laat me maar even, ik ben helemaal in de war."

Ze zaten een hele poos stil naast elkaar. Loudy durfde zich bijna niet te bewegen. Ze begreep dat Sjoerd werd bevangen door vragen, onzekerheid en verbijstering. Hij kon het niet allemaal op een rijtje zetten en wist niet wat hij ermee moest. Haar voeten werden koud. De duisternis sloop steeds voller en zwarter om hen heen. Ver weg, op het pad naar het recreatiegebied, brandde een lamp. Maar van dat licht was niets te zien. Ze zaten in het bijna donker.

Sjoerd nam langzaam zijn arm terug. „Loudy, ik ben er kapot van, ik weet het niet meer. Ik geloof het niet meteen, want het zou toch vreselijk stomtoevallig zijn, maar aan de andere kant, uitgesloten is het niet! En als jij toen dacht dat je mij herkende… Hoe is het mogelijk. Ik weet niet wat ik hiermee moet…"

„Ik ook niet."

„Ik moet erover denken, dat begrijp je wel. Maar," – hij draaide zich naar haar toe, in het duister kon ze toch zijn gezicht onderscheiden, – we moeten de waarheid weten. Van wie en hoe dan ook, we moeten de waarheid weten."

Ze knikte alleen.

Ze bleven nog een poosje stilzitten, naast elkaar. Loudy voelde zich langzaam koud worden. Ze praatte bijna niet meer. Er waren zoveel gedachten in hun hoofd waarvoor ze geen woorden konden vinden.

„We moeten weggaan," zei Loudy toen, „jij moet nog terug naar Friesland, Sjoerd. Kun je wel rijden met zoveel gedachten in je hoofd?"

Even bedacht ze – en ondanks alles kwam er een glimlach om haar mond – dat ze hem niet kon meenemen naar huis. „Vader, dit is…"

„Hoe laat is het? Misschien kan ik een hotelletje vinden hier. Dan blijf ik vannacht. Ik zie ertegenop het hele eind terug te rijden. Ik moet mijn hoofd bij de weg houden, maar dat zal verschrikkelijk moeilijk zijn. Ik probeer al aanknopingspunten te vinden. Heeft beppe misschien een keer iets gezegd over een jongen, iemand uit het dorp, of iemand uit de stad die naar het dorp kwam als er kermis was of zo, maar ik kan me niets herinneren hoe ik me ook inspan, ik kan eigenlijk helemaal niet denken. Het enige wat steeds door mijn kop schiet is dat ik jou niet kan missen. Wat ik voor jou voel, is anders dan wat ik voor andere meisje heb gevoeld. Wat je denkt, kan niet waar zijn. Want, Loudy, als het waar is, mijn God… dan… dan kan er tussen ons nooit sprake zijn van een huwelijk, dan…"

„Dat kan toch al niet, Sjoerd. Vergeet niet wat ik je gezegd heb: ik trouw met David."

„Nee," zei hij alleen.

Ze ging er niet tegenin. Ze voelde hoe gespannen hij was. Dat begreep ze, want ze was het zelf ook. het had geen zin nu over David te praten.

David leek ver weg. David was een andere wereld.

Ze liepen terug naar de auto, die op de parkeerplaats stond te wachten en reden naar de stad.

„Ik bel je gauw, lieverd," zei hij toen hij langs de trottoirband van het plein stopte. „Ik bel je zo gauw mogelijk."

„Rijd je terug naar huis?"

„Ja, dat is toch het beste. Ik kijk wel goed uit. Nu ik achter het stuur zit, voel ik dat het goed zal gaan."

„Doe alsjeblieft voorzichtig."

„Dat doe ik. En ik bel je. Dag meiske." Zijn stem was zacht en er klonk een grote ontroering in, die Loudy diep trof Hij houdt echt van me, wist ze opeens, Sjoerds liefde was een echte liefde. Hij begreep nu dat hij die kwijt was en dat het nooit waarheid zou worden voor hem.

Ze keek de auto na tot hij om de hoek was verdwenen. Ze liep het laatste stukje naar huis. Het was al laat. Vader zou ongerust zijn. Ze had hem niet gezegd waar ze heenging. Als hij nog op was, zou ze zeggen dat ze bij Annet was geweest. Ze hadden lekker gekletst en dat het laat was geworden, hinderde niet. Ze was geen klein kind dat op tijd naar bed moest. Het licht brandde in de kamer. Vader zat aan tafel.

„Hallo," zei ze zo gewoon mogelijk. „Nog niet naar boven?"

„Nee, ik zit op jou te wachten. Ik was ongerust, kind. Waar was je? Weet je wel hoe laat het is?" Ze keek naar de klok. Bijna half een.

„Ik was bij Annet." Ze trok haar vestje uit, dat een beetje klant aanvoelde. „We hadden zoveel te bepraten."

„Je was niet bij Annet." Vader zei het niet op een bestraffende toon. Hij bleef vriendelijk en legde meteen uit waarom hij het zei. „David kwam hier, even na half negen. De schaakavond ging onverwachts niet door. Ik zei dat je weg was, maar dat ik niet wist waarheen."

„En toen?"

„Hij heeft een poosje gewacht. Toen zei hij dat je misschien bij Annet was. Hij belde Annet op, maar nee hoor, daar was je niet. Bets Wonderwelle gebeld, nee hoor, geen Loudy op de stoep gezien. Waar je dan kon zijn, wisten we niet. Bij Robbert Bakker ga je niet op visite, onverwachts tenminste niet. David is in zijn auto gestapt en door de stad gaan rijden. Naar de Levegoedsweg. Misschien was je aan de wandel gegaan en langs zijn kamer gelopen, maar nee, daar ook niet."

Loudy ging op een hoge stoel aan de grote tafel zitten. Er lagen kranten op het tafelkleed, de asbak stond er met vaders pijp. Alles was gewoon en vertrouwd.

„Ik werd vanmorgen opgebeld door een jongeman die ik heb ont- moet op de reis naar Opatya. Ik heb zijn naam wel eens genoemd: Sjoerd Rijswijk. We hebben tijdens de reis af en toe met elkaar gepraat en nu wilde hij daar nog wat over zeggen. Zodoende."

„Zodoende, zeg je, maar ik snap er niet veel van. Is het die knaap die wat in Cora ziet?"

„Nee," lachte ze, „Peter Havenkamp is het niet."

„Waarover wilde die jongen met jou praten?"

„Papa nou toch! Moet ik u dat heus vertellen?"

„Nee, dat is waar, dat gaat me niet aan." Hij liep om de tafel heen en schudde grenzend zijn hoofd. „Je moet David even bellen, die jongen is ongerust."

Ze draaide het nummer.

„Mijn meisje, schat, waar was je?"

„Dat vertel ik je morgen wel, David, het is niets bijzonders."

„Ik was echt ongerust. Ik weet altijd waar je heengaat, of niet soms?" Hij lachte. „Ga je op woensdagavond soms vaker alleen op stap?" Weer die lach. Hij geloofde het zelf niet, ze was immers veel te saai om alleen op stap te gaan. Ze voelde zich een beetje beledigd en begreep waarom, maar ze wilde dat gevoel niet toelaten.

„Ik vertel het je morgen. Welterusten."

„Ik kan lekker slapen nu ik weet dat je in je eigen bedje ligt. Ik had je liever hier in mijn bed, maar dat mag nu eenmaal niet. Maar het komt gauw. Tot morgen, lieveling."

De volgende avond zei David: „Voordat je vertelt waar je gisteravond bent geweest, moet je me eerst zeggen of je al met je vader over het geld hebt gesproken. Ik ben daar erg nieuWsgierig naar. Ook naar wat je gisteravond hebt uitgespookt, natuurlijk." Hij lachte naar Loudy, die met opgetrokken benen op de bank zat. „Maar je zei al dat het niets bijzonders was."

„Dat zei ik omdat vader in de kamer was. Maar ik vertel je eerst over vaders spaarpot. Daar kunnen we voorlopig niets van krijgen. Hij wil ons niets lenen."

„Wel allemachtig!" David werd direct een beetje nijdig. „Zoiets snap ik niet! De man heeft één dochter, hij heeft geld waar hij niets mee doet, maar hij wil haar er niet mee helpen. Ik weet zeker dat ik dat later niet zal doen! Als wij kinderen krijgen, zal ik ze helpen zoveel ik kan. Ook met geld."

„Je wordt een voorbeeldige vader, dat weet ik"

„Had je vader bezwaren? Zo is hij wel. Hij zegt niet: je krijgt de cent-jes niet, ik wil ze voor mezelf op de bank houden. Nee, hij zegt zoiets als: ik zou ze je wel geven, lieve schat, als je met een andere man trouwde dan die David Willems. Dat huwelijk zie ik niet zitten."

„Vader heeft me een ander voorstel gedaan. Hij wil dat we bij hem in huis komen wonen. Begin niet direct te schetteren dat je dat niet wilt en nooit zult doen. Dat weet ik en ik wil het evenmin, maar je moet het zien van vaders kant. Dan begrijp ik het wel een beetje. Hij is eenzaam. Hij is de hele dag alleen. Af en toe komt buurman Visser even langs. Dat is een hoogtepunt in vaders dagen. Dat beseft buur-man Visser niet en dat beseffen jij en ik niet, maar het is wel zo."

„Loudy, schat, alsjeblieft, werk niet zo op mijn gemoed! Straks beslis ik nog dat we bij je vader intrekken, dan kunnen we gezellig 's mor-gens met hem ontbijten. Hij kliedert vast met zijn beschuit en over een paar jaar slubbert hij met zijn thee en…"

„Zoet maar, we gaan niet bij vader wonen, maar misschien is het goed dat we ons een voorstelling maken van zijn leven. Dat is echt zo leuk niet…"

„Dat geef ik toe, maar hij doet er zelf ook niets aan om meer onder de mensen te komen. Er is toch een soos, er zijn nog wel andere mogelijkheden."

„Vader is nog niet oud, hij is pas zesenvijftig. Op de soos komen mensen van in de zeventig. Maar we praten niet over vaders proble-men."

„Nee, we praten over zijn geld. En dat kregen we niet."

„Nee."

„Omdat we niet bij hem willen wonen. Het zou wel voordelig zijn, geen huishuur, geen rente en aflossing in ruil voor ons gezelschap en onze goede zorgen. Je stopt zijn overhemd bij het mijne in de was-machine en ik schil drie aardappelen meer. Maar ik geloof dat het veel beter is als we op onszelf gaan wonen in ons eigen huis."

Hij ging naast haar op de bank zitten. Ze dacht even aan Sjoerd en voelde zich een stiekemerd. Zou ze David straks alles durven vertel-len? Zou hij erom lachen…?

„Dus we moeten een flinke hypotheek nemen," ging David verder op hun onderwerp, „en je zult nog een poosje moeten bleven werken."

„Dat vind ik niet erg."

„Je bent graag bij de kinderen, dat weet ik, maar ik hoop toch dat je niet meer voor de klas hoeft te staan als we zelf een ukkepuk hebben."

„Ik zal dan wel thuis moeten blijven. Ik zou niet weten waar ik een oppas vandaan moest halen. Ik heb geen moeder, geen zus en geen fijne vriendin. Maar dat is voorlopig niet aan de orde. Als het zover is, zien we wel weer."

Een kind, als ze een kind had... Ze kon zich niet voorstellen een kind te hebben. Hoe was dat? Dan was alles anders.

David praatte verder. HO was naar de bank geweest om informatie. Hoe hoog de rente was en tot welk bedrag ze een hypotheek konden krijgen op een huis van honderdtwintigduizend gulden.

„Omdat we allebei in het onderwijs zitten en een vaste baan hebben, wilden ze behoorlijk hoog gaan."

Onzin, dacht Loudy. Zo'n bankmedewerker hoeft niet uit te rekenen of wij het wel of niet kunnen betalen. Dat kunnen we zelf wel. Ze rekenden uit welk bedrag elk halfjaar de rente naar de bank kon worden overgemaakt en hoe de aflossing daarbij was. Loudy zat erbij en rekende mee, maar ze had het gevoel of het voor een ander was, niet voor haar.

„Ik bel morgen naar het huis van Gijs Hamer om te zeggen dat we er veel voor voelen."

Het kwam dichterbij.

Ze knikte. Maar die knik was eigenlijk niet voor David bestemd. Het was een beweging in de richting van het pad dat voor haar lag. Een pad tussen twee hoge heggen door. Strakke, recht geknipte taxusstruiken, een weg zonder opening aan het eind. Maar ergens was een gat waardoor ze kon vluchten. Vluchten bij David vandaan. Wilde ze dat dan? Nee, ze wilde naar hem toegaan en bij hem blijven, maar later, nu nog niet. Met het kopen van een huis wilde ze wachten tot ze uit het doolhof was, niet meer hoefde te vluchten van gang naar gang.

David praatte over een behanger en meubelen kopen. Ze lachte en zei dat ze het leuk vond, meubelen uitzoeken. „Heerlijk lijkt me dat!" maar haar hart was er niet bij.

„Genoeg over ons huis, liefke. Je moet me nog vertellen waar je gisteravond was. Ik ben er nieuwsgierig naar. Ik kon werkelijk niet bedenken waar je zou zitten."

Op een bank, tussen de bomen, in het donker, met een andere man, dacht ze. Maar zo was het niet. Het ging om het gesprek met Sjoerd en het was moeilijk David erover te vertellen. Maar zwijgen kon ze niet meer en dat zou ook niet goed zijn. Zo'n groot geheim mocht ze niet hebben tegenover de man die met haar wilde trouwen. Maar ze had een gevoel of ze niet zelf op de bank in Davids kamer zat en met hem praatte, maar keek naar een film waarin dat gebeurde. Ze was nieuwsgierig hoe het verder zou gaan. Wat kan een mens toch vreemde, rare gedachten hebben!

David was opgestaan. Hij liep naar de keukenhoek en kwam terug met een wijnfles en twee glazen.

„Zoals je weet, zoek ik naar wat er vroeger met papa is geweest. Je bent naar Friesland gegaan om te proberen een draad te vinden, maar die was er niet."

„Misschien was hij er wel, maar ik heb hem niet gevonden."

„Misschien heb ik iets gevonden. In Opatya."

Hij keek haar verbaasd aan.

„Ga eerst zitten. Je staat zo hoog voor me met die wijnfles, dat praat niet prettig." Ze vertelde hem van Sjoerd en het gebeurde in Didam. David viel haar niet in de rede. Hij zei niet grinnikend dat hij soms een meisje zag dat op zijn nichtje Jannie leek, maar daarom nog geen familie van haar was. Iets in haar stem waarschuwde hem, haar niet te onderbreken. Dat gevoel van herkenning had natuurlijk niets te betekenen, maar voor haar was het belangrijk geweest. Dat moest wel, want ze wist het nog en praatte erover.

Hij luisterde. Haar stem vertelde verder. En langzaam zag David meer.

Het grote hotel waarin Loudy had gelogeerd en dat hij kende van foto's, waarop allerlei mensen stonden: Cora en Peter en de drie leuke dames en die Sjoerd. Ze liepen het hotel uit en gingen over de boulevard. Peter Havenkamp liep naast Cora. David kende Cora. Ze waren op een zondagmiddag bij haar geweest om te praten over de reis en foto's te bekeken. De Sjoerd over wie Loudy nu praatte, stond ook op de foto's, maar David had hem niet goed bekeken. Die man interesseerde hem toen niet. Ze praatte door en zei dat ze zich steeds had afgevraagd waarom Sjoerd haar was opgevallen. Het liet haar niet los, ze begreep zelf niet waarom niet.

Loudy voelde zelf dat ze wilde uitstellen om David te zeggen welke gedachte die nacht in haar hotelkamer bij haar was opgekomen. Zou hij erom lachen? Ze was bang voor een felle reactie, zoals: „Mijn hemel, Loudy, wat haal je in je hoofd! Als dat waar is, is die reis naar

Opatya het werk van het noodlot geweest. Zoiets kan geen stom toeval zijn. De duivel zit erachter, zou ik bijna zeggen, iets van een bovenaardse kracht. Als het waar is, betekent het iets vreselijks wat betreft je vader. Ik geloof het niet. Ik ben niet gek op je vader, dat weet je, maar dat hij een kind van hem zijn levenlang verzwijgt, geloof ik niet."

David zei deze woorden nog niet, want ze was nog niet zo ver met haar verhaal. De hele voorbije dag had ze gepiekerd over dit gesprek. Ze had het goed voorbereid, niet om het geloofwaardig te maken, maar meer uit angst zelf belachelijk te zijn.

„Sjoerd vertelde me over zijn jeugd. Hij heeft een fijne jeugd gehad, dat zegt hij zelf, veel aandacht en liefde, maar het is niet het verhaal van: mijn vader en mijn moeder waren zo blij met me."

Ze vertelde over Sjoerds moeder, die op een boerderij had gediend, de twee zoons van de boer en de boerin... „Maar toen Sjoerd zijn moeder vroeg of een van die boerenjongens zijn natuurlijke vader was, schudde ze alleen haar hoofd."

David keek haar aan. Hij zei niets. Maar hij begreep ook niet wat er komen ging.

„Die avond ging ik naar mijn kamer en naar bed. Opeens was het alsof er wat met me gebeurde, alsof ik opeens iets wist, iets zag. Sjoerd en ik hadden uitgerekend hoe oud zijn vader nu moest zijn, als de man nog leefde tenminste, en we kwamen op ongeveer zesenvijftig jaar. En toen, middenin de nacht, zag ik opeens mijn eigen vader. Hij is zesenvijftig en ik zag Sjoerd, de gelijkenis. Ze leken niet echt sprekend op elkaar, maar iets had me getroffen. Ik had iets vertrouwds in hem herkend..." Ze zaten stil naast elkaar en zwegen allebei. Hun gedachten voelde Loudy bijna tastbaar om hen heen.

David begon als eerste weer te praten. „Het zou wel heel, heel toevallig zijn, mijn meiske, maar het zou kunnen. Er is iets geweest in het leven van je vader en het was belangrijk. Een kind te hebben verwekt, is geen kleinigheid. Zoiets zou passen bij de woorden van je moeder: 'Wat heb je te vertellen...?' "

Loudy voelde een plotselinge warmte voor David omdat hij wat ze had gezegd, niet lachend afdeed als waanzin. Hij luisterde.

„En gisteravond?"

„Ik had Sjoerd tot gisteravond niet verteld wat ik die nacht dacht. Een mens kan wel zoveel denken. Fantasie en dromen kunnen door elkaar lopen. Maar Sjoerd voelde zich tot mij aangetrokken.

Waarom? Misschien is het precies hetzelfde als wat ik voor hem voel, een soort herkenning van iets vertrouwds. Ik dacht er dus anders over dan hij. Hij wist dit niet. Hij wilde nog eens met me praten. Hij wist dat ik verloofd was en dat accepteerde hij ook, maar hij wilde nog eens praten. Aan de ene kant wilde ik het afwimpelen – ik heb geen enkel belang bij hem, Je begrijpt wat ik bedoel – maar aan de andere kant hield deze geschiedenis me zo bezig dat ik meer wilde weten. Gisteravond kwam Sjoerd dus en ik heb hem verteld wat ik dacht."

„Was hij niet vreselijk verbaasd?"

„Ik weet eigenlijk niet goed wat hij voelde. Ik was zo zenuwachtig en het was donker. We hebben buiten gezeten, op de Roversplaat. Waar moesten we anders naartoe?"

Opeens lachte David. Bij je vader in huis kon je er geen boom over opzetten, hoewel," – hij lachte niet meer – „bij hem is misschien het antwoord op jullie vragen te vinden."

„Ik denk dat Sjoerd met zijn moeder gaat praten. Hij heeft dit niet gezegd, maar er zijn twee mensen die kunnen zeggen of mijn vermoedens waar zijn of niet. Dat zijn zijn moeder en mijn vader Sjoerd hoeft er niet plompverloren n.tee aan te komen, maar nu, na zoveel jaren, vind ik dat zijn moeder hem de waarheid kan zeggen. Waarom niet? Zo denkt Sjoerd er ook over. Ik neem aan dat hij op een gelegenheid wacht of een gelegenheid schept om met zijn moeder te praten."

„Ik kan het nog niet begrepen. Als je de woorden en feiten nuchter op een rijtje zet, denk je: ja, dat kan, maar het zou toch wel vreselijk stomtoevallig zijn dat jullie, kinderen van één vader, elkaar zo tegenkomt! Maar het kan. Het leven is vol verrassingen en soms is de wereld erg klein."

Ze praatten er nog lang over. Er was veel over te zeggen en er waren veel vragen, maar een antwoord kregen ze niet.

„Sjoerd kan de naam van je vader laten vallen. Als er iets geweest is, moet zijn moeder zich die naam herinneren. Sjoerd kan de zaak omdraaien en zeggen dat hij een meisje heeft ontmoet dat hem zo bekend voorkomt. Dat hij iets bekends in haar ziet."

Laat in de avond bracht David haar naar de Oosterlaan. Het huis was bijna donker. De grote ramen, met daarachter de gesloten gordijnen, keken vijandig en afwerend. In de gang brandde een klein nachtlampje in het stopcontact naast de deur van de kamer. Door het raampje in de voordeur was het flauwe schijnsel te zien. Zodra de deur open was, zou Loudy de ganglamp aanknippen en dan was alles licht. David kuste haar. „Tot morgen, lieveling en probeer alles van je af te zetten. Pieker er niet over," zei hij zacht. „Je zult de waarheid te weten komen; dat wil je graag, maar van levensbelang is dit alles niet. Nee toch? Daarom, maak er geen nachtmerrie van, poppedijntje." Nog een kusje. Toen ging de deur dicht.

Ze voelde zich onrustig, bijna bang. Ze knipte het licht aan op de trap en de overloop en liep naar boven, naar haar kamer. Ze sloot de deur en schopte haar schoenen uit. Op dat moment hoorde ze de deur van vaders kamer opengaan. De deur piepte zacht.

„Loudy, ben je daar?"

„Ja vader."

„Voordat ik het morgen vergeet te zeggen – je weet, ik ben niet meer zo scherp van geheugen – maar er heeft iemand voor je gebeld. Uit Friesland. Hij zei niet waar het over ging, maar aan de manier van praten te horen was het nogal belangrijk. Iemand uit Friesland."

„Belt hij nog een keer?" Ze praatte luid. Misschien verwachtte vader dat ze de deur opendeed om op de overloop met hem te praten, maar dat deed ze niet. Ze wilde hem niet zien.

„Ja, morgen. Maar ik heb hem gezegd dat je op school alleen voor heel dringende gevallen te bereiken bent. Hij belt om een uur of vijf." Vader wist nu dus dat het niet echt dringend was.

„Mooi paps, bedankt," riep ze. Ze grijnsde om dat: 'voordat ik het morgenochtend vergeet…' Dit vergat hij niet, dat wist ze zeker.

Wat zou Sjoerd te vertellen hebben? Had hij al met zijn moeder gesproken? Dat was vlug. Als haar vermoeden waar was, belde hij om te zeggen dat hij weer kwam. Dan wist ze de betekenis van: „En wat heb jij te vertellen…?"

David zei dat ze zich niet te druk moest maken, omdat het niet van levensbelang was. Het was iets van jaren geleden. Maar zo was het niet! Het was nog vreselijk belangrijk. Als ze dit wist van vader… Zou ze hem zeggen wat ze wist? Durfde ze dat? Misschien niet…

Ze kleedde zich uit en stapte in bed.

„Je komt de waarheid te weten," had David gezegd. „Nu je een begin hebt, zal er ook een eind komt."

Misschien was dat waar, stoppen kon niet meer. Nog wel toen het geheim alleen van haar was, maar nu wist Sjoerd ervan en David. Het zou verdergaan.

Ze sliep onrustig. Ze droomde, maar in die droom zag ze vader en Sjoerd niet. David ook niet. Ze werd achtervolgd en kon niet ontsnappen. Ze wilde hollen, de kleding die ze droeg, iets blauws, was wijd en fladderde en kringelde om haar benen, waardoor ze niet kon hardlopen. Ze wist niet wat of wie haar opjaagde. Maar ze voelde zich opgelucht toen ze wakker werd.

Elske de Wit en Ronnie Houtman waren allebei jarig en dat gaf feest in de klas. Loudy zocht een prachtige strik uit voor Elske, roze en witte stroken van stevig glanzend papier, en een rozet in twee kleuren blauw voor Ronnie. De kinderen zongen de jarigen enthousiast toe en er werd dubbel getrakteerd. Er hing een gezellige, roezemoezige sfeer in het lokaal. Loudy liet de leesles maar een beetje versukkelen. Elske vertelde bedeesd vanuit haar bank wat ze had gekregen. „Kom voor de klas staan, Elske, dan kunnen we allemaal goed horen wat je zegt," maar het donkere kopje schudde nee en de bruine ogen vroegen met een angstige blik: niet voor de klas. Ronnie kwam wel. Stoer en blij vertelde hij over de kiepauto en de wissels. „Voor bij mijn trein en vanmiddag komen opa en oma nog met een cadeau en tante Willy en oom Kees.
Die geven nooit echt speelgoed, maar altijd een boek. Daar ben ik ook blij mee. Lekker lezen!"
Toch maar wat sommen maken. „Jongens, nou even opletten, straks lees ik voor."
De hoofdjes bogen zich over de rijtjes met problemen.
Ze las voor, een heel eind deze keer. Omdat het feest was. Gek dat ze altijd de neiging voelde om te gapen als ze voorlas. Vervelend was dat, maar de kinderen hadden er geen erg in. Ze luisterden vol aandacht toe.
Ze hingen gemakkelijk in de banken. Het was een spannend verhaal. Toen ze het boek had gelezen voordat ze het in de klas gebruikte, was ze ook nieuwsgierig naar de afloop geweest.
„Feest in de klas?" vroeg David in het vrije kwartier. „Ik hoorde het spul vanmorgen zo enthousiast zingen. Je kon horen dat er twee jarigen waren, ze zongen extra luid!"
„Ja, een leuke dag. Trakteren en de klassen rondgaan, kiezen welk vriendje of vriendinnetje ze zullen meenemen, dat zijn kleine hoogtepunten voor de kinderen."
Robbert Bakker stond bij hen ze kon niets zeggen over wat haar het

meest bezighield. Robbert liep door. Bets Wonderwelle praatte op het plein met de moeder van Guusje.

„Vader zei gisteravond dat er iemand voor mij heeft gebeld vanuit Friesland."

„Zou hij nu al weer…? Dat is vlot!"

„Ik weet het niet. Vanmiddag belt hij weer, om een uur of vijf. Veel kan hij natuurlijk niet zeggen, want reken erop dat vader in de kamer blijft." Ze zei het lachend, maar ze vond het niet leuk.

„Vreemd dat Sjoerd 'Friesland' zo uitdrukkelijk heeft genoemd tegenover je vader. Hij had ook een beetje onduidelijk mompelend, alleen zijn naam kunnen noemen. Dan had je vader het niet verstaan." Eigenlijk nam ze voetstoots aan dat Sjoerd degene was die had gebeld.

Als hij het nu eens niet was geweest, maar een ander iemand uit Friesland die haar iets moest zeggen? Misschien had Sjoerd eergisteravond een ongeluk gehad. Er waren zoveel gedachten in zijn hoofd en hij moest zo ver rijden. Mijn hemel, ze voelde angst in zich opkomen, maar dat mocht ze niet aan David laten merken. Ze mocht ongerust zijn over Sjoerd, maar niet op deze manier, niet zo heftig. Het was of haar hart werd samengeknepen. Als er iets met Sjoerd was gebeurd….

„Je komt vanavond?" vroeg David.

„Ja, natuurlijk. Maar ik bedenk net dat het ook iemand anders geweest kan zijn. Iemand die iets over Sjoerd moet vertellen."

„Je bedoelt dat hem eergisteravond iets is overkomen, een ongeluk? Och nee, dat geloof ik niet. Als het ernstig was, zou de man gezegd hebben dat hij de volgende morgen, desnoods voor je naar school ging, weer zou bellen."

Ze knikte. David had gelijk.

De uren gingen voorbij. Ze probeerde er voor de kinderen een plezierige dag van te maken, maar het was moeilijk. Door alles heen dacht ze aan Sjoerd.

Om kwart voor vijf ging de telefoon. Ze liep naar het toestel, draaide haar rug naar de kamer, zodat vader haar gezicht niet kon zien.

„Met Sjoerd, Loudy." Zijn stem klonk gespannen, maar hij was het zelf. Het was Sjoerd, er was niets met hem gebeurd. „Ik kon je gisteravond niet bereiken, maar er is opeens iets verschrikkelijks gebeurd. Mijn moeder is ziek, vreselijk ziek geworden. In het begin van de avond, even na het eten, kreeg ze een hartaanval. Gelukkig

waren vader en ik de kamer, anders was ze misschien direct gestorven. We hebben de dokter gebeld, hij was er binnen vijf minuten;
met een ziekenwagen is ze naar het ziekenhuis gebracht. We zijn er
de hele nacht geweest, vader, Jill en Eelke en ik. Er kwam geen verandering in haar toestand. Ze ligt op intensive care, aan de monitor,
met slangetjes en toestanden. Het ziet er akelig uit. We mochten
even bij haar kijken, maar toen moesten we weg. Alleen vader bleef.
Hij mocht zitten in het kantoortje van de verpleegster, die de hele
nacht op moeder paste. Verschrikkelijk. Het is heel ernstig. Het
enige wat de dokter vannacht zei, was: zolang er leven is, is er
hoop."
„En nu, Sjoerd?"
„Ze leeft nog. De dokter zegt weinig. Hij kan weinig zeggen. Een hart
is een raar ding. Als het stopt met kloppen, is het gebeurd. We hebben een vreselijke nacht gehad. Ik ben even weggegaan om jou te
bellen, dat moest ik gewoon doen, na alles wat we besproken hebben, wij tweeën hebben het over haar gehad. Ik moest steeds denken aan wat jij vermoedde en wilde er met moeder over praten. Niet
plompverloren zeggen: 'U kunt me nu wel vertellen wie mijn echte
vader is, maar…' "
Sjoerd praatte gejaagd. Hij moest even ophouden om te slikken en
adem te halen.
„Maar nu, Loudy…" – even stilte – „het is niet belangrijk meer voor
me. Als moeder maar blijft leven, als ze maar bij ons blijft. Jil heeft
vannacht gebeden. De hele nacht, in dat kleine kamertje in het ziekenhuis. Ik ga nooit naar de kerk, Jil en Eelke wel. Jil zegt dat God
moeder erdoorheen kan helpen. Als ze maar bij ons mag blijven, verder is er niets belangrijk meer, Loudy. Was jij maar bij me. Verder
niemand. Je kent moeder niet en je zou geen verdriet om haar hebben," – Loudy begreep dat hij wilde blijven praten, het luchtte hem
op en zij luisterde – „maar het zou mij helpen als jij hier was. Ik ben
gespannen en bang en ik schaam me daar niet voor. Als moeder
overlijdt… mijn hemel, nee! Ik heb vannacht veel aan jou gedacht.
Ik kan me niet voorstellen dat moeder er niet meer zal zijn, dat is
onbegrijpelijk. Ze was er altijd en ik houd van haar. Ze moet bij me
blijven. Maar zo was het voor jou ook een keer en je moeder is toch
van jullie heengegaan. Jij was nog maar twintig, Loudy, wat verschrikkelijk. Je vertelde dat je moeder vijf jaar geleden is gestorven.
Nu voel ik pas hoe erg dat geweest moet zijn. En hoe erg het gemis

nog is. Ik weet wel dat het erger is als de moeder van jonge kinderen overlijdt, want wij zijn volwassen en we kunnen onszelf redden. Moeder is niet meer de vrouw die ervoor zorgt dat we genoeg eten en dat ons bed wordt opgemaakt, maar ze hoort in mijn leven.

Jil zei vannacht: 'Moeder houdt echt van ons.' Dat zei Jil, die niet eens haar eigen dochter is. Maar wat ze zei, is waar. Moeder houdt oprecht van Jil en ze zal alles doen om Jil te helpen als dat nodig is. Ik weet het," – zijn stem klonk opeens intens moe – „ik klets zomaar door, maar ik wil niet neerleggen, Loudy. Het is onzin om te vragen of je hier wilt komen. Dat kan niet. Jij hebt je school en David en je vader. Je hoort niet bij mij, maar ik verlang naar je. Het is niet zo dat ik iemand bij me wil hebben omdat ik me eenzaam voel. Ik ben niet eenzaam, maar ik wil jou om me heen hebben." Loudy praatte zacht tegen hem.

Eindelijk zei hij: „Ik bel je morgen weer. We gaan nu wat eten en dan gaan we naar het ziekenhuis. Vader is ook even thuisgekomen, hij kan daar niet blijven zitten. Maar hij wil bij haar zijn als ze sterft." Loudy legde na het gesprek de hoorn zachtjes terug op de haak.

„Moeilijkheden?" vroeg vader. Hij begreep er natuurlijk niets van.

„Het was Sjoerd Rijswijk."

„Een van de Joegoslaviëgangers." Zo noemde vader haar reisgenoten.

„Ja. Ik kan goed met hem opschieten, we hebben veel gepraat samen. Zijn moeder heeft een hartaanval gehad."

„Dat is niet zo mooi. Leeft ze nog'?"

„Ja, gelukkig wel."

„Misschien komt ze erdoorheen. Dat kan, dat zie je aan Egbert van Roden. Die heeft ook een behoorlijke aanval gehad. Ze gaven niet veel meer voor hem, maar hij loopt weer. Hij moet het kalm aan doen, maar dat is niet erg. En mevrouw Rozeboom, ginder in de laan, zit ook weer voor het raam."

„De dokter zegt: zolang er leven is, is er hoop. Dat is de strohalm waaraan ze zich vastklampen. Ik ben er akelig van. Ik ken zijn moeder niet, maar ik ken Sjoerd en hij zit vreselijk in angst."

„Een hartaanval is ook vreselijk. Het komt dikwijls onverwachts, hoewel er van tevoren – dat zeggen ze tenminste – bijna altijd een waarschuwing is geweest. Maar dat is rekkelijk. Iedereen voelt wel eens wat, voor als je ouder wordt, een beetje pijn in je borst, maar dat gaat ook weer over. Je kunt toch niet voor ieder krampje en scheutje naar de dokter hollen? Hij zal je zien aankomen trouwens. Maar als er wat gebeurt, zeggen ze later dat die krampjes en scheutjes kleine waarschuwingen waren. Misschien heeft de moeder van die jongen ook zoiets gehad en er geen acht op geslagen. Of misschien heeft ze er niet over gepraat tegen haar man en kinderen om ze niet ongerust te maken. Enfin, laten we hopen dat het goed afloopt."

„Ja, dat hopen we."

Loudy begon de tafel te dekken voor het avondeten. Onderwijl dacht ze aan Sjoerd. En aan het toeval. Sjoerd wilde met zijn moeder praten over hun vragen en uitgerekend nu werd zijn moeder ernstig ziek. Misschien zou hij zijn vraag nooit kunnen stellen.

Even na het eten rinkelde de telefoon opnieuw. Ze schrok. „Loudy, met Cora. Peter heeft me zojuist gebeld. Sjoerds moeder is ernstig ziek, weet je dat?"

„Ja, Sjoerd heeft me gebeld."

„Dat wist ik natuurlijk niet. Hoe is het met jullie?"

„Prima."

„David ook? En al verdere plannen, jullie saampjes?"

Cora lachte. Hoe kon ze lachen, terwijl ze wist van Sjoerds zorgen en verdriet... „Ja, we hebben een huis op het oog." Cora wist nog niet dat Sjoerd en Loudy misschien bloedverwanten waren. En als dat niet zo was, was er dan wat anders tussen hen?

„Wat enig, kind!"

„En jullie?" Want ze voelde dat Cora wilde vertellen.

„Peter komt hier in de stad wonen. Of hij direct bij mij in huis komt, weet ik nog niet. We zijn gek op elkaar, het klikt ontzettend goed tussen ons, maar we kennen elkaar nog niet zo lang. Aan de ene kant wil ik dus niet te hard van stapel lopen, aan de andere kant ben ik het met mijn moeder eens. Die zegt: als het goed is tussen een man en een vrouw, is het nooit vroeg genoeg."

„Doe maar rustig aan." Loudy wist amper wat ze zei, maar dit kon geen kwaad. „Peter kan toch woonruimte zoeken in Leiden. En werk, zal dat lukken?"

„Dat zit goed. Peter werkt op een accountantsbureau, dat weet je, en accountantskantoren heb je overal. Hij heeft gesolliciteerd naar een groot kantoor hier en we denken dat het zal lukken."

„Dat is niet gek, zeg!"

„Nee." Opeens lachte Cora vrolijk, een kirrend lachje. „Peter is zo'n heerlijke man, Loudy! Toen hij mij Opatya vertelde dat hij getrouwd was geweest, zei hij dat hij nooit meer zou trouwen. of er moest een heel bijzondere, goede en lieve vrouw op de proppen komen, maar hij geloofde niet meer in goede en lieve vrouwen. nee, dat zag hij niet meer zitten. Je kent die verhalen en uitspraken wel, maar nu met mij, zou hij direct willen trouwen! Hoe vind je dat?"

„Hij is ervan overtuigd dat het goed gaat tussen jullie. Jij bent die lieve, begrijpende, zachtmoedige en meegaande vrouw met wie hij de sprong in het huwelijk weer aandurft." Loudy hoorde achter zich vader zachtjes snuiven.

„Onzin natuurlijk, ik ben niet volmaakt. Maar weet je, voor mij gold eigenlijk hetzelfde. Ik kon me ook niet voorstellen dat ik na Hugo weer iemand tegen zou komen met wie ik de stap zou wagen en toch gebeurt het. Ik durf het aan met Peter."

„Met andere woorden: we kunnen spoedig een trouwkaart op de deurmat verwachten. Peter een goede baan, jullie samen een leuk huis en allebei gelukkig. Cora, ik vind het heerlijk! Ik ben blij voor jou, je hebt het moeilijk genoeg gehad."

„Dat is waar. Maar ik voel me nu heerlijk. Wanneer komen jullie weer eens langs?"

„Over een paar weken, zullen we dat afspreken?"

„Goed. Doe David en je vader de groeten van ons en als je Sjoerd spreekt – ik weet niet of hij jou nog belt – wens hem dan sterkte. Het was wel toevallig dat Peter hem juist vandaag belde, in het begin van de middag. Ze bellen elkaar nu en dan voor het werk, zoals je weet. Op kantoor zeiden ze dat Sjoerd er niet was, omdat zijn moeder ernstig ziek was geworden. Peter belde naar zijn huis, waar hij een buurvrouw aan de lijn kreeg. Die zei dat Sjoerd een kwartier tevoren uitgeput en overstuur thuis was gekomen, met medicijnen van de dokter en het voorschrift een pilletje in te nemen en een poosje naar bed te gaan. Hij sliep toen Peter belde."

„Ik bel hem vanavond om te horen hoe het is en dan zeg ik dat ik jou heb gesproken. Goed?"

„Ja prima, Loudy, tot ziens dan, dag."

„Ik ga naar David," zei ze omstreeks acht uur tegen haar vader, terwijl ze een kort jasje aantrok. „Als Sjoerd belt, wilt u hem dan vragen of hij Davids nummer draait?"

„Je kunt beter thuisblijven. Dan ben je er als hij belt."

„Ik ben met David verloofd, niet met Sjoerd. Maar ik vind het verschrikkelijk voor hem. Hij heeft me over zijn moeder verteld, ik weet hoeveel hij van haar houdt."

„Ik vraag of hij je bij David belt, kind," zei vader met een lieve glimlach, „en als hij mij een boodschap doorgeeft – stel dat zijn moeder is overleden, in dat geval heeft hij misschien geen zin om te proberen jou op een ander nummer te bereiken – dan bel ik je. Zullen we dat afspreken?"

Loudy knikte, dat was goed. Ze wilde liever thuisblijven en wachten op een telefoontje van Sjoerd. Als hij moest zeggen dat zijn moeder was overleden, kon ze hem niet echt helpen. Dat kon niemand, maar misschien hielp ze hem door naar hem te luisteren. Ze kon niet troosten.

Er waren voor zo'n verlies geen woorden van troost te vinden. Wat moest ze zeggen? Het verdriet glijdt later, na deze dagen, weer langzaam van je weg, jongen. Het overspoelt je nu en je denkt dat je erin verdrinkt, maar dat gebeurt niet. Heel langzaam vloeit het terug, laat het je los, gaat het van je weg. Je denkt dat je niet kunt leven zonder je moeder… Nee, zo was het niet. Sjoerd wist dat hij kon leven zonder zijn moeder, maar hij zou haar verschrikkelijk missen en zijn leven zou anders worden. Ze wist het uit eigen ervaring. En haar moeder was niet vrolijk en opgewekt geweest zoals Sjoerds moeder. Ze liep naar de Levegoedsweg.

„Mijn meisje!" Davids armen om haar heen, een kus op haar mond.

„Je ziet witjes, wat is er?" En met een andere klank in zijn stem, iets joligs, „Heeft Sjoerd gebeld?" en zacht fluisterend in haar oor – ze stond nog dicht tegen hem aan – „Zijn jullie een beetje broer en zus?" Ze duwde hem van zich af. Ze vond het niet leuk dat hij er zo over praatte.

„Nee David, Sjoerd heeft wel gebeld, maar het ging om iets heel anders. Zijn moeder is naar het ziekenhuis gebracht met een hartaanval."

Zijn ogen gingen wijder open. „Dat is pech hebben, net nu Sjoerd haar wilde vragen… Of had hij het haar al gevraagd?"

„Nee, dat niet."

„Het is merkwaardig dat dit juist nu gebeurt. De kans om de waarheid van haar aan de weet te komen, is voorlopig verkeken."

Ze knikte en ging op de bank zitten.

„Misschien haalt zijn moeder het," trachtte David haar op te beuren.

„In het ziekenhuis is alle apparatuur aanwezig die nodig is om haar te helpen. Daar weten ze precies hoe ze behandeld moet worden. Misschien komt ze erdoor."

„Sjoerd gelooft er niet in."

„Dat zegt niets. Sjoerd verkeert in spanning en onzekerheid. Maar als je het ziet als een speling van het lot…"

„Doe niet zo mal. De vraag die wij hebben, is nu niet meer belangrijk."

„Toch wel, Loudy. Voor jou in elk geval, want het raadsel rond je vader is nog steeds niet opgelost. En ik denk dat de vraag naar zijn afkomst. Sjoerd ook zal blijven bezighouden."

Ze knikte en zweeg. Haar gedachten waren bij Sjoerd. Lag zijn moeder nog op het witte ziekenhuisbed, met dokteren en verpleegsters zorgend om haar heen of was ze al op een brancard weggereden naar een donkere, stille, kille afdeling achter het gebouw omdat men niets meer voor haar kon doen? Zaten Sjoerd, zijn vader en de anderen thuis in de opeens vreemde kamer, voelden ze de koude sluier Om zich heen, zoals zij die had gevoeld toen moeder pas was overleden, de schaduw van de komende verandering in hun leven. „Mijn moeder was er altijd," zei Sjoerd vanmiddag. „Ik kan me niet voorstellen dat ze er niet meer is."

„Je bent er erg mee bezig, meiske."

„Ja. Ik weet hoe het voor vader en mij was, David. Ieder mens zal zo'n gemis anders ervaren. Ik was jonger dan Sjoerd nu is, maar ik denk dat hij een sterkere band heeft met zijn moeder, dan ik had met mama. Als hij over haar praat, kun je voelen dat hij veel van haar houdt. Dat valt echt op. Ik vond het prettig, zo'n grote vent met zoveel warmte over zijn moeder te horen spreken."

Het werd een ongelukkige avond.

David vertelde dat hij naar het huis van meneer Hamer was geweest. De man zelf was er niet, die was, zoals bekend, op zakenreis naar Italië, maar zijn vrouw had hem binnengelaten en met David gepraat. Een aardige, knappe vrouw. Ze wist van het hele geval, ja, maar ze zei dat Bob Geertsema wel een beetje voorbarig was geweest om te vertellen dat het huis van haar schoonmoeder te koop was. Het zou verkocht worden, inderdaad, maar dat kon nog wel een tijdje duren. Haar schoonmoeder was een plaats in Dennendal beloofd, maar de directie van het tehuis kon – gelukkig – niet zeggen wanneer er plaats zou zijn. In elk geval zou ze tegen haar man zeggen dat hij langs geweest was. Zodra er kwam, zou haar man contact met hem opnemen, daar kon David op rekenen. Mocht het jonge paar in de tussentijd een andere woning hebben gevonden, dan wilden ze wel even laten weten dat de koop niet doorging.

Loudy hoorde het verslag aan en haar hart zei zacht: gelukkig, nog even wachten. Ze vond het oneerlijk dat ze dit dacht, maar ze kon het niet helpen. Ze hield van David, maar haar gedachten waren bij Sjoerd. Omdat hij verdriet had natuurlijk.

Toen ze thuiskwam, zat vader nog in de kamer.

„Er is geen telefoon geweest," berichtte hij.

Loudy trok haar jasje uit en hing het aan de kapstok.

„Dat kan twee dingen betekenen. Of het gaat iets beter met zijn moeder, maar de toestand is nog zo kritiek dat ze veel in het ziekenhuis zijn, of zijn moeder is gestorven en hij is verdoofd van verdriet. Bovendien," – hij keek haar recht aan, ze kende die onderzoekende, vorsende blik van hem – „jij bent voor hem toch alleen maar een kennisje dat hij kent van een vakantiereis?"

„Dat ben ik. Niets meer dan dat, maar Sjoerd en ik kunnen goed met elkaar opschieten."

Toen ze in bed lag, dacht ze aan David. Hij zocht er niets achter dat ze zo met Sjoerd meeleefde. Hij had gezegd dat het hem verschrikkelijk leek je vader of je moeder te moeten verliezen. Dan gaat iemand, die wezenlijk bij je hoorde, van je weg. Zijn ouders leefden allebei nog. Hij zag ze niet vaak, maar ze waren er, de band was er, ook al woonden ze ver bij elkaar vandaan. Ze kenden elkaar en hielden van elkaar. Als hij thuiskwam, was het meteen goed en vertrouwd. Dan zei zijn moeder dat ze een trui voor hem had gebreid en warme sokken, voor de komende winter. Hij had toch vaak last van koude voeten? En ze drukte hem op het hart vooral goed te eten. „Denk om de vitaminen, jongen, en de eiwitten, niet steeds rommelen met een blikje en weer een uitsmijter." Ze lag in het donker en hoorde de klok in de huiskamer drie uur slaan. Ze moest alles van zich afzetten. Niet meer denken. Door al dat gepieker veranderde er niets. Sjoerds moeder werd er niet beter door, de vraag rond vader loste niet op en ze kon David niet zeggen wat ze precies voelde.

De volgende morgen, zaterdag – geen school – rinkelde de telefoon tegen tien uur. „Met Sjoerd, Loudy." Ze voelde het kloppen van haar hart in haar keel. Nu ging hij: het zeggen, Loudy, je begrijpt het al, moeder...

„Het gaat iets beter met moeder."

„O, Sjoerd." Ze zou erom kunnen huilen. „Wat fijn!"

„Ja. We hadden het niet verwacht. De hartspecialist ook niet. Ze waken in het ziekenhuis dag en nacht over haar. Ze krijgt ontzettend veel zorg en aandacht. Vader en ik gaan dadelijk weer naar haar toe, we mogen even om een hoekje kijken. Gisteravond zag ze ons. Ze glimlachte zelfs even en stak haar hand op."

Hij praatte door over zijn moeder en het ziekenhuis. Toen zei hij: „Ik weet dat ik niet veel kan zeggen, of liever gezegd, ik wel, maar jij niet. Je vader is in de kamer. Maar aan dat andere, Loudy wil ik niet meer denken. Ik zal er moeder nooit naar vragen. Want als ze hier doorkomt, zal ze als een kasplantje moeten leven. Of een kasplant-je, dat is misschien te sterk uitgedrukt, maar grote inspanningen en emoties moeten we vermijden. Mijn vraag zou natuurlijk allerlei emoties oproepen. En weet je, Loudy, het is opeens niet belangrijk meer voor me. Ik kan het je niet goed zeggen, niet met de juiste woorden. Ik zou het liefst alles wat ik denk en voel, willen opschrij-ven en je dat papier toesturen, maar ik ben bang voor woorden op papier. Voorlopig kan ik niet meer naar je toekomen, misschien is het beter dat ik niet meer kom. Ik heb zoveel gedacht, tot ik er uit-geput van was en ik heb voor mezelf een beslissing genomen. Wat wij samen besproken hebben, moeten we laten rusten. Er is iets geweest in het leven van mijn moeder en in het leven van jouw vader. Van mijn moeder weet ik wat het is. Ze kreeg mij voordat ze met Simon Rijswijk trouwde. Wat er in het leven van jouw vader is geweest, weet je niet. Maar voor ons samen is het niet belangrijk. Jij hebt David en gaat met hem trouwen. Ik hou van jou, maar ik zal je nooit krijgen, want je trouwt met David. Dat zeg ik steeds tegen mezelf: ze is van David en voor David. Daarom is het beter een einde te maken aan de vriendschap die tussen ons bestaat. Het is beter, Loudy, voor ons allebei. Want het verwoest ons leven. Een mens kan niet over twee paden gaan. Ik wil niet tussen David en jou staan en jij zult dat ook niet willen. Nu is het nog vriendschap, maar als we elkaar blijven ontmoeten, wordt het anders, dat weet ik zeker. Ook al zal er nooit iets tussen ons kunnen zijn. Het is een vreemde geschiedenis, maar voor alles is het beter niet verder te gaan. Ik houd je natuurlijk op de hoogte hoe het met moeder gaat. We hoe-ven niet abrupt af te breken, maar we zoeken geen verdere weg. Want die is er niet.

Je begrijpt toch wel dat ik er mijn moeder na deze hartaanval nooit naar zal vragen? Mijn verstand zegt dat het onzin is, maar ik voel dit als een teken van het lot. Waarom moest dit zo kort na woensdagavond gebeuren, de avond dat wij met elkaar praatten? Uitgerekend de volgende dag wordt mijn moeder zo ziek dat ze het antwoord op mijn vraag nooit zal kunnen geven."

Toen de hoorn weer op de haak lag, draaide ze zich langzaam om. Vader zat aan de tafel, gebogen over de krant. Hij kon Sjoerds woorden niet hebben verstaan. Zij had alleen af en toe 'Ja... ja...' gezegd. Hij keek op toen ze bij de tafel stond. Niet eerder. Alsof hij verdiept was in de krant. Maar ze wist dat hij had getracht het gesprek te volgen.

Ze moest de krampachtige trek van haar gezicht halen, het strakke gevoel of haar mond nooit meer echt zou kunnen lachen. Ze probeerde haar ogen te laten lichten. Vader hoefde niet te zien hoe ongelukkig ze zich voelde. En waarom eigenlijk? Sjoerd had gelijk. zij ging immers met David trouwen? Ze zei: „Met Sjoerds moeder gaat het een klein beetje beter."

„Dus ze leeft nog, wat heerlijk! .Ja, op de afdeling hartbewaking passen ze ontzettend goed op de patiënten. Daar krijg je echt alle aandacht die nodig is. Maar als je ervan afgaat naar de zaal, wordt het minder. Dat is logisch. Ze kunnen niet naast het bed van elke patiënt een verpleegster zetten, maar het is meer dan eens gebeurd dat een hartpatiënt die goed door de bewaking was gekomen op zaal hard achteruitging en na een paar dagen toch overleed. Het is geen opgewekt verhaal en we moeten er ook niet van uitgaan. Het gaat nu goed met haar, dat is het voornaamste. Mal eigenlijk, ken Sjoerd niet en ik ken zijn moeder niet, maar ik leef erg mee. Dat doe ik trouwens met alle zieke mensen."

„Ik ga koffiezetten."

„Ja, doe dat, ik heb trek in koffie."

In de keuken leunde ze tegen het aanrecht. Sjoerd had gelijk. Het was beter alles te laten rusten. Zij trouwde met David. Zou er – ze durfde er bijna niet aan te denken – zou er tussen Sjoerd en haar iets heel bijzonders kunnen opbloeien als ze wisten dat het antwoord 'nee' was op de vraag of haar vader ook de zijne was? Dat antwoord kregen ze niet van zijn moeder. De enige die er nog op kon antwoorden, was haar vader en ze durfde hem er niet naar te vragen.

Ze moest haar verstand en haar toekomst niet in de war laten sturen door fantasieën: en dingen uit het verleden. Verleden betekent: voorbij. Het was voorbij en zoals Sjoerd zei, niet belangrijk meer. Het deed er niet meer toe, wie zijn vader was. Zij trouwde immers met David...

Het was geen onzinnige gedachte dat haar toekomst gevaar liep, geen ongegronde angst, want de bedreiging was er echt. Ze wist het. Als ze alles goed en nuchter op een rijtje zette, zag ze het. Ze had David. Ze hield van hem en hij hield van haar. Tot de reis naar Joegoslavië had ze zich blij met hem en veilig bij hem gevoeld. Ze begonnen samen aan de toekomst. Elkaar helpen en steunen en gelukkig willen maken, een vrij leven in een eigen huis, misschien met de kinderen waarnaar ze allebei verlangden. Wat haar bezighield uit het huwelijk van haar ouders, had buiten hen santen gestaan. Ze konden erover praten en ernaar zoeken. Al kwamen ze nooit aan de weet wat er was geweest, dan hadden ze er in elk geval van geleerd dat een wig, een tweespalt in een huwelijk, veel onheil kon aanrichten.

Ze keek naar de waterketel, waar aarzelend de eerste stoom uit de tuit kwam. Die steeg ijl en voorzichtig omhoog. Ze rook de koffie in de filter.

Toen stond of viel haar geluk met David. Na Joegoslavië was het anders geworden. Vragen rond Sjoerd en diep van binnen het gevoel dat een leven naast Sjoerd anders zou zijn dan een leven naast David. Niet zonder moeilijkheden, maar wel met andere gevoelens. Warmer en dieper en oprechter. Ze wist al heel gauw dat ze van Sjoerd hield. Of het de liefde was van een vrouw voor een man of dat haar gevoelens ook voortkwamen uit zijn gelijkenis met vader deed er eigenlijk niet toe. Ze hield van hem. Maar ze moest hem loslaten omdat het een visioen was. Haar toekomst was bij David. Denken aan Sjoerd dreef haar van David af en dat wilde ze niet. Ze wilde David niet missen. Misschien zou het leven naast hem minder romantisch worden dan naast Sjoerd, maar misschien was het maar een fantasie dat het leven met Sjoerd anders en waardevoller zou zijn. En al werd het huwelijk met David misschien niet hemelhoog juichend, ze zou in een leven met hem wel gewoon geluk vinden, vredig samenzijn, gezelligheid, plezier om leuke dingen die ze samen beleefden. Ze zouden elkaar helpen als dat nodig was. Waarom zou ze nog meer verlangen van het leven?

HOOFDSTUK 9

Het schooljaar was voorbij. De kinderen waren juichend aan de vakantie begonnen. Loudy ruimde in de klas de kasten op en na een gezellig koffieuurtje met de andere leerkrachten in de onderwijzerskamer, liepen David en zij het schoolplein over naar de poort.

„Mijn moeder belde gisteravond," zei David. „Ze vroeg of we nu gauw bij hen komen. Ze wil dat wij bij haar en vader komen logeren. Op zich is dat niet zo gek. Het is een prachtige omgeving en we zullen het er prima hebben. Mama kan heerlijk koken en ze zal geweldig haar best voor ons doen."

Met David bij zijn ouders logeren… Ze had ze twee keer ontmoet, de eerste keer op Davids verjaardag, toen ze naar zijn kamer gekomen waren, de tweede keer waren David en zij naar de Achterhoek gereden.

Het waren aardige, vriendelijke mensen, die haar lieten merken dat ze ingenomen waren met de keuze van hun zoon. Loudy kon er in stilte om glimlachen. Ze hoorde ze bijna tegen elkaar zeggen: een keurig meisje, huiselijk, niet dom en geen type dat met een vlag de straat op gaat om te demonstreren voor vrouwenrechten. Wat willen we nog meer voor David?

„Het lijkt me wel," zei ze. Ze had er zin in met David samen op vakantie te gaan, uitstapjes te maken in de omgeving, te wandelen of te fietsen. Ze wist dat ze met zijn ouders goed zou kunnen opschieten.

„Echt waar?" Zijn hoofd draaide zich naar haar toe. „Ze weten dat we op zoek zijn naar een huis, een stap verder zelfs, dat we een huis op het oog hebben. Ze beschouwen ons dus als bijna getrouwd."

Loudy wist waar hij heen wilde. David verwachtte dat zijn moeder hun samen een slaapkamer zou geven. Drieëndertig en bijna zevenentwintig, ze waren geen kinderen meer. Als zijn moeder het goedvond, was het niet nodig een hotelletje te nemen…

Ze waren vaak samen op Davids kamer, waar ze elkaar kusten en met elkaar vrijden, maar tot dat ene was het toch nog niet gekomen. David had met Annerie geslapen, dat had hij verteld, maar Loudy had geen ervaring.

„We kregen dus samen de logeerkamer." Ze stak haar hand door zijn arm. „Ik weet dat je me tuttig vindt omdat ik tot nu toe…"

„Meisje, wat een onderwerp om op straat te bespreken." Hij drukte haar arm tegen zich aan. „Zo denk ik niet over je. We weten allebei dat het tegenwoordig heel gewoon is dat een jongen en een meisje met elkaar naar bed gaan als ze elkaar aardig vinden. Ik heb daar niets op tegen, maar nu ik ouder word, vind ik het prettig dat ik een vrouw krijg die nog niet met een andere man heeft geslapen. Je bent van mij alleen en hebt niet veel ervaring in de liefde. Een paar kusjes van vroeger van studievrienden, dat is alles. Wat je nu kent, heb ik je geleerd."

Hij lachte. „En ik leer je nog veel meer. Dus we gaan samen naar Lochem?"

„Het lijkt me enig." David ging mee naar de Oosterlaan.

„Hoera, vakantie!" riep Loudy jolig in de gang.

Vader trok de kamerdeur open. „Ja, bijna zes weken vakantie, wat een tijd! Wij waren vroeger dolgelukkig met één week! En dan hadden we geen geld om er die ene week op uit te trekken, niet in een hotel tenminste, of een pension, zoals de mensen met een hoger loon dan het mijne toen deden."

Daar was het weer. Ze zou nu kunnen zeggen dat de mensen vroeger bij familie gingen logeren en zij hadden toch familie in Friesland? Waarom waren ze daar niet heengegaan? Maar ze vroeg niets. Laat maar. Het was voorbij.

„We gaan een weekje naar Davids ouders."

„Zo, dat is leuk."

„Davids moeder heeft gevraagd of we komen."

„Ze heeft ons weinig gezien," voegde David eraan toe. „We hadden wel vaker naar ze toe kunnen gaan, het is niet ver weg met de auto, maar het is er gewoon niet van gekomen."

Die avond zei vader. „Ik vind het leuk, kindje, dat jullie samen naar Davids ouders gaan. Neem van mij aan dat het belangrijk is als je prettig kunt omgaan met je schoonouders. Ze zullen anders zijn dan je eigen ouders. Die vader is anders dan ik en die moeder zal niet op moeder lijken, maar het is voor een man prettig als zijn vrouw zijn ouders gewoon accepteert en andersom natuurlijk ook."

Had er iets gemankeerd aan de verstandhouding tussen moeder en vaders ouders? Of bedoelde hij te zeggen dat David met hem niet prettig omging? Zo'n vadertje toch!

Op een zonnige julimorgen reden ze op tijd weg. „Het is bijna drie uur koersen," zei David, „maar we doen alles op ons gemak, we hebben vakantie tenslotte. We drinken onderweg koffie. Ik hoop dat we een landelijk restaurantje tegenkomen. Maar we nemen er geen gebak bij, want ik weet zeker dat de koffie klaar is als we bij mijn ouders aankomen en dat moeder een heerlijke taart heeft gebakken. Als welkom. Een goed begin is het halve werk als je je schoondochter tot vriendin wilt maken. De eerste indruk is belangrijk. Taart met slagroom dus."

Loudy voelde zich heerlijk. Fijn dat vader niet moeilijk had gedaan over de dagen die hij alleen zou zijn. „Ik red me wel. Ik vind het niet prettig dat je weggaat, dat kan ik gerust zeggen. Je weet dat ik er een hekel aan heb, alleen thuis te zijn. De stilte komt op me af en ik weet niet wat ik de hele dag moet uitvoeren. Maar ik wil jullie absoluut niet in de weg staan. Geniet er maar lekker van. En doe die mensen de groeten van me. Ik vond het aardige lui, toen ik met ze kennismaakte op Davids verjaardag. Een aardige vrouw een gezellig mens, en die vader stond me wel aan. Goede mensen."

Davids moeder was een klein vrouwtje met vriendelijke, lachende ogen, grijs haar en een blozend gezicht.

„Hallo kinderen, fijn dat jullie er zijn! Heerlijk om jullie een weekje bij ons te hebben! Kom gauw binnen, de koffie is klaar, daar zullen jullie wel naar snakken na zo'n rit."

Na de koffie vroeg ze: „Ik vraag het ronduit en je kunt eerlijk antwoord geven. Willen jullie samen op de logeerkamer of heb je liever een eigen slaapkamer, kind? Kijk nu niet naar David, kijk mij maar aan als je antwoord geeft."

Ze glimlachte.

Maar David antwoordde in Loudy's plaats. „We kunnen samen, mam. U weet dat ik mijn eigen kamers heb. Loudy komt er dikwijls en ik pak haar af en toe lekker!"

„Ja, jongen, daarom dacht ik ook dat jullie het misschien prettig zouden vinden samen de logeerkamer te nemen. Vroeger zou zoiets niet in mijn hoofd zijn opgekomen, stel je voor! Toen Kees verkering had met Mary, kwam ze af en toe bij ons logeren. Ze woonde in Rotterdam, een mooi eindje weg, en kwam nu en dan een weekendje. Maar dan bleef Kees wel op zijn eigen kamer en ik hield het kraken van zijn deur in de gaten. Er is natuurlijk een heel verschil. Mary was toen een jaar of achttien, een kind nog, en ik wist hoe haar ouders over haar waakten. Kees kreeg echt niet de kans om naar haar slaapkamertje te gaan. Voor zulke jonge mensen is dat misschien ook beter. Maar jullie zijn oud en hopelijk wijs genoeg om te weten wat je doet. En jullie zijn de vrijheid gewend. Ik neem tenminste aan, Loudy, dat je vader je niet verbiedt naar Davids kamer te gaan."

„Nee. Bovendien, waar kunnen we dan rustig met elkaar praten? Bij ons thuis kan het niet, want vader is er altijd bij. We zouden op straat moeten lopen. In de regen."

„En hoe staat het met het huis dat jullie willen kopen?"

„Mevrouw Hamer is nog niet naar het bejaardentehuis. We kunnen er niets van zeggen. Gijs Hamer heeft me gezegd dat het huis verkocht wordt zodra zijn moeder eruit trekt, maar hij kan niet zeggen wanneer dat zal zijn. Wat dat betreft was Bob Geertsema een beetje voorbarig, maar we zijn toch blij met zijn tip. Als we voor die tijd een andere leuke woning zien, kunnen we die kopen. We zitten nergens aan vast. Gijs Hamer is ervan overtuigd dat hij het huis gemakkelijk kwijtraakt en dat geloven wij ook. Maar we zijn van plan erop te wachten, hè meiske?"

„Het is een enig huis en precies wat we bedoelen." Ze wilde niet meer wachten, nu ze het besluit had genomen voor David te kiezen. Ze ontmoette Sjoerd niet meer. Hij had na het herstel van zijn moeder nog een enkele keer gebeld, maar ze begrepen allebei dat het het beste was er een streep onder te zetten. Sjoerd zei dat zijn moeder nog erg zwak was, niet alleen lichamelijk, maar ook geestelijk. Ze kon nog niet goed denken, alles op een rijtje zetten en vasthouden. Zelf zei ze dat het was of alle gedachten meteen weer wegvlogen. Sjoerd wilde onder geen voorwaarde over het verleden beginnen. „Waarom ook, Loudy? Eigenlijk maakt het geen verschil. We halen oude wonden open, misschien bij jouw vader, maar beslist bij mijn moeder. En voor ons samen heeft het geen zin. Jij trouwt toch met David."

Die woorden hamerden lang in haar na. Als een zweepslag. 'Jij trouwt toch met David.'

Ondanks zichzelf dacht ze vaak aan Sjoerd. Soms – en dat vond ze slecht van zichzelf – soms zelfs als ze bij David op de kamer was. Hij praatte, vertelde, zat naast haar en nam haar in zijn armen en dan vroeg zij zich af hoe dit zou zijn met Sjoerd. Was het praten met Sjoerd anders? Begrepen ze elkaar beter? Als ze met David praatte, waren er van binnen soms andere gedachten dan ze uitsprak. Zou ze dat met Sjoerd niet hebben?

„Ik geloof dat Loudy in gedachten het huis al loopt in te richten." Ze schrok van de hand die Davids moeder op haar arm legde. Ze moesten eens weten waaraan ze dacht…

„Het lijkt me heerlijk het huis in te richten."

„Maar weet je wat zo ellendig is," – Davids stem klonk plagerig – „we hebben een totaal verschillende smaak. Loudy wil alles modern, lichte kleuren, liefst wit en veel chroomwerk en ik verlang naar zware, eikenhouten stoelen en een tafel die je met vier man nog niet van zijn plaats kunt krijgen."

De eerste middag in Lochem ging genoeglijk voorbij. Na de lunch wandelden ze samen het plaatsje in. Het was heerlijk weer. Veel mensen in luchtige, zomerse kleding gingen langzaam slenterend, net als zij, door de straten. Ze bekeken de etalages van de meubelhandel, de lampenwinkel, de zaak in huishoudelijke artikelen waar prachtige serviezen te koop waren. Ze liepen hier en daar een winkel in om rond te neuzen.

Tegen vijf uur dronken ze weer koffie met Davids ouders, waarna een heerlijk dinertje volgde.

„Zullen we nog een stukje wandelen, geliefde?" stelde David voor toen al het serviesgoed weer keurig afgewassen in de kast stond. Er klonk een overdreven klank in zijn stem toen hij dat zei: geliefde.

„Graag, de omgeving is hier bijzonder mooi."

„Ik weet een laantje met grote, hoge bomen... Is dat weggetje er nog, moeder?"

„Ik weet precies wat je bedoelt. Je kwam daar vroeger ook al. Of mag ik dat niet zeggen?"

„Jawel, hoor. Loudy is niet jaloers op mijn vroegere vlammetjes. Ik heb haar uitgelegd waarom ze dat ook niet hoeft te zijn. Ik liep er met Ineke en Tineke en Hanneke en Janneke en Sanneke, maar geen van hen was lief genoeg om de eer te hebben mijn bruid te worden. Dat is zij wel. Waarom zou ze dan jaloers zijn? Ze probeerden mijn hart te veroveren," – hij lachte jongensachtig, „maar het lukte hen niet. Kom op, schone maagd, we stappen in het duister. Blijf dicht bij me, dan kan je niets gebeuren."

Ze zag het goedige, vriendelijke gezicht van Davids moeder toen ze bij de kamerdeur nog even omkeek. David heeft het geluk gevonden, zeiden die ogen, en op dat moment beloofde ze zichzelf weer, in een flits, alles te doen om David gelukkig te maken. Al het andere moest ze uit haar hoofd en uit haar hart bannen.

Tegen twaalf uur, na onder het genot van een glaasje wijn en andere hapjes, gingen ze naar boven. Naar de logeerkamer. „Jullie zijn vaak genoeg samen op Davids kamer," had zijn moeder vanmorgen gezegd en dat was ook zo. Maar dit was anders. Op Davids kamer kwam ze in het begin van de avond, ze praatten samen en kusten elkaar, maar die liefkozingen hoorden erbij, dat was gewoon. Als ze iets grappigs zei, kuste David haar. Davids bed, een eenpersoons-bed, stond in zijn slaapkamer en daar kwamen ze bijna niet. Het was een ongezellig hok. Nu was het anders. De logeerkamer was ruim, het bed breed, de gesloten gordijnen zachtroze van kleur, de vloer-bedekking heel licht, bijna wit. Er brandde aan iedere kant van het bed, op het nachtkastje, een schemerlampje. Roze kapjes met franje. Het was of David haar gedachten raadde. Zo moeilijk was dat niet.

„Ik weet wat je denkt, lieveling. Dit wacht op meer dan alleen een kusje." Hij zoende haar in haar hals. „Maak je niet ongerust, ik zal je echt niet als een bruut overrompelen." Ze lachten er allebei om, wel-nee, dat wist ze wel. Ze was niet bang voor hem. „Als we samen in bed liggen, doen we die schattige lampjes uit. Jij bent dan heel dicht bij mij en ik dicht bij jou, dan weten we wat liefde is…"

Loudy werd de volgende morgen als eerste wakker. De kamer was flauw verlicht door de zonnestralen, die door de gordijnen heen pro-beerden te dringen.

Ze keek naar David. Hij sliep nog. Zijn haren warrig op het witte kus-sensloop. Zo zag ze hem nooit. Het was een heerlijke nacht geweest. De manier waarop David haar tot zijn vrouw had gemaakt, een klein grapje erbij, zijn stem zachtjes, strelend bijna, „Voorzichtig, lieve-ling, je bent nog maagd, mijn schat, maar na vannacht ben je vrouw… Klinkt dat niet romantisch, is het geen heerlijke beleve-nis…?" Ze zou deze nacht nooit vergeten.

Ze sloeg voorzichtig de dekens terug en stapte uit bed. Als ze het gordijn een stukje optrok, zou het zonlicht op zijn gezicht schij-nen en hem wakker maken. Nee, toch maar niet doen. Ze liet hem nog slapen. Ze keek op het wekkertje. Half negen. Ze zat op de rand van het bed. Van beneden klonken geluiden. Davids moeder was in de keuken bezig met kopjes en bordjes. Ze hoorde haar zacht praten met Davids vader. Hij antwoordde brommerig. Wat moest ze nu doen? Hoe laat verwachtte mevrouw Willems hen aan het ontbijt? Ze moest David toch wakker zou ze eerst naar de badkamer gaan? Ja, dat was een goed idee, was zij in elk geval gedoucht en aange-kleed.

„Mijn vrouw," zei David plechtig toen ze in de slaapkamer terug-kwam.

Hij zat rechtop in bed, zijn haren nog in de war, zijn kin donker van de opkomende baard. „Mijn vrouw, al aangekleed en wel. En ik wilde je nog even pakken!"

„Niks pakken," lachte ze. „Je moeder rammelt beneden met de kop-jes en de theepot staat op het lichtje."

„Mis geraden, mijn lieveling. In dit huis drinkt men 's morgens al koffie. Ruik je dat niet?" Hij snoof sloeg de dekens terug en stapte uit bed.

„Maar je hebt gelijk, we moeten opstaan. Jij voelt je gast in dit huis, ik voel me thuis. Jij wilt je aan de regels houden, op tijd aan het ontbijt verschijnen en ik gehoorzaam jou." Hij stond naast haar, sloeg zijn armen om haar heen en kuste haar.

„Goedemorgen, meiske, ga jij alvast naar beneden? Misschien zet moeder ter ere van jou een pot thee. Ze vindt jou vast een meisje om 's morgens thee te drinken en een beschuitje te knabbelen. Ik ga de badkamer in en kom er als heer weer uit."

Ze voelde zich gelukkig. Zo was het leven heerlijk. En van deze David hield ze. Hij was een andere David dan in Breehuizen waar hij vaak ietwat wrange opmerkingen maakte, over haar vader bijvoorbeeld, en daar had ze het moeilijk mee. Zoals over het lenen van het geld. Het zinde hem niet dat vader hen niet wilde helpen. Misschien had hij gelijk, vaders argumenten waren niet zuiver. „Ik zie niets in een huwelijk tussen jou en hem. Als je met een ander…"

Terecht zei David dat dit niets te maken had met helpen. Dat was je wil opleggen, je eigen zin doordrijven, dwingen. Maar ze lieten zich niet dwingen. „We zullen ons best redden," meende David, „we blijven de eerste jaren allebei werken. We gaan lekker zuinig leven, dan zul je eens zien wat we opzij kunnen leggen. Nou ja, opzij, naar de bank kunnen brengen weer een stukje van het huis van onszelf." Ze liep naar beneden. Davids ouders zaten in de grote keuken aan tafel.

„Goedemorgen," begroette ze hen vriendelijk.

„Goedemorgen, kind. Is David nog niet wakker?"

„Ja, wel wakker, hij is in de badkamer."

„Voor zijn doen vroeg uit bed. Hij houdt van uitslapen."

„Ik heb de gordijnen opengetrokken, de zon scheen recht op zijn gezicht."

„Het is ook zonde om met dit prachtige weer op bed te blijven."

Mevrouw Willems stond op en liep naar het aanrecht.

„Wat wil je drinken? Ik heb thee en koffie. Wij zijn gewend 's morgens bij de boterham al koffie te drinken, maar ik weet dat veel mensen liever een kopje thee hebben."

„Ik graag thee."

„Gelijk heb je." Vader Willems keek haar over de tafel heen glimlachend aan. „Nog een halfuurtje en we zitten weer aan de koffie."

„Nou, een halfuurtje, dat is overdreven," vond zijn vrouw. „Hoewel, als jullie plannen hebt om een uitstapje te maken, is het misschien niet gek om tijdig koffie te drinken. Jullie moeten dat straks maar samen bespreken. Jullie zijn helemaal vrij, je kunt doen en laten wat je wilt, maar ik wil wel graag weten of je vanavond hier eet of buitenshuis. Ik vind het fijn als jullie hier eten, begrijp me niet verkeerd. Je moet niet denken dat het te druk voor me is. Ik hou erg van koken en maak voor ons vieren graag een etentje klaar."

Het werden heerlijke dagen. In de middag van de tweede dag begon het zachtjes te regenen, zodat David en Loudy vroeger dan ze van plan waren geweest van een boswandeling terugkwamen. Ze zaten gezellig in de kamer. Kopje koffie, koekje, een klein schemerlampje aan.

Mevrouw Willems begon te praten over haar andere kinderen, Kees en Thea, een jongere broer en zus van David. Tot nu toe waren die twee alleen namen voor Loudy geweest. David praatte vrijwel nooit over ze.

Hij had weinig contact met ze, maar Loudy wilde graag wat over ze horen. In de toekomst kregen ze immers met elkaar te maken, het was familie, naaste familie zelfs. Een eigen broer en zus van David...

Ze kon zich niet voorstellen dat hij zo weinig contact met ze had. Als zij een broer had... of een zus, met wie ze kon praten, dat zou toch heerlijk zijn! Als kind had ze zich vaak een zusje gefantaseerd. Alleen op haar kamertje praatte ze met haar. Ze noemde haar Tedje. Tedje moest alles weten van school, van de kinderen van de klas, van de grote hond van de meneer op de hoek, waar ze bang voor was. Ze liep altijd een blokje om als ze hem op de stoep zag zitten. Tedje wist dat allemaal en lachte haar niet uit. Tedje begreep haar en praatte met niemand over alles wat ze vertelde.

Later, toen ze groot was, had ze geglimlacht om die kinderfantasie, maar de gedachte dat het heerlijk moest zijn een zus te hebben, was gebleven.

„Kees is een beste jongen, echt waar, een fijne knul, hè Herman? Maar hij is eigenlijk een beetje te zacht. Dat heeft hij altijd gehad. Op de kleuterschool hield hij zich wat apart, stond hij aan de kant, zal ik maar zeggen. Ik kon dat toen wel begrijpen, want als ik bij het hek stond en naar al die kinderen keek, vond ik ze verschrikkelijk wild en onbesuisd. Daar kon Kees niet tegenop. Hij ging liever opzij als er een jochie als een dol stiertje op hem afkwam dan dat hij een botsing riskeerde. En als ze met een karretje tegen zijn benen duwden, gaf hij het kind dat het deed, geen klap op het hoofd of zo. Nee, hij stond er beteuterd bij te kijken. Hij durfde zelfs niet te huilen, want dan lachten de kinderen hem uit. Of zo'n boosdoenertje kreeg van de juf op zijn kop en dan moest hij het later weer ontgelden. Op de lagere school ging het beter, daar was het meer georganiseerd en dat onbeheerste slaan en schoppen was er vanaf, Toen ging het goed met Kees. En later ook. Hij heeft een baan gekregen bij de bank. Eerst hier, maar nadat hij Mary leerde kennen, heeft hij overplaatsing aangevraagd naar Rotterdam. Rustig werk en nette mensen, maar eigenlijk is hij nog steeds te bedeesd. Zulke mensen hebben het moeilijk in deze wereld."

„Dat valt wat Kees betreft wel mee," meende haar man. „Hij hoeft zich op zijn kantoor heus niet agressief op te stellen."

„Je weet best wat ik bedoel." Davids moeder zei het vriendelijk, maar Loudy voelde de koppigheid waarmee ze haar standpunt verdedigde. Ze moest er even om lachen. „Ik bedoel dat Kees te zwak is tegenover Mary. Het is een schat van een meid, hoor, maar een bijdehante tante. Ze kan ook alles. Ze draait voor hun huishouden met drie kleine kinderen de hand niet om. Ze breit en naait en zit in het bestuur van vereniging zus en vereniging zo. Ze is vaak 's avonds de deur uit. Kees doet nergens aan mee. Als we daar komen, zijn er twee die praten: Mary op de eerste plaats en hun oudste. Hans, een dot van een jongen. Die is nu vijf en kletst je ook de oren van je hoofd. Kees zegt bijna niets."

„Lieverd, die jongen is nu eenmaal zo."

„Ja, dat vind ik ook," viel David nu bij. „U begint er steeds weer over, mamaatje, die arme Keessie, maar het is zijn natuur. Hij is stil en zet zichzelf graag aan de zijlijn. Rustig toekijken, daar voelt die jongen zich wel bij. U moet daar geen zorgen over hebben, want het is precies wat Kees wil. Hij geniet van het gekwetter van Mary en vindt zelf echt niet dat ze hem overvleugelt of hoe je dat noemen wil. Welnee, zij voert als het ware een toneelstuk op. Vaak een blijspel, want je kunt echt om haar lachen. Zij heeft plezier in het vertellen en Kees geniet van het toekijken en luisteren. Daar is hij tevreden mee."

„Daar geloof ik niets van," hield mevrouw Willems vol. Ze richtte zich tot Loudy. „Je moet niet denken dat dit roddelen is, kind. Als je over andere mensen praat, wordt er vaak gezegd dat je roddelt, maar dat is onzin. Waarover moeten we praten, in het algemeen dan, als het niet over andere mensen mag gaan? Over het weer, daar ben je gauw over uitgepraat, het is goed of het is slecht. Over de bloemen in de tuin of de hondenpoep op de straat? Daar is al genoeg over gezegd en de feiten blijven hetzelfde. Ik praat over Kees omdat ik soms medelijden met hem heb. Het zit me dwars. En ik vind dat ik daar met jullie, mijn eigen man, mijn zoon en aanstaande schoondochter, best over mag praten."

„Natuurlijk mag u erover praten, mama, maar wij mogen ook zeggen hoe wij erover denken. En ik geloof dat het wel meevalt met Kees."

„Jij weet van het leven van Kees weinig of niets af David. Je bent er in geen jaren geweest. Ja, je komt met zijn verjaardag en de verjaardag van Mary, maar dan zit de kamer vol visite en doen die twee niet anders dan heen en weer hollen met glazen en hapjes. Je komt er nooit, zoals wij, een paar dagen. Dan zie je meer. Ik ben echt bang dat Kees niet gelukkig is."

„Ik heb zo flauwtjes het vermoeden," – David hield zijn hoofd een beetje schuin en keek naar zijn moeder – „dat u eigenlijk over wat anders wilt praten. U wilt toch niet zeggen dat ik ook een beetje dat stille en afwachtende heb en dat Loudy moet proberen wat minder bazig te zijn?"

Opeens lachte hij luid. „Nou, mamaatje, maak je geen zorgen, wat dat betreft zijn wij aan elkaar gewaagd, hè meisje?"

Aan elkaar gewaagd, nee, het was bij hen andersom. David had de leiding en zij volgde. Aan de kant staan en toezien, zoals mevrouw Willems van Kees zei, dat was het niet, maar toch… David leidde hun gesprekken. Nu ze erover nadacht, ja, dat was zo… Praten met Sjoerd was anders. Als ze praatte met Sjoerd, kon ze zichzelf zijn. Dan voelde ze zich rustig en vol zelfvertrouwen. Niet dat ze gespannen was bij David, wat een onzin om dat te denken, maar…

„Voor jou ben ik wat dat betreft niet bang," lachte mevrouw Willems, „en ik denk dat Loudy zich wel kan redden. Het is ook mijn bedoeling niet om over jullie te praten. Ik maak me echt zorgen over Kees.

Hij kropt te veel op en kan er geen kant mee uit. Er is geen oplossing voor. Hij wil beslist niet bij Mary vandaan, stel je voor! Die drie kleintjes wil hij voor geen goud missen en Mary wil hij ook niet missen, maar het feit blijft dat hij leeft in een wereldje van eigen gedachten. Als ik hem zie, denk ik, te veel eigen gedachten. Toen we de laatste keer bij hen waren, werd ik er zelfs bang van. Hij zat voor zich uit te staren, terwijl wij om hem heen zaten in de kamer. Het was of hij ons niet zag. Zijn ogen waren groot en hadden een afwezige blik. Wat gaat er in je om, dacht ik, jongen, waar denk je aan? Ik durf te zeggen dat hij met zijn gedachten beslist niet bij ons was. Ik ben er bang voor. En het wordt steeds erger. En Mary kwebbelt maar door. Ze zegt er tegen ons, zijn ouders, niet al te veel over, maar ze zei wel dat Kees thuis erg stil was. 'Misschien komt het door zijn werk,' voegde ze eraan toe. 'Hij klimt steeds hogerop misschien is het een beetje te zwaar voor hem. Maar hij verdient goed en met drie kinderen kunnen we het geld best gebruiken.' Ik haakte daar meteen op in, ik dacht: Dit is mijn kans. Ik zei dat ik niet geloofde dat het werk te zwaar voor hem was. Kees heeft een goed stel hersens, hij kan het wel aan. Maar, zei ik, hij is stil omdat hij hier gewoonweg niet aan het woord komt. Daar lachte ze vrolijk om. Datzelfde geldt voor mij, man, en dat wil toch wat zeggen! Hansje en Robbie praten de hele dag en Margreetje begint ook al. Als het stel in bed ligt, wacht ik vaak af of Kees iets gaat zeggen, maar nee hoor, geen bericht. Hij beleeft nooit wat, hij heeft nooit wat te vertellen. Als ik dan niets zeg, kan het de hele avond stil zijn in de kamer, wanneer de televisie niet aanstaat tenminste. Ik word gek van stilte. Dus vertel ik weer wat. Kees luistert met een glimlach, maar ik verdenk hem er sterk van dat hij in stilte denkt: wat een geleuter. En dat is het eigenlijk ook. Geleuter. Niet belangrijk. Maar echt belangrijke dingen gebeuren er niet elke dag in ons leven."

Ze luisterden alle drie naar haar. De sfeer van het begin van het gesprek, moeder heeft weer wat, was veranderd. Ze voelden hoe het haar bezighield en hoe belangrijk het voor haar was.

„Iemand zou met Mary moeten praten en naar voren brengen waar u bang voor bent," zei Loudy voorzichtig.

„Dat zou goed zijn, liefje, maar ik weet niet wie dat zou moeten doen. Ik geloof trouwens niet dat Mary ernaar zal luisteren. Maar intussen wordt Kees steeds vreemder. Vader wil dat niet zien." Ze zei het op een heftiger toon. „Hij is het type van: doe je ogen dicht, dan zie je niets, maar daar hou ik niet van. Dat is de moeilijkheden uit de weg gaan."

„En de kans voorbij laten gaan er op tijd een oplossing voor te zoeken. Voor het te laat is," zei David nu.

Hij keek naar Loudy. Ze begreep niet waarom, maar misschien betekende het niets. Natuurlijk betekende het niets, hij dacht gewoon na. Dat bleek wel uit de woorden die hij eraan toevoegde: „Nu u het zegt, inderdaad heeft Kees iets vreemds over zich. En niet iets van de geleerde professor, die in gedachten bezig is met proeven en waarnemingen. In dat geval zou Kees kunnen denken over werk op de bank dat nog moet gebeuren, maar dat is het niet. Hij is afwezig. Niet altijd – we moeten niet overdrijven, hij dolt ook met de kinderen en zegt dat Mary lekker heeft gekookt – maar soms lijkt hij op een marionet, die door het huis schuift. En misschien is hij als wij, zijn familie, er niet bij zijn nog meer een marionet." Het woord bleef in de kamer hangen. Ze dachten er alle drie over na.

Marionet. Loudy kende Kees niet. Ze zag een strak gezicht voor zich met grote ogen. Grijs, als die van David, maar met een afwezige blik.

„Ik vind dat je overdrijft," kwam meneer Willems.

„Als we nog tien jaar leven," zei mevrouw – Loudy schrok van de verdrietige klank in haar stem – „zie je misschien zelf wat er van Kees is geworden. Geestelijk een wrak."

„Mam, nee," riep David uit, „zo erg is het nu ook weer niet! U mag ook niet stiletjes denken dat Mary hem die richting indrijft."

Loudy zat stil in de diepe stoel. De fijne sfeer die in dit huis heerste toen ze er binnenkwam en de blijheid die ze had gevoeld om hier te zijn, met David samen, waren opeens verdwenen. Ook hier waren zorgen. Mevrouw Willems wilde met Mary praten en misschien aan Kees vragen: „Wat heb je te vertellen?"

„Het spijt me, kind, dat ik nu met deze problemen kom aandragen."

„Ja," viel haar man meteen bij. „Ik kan niet zeggen dat dit leuk is voor Loudy."

„Maar," ging mevrouw Willems verder, de woorden van haar man negerend, „ik zit er verschrikkelijk over in. En ik kan er met niemand over praten. Vader ziet het niet of wil het niet zien. En al zou hij het met me eens zijn, dan is hij niet de man om erover te praten met Mary."

„Kunt u het zelf niet doen?"

„Ik durf het niet. Ik weet wat ze zal zeggen: de bezorgde moeder, u beeldt zich alles in. Ik wilde er met David over praten, maar hij komt haast nooit. Nu kwamen jullie samen en echt waar, ik had me voorgenomen het onderwerp te laten rusten. Maar het zit me zo dwars, ik moet er gewoon over praten."

„Dat is helemaal niet erg, ma," lachte David opeens. „We zijn niet alleen voor ons plezier op vakantie, hè moppie. We weten dat we een taak hebben in het leven en dat is helpen waar mogelijk. Als u ermee zit, is het goed erover te praten. Dat lucht in elk geval op. En u kunt dat tegen ons gerust doen. Maar of wij een oplossing weten, betwijfel ik. Loudy kent Kees en Mary nog helemaal niet, zij kan er met hen dus niet over praten. En wat mij betreft, tja, het is moeilijk. voor zoiets moet een geschikte gelegenheid zijn. Als ik een avond met Mary alleen was, zou het misschien gaan, maar dat komt nooit voor."

„En u kunt ook geen psycholoog of zo iemand inschakelen?"

„Zulke mensen beginnen over het algemeen pas te werken als je zelf, niet je moeder of schoonmoeder, hun hulp inroept. Je moet het zelf willen. En zover zijn Kees en Mary niet."

„Kees zou het misschien willen als hij na een gesprek zijn probleem inzag, maar Mary heeft er beslist geen behoefte aan," meende David. Het was inmiddels droog geworden. De zon probeerde de dag goed te maken en de glinsterende druppels op de bladeren van de bomen verdwenen in het niet. Toen ze na de maaltijd een stukje gingen wandelen zei Loudy. „Het zit je moeder erg hoog, die afwezige houding van Kees. Als het waar is wat zij denkt, kan het een triest geval worden. Innerlijk knaagt er iets in hem, hij wordt steeds vreemder. Dat kan tot iets naars uitlopen."

„Misschien overdrijft moeder, meiske. Ze is erg met ons bezig. We zijn alle drie uit huis, volwassen mensen, en ik geloof dat we op onszelf kunnen passen, maar in gedachten blijft ze bij ons. Het klinkt niet aardig, maar moeder is een type dat overal zorgen ziet. En dan bestaat het gevaar dat je zorgen ziet die er niet zijn. Onze Thea is getrouwd, dat weet je, met Chiel. Je hebt ze nog niet ontmoet, maar dat komt gauw en dan zie je dat een mens niet alleen wordt gevormd door opvoeding. Kees en ik zien er tamelijk gewoon uit, maar Thea is iets bijzonders. Een beetje excentriek. Ze ziet er soms zo bizar uit, dat je denkt dat ze in alle zakken met gedragen kleding die langs de straat stonden voor de ophaaldienst, iets van haar gading heeft gevonden. Bij hen in huis ook, een rommelige toestand. Maar ze zijn dolblij met elkaar. Thea is niet van plan zich een ongeluk te werken

in huis. Als ze op tijd schone kleren aan hebben – want vuil zijn ze niet, hoor – en op tijd eten, gaat het prima. Moeder maakt zich daar zorgen over. Hoe moet het als er een kind komt! Nou ja, dan zien we wel weer. Over mij heeft ze ook problemen gehad. Zo'n jongen alleen, wat moet dat nou? Zal hij ooit een geschikte vrouw vinden en je ziet," – David draaide zich naar haar toe en kuste haar – „een schat van een vrouw. Rustig, lief, schoon, niet dom… Wat zal ik nog meer opnoemen? Ze kan mij afvoeren van de lijst van zorgenkinderen, maar houdt er nog twee over. Misschien denk je dat ze weinig hulp heeft van mijn vader, maar ik geloof dat hij de goede weg bewandelt door haar niet te steunen in de tobberijen. Hij houdt haar steeds voor dat de kinderen volwassen zijn en zichzelf moeten kunnen redden."
„Maar als ze dat niet kunnen, wil een moeder graag helpen."
David lachte. „Het laatste woord is voor jou."

HOOFDSTUK 10

De vakantiedagen waren voorbij, Loudy was weer thuis.
„Gelukkig, kind," had vader uit de grond van zijn hart gezegd. „Het is niets voor mij om alleen te zitten."
Toen Loudy de eerstvolgende keer op Davids kamer kwam, wist ze niet wat ze zag. Hij had een en ander veranderd. De deur naar de achterkamer stond open. In de hoek stond een schemerlamp. „Die heb ik van mevrouw Helderman gekregen," zei hij. Loudy wist niet of het waar was. De lamp zag er nieuw uit. Op de vloer lag een kleedje, er stond een plant op de hoek van zijn bureau en aan de andere kant van de kamer, naast het bed, hing een schemerlampje aan de muur.
Het gaf Loudy een akelig gevoel. Ze kon het niet goed omschrijven. Ze wist direct wat dit betekende: na de nachten samen in Lochem konden ze hier ook met elkaar naar bed gaan. Op zich was dat niet vreemd, ze dacht er nuchter over. David verlangde ernaar met haar te vrijen en ze vond het zelf ook heerlijk, maar dit maakte haar een beetje ongelukkig.
Beredeneren kon ze het niet, maar haar gevoel stond er niet achter.
„Ik zie je kijken, mijn lieve. Ja, ik heb de slaapkamer gezelliger gemaakt. Sinds de logeerpartij bij moeder weet ik hoe belangrijk een fijne omgeving voor de liefde kan zijn. Ik kan het hier niet zo romantisch maken als het daar was. Of liever gezegd, dat kan natuurlijk wel

als we er genoeg geld aan uitgeven, maar dat is een beetje zonde. Als we het huis aan de Vierdesloot kopen, maken we daar van onze slaapkamer een zalig liefdesnestje. In de tussentijd wilde ik het hier wat gezelliger maken. Vind je niet dat ik erin geslaagd ben? Met de middelen, zo noemt men dat, die mij ter beschikking stonden?"

„Het is inderdaad veel beter zo. Het was gewoon een hok. En er blijkt eigenlijk weinig voor nodig om het aantrekkelijker te maken. Een plantje, een bloemetje, een schemerlampje en het lijkt opeens heel anders."

Maar het nare gevoel bleef.

De vakantieweken gingen te snel voorbij. Het leek zo'n lange tijd, bijna zes weken vrij, maar de dagen vlogen om. Ze trokken er veel op uit, naar het strand als het mooi weer was, maar ook bezochten ze steden die ze graag wilden zien. Slenteren door de straten, kijken naar de etalages en de winkels binnengaan als ze iets zagen wat mooi was voor hun huis, oude gevels bewonderen, stille grachtjes en musea bezoeken, genieten van een etentje met z'n tweetjes.

Ze waren vaak op Davids kamer, waar ze praatten met elkaar en plannen maakten voor de inrichting van het huis.

Op een morgen, toen ze alleen op haar kamertje was, dacht Loudy over alles na. Beneden trok vader met de stofzuiger door het huis. Ze hoorde hem boven het gebrom van het apparaat zacht neuriën.

Ze zat op haar bed. Er waren zoveel heerlijke dingen in haar leven. David natuurlijk en het huis, dat binnen niet al te lange tijd leeg zou komen. Gijs Hamer had David de vorige week gebeld om te vertellen, dat het bejaardentehuis spoedig een plaatsje had voor zijn moeder. Ze waren al zo lang bezig met het huis dat ze precies wisten hoe ze het wilden inrichten. Na het kijken in diverse winkels hadden ze hun keus gemaakt.

Ze zou volmaakt gelukkig moeten zijn, maar ze was het niet. Toch wilde ze het zijn. Ze zou eraan bouwen en ervoor werken. Alles doen om een goed huwelijk te hebben. Ze hield van David en wilde hem gelukkig maken.

Vorige week had Sjoerd opgebeld. „Ik moet even je stem horen, Loudy, en weten hoe het met je gaat."

Hij was blij te horen dat het goed met haar ging. Dat zei hij. Met hem ging het ook goed, ja hoor. En zijn moeder? Ze had een geweldige klap gehad, maar knapte nu lekker op. Ook wat haar geest betrof. Ze was weer een beetje de oude, lachte en had plezier in het leven, maar ze moest voorzichtig zijn. Zich niet te veel vermoeien en zich geen zorgen maken. Ze hoefde zich behalve over haar eigen gezondheid, nergens zorgen over te maken, want ze hadden gelukkig geen narigheid in de familie. Sjoerd geloofde niet dat ze over zichzelf tobde. Ze zag het heel optimistisch in. „Ik ben hier doorheen gekomen," had ze gezegd, „dat is een voorbestemming. Ik blijf nu nog wel een poosje in leven. Anders zijn alle zorgen van de dokters en de verpleegsters en de kosten in het ziekenhuis voor niets geweest en dat kan de bedoeling niet zijn." Zo losjes praatte ze erover.

Ze had de hoorn dicht aan haar oor gehouden. Sjoerd was ver weg, maar eigenlijk dichtbij. Zo voelde ze het. Praten over Cora en Peter. Die woonden nu samen. Sjoerd was bij hen geweest, een weekend, het was erg gezellig geweest. Nog leuke herinneringen opgehaald aan de vakantie en foto's bekeken. Cora had een plakboek gemaakt, dat was erg leuk geworden. Vooral die ene foto, weet je nog, op de uitkijkpost op de terugweg van de Istrië-toer? Daar sta jij zo mooi op, ja, echt mooi…

Ze moest Sjoerd loslaten. Ze wist hoe dom het was aan hem te blijven denken. Haar geluk en haar toekomst lagen bij David. Als ze niet oppaste, ging ze vanbinnen alles verheerlijken wat ze voor Sjoerd voelde.

Dat was oneerlijk tegenover David en ze maakte het voor zichzelf moeilijk. Het was totaal zinloos. Ze moest nuchter zijn en weten dat ze met David verderging, niet met Sjoerd.

Ze stond langzaam op van het bed. Haar verstand had het besluit genomen, allang, want er was geen weg met Sjoerd samen. Daar durfde ze niet over te denken en daar mocht ze niet over denken. Dan werd het: omdat het tussen Sjoerd en haar niets kon worden, ging ze verder met David, maar zo scherp gesteld was het niet. Ze hield van David, maar het was anders. Anders dan tussen Sjoerd en haar.

Ze stond in de kamer. Er was nooit iets geweest tussen Sjoerd en haar. Niet als liefde tussen man en vrouw. En toch dacht ze: met David is het anders dan met Sjoerd. Dat was heel vreemd.

De school was weer begonnen. In de banken voor haar zaten dertig nieuwe kinderen; de meesten kende natuurlijk wel. Ze had ze vorig jaar op de speelplaats gezien, af en toe was er een met een boodschap van Annet gekomen en er was over de kinderen gepraat, maar het waren toch nieuwe gezichten. Het was een leuke klas, ze zou er geen moeite mee hebben. Rietje Groot en Tommie Houtman zaten er als kleine vertrouwelingen tussen.

In de tweede week stapte David op een donderdagmiddag na vier uur haar lokaal binnen. Ze legde taalschriften op elkaar om ze in een keurig stapeltje in de kast te leggen. De kinderen waren al weg, joelend en schreeuwend het plein opgerend.

„Kom je vanavond?"

„Nee. Ik maak in het begin van het schooljaar altijd een klein boekje over de kinderen, dat weet je. Ik schrijf hun kleine vertelseltjes op, waarbij zij tekeningetjes maken. Die wil ik vanavond rangschikken en bundelen. Ik heb ze beloofd dat het morgen klaar is."

„Ik wil toch graag dat je komt. Zal ik je komen halen, wat later dan anders, Om een uur of negen?"

„Dan ben ik nog niet klaar." Ze stopte de blaadjes, waarop de kinderen hun verhaaltjes hadden geschreven, in haar tas. Ze keek niet naar Davids gezicht en zag dus niet hoe strak het stond. Het was niet echt Davids gezicht.

„Ik wil met je praten," klonk het kortaf. Ze keek op. Praten. Waarover moest David opeens met haar praten? Ze zagen elkaar zo vaak, hadden pas bijna zes weken vakantie en praten achter de rug…

Opeens realiseerde ze zich dat hij het voorbije weekend erg stil was geweest. Het was haar opgevallen, maar ze had er niet echt aandacht aan besteed. Misschien vond hij het jammer dat de vakantie voorbij was.

Dat was ook jammer. Zou hij met tegenzin weer zijn begonnen? vroeg ze zich nu af. Dat mocht niet, dat was verkeerd. Een klas vol kinderen, daar moest je met plezier mee werken. Hij ging toch niet zeggen dat hij wat anders wilde, uit het onderwijs wilde stappen? Welnee, dat kon niet.

Dat was het niet. En toch was er de afgelopen dagen iets geweest.

„Het komt me niet goed uit," zei ze nog eens.

„Toch wil ik graag dat je vanavond komt," herhaalde David.

„Is er dan iets bijzonders? Je doet zo geheimzinnig!"

Misschien was dit een van zijn grappen, ernstig doen, maar ondertussen had hij misschien de sleutel van het huis in zijn broekzak, die hij haar vanavond wilde overhandigen. En als een kleine jongen kon hij het cadeau niet lang verzwijgen. Het was ook een te groot cadeau om te verzwijgen. Dat zou het zijn. Ze voelde zich opeens blij van-binnen. Ja, dat zou het zijn, wat moest het anders wezen?

„Nou goed dan, maar kom niet al te vroeg. Eerst maak ik een paar velletjes klaar. Dan heb ik de kinderen morgen wat te laten zien. Als ik niets heb, valt het zo tegen. Ze zijn vreselijk nieuwsgierig naar wat er van hun verhaaltje is geworden."

„Kwart over negen? Dan heb je ongeveer twee uur om te werken."

Ze genoot die avond van de vertelseltjes. Er waren ontroerend lieve verhaaltjes bij. Elk jaar weer verbaasde ze zich over de fantasie van de kinderen. Ze waren nog zo jong, maar wat konden ze mooie en grappige dingen bedenken!

Tussen alles door bleef ze aan David denken. Het ene moment met blijheid in haar hart. Wat ze vanmiddag dacht, de sleutel van het huis, dat moest het zijn. Mevrouw Hamer was naar Dennendal ver-trokken. Aan de andere kant was ze bang dat het dat toch niet was. David was zo ernstig geweest.

Om negen uur legde ze de velletjes op elkaar op de grote tafel in de woonkamer. „David komt me zo halen, wilt u dit laten liggen? Als ik niet te laat terug ben, ga ik er nog even mee door."

„Laat maar liggen, kind, ik heb er geen last van. Als ik er verstand van had, zou ik zeggen: 'Ik maak het wel voor je af, ik heb toch niets te doen,' maar jammer genoeg kan ik dat niet."

„Dat is ook niet nodig. Als ik er vandaag niet aan toekom, doe ik het morgen wel. Zal ik nog een kopje koffie voor u inschenken? Hebt u het boek al uit dat ik van de week van de bibliotheek heb meege-bracht?"

„Ik ben erin begonnen, maar het boeit me niet."

„Misschien als u het eerste hoofdstuk achter de rug hebt? Je moet er altijd even inkomen."

„Dit is te saai. Ik pak de krant nog wel een keer. Die heb ik al drie keer gepakt vandaag, maar goed, dan heb ik toch iets voor me om naar te kijken. Want de televisie is ook niets, allemaal moord- en doodslagverhalen, daar houd ik niet van, zoals je weet."

Steeds weer voelde ze zich triest als hij zo sprak. Ze wist dat ze er geen schuld aan had en er ook niets aan kon veranderen, maar het was zielig.

Davids wagen stopte voor het huis.

„Nou, tot straks dan!" Ze liep door de gang, stapte naar buiten, trok de voordeur dicht en ging naast David in de auto zitten.

„Ben je al wat opgeschoten?"

„Nou, opgeschoten, ik kan beter zeggen: ik heb een begin gemaakt."
Ze reden bijna zwijgend naar de Levegoedsweg. David parkeerde de
wagen aan de trottoirrand. In de brede gang van het huis was
mevrouw Helderman bezig de planten op het lage tafeltje water te
geven. Loudy begroette haar vriendelijk.

„Dag Loudy, hoe is het, kind? Alweer een beetje gewend aan de kinderen?"

„Ja, hoor. Ik vind vakantie heerlijk, maar ik vind het ook weer leuk
om aan het werk te gaan." Ze zei het als een kleine wenk voor David,
maar hij reageerde er niet op.

Boven liep ze even door zijn kamers, het was er vrij ruim. Toen ging
ze op haar plekje op de bank zitten.

David nam de stoel tegenover haar. Hij kwam niet naast haar op de
bank zitten.

Ze voelde spanning tussen hen.

„Loudy, ik moet met je praten. Ik vind het verschrikkelijk moeilijk.
Geloof me alsjeblieft als ik zeg dat het voor mij vreselijk moeilijk is.
Maar er is iets wat al een poosje in me sluimert. Ik ben er doorlopend mee bezig. Jij kent dat gevoel misschien ook wel. Je wilt niet
naar de stem vanbinnen luisteren, maar de stem praat door, houdt je
vast en op het laatst kun je hem het zwijgen niet meer opleggen." Ze
voelde een kou langzaam in zich opklimmen.

„Ik heb de laatste weken erg veel nagedacht over ons tweetjes. Dat
zeg ik niet goed: ik heb over mezelf nagedacht. Om precies uit te leggen wat er aan de hand is, moet ik dingen vertellen die je allang
weet. Maar ik wil ze nog een keer zeggen. Ik wil erover praten en ik
wil dat je naar me luistert. Anders begrijp je het niet goed." Ze zat
onbeweeglijk, knikte niet en zei niet: vertel maar. Ze voelde de kou
intenser.

„Je weet dat ik verloofd ben geweest met Annerie en dat het is uitgeraakt tussen ons. Ik vond het verschrikkelijk, maar ik was jong en
ik was ervan overtuigd dat er een andere vrouw in mijn leven zou
komen met wie ik heel gelukkig kon worden. Maar die vrouw of dat
meisje kwam niet. Er waren wel meisjes, meer dan genoeg, maar ze
deden me niets. Ik werd ouder, achtentwintig, negenentwintig, dertig en naast het wachten op de grote liefde was er het verlangen naar
een gezin. Ik wilde getrouwd zijn en ik wilde kinderen. Ik houd ont-

zettend veel van kinderen, al zijn het af en toe donderstenen en al kun je ontzettend veel moeilijkheden met ze beleven en zorgen over ze hebben. Ik wilde een gezin. Dolgraag. Maar ik kwam dat ene meisje dat mijn vrouw zou worden, in Lochem niet tegen. Toen besloot ik de toekomst te gaan zoeken. Zoiets was het. Ik wilde weg uit mijn eigen omgeving, ergens anders opnieuw beginnen. En dan – daarvan was ik overtuigd, ik maakte mezelf wijs dat het intuïtie was – dan zou ik het geluk vinden. Ik solliciteerde naar de school hier, kwam praten met Robbert Bakker en het stond me direct erg aan. Toen ik kennismaakte met mijn collega's en jou zag, was het alsof er opeens een deur openging. Ik had het gevoel van: ik ben de toekomst gaan zoeken, ik heb het oude achter me gelaten en kijk eens hoe goed dat is geweest. Dit is het, een andere omgeving en daar is het meisje dat ik zoek. Want je bent een lieve meid, Loudy. Je bent leuk om te zien en je hebt veel goede eigenschappen. Niet druk en niet saai, geen kattenkop en geen sulletje, nou ja, eigenlijk ideaal. Ik pakte je dan ook met beide handen aan, hoewel ik dat niet wilde laten merken."
Hij zweeg even en keek haar recht aan. Ze zag weemoed in de grijze ogen.
Ze kon niet denken, alleen luisteren, maar ze wist wel: het is voorbij tussen ons…
„Ik klampte me aan het nieuwe geluk vast. Ik wilde het zo graag. Ik dacht alleen aan het ideaal voor de toekomst, getrouwd te zijn, niet alleen te zijn, een gezin, een huis, kinderen. Maar de laatste weken, Loudy – het is verschrikkelijk om het te zeggen en ik vind mezelf een ploert dat ik het zover tussen ons heb laten komen, bijna een huis gekocht – maar de laatste weken voel ik dat het niet goed is. Ik vind je een schat van een meid, maar je bent een vriendin voor me, geen geliefde. Die woorden zijn allebei niet goed. Vriendin, je bent meer dan zo maar vriendin, een heel goede, lieve vriendin. En geliefde, misschien is dat woord wel goed. Het is ouderwets, maar het drukt uit wat ik bedoel. En ik moet eerlijk zeggen – niet om mezelf schoon te praten en jou ook een beetje schuld te geven, zo is het niet – dat ik voel dat het van jouw kant ook niet de grote liefde is. Als ik je in mijn armen houd, voel ik dat. Ik wil niet over Annerie praten, maar door haar weet ik wat echte liefde is. Dat is niet tussen ons. We kunnen heel goed met elkaar opschieten, we begrijpen elkaar en als een huwelijk alleen op vriendschap en genegenheid zou kunnen worden opgebouwd, zouden we het redden, maar ik weet dat er liefde nodig

is. Ik heb liefde nodig. Door alles heen van elkaar houden, en daar hoort ook een lichamelijke, warme liefde bij. Onstuimig en volmaakt. Dat is er niet. Het is van mij een verlangen naar een toekomst met iemand samen geweest, maar dat verlangen alleen is niet voldoende."

Loudy zat met haar handen in de schoot op de bank. Ze kon niets zeggen. Haar keel was dichtgesnoerd. In haar hoofd bonsden gedachten die ze niet kon ontwarren. Dit betekende zoveel: terug naar vader, eenzaamheid, geen gezin, geen eigen huishouden. Terug naar wat was. En geen dromen meer. Ze wist dat wat David had gezegd over zichzelf, ook voor haar gold. Wat hij zei over die echte grote, warme liefde, dat was waar. Niet in Lochem, daar was het heerlijk geweest, maar wel hier, op Davids kamer, het bed in de achterkamer. Ze had het gewild omdat ze wist dat David het wilde, maar het was niet fijn. Ze had zichzelf voorgehouden dat het anders zou zijn als ze getrouwd waren, in hun eigen huis woonden en in hun eigen slaapkamer sliepen. Dan zou het zijn zoals in Lochem. Maar David geloofde er niet in.

„Ik vind het zo erg, Loudy " Hij kwam naast haar zitten op de bank en trok haar naar zich toe. Haar hoofd rustte tegen zijn lichaam. Ze voelde de warmte ervan door de zachte stof van de dunne trui heen. Het zou niet meer gebeuren en ze zou het verschrikkelijk missen.

„Ik vind het zo erg. Je moet niet denken dat ik niet van je houd. Ik houd ontzettend veel van je, maar ik voel dat er tussen ons toch iets ontbreekt. Ik kan niet in jouw hart kijken, wel in mijn eigen hart. En het is zoals ik je zei: ik wil graag mijn vrouw vinden, ik wil trouwen en een eigen gezin hebben, maar ik ben bang dat het tussen ons niet goed zal gaan. We worden niet echt gelukkig samen."

„We hoeven er niet meer over te praten, David." Haar stem was zacht en bibberig, ze hoorde het zelf. Ze kon het niet helpen en had er geen behoefte aan flink te zijn. „Zoals hij het voelt, kan het niet tussen ons. Ik vind het verschrikkelijk."

Ze zei niet dat zij ook had gevoeld dat tussen hen niet de volmaakte liefde was. Dat zei ze niet. Ze wilde onder geen voorwaarde dat de naam Sjoerd genoemd werd of in David opkwam. Sjoerd stond hier buiten, maar ze begreep wat David bedoelde.

Juist die echte warmte ontbrak tussen hen. „Het is niet anders. We gaan uit elkaar. Het zal moeilijk zijn, ook omdat we elkaar elke dag op school zien. Ik wil niet dat je om mij daar weggaat. We zijn verstandige mensen."

Ze voelde tranen in haar ogen. Ze gleden over haar wangen en bleven daar. Het was een plakkerig gevoel. „We gaan de weg terug." Het doolhof in, dit was geen opening, ze moest terug. „We zullen vrienden zijn."

„Wat ben je een lief moedig meisje." Zijn hand gleed zacht strelend over haar arm. „Ik vind het vreselijk moeilijk om je dit te zeggen. Ik loop al een poosje met die gedachten rond, maar ik wilde het niet. Ik deed of ze niet bestonden. Ik drong ze naar de achtergrond. Maar ze kwamen steeds terug. Toen ik in het huis van mevrouw Hamer rondliep, dacht ik dat het goed zou zijn als we samen in een omgeving waren waar we ons allebei thuis voelden. Daar geloofde ik oprecht in, maar het is niet waar. We blijven dezelfde mensen en er is niet genoeg tussen ons om een leven lang gelukkig met elkaar te zijn."

„Breng me naar huis, David." Het had geen zin te praten, nog meer woorden horen, die allemaal op hetzelfde neerkwamen. Ze wilde weg. Alleen zijn.

„Goed."

„Breng me tot het Seringenplein. Ik loop het laatste stukje wel. Ik moet buiten zijn."

Hij deed het. Toen ze uitstapte, zei hij: „Tot morgen," alsof hij een collegaatje van school, met wie hij even had gepraat, gedag zei. Het trof haar en het deed pijn. Hij was blij dat dit gesprek achter de rug was. Misschien opgelucht omdat hij van haar af was... Ze voelde de tranen weer.

Ze liep niet in de richting van de Oosterlaan, maar ging de andere kant op. Lopen. De frisse avondwind streek langs haar gezicht. De tranen waren weg. Haar wangen voelden droog en strak aan. En er kwamen geen nieuwe tranen, niet nu. Buiten lopen en huilen zodat de mensen die ze tegenkwam haar verdriet konden zien, nee, dat beslist niet. Ze liep de hele Hoevedoornlaan af. Langs de huizen met de voortuintjes, die vol bloemen en groene struiken stonden. In de kamers brandden schemerlampen. Ze keek geen enkel huis binnen, maar ze wist dat het er gezellig uitzag in die kamers. Er woonden gezinnen. Mannen en vrouwen en kinderen. De mannen en vrouwen hadden elkaar vroeger ontmoet, waren verliefd op elkaar geworden, van elkaar gaan houden en hadden de grote stap aangedurfd. David zou misschien nooit de vrouw vinden met wie hij de stap aandurfde. Hij was nu drieëndertig. Misschien kwam hij nog eens zover, als hij nog een paar jaar ouder was. Dan stapte hij misschien over 'de grote liefde' heen en koos een meisje met wie hij kinderen zou krijgen. Misschien kwam de liefde dan. Voor de moeder van zijn kinderen en door al het fijne dat ze samen aan de kinderen beleefden. Maar zij was dat meisje niet.

Ze liep heel lang. Toen ze van de andere kant de Oosterlaan inliep, zag ze in de buurt van hun huis, iemand over het trottoir lopen. Hij liep moeilijk, dat zag ze meteen. Het was vader. Waarom was hij buiten?

Ging hij wel vaker 's avonds naar buiten als zij niet thuis was? Joeg de eenzaamheid, de beklemming van het huis, hem de deur uit? Ze begon sneller te lopen en opeens voelde ze sterk de band met deze man. Hij was haar vader, eigen van haar. Ze wist niet hoe ze het moest zeggen en dat hoefde ook niet. Er was niemand die naar haar luisterde, niemand die zich voor haar interesseerde, alleen vader. Vader was van haar, David was eigenlijk nooit echt van haar geweest. Ze begon harder te lopen, ze wilde bij vader zijn. Hij liep de andere kant op en opeens riep ze hem: „Vader…" Ze kon niet luid roepen, want haar keel zat nog dicht en roepen op straat was onbehoorlijk. Er konden mensen zijn die haar hoorden en dachten: „Wat is er aan de hand?" en kwamen kijken. Dat hoefde niet. Maar vader had haar gehoord. Hij bleef staan en draaide zich om.

Toen was ze bij hem. „Pap, wat doet u op straat?" Ze lachte zenuwachtig.

„Ik keek uit naar jou, kind. Kom, we gaan naar binnen. Stevens van de overkant staat al voor het raam."

In de gang legde hij uit: „David belde me op om te vragen of je thuis was. Dat vond ik gek natuurlijk Ik zei dat je niet thuis was en vroeg of je dan niet bij hem was. Hij zei: 'Nee.' Ik dacht, die twee hebben ruzie gehad en Loudy is boos de deur uitgelopen. Ze tippelt met een nijdig gezicht een blokje om. Ik maakte me er niet druk over, een klein kibbelarijtje komt in de beste families voor, maar toen het later werd, begon ik ongerust te worden. Ik ging aan de deur kijken of je al kwam. Onzin natuurlijk, als ik je zie als ik aan de deur sta, duurt het geen twee minuten of je bent binnen, maar het gaf me het gevoel dat ik er iets aan deed. Toen ik op de drempel stond, bedacht ik dat ik een stukje de straat in kon lopen. Zodoende." Hij was intussen in de kamer gegaan en Loudy volgde hem.

„Het is geen ruzietje, vader; Het is uit tussen David en mij."

Hij ging moeizaam in zijn stoel zitten. „Zo kind," zei hij en na even zwijgen, „je hoeft er niet over te praten als je dat liever niet doet, maar als je er wel wat over wilt zeggen, weet je dat ik naar je luister."

„Waarom zou ik er niet met u over praten? U mag het gerust weten." Ze had toch alleen vader nog maar. Er kwamen weer tranen en ze hield ze niet tegen. Ze wist dat het goed was te huilen. Verdriet moet je uiten, dat lucht op. Zo voelde ze het nu niet, met of zonder tranen was het even erg.

„Het is gewoon uit."

„David heeft het uitgemaakt?"

Ze knikte. „Hij is tot de ontdekking gekomen dat hij in de eerste plaats met je omging om een meisje te hebben."

„Om te kunnen trouwen en een gezin te beginnen."

„Ik ben steeds bang geweest dat dit zou gebeuren, Loudy. Nu huil je erom en ik begrijp dat heel goed, maar als David niet veel van je houdt, is het beter dat het voorbij is tussen jullie. Want voor een fijn huwelijk is echte liefde nodig. Ik was er bang voor als ik Davids leven bezag. Hij is niet zo jong meer hij wil graag trouwen en hij houdt van vrouwen. Daar bedoel ik niet mee dat hij een losbol is die steeds iets heeft met 'de vrouwtjes', maar gewoon, dat hij graag een vrouw wil in zijn leven die hij kan aanhalen en met wie hij slaapt. Dat is heel normaal en heel gezond. Hij is niet graag alleen, geen vrijgezel voor zijn verdere leven. Hij vindt het gezellig om een vrouw om zich heen te hebben. Iemand die voor hem zorgt, maar hij is ook bereid mee te helpen in huis. Hij verlangt naar gezelligheid. In je eentje op kamers wonen is niet prettig. En hij wil graag kinderen. Dat zijn drie dingen, een vrouw, kinderen en gezelligheid, waarnaar hij op zoek was. In zijn vorige woonplaats heeft hij kennelijk niet het juiste meisje gevonden die deze wensen kon vervullen, daarom zocht hij ergens anders. En dat ergens anders was hier, in onze stad en het eerste meisje dat hij zag, was jij. Hij dacht: dat is ze…"

„Zo is het inderdaad." Loudy had haar tranen gedroogd en ~at met een zakdoekje in de hand aan Wel. Zo was het gegaan en in het begin was het goed geweest. Tenminste van haar kant. Ze was verliefd op David geweest. Als ze hem aankeek, had ze zich gelukkig gevoeld. Ze wist dat er dan warmte voor hem in haar ogen was geweest. Dat was voorbijgegaan toen ze Sjoerd had leren kennen.

„Maar liefde kun je niet dwingen." Ze gaf daar geen antwoord op. het was waar, liefde kon je niet dwingen.

„Voor jou, Loudy…" ging vader verder. Hij praatte opeens zachter en zijn stem was anders. Er was iets van verdriet in, van medelijden ook.

Het medelijden begreep ze, het verdriet niet. „…Voor jou wordt het nu zoals het voor David was. Je wilt graag iemand ontmoeten die je man wordt en met wie je een gezin opbouwt. Je wordt ook ouder. Zevenentwintig ben je nu." Hij keek naar haar of het opeens tot hem doordrong dat ze de dertig naderde. „Misschien heb ik je te veel vastgehouden. Dat is verkeerd geweest."

„U hebt me niet vastgehouden."

„Toch wel. Ik wilde je graag bij me houden, want je bent alles wat ik heb en je weet niet half hoe vreselijk ik het vind om alleen te zijn. Ik wil niet meer leven als ik helemaal alleen in dit huis moet achterblijven. Als jij naar school bent, ben ik nu ook veel uren alleen, maar je komt thuis, om twaalf uur. Daar kijk ik naar uit, ik dek de tafel voor ons beidjes en zet koffie. En om half vijf ben je er weer, daar wacht ik de hele middag op. Ik weet dat er duizenden mensen alleen in huis zijn, de hele dag en de hele avond en de hele nacht. Ik bewonder ze, echt waar. Ik zeg ook tegen mezelf dat ik flink moet zijn als het zover is, maar ik wil niet verder als ik hele dagen alleen moet zijn. Dan word ik gek. Onbewust heb ik geprobeerd jou bij me te houden."

„Een beetje is dat waar. Als ik vroeger met een jongen thuiskwam, had u altijd wat op hem aan te merken. En dan dacht ik: vader zal wel gelijk hebben, Pim of Piet of Koos is egoïstisch of eigenwijs of noem maar op."

„Toch deed ik het toen niet met dat doel voor ogen, niet bewust tenminste. Ik vond die knapen niet goed genoeg voor jou. Maar misschien is er diep weggedoken in mijn denken een andere drijfveer geweest. Als dat zo is, was dat oneerlijk van me."

Hij keek haar aan.

„Het heeft geen zin over het verleden te praten, pap. Het is voorbij en het is gegaan zoals het gegaan is. Als ik met Dick Wiggers was getrouwd, woonden we nu misschien in Utrecht of Maastricht, noem maar op. We hadden een paar kinderen en waren gelukkig met elkaar. Of niet, want volgens u paste Dick niet bij me, omdat hij minder geleerd had dan ik. Hij was maar een gewone jongen. Ik vond het toen vreselijk overdreven van u en dat vind ik nu nog. Zoveel studie heb ik ook niet achter de rug en Dick was beslist geen domme jongen. U zei dat ik later nooit een goed gesprek met hem zou kunnen voeren, want elk onderwerp dat we aanroerden, beheerste ik beter dan hij. Het zou zover komen dat ik geen discussie of gesprek meer zou beginnen om hem niet te kwetsen en daaruit zou de verwijdering tussen ons ontstaan. Ik nam uw argumenten serieus en dacht dat u gelijk had. U was zoveel ouder en wijzer, nietwaar? Maar ik weet nu dat het absoluut niet waar was. Ik denk dat het verlangen, mij bij u te houden toch meespeelde."

Ze moest vader geen verwijt maken over vroeger, niet doen. Ze hadden nu alleen elkaar nog. Zo was het, vader vond het fijn haar bij zich thuis te hebben. Hij had het ronduit gezegd. Hij telde de uren tot ze uit school kwam. Daar moest ze blij mee zijn. Wie was er zo blij haar bij zich te hebben? Niemand. En voor haar was het prettig vader te hebben. Stel je voor dat hij er niet meer was! Wilde ze alleen in dit huis wonen of zoals David, op ongezellige kamers? Elke avond alleen zitten, want het advies vrienden en vriendinnen te zoeken en te vinden, had ze zonder succes allang uitgeprobeerd. Dat was voor haar niet weggelegd. Ze had geen vriendinnen en vrienden en ze maakte ze heel moeilijk.

„Ik ga koffie zetten." stond op. „Ik ga nog lang niet naar bed. Misschien de hele nacht niet, ik kan toch niet slapen."

„In het donker is alles veel erger dan in het licht."

„Dat is voor mij niet zo. Ik denk er nu over en ik zou er in mijn bed over denken, maar ik wil niet in het donker zijn."

„Ik begrijp je niet helemaal, maar je kunt wat mij betreft opblijven zo lang je wilt. En ik blijf graag bij je. Maar je moet morgenochtend wel naar school."

„Als ik niet kom," – opeens trok er een glimlach over haar gezicht, – „denkt David dat ik ziek ben van verdriet, om hem, en dat wil ik niet."

„Je bent een moedig meisje."

Moedig niet, maar ze moest verder. Dat was het, ze moest verder. Dit aanvaarden en verdergaan. Waar naartoe? Nergens naar toe. Gewoon de dagen beleven. 's Morgens opstaan en naar school lopen, de kinderen lesgeven en met ze lachen. Dat was de dag, dat waren de uren van de dag. Dan naar huis en met vader praten en eten en avonds televisie kijken of lezen en zo doorgaan, weken, maanden en jaren. Tot ze oud was en met pensioen ging. Vader was dan allang overleden, zij woonde nog in dit huis. Want het huis bleef. Als zij een oude dame was, juffrouw Swinkels…

Gelukkig kookte toen het water voor de koffie.

„Weet je wat ik niet begrijp?" vroeg vader, terwijl hij in het kopje roerde, „dat David naar dat huis is gaan kijken."

„Dat is, denk ik, alleen te verklaren als je het psychologisch bekijkt. Nuchter gesproken is het niet te begrijpen. Als je niet zeker van jezelf bent wat betreft je toekomstige huwelijkspartner, ga je niet kijken naar een huis waarin je met die man of vrouw wilt wonen. Maar David heeft steeds de onbewuste angst dat het toch niet helemaal goed was tussen ons, opzij laten dringen door die andere gedachten die u noemde, een vrouw, een gezin, gezelligheid om hem heen. Pas toen het echt voor de deur stond – binnen niet al te lange tijd komt het huis nu leeg – drong het tot hem door dat hij zijn kop niet dieper in het zand moest steken."

„Zo zal het zijn, maar ik vind het vreemd."

„Ik ook. De familie Hamer zal er van ophoren dat de koop niet doorgaat."

Die avond ging Loudy heel laat naar boven. En in bed huilde ze zicht zelf in slaap. Ze wist niet wat het meest pijn deed, David kwijt te zijn of haar toekomst in duigen te zien vallen.

Zaterdagmorgen zat ze in een gemakkelijke tuinstoel op het terrasje in de zon, haar blote benen op een krukje, het hoofd tegen de hoge rugleuning. Ze sloot haar ogen voor het felle zonlicht, maar ook omdat ze met gesloten ogen meer alleen was. Als ze zo zat, praatte vader niet tegen haar. Hij dacht dat ze even sliep en wist dat ze slaap nodig had. Het arme kind had een paar nare dagen achter de rug. Dat was waar. Vooral gisteren, vrijdag. Donderdagnacht toen ze eindelijk in bed lag, had ze eerst gehuild en zacht Davids naam genoemd, roepend, smekend, ongelukkig. Het was verschrikkelijk hem te moeten missen. Naarmate het nog later werd en vermoeidheid haar tot rust bracht, dacht ze: misschien heeft David er spijt van. Die gedachte maakte veel los. Hoop… valse hoop, ze wist het. Maar als David nu wakker was, net als zij en besefte wat hij had gedaan? Hij was haar kwijt. Misschien beredeneerde hij voor zichzelf zijn drijfveren nog eens, maar zag hij het nu anders. Het verlies vooral. Morgenochtend zou hij iets tegen haar zeggen, bijvoorbeeld: „Ik wil nog eens praten, Loudy, we moeten nog eens samen praten." Hij zou dan niets vertellen aan de anderen op school. Toen ze donderdagavond in de auto zaten zei hij: „Ik vertel het ze morgen." Ze wist dat hij met 'ze' hun collega's bedoelde. Ze knikte alleen, praten kon ze toen niet.

200

Misschien had David spijt... Ze woelde in bed. De vraag was of ze daar dan blij mee zou zijn. Het betekende dat het alleen-zijn dat haar wachtte, niet doorging, maar het betekende niet dat tussen David en haar alles goed was. Zijn woorden hadden een diepe wond in haar geslagen, ze zou ze niet kunnen vergeten.

Toen ze op school kwam en David zag – ze was later gegaan, zoals afgesproken, dan kon David de anderen inlichten – wist ze dat er niets veranderd was.

David groette haar en er was een lieve blik voor haar in zijn ogen, iets van 'Meisje toch, wat heb ik je pijn gedaan, maar het is voor ons allebei het beste.'

Robbert Bakker hield even haar arm vast. „Sterkte Loudy, ik vind het vreselijk voor je," en Gerard zei dat hij er al een poosje bang voor was geweest. Hij vond hen niet bij elkaar passen, maar het was toch beroerd voor haar, nietwaar? Je verwacht veel van zo'n verbintenis en denkt het paradijs gevonden te hebben, maar voordat je het kunt binnentreden, is het verdwenen. Annet zei ook dat ze het akelig vond voor haar, maar ze voegde er meteen aan toe dat Loudy moest bedenken dat ze nog jong was en een heel leven voor zich had. Zo was het toch? Wie weet wat voor leuke man ze heel gauw zou tegenkomen! Het was echt iets voor Annet zoiets te zeggen. En Loudy kon glimlachen om dat 'gauw tegenkomen'. Zij kwam niet gauw iemand tegen, dat wist ze zeker. Bets zei alleen: „Meisje, wat vreselijk."

De dag kroop moeizaam voorbij. De kinderen waren teleurgesteld omdat juf niet aan hun verhaaltjes had gewerkt. Ja, van een paar kinderen, maar juf zei gisteren dat ze ze allemaal zou doen. Het was gemeen en wanneer was het nu klaar? Loudy kon het niet zeggen. Ze wist niet of ze het komende weekend zin had de sprookjesachtige vertelseltjes uit te werken.

Nu zat ze in de zon. Ze voelde de warmte op haar huid en zag het licht witroze door de gesloten oogleden. Het was bijna symbolisch. De warmte en het licht waren bij haar. Ze moest aanvaarden. Dit verdriet ging over haar heen en ebde langzaam weg. Ze voelde pijn van binnen omdat het voorbij was tussen David en haar, maar ze besefte ook dat hij ware dingen had gezegd. Tussen hen was geen echte liefde. En dat stille weten vanbinnen maakte het verdriet anders. Een zakdoek wist de tranen weg, maar het verdriet blijft. Het gebaar is alleen als troost haar kwamen er geen tranen meer, omdat dit weten haar troostte.

HOOFDSTUK 11

De laatste weken van de zomer waren stralend geweest. Mooie dagen, met nevel in de morgen, en met een zon die iedere dag wat later opklom en in dat klimmen de lucht een zachtroze schijnsel gaf soms ook iets van lichtgrijs, alsof de winter werd aangekondigd. Maar de zon was nog warm en koesterend. „Een mooie nazomer," zei vader, „dat hebben we alvast."

Maar opeens, op een morgen halverwege september, was het voorbij. De lucht was dik en grijs en een miezerige motregen viel langzaam neer. .

„De kachel kan eerdaags weer aan," zei vader.

„En ik pak een dikke mantel uit de kast. Ik loop gewoon te rillen in mijn regenjas."

September ging voorbij, oktober was echt een herfstmaand met harde wind en regen die heftig kletterde tegen de ramen. Op zo'n avond zaten vader en Loudy in de kamer. Het was er behaaglijk warm en de brandende schemerlampen straalden een gezellige, gedempt licht uit. Loudy zat op de bank en deed niets. Ze probeerde nergens aan te denken. Niet aan het verleden en niet aan de toekomst. Het was moeilijk helemaal niet te denken. Maar ze wilde zich ontspannen, leeg zijn, vrij zijn. Ze had zoveel gedacht en het bracht alleen onrust. Nu voelde ze zichzelf in de ruimte staan en het was of niets haar kon deren. Het verdriet en het verlangen vluchtten weg, de toekomst lokte niet. Ze stond vrij in het nu en het maakte haar niet angstig of eenzaam.

Ze was moe. Het was een drukke dag geweest op school. De kinderen waren rumoerig en lastig. „Dat betekent nog meer harde wind," wist Bets Wonderwelle, „die van mij waaien ook uit de banken."

Tussen David en Annet was geharrewar ontstaan over een bespreking die Robbert Bakker voor dinsdagmiddag na vier uur had belegd. Annet wilde niet na schooltijd vergaderen, zoals het officieel heette. Dat moest in schooltijd gebeuren. Voor die uren werd ze betaald. Ze had dinsdagmiddag wat anders te doen. David vond dat Annet zich kinderachtig opstelde. Ze wist waar het over ging en lang hoefde de bespreking niet te duren. Dat was Annet met hem eens, maar David wist toch ook hoe het ging? Robbert Bakker begon met een uitleg en overzicht, hoewel ze er allemaal alles van wisten, dan zei het vrouwentrio 'ja' of 'nee' afgehandeld dus, waarop het mannentrio weer begon met 'Ja, maar als…' en 'Je moet ook in overweging nemen dat…' Het werd zes uur voor je er erg in had.

Loudy wilde zich er niet mee bemoeien. Ze vond dat David gelijk had. Je kon toch moeilijk voor ieder gesprek de kinderen naar huis sturen? Maar ze ging niet meer met David in discussie. Ze moest Annet ook gelijk geven. Het zogenaamde halfuurtje liep altijd uit. Het was niet fijn meer op school. Ze zag David iedere dag, maar ze ontweken elkaar zoveel mogelijk. Het was onvoorstelbaar dat er tussen hen zo'n band had bestaan. Samen slapen en praten over het kopen van een huis en kinderen krijgen. Ze zag hem soms als een volslagen vreemde, zover stond hij van haar af. Het was onbegrijpelijk en beangstigend om een mens, die zo dichtbij je was geweest, zo veraf te kunnen zien.

Ze zat stil op de bank. De handen in de schoot. Een avond als deze was om te praten. De warmte in de kamer, het gevoel valt beschutting en veiligheid, het zachte licht, de wind rond het huis en de regen tegen de vensters. Dat was buiten en bereikte hen niet.

Een avond om te praten… Ze glimlachte erom, maar de glimlach verstrakte om haar mond, want opeens klonken in haar geest de woorden die ze voor zichzelf herhaalde: 'Wat heb jij te vertellen?' Eén voor één en dwarrelend kwamen ze op haar af. Die woorden hadden haar beziggehouden. Toen, nu niet meer. Er was te veel gebeurd, ze had nu andere gedachten.

„Je zit zo stil, meiske. Heb je geen zin om iets te doen? Lezen bijvoorbeeld? Heb je de krant al uit? Er staat een artikel in over het nieuwe toneelstuk van Franske Evelijn. Zo te zien is het een bijzonder stuk. Je vindt haar werk toch altijd goed?"

„Ja. Ik zal het straks lezen."

„Voel je je nog erg verdrietig?" Het was lief van vader dit te vragen. Daaruit wist ze hoe hij met haar bezig was. Het ontroerde haar.

„Och…" zei ze ontwijkend.

„Het leven is vaak moeilijk, kind. Ik begrijp niet waarom het leven zo moeilijk moet zijn. Er is veel ellende op de wereld, oorlogen, achtervolging, hongersnood, ziekten, noem maar op, dat is ontzettend en daaronder lijden veel mensen verschrikkelijk. Maar er zijn ook veel verdrietige dingen die niet nodig zijn. Narigheid en verdriet in mensenlevens. Heel in klein. Voor één mens tussen die miljoenen mensen. Elk mens is die ene voor zichzelf. Jij zit hier en je bent verdrietig. Dat komt niet door de grote ellende in de wereld, het is een kleine smart in je eigen hart. Maar jij voelt het en jij lijdt."

„U weet daar ook van mee te praten. U bedoelt moeders ziekte. En haar dood."

„Ja. Maar ook toen ik jong was, is er iets naars in mijn leven gebeurd."

Hij zei niet dat hij zich toen ellendig had gevoeld en had gedacht dat het nooit voorbij zou gaan. Het was wel voorbijgegaan. Hij dacht eraan, nu hij zijn dochter als een zielig figuurtje op de bank zag zitten.

Hij wilde zeggen: 'Het gaat voorbij, kind. Als je ouder bent, denk je er met een glimlach aan terug.' Maar hij zei het niet.

Ze knikte, hoewel ze zelf niet wist wat die knik betekende. Het was voor haar geen antwoord op zijn woorden: „Toen ik jong was, is er iets naars in mijn leven gebeurd." Ze had de woorden wel gehoord, maar ze waren niet echt tot haar doorgedrongen.

„Je knikt," zei hij verbaasd. „Weet jij er dan iets van?" Opeens besefte ze dat hij niet moeders ziekte en moeders dood bedoelde. Het was iets van daarvoor, langer geleden, de gebeurtenis waarnaar zij had gezocht. „Ik weet niet wat er is geweest," antwoordde ze zacht, „maar ik weet dat er iets is geweest. Toen ik een jaar of twaalf was, hoorde ik jullie soms praten over iets dat ik niet begreep. Het was een geheim tussen jullie en het was belangrijk, dat voelde ik. Ik wilde het graag weten, maar jullie zeiden er nooit iets over als ik in de kamer was. Soms plaatste moeder een opmerking die ik niet begreep, maar u fel raakte. Een soort code. Ik herinner me één zin die moeder een keer zei. Dat was na een gesprek over een man in de laan die kennelijk iets had misdaan. Moeder zei toen: 'Wat heb jij te vertellen?' "

Loudy keek vader recht aan. Ze zag dat de kleur uit zijn wangen langzaam wegtrok. Ondanks het schemerige licht zag ze het.

„Er is iets gebeurd toen ik jong was. Ook zo'n voorval dat in het hele wereldgebeuren totaal onbelangrijk was, maar het heeft mij geestelijk geruïneerd en verder geluk in de weg gestaan, want echt gelukkig waren moeder en ik niet. Dat kwam niet alleen door dat gebeuren in mijn leven. Er zijn duizenden, ik durf bijna te zeggen miljoenen mensen die na zo'n gebeurtenis gelukkig kunnen zijn, maar je moeder kon dat niet. Het bleef tussen ons staan."

„Wilt u het mij vertellen?"

„Loudy, kind, ik doe het liever niet. Het is langgeleden in de loop der jaren zijn de scherpe kantjes wat toen belangrijk was, is dat nu niet meer."

Loudy vroeg niet verder.

„Maar ik wil het je wel vertellen. We zitten hier samen als twee eenzame mensen," – hij lachte naar haar – „en zoals ik al zei, het is niet belangrijk meer. Het is ook niet erg als je het weet. Misschien veroordeel je me, maar dat heeft geen zin meer. Misschien begrijp je me en dat is alleen maar goed als we nog veel jaren samen verder moeten."

Hij was voorover gaan zitten, maar nu rechtte hij zijn rug en zocht steun tegen de leuning van zijn stoel. Hij keek haar niet recht aan. Zijn ogen waren gericht op het tafelkleed, waar in een donker vaasje gele chrysantjes stonden.

„Jij hebt, zoals ze dat noemen, een ongelukkige liefde. Ik heb ook zoiets gehad. Je weet dat ik in Friesland geboren ben. We woonden in een flink dorp, Berawolde. Ik weet niet precies hoeveel mensen er toen woonden. Het dorp bestond uit één lange straat met boerderijen, woonhuizen, een kerk en een school en er waren een paar korte dwarsweggetjes. In ons dorp woonde Lientje Grettema. Ze was een paar jaar jonger dan ik en de dochter van de schoenmaker. In zijn werkplaats rook het altijd naar leer en schoensmeer. Er was een winkeltje aan verbonden waar hij schoenen verkocht. Hij had geen grote sortering, maar de schoenen waren van prima kwaliteit. De meeste mannen en vrouwen van het dorp kochten bij hem, alleen de jonge meisjes gingen naar Heerenveen of Sneek om moderner schoeisel te kopen. Toen zijn dochter klein was, werd ze Lientje genoemd, maar toen ze groter werd, wilde ze graag Lienie heten en zo werd ze dan ook door iedereen genoemd. Het was om te zien een leuke meid. Niet knap, maar ze had iets dat de mannen aantrok. Ze had volle borsten, stevige benen, een ronde toet met helderblauwe ogen, die altijd lachten. Lienie kon niet verdrietig zijn of boos, Lienie lachte altijd. Ze had een klein mondje met een beetje te dikke lippen en praatte altijd vrolijk. Leuke verhalen waar ze zelf om schaterde. Ze had een dikke bos blond, krullend haar. Ik werd verliefd op Lienie, echt smoorverliefd, zoals je, denk ik, alleen kunt zijn als je heel jong bent. De wereld draait om jouw hart, niets is belangrijker. we gingen met elkaar, maar niet echt openlijk. Daar was men in het dorp altijd voorzichtig mee, want eenmaal met een meisje of een jongen was gezien, wist het hele dorp het en dan was het een vaststaand feit. Lienie en ik zagen elkaar 's avonds op het Molenpad. Ik ging voor de eerste keer met Lienie op stap toen het nog voorjaar was, na een avond van de toneelvereniging Ons Genoegen. Ik weet het nog heel goed. In de zomer die daarop volgde, zaten we 's avonds in het gras van de berm langs het Molenpad. Als het donker was, bracht ik haar naar huis. Ze had een sleutel van de werkplaats van haar vader en daar waren we in het duister. De eerste keer dat er wat tussen ons voorviel, was een avond als deze. Harde wind en regen, die tegen de kleine ruitjes van het werkplaatsje kletterde." Vader keek nog steeds naar de bloemen op tafel. Hij durft me niet aan te kijken, dacht Loudy Een vader die een bekentenis doet. Ze voelde haar hart in haar keel kloppen.

„Je bent nu zelf een jonge vrouw en ik neem aan dat er tussen David en jou ook wel wat is voorgevallen, ik bedoel, meer dan een zoen. Jullie waren vaak samen op zijn kamer en samen in Lochem. Lienie was zo'n aanhalig ding. En hartstochtelijk. Ze maakte me helemaal gek. Ik had nog nooit met een meisje gevrijd. Ik had wel eerder meisjes gehad, maar die moesten 's avonds op tijd thuis zijn waardoor we niet de gelegenheid kregen om meer aan elkaar te geven dan een zoen. Misschien was het met Lienie ook nooit zover gekomen als ze geen sleutel had gehad van de werkplaats. In de berm langs het Molenpad zou het nooit zijn gebeurd, dat weet ik zeker. Daar liepen meer vrijende paartjes. Als ze zagen dat je elkaar een zoen gaf, was dat niet erg, maar verder, nee, beslist niet. Veel jongens hadden een zaklantaarn bij zich om te kijken of het plekje dat ze uitzochten, veilig was. Ik had voor geen geld van de wereld het risico willen lopen, ontdekt te worden door een van de jongens. Maar in de werkplaats was het stil en warm en veilig met de deur op slot. Ik was helemaal van de kaart, stapelgek van Lieneke, zoals ik haar noemde. Dat was mijn naampje voor haar." Vader zweeg en schudde zijn hoofd. Er lag een flauwe glimlach om zijn mond als bij een zoete herinnering.

„We zijn te ver gegaan. Twee, nee, drie keer, ik weet het nu nog. Wil je wel geloven dat het zweet me uitbreekt als ik eraan denk? Zot eigenlijk, het is zo lang geleden en ik ben nu een oude man, maar het zit me nog dwars. Je voelt natuurlijk aankomen wat er gebeurde. Voorbehoedsmiddelen waren In ons dorp nog niet zo bekend en we wisten bovendien niet hoe we eraan moesten komen. Lienie werd zwanger. Toen ze me dat vertelde, schrok ik natuurlijk geweldig. Wat moest dat nou? Maar ik zei haar dat we gingen trouwen en dat ik haar niet in de steek zou laten, enfin, je kunt je wel voorstellen wat een oprechte jongeman in zo'n geval zegt.

Toen ik die avond thuiskwam, zaten mijn twee broers – ze zijn allebei ouder dan ik – aan tafel. En mijn ouders. Ze zagen meteen dat er iets met me aan de hand was en ik dacht dat het het beste was om direct alles op te biechten. Dus zei ik dat ik omgang had gehad met Lienie, dat ze zwanger was geworden en dat we gingen trouwen. Ik hoor nog het hoongelach van mijn broer Jochem. Ik weet niet hoe Jochem nu is – ik heb hem in zoveel jaren niet gezien, misschien is hij wel dood – maar toen was Jochem een grote, brede vent met een rooie kop, kortgeknipt, stekelig haar, een beetje rossig, en hij had grote handen. Ik had altijd erg tegen Jochem opgekeken. Hij was een jaar of zes, zeven ouder dan ik.

'Lientje Grettema! Jongen, laat je niets wijsmaken. Jij vrijt misschien met haar, dat zal wel waar wezen, je zegt het tenslotte zelf maar zo zijn er nog een stuk of wat! In het werkplaatsje van vader Klaas zeker. Ha, ha, ik kan je nog een paar namen noemen van lieden die daar ervaring hebben opgedaan. Ze heeft er speciaal een paardendeken voor laten aanrukken, ha, ha!'

Ik werd eerst woedend. Hoe durfde Jochem te zeggen dat mijn meisje ook met andere jongens vrijde. Maar mijn broer Johannes viel hem bij. Rustiger en overtuigender dan Jochem en niet met een grijns op zijn kop die me driftig maakte.

'Luister Tjeerd, Jochem heeft gelijk. Jij weet dat niet, maar er zijn meer jongens op het dorp die met Lientje vrijen. Ik heb zelfs de naam van een getrouwde man gehoord. Als hij tekortkomt bij zijn eigen wijf, gaat hij naar Lientje.'

Toen deed mijn moeder nog een duit in het zakje door te verkondigen dat ze altijd al had geweten dat Lientje niet deugde. Ik was te onervaren om dat te weten. Ik zie haar gezicht nog voor me, toen ze dat zei. Eerst sprak ze met een klein mondje en felle ogen, daarna klemde ze de lippen opeen. 'Jij hebt de leeftijd wel, maar de ervaring niet.'

Volgens haar wilde Lientje me erin laten lopen. Ze moest toch iemand aanwijzen als de vader van de baby en ze wist dat ze bij de andere knapen minder succes zou hebben. Ik, een beetje bedeesde en nette jongeling, trapte er wel in, dacht ze, maar dat zou mooi niet gebeuren. Daar zorgden vader en moeder en Jochem en Johannes wel voor. Ik was totaal overbluft en uit het veld geslagen. Ik wist niet wie ik moest geloven. Jochem was een ruwe bonk, maar hij was eerlijk, dacht ik. Als hij niets wist ten nadele van Lieneke, zou hij tegen mij zeggen dat ik een schoft was als ik haar met een kind liet zitten. Ik geloofde Jochem. En ik geloofde Johannes. Die was in mijn ogen ook een eerlijke vent. Ik geloofde dat ze allebei meer wisten van Lienie. Ze konden ook meer weten, want ze kwamen in het dorpscafé, waar natuurlijk veel gepraat werd. En op hun werk hoorden ze veel. En dan vader en moeder nog. Enfin, ze zorgden ervoor dat ik Lienie niet meer zag. Maar op een avond ben ik toch naar haar toe gegaan. Toen ik zei wat ik had gehoord, barstte ze in snikken uit. Ze zei niet dat het niet waar was wat die jongens zeiden, maar holde bij me vandaan. Ik vertel dit nu in een paar zinnen, maar je begrijpt wel hoe moeilijk het is geweest." Vader zweeg. Loudy zei niets. Ze wachtte tot vader verder praatte.

„Een paar weken later was de bruiloft van een neef van me met een meisje uit 'het westen', zoals wij alles noemden wat uit de Hollanden afkomstig was. Die neef was de zoon van mijn tante, een zuster van mijn vader, die met een rijke boer uit de buurt van Bolsward was getrouwd. Tante Marije. Die neef was hun enige zoon en de bruiloft moest een groot feest worden. Veel pracht en praal, waarover nog lang in de buurtschap gepraat zou worden. Het is ook een denderend feest geworden. Met mensen in klederdracht, tafels waarop de hele avond steeds weer schalen met lekkere dingen werden gezet, dansen en zingen en drinken. Een oudoom en -tante van de bruid kwamen ook en die hadden hun dochter meegebracht. Ik vond het een aardig meisje, heel anders dan de meisjes van ons dorp. En ik vond het leuk dat ze met mij wilde dansen en praten. De andere jongens waren daar een beetje jaloers op en ik dacht – het was een duivelse gedachte – als ik een ander meisje had, zou niemand in het hele dorp vermoeden dat ik iets met Lieve Grettema had gehad. Want op het dorp was het grote nieuws nog niet bekend. Mijn broers hielden hun mond dicht en mijn ouders natuurlijk ook. En Lientjes ouders hadden geen haast, de zonde van hun dochter aan de grote klok te hangen.

Ik pakte de vriendschap met dat meisje uit het westen – je snapt het al, het was je moeder – flink aan. Toen in het dorp bekend werd dat Lientje een kind verwachtte, maar niet ging trouwen omdat meerdere jongens de vader konden zijn, had ik stevige verkering met Geeske. Die wist van dat hele drama niets af. Ik hoorde toen ook van anderen dat Lientje meerdere mannen kon aanwijzen, en was blij dat ik de dans was ontsprongen."

Vader zweeg. De stilte viel zwaar in de kamer. Loudy durfde zich bijna niet te verroeren, bang de sfeer te verbreken en bang dat hij niet verder zou vertellen.

Lienie... Lienie... die naam had ze niet eerder gehoord. Van niemand. Heette Sjoerds moeder niet... Frieda?

„Lienies kind werd geboren. Ze bleef bij haar ouders wonen. Johannes vertelde me dat ze erg veranderd was, erg stil was geworden. Ze lachte nog maar zelden en kwam niet meer in het café. Ze was dol op de baby. Hij zei toen ook – het deed er toch niet meer toe – dat Jochem Lienie ook had nagelopen. En dat hij zelf wel eens had gedacht: wat een lekkere meid. Maar Jochem en Johannes wilde ze niet. Je moeder en ik trouwden kort daarna. We gingen in hetzelfde dorp wonen, in een leuk huis aan het Zuiderend, want ik had goed werk op de sigarenfabriek.

Toen we ongeveer twee jaar getrouwd waren, kwam mijn moeder op een avond binnenstappen. Mijn moeder was een kordate vrouw, flink van postuur, een rechte rug, hoog opgekamd grijs haar. Ze keek die avond ernstig en nors. Ze zei dat ze met mij moest praten. Nee, Geeske had er niets mee te maken, die hoefde het niet te horen. Later misschien, maar eerst moest ze met mij praten. Ik weet nog dat ik met haar in de keuken zat. Aan de vierkante tafel waarop een kleedje lag in roodwitte blokken. Of Geeske aan de deur heeft gestaan om te horen wat mem te vertellen had, weet ik niet. Moeder had het kind van Lientje Grettema gezien. Ze kwam de laatste jaren niet in de schoenwinkel van Grettema, want ze ging naar de stad om schoenen te kopen. Ze wist dat de naam van haar zoon was genoemd in verband met die geschiedenis van Lientje, en ze wilde met die mensen niets te maken hebben. Ze zag Lientje wel eens lopen met de kinderwagen, maar had nooit in die wagen gekeken. Die Lientje was een smerige meid.

Maar nu liep het kind, het was bijna twee jaar. Moeder had het meermalen gezien. En ze moest me zeggen dat er geen twijfel mogelijk was: dat kind was van mij. Het leek sprekend op me, ik was vroeger net zo'n peuter geweest. Hetzelfde haar, de manier van lopen, het gezichtje en de ogen. Er was voor moeder geen twijfel mogelijk, ik was de vader.

Moeder had meteen de volgende stap gezet, zo kordaat was ze, en had Lientje aangesproken. Lienie was meegegaan naar moeders huis en had gezegd dat al andere jongens gelogen waren. Ze had alleen van mij gehouden. Ze zei dat Jochem ook met haar had willen vrijen en Johannes ook, maar ze was alleen met mij in de werkplaats van haar vader geweest.

Ik wierp tegen dat Jochem destijds toch had verklaard dat hij wist wie met haar meegegaan waren en dat Johannes had gezegd dat hij zelfs de naam van een getrouwde man wist en dat moeder zelf had gezegd dat ze altijd al had gedacht dat die Lientje Grettema niet deugde en een echte mannenverleidster was met dat loshangende haar en dat lachje. Moeder wist het toen zo goed en nu… Maar het hielp allemaal niets. Moeder hield vol dat ik had moeten weten dat Lienie me niet bedroog en de waarheid sprak toen ze zei dat ik haar enige vriend was. Hoe had ik Jochem kunnen geloven? Ik wist toch zelf dat het een beer van een vent was, onbehouwen en onbeschoft. Het was haar eigen zoon, maar ze was niet blind voor zijn fouten. Hij wilde graag een vrouw maar er was er niet één die hem wilde. Hij dronk te veel in het café, was niet vies van een vechtpartij, kortom, hij was veel te grof. En Johannes was met hetzelfde sop overgoten. Diep in hun hart waren het misschien geen beroerde jongens, maar in hun manier van doen waren het geen prettige mannen. Dat wist ik toch! Toen Lientje zwanger raakte, was ik geen kleine jongen meer, dat bleek wel. Ik had het allemaal moeten weten.

Het was of ze me in elkaar sloeg, Loudy, geestelijk en lichamelijk. Ze verraadde me. Want geloof me, toen ik die avond thuiskwam met het bericht dat Lienie zwanger was, was ik vast van plan met haar te trouwen. Maar mijn broers maakten me aan het twijfelen en mijn moeder ook, toen ze zei dat Lientje niet deugde en dat ik gek was als ik erin trapte. En nu… Ik was er kapot van. Mijn moeder was nooit een moeder geweest die ham. kinderen tegen zich aan drukte en ze troetelnaampjes gaf. Ze bedoelde het goed en zorgde voor ons, maar een hechte band met haar had ik niet. Die avond bleef er niets van over. Ik was kapot van dit verraad. Het was intens gemeen van haar. Ze was omgedraaid als een blad van een boom en maakte me de heftigste verwijten. Ze wierp zich opeens op als vechtster voor het arme meisje, de zielige, ongehuwde moeder. Zij, de moeder van de gewetenloze jongen, zou het er niet bij laten zitten. Hij was haar eigen zoon, maar ze zou hem ronduIt zeggen hoe gemeen ze het van hem vond.

Ze was bang voor de mensen van het dorp. De gelijkenis was hun natuurlijk ook opgevallen. Er werden nu geen namen meer genoemd van jongens, die de vader konden zijn. Alleen mijn naam werd genoemd. En iedereen veroordeelde mij als de lafaard die een meisje met een kind had laten zitten. Moeder wilde daarop niet worden aangekeken en worden buitengesloten van de dorpsgemeenschap. Zij was rechtschapen en had het niet geweten, en nu zei ze ronduit tegen haar zoon dat het schande was. Het was verschrikkelijk. Ik wist niet wat ik moest doen. Ik voelde me in een doolhof staan."

Hij keek Loudy over de tafel heen aan, ze verroerde zich niet, ze luisterde alleen.

„Er was geen uitweg. Ik vond het verschrikkelijk dat ik Lienie in moeilijkheden had gebracht. Ik was de vader van haar kind, dat was vreselijk belangrijk voor me. Had ik destijds maar naar haar geluisterd en haar geloofd en de stem in mijn binnenste gevolgd. Die stem had gezegd dat ik bij haar moest blijven, maar Johannes en Jochem waren zo overtuigend geweest. Ze hadden het van de jongens zelf gehoord die ook met Lienie hadden gevrijd en moeder noemde haar een lellebel, die mij erin liet lopen. En ik had alles geloofd. Nu kon ik niet meer terug, de weg was afgesloten. Ik was getrouwd en mijn vrouw verwachtte een kind. Ik was radeloos.

Toen moeder was weggegaan, vertelde ik alles aan Geeske. Het kwam hard bij haar aan. Het zou bij iedereen hard zijn aangekomen, en bovendien was ze in verwachting. Het was verschrikkelijk wat ze te horen kreeg. Haar man had een kind bij een andere vrouw en keek er niet naar om. Liet moeder en kind gewoon aan hun lot over. Dat vond Geeske vreselijk, ze ging dan ook hevig tekeer. Ze was zelf zwanger, was ze dat maar niet, dan zou ze me loslaten om mij naar Lienie te laten gaan, maar wat moest zij nu...

Misschien kun je je er een voorstelling van maken hoe het die avond in ons huis was. Tranen, gilbuien, smartelijk huilen, woorden... woorden. Maar een oplossing was er niet. Ik weet dat we diep in de nacht huilend tegen elkaar aan in slaap zijn gevallen. De volgende dag wisten we dat we maar één ding konden doen: zo snel mogelijk weggaan uit Friesland. Er was geen andere keus. Als Geeske en ik uit elkaar gingen, zou zij met een kind zonder vader zitten en dat wilde ik beslist niet. Ik hield van Geeske en we hadden jou bewust gewild. In Friesland blijven was onmogelijk. Ik kon niet meer leven met mijn ouders, mijn broers en mijn zusters, die ook als haviken naar me pikten. Dus trokken we weg. Van de ene op de andere dag. Van mijn familie heb ik nooit meer iets gehoord."

De stilte viel zwaar in de kamer. Loudy stond op, liep naar de keuken om de koffiepot te pakken en de kopjes vol te schenken, een gewone handeling in deze onwezenlijke toestand.

Haar hoofd was vol gedachten – dus toch een kind – maar ze kon geen woorden vinden om iets te zeggen. Om iets te vragen helemaal niet.

„We kwamen hier wonen. Ik kreeg snel werk, daar zorgde oom Jaap voor. We kochten dit huis, het was eigenlijk te duur, maar we hadden geen keus. Maar het grote geluk was voorbij. Het verleden bleef tussen ons staan. De eerste maanden huilde Geeske veel. Ze zei dat ik toch niet echt van haar hield, want ik had ook van Lienie gehouden, zoveel zelfs dat ik heel intiem met haar was geweest. Dat moest toch wat voor me betekend hebben. Ik kon niet duidelijk maken dat het vooral het verlangen naar lichamelijke liefde was geweest en dat ik daartoe was gekomen doordat Lienie zo'n aanhalig en onstuimig meisje was. Maar Geeske hield vol dat ze voelde dat er ook liefde voor Lienie was geweest. En dat wilde ik niet ontkennen, want dat zou verraad tegenover Lienie zijn geweest.

En Geeske stelde vast dat ik, als mijn broers en mijn moeder niet zoveel lelijks over Lienie hadden gezegd, met haar zou zijn getrouwd en gelukkig zou zijn geweest. Mijn eerste grote liefde. Ik kon er weinig tegen inbrengen. We spraken ook over het kind van Lienie en mij. Geeske had zoveel vragen. Had ik dat kind dan nooit gezien? Was ik niet nieuwsgierig om te zien of het inderdaad op mij leek? Er waren honderden veronderstellingen en mogelijkheden. Ik werd er dol van. Geeske was echt tobberig en zeurderig, steeds weer begon ze erover. Ik begreep het wel, maar het bracht alleen verwijdering tussen ons. Ze kon het verleden niet laten rusten.

Ik dacht dat het voorbij zou gaan als we ons kind hadden. Dan had ze niet zoveel tijd meer om te denken. Jij werd geboren en we waren allebei blij met je. Je was een mooie en lieve baby, om te zien een plaatje, met een rond kopje, pientere oogjes, een klein mondje en een fier kuifje op je bolletje. We zagen elke dag iets nieuws aan je. Maar door jou dacht ik steeds meer aan het kindje in Friesland. Dat zien van allerlei nieuwe dingen beleefde Lienie ook. Alleen. Zonder mij. Ze beleefde het niet helemaal alleen, want ze was bij haar ouders in huis en die hielden ontzettende veel van het kleintje. In het dorp werd ze er ook niet op aangekeken. Dat heeft ze me zelf verteld. Soms hoorde je dat wel, maar dat was in Berawolde niet het geval. Lienie was niet lafhartig of slecht, dat was ik. Zij zorgde voor het kind. Op een dag ben ik toch weer naar Friesland gegaan. Geeske wist niet waar ik heen was. Ik wilde geen geheim voor haar hebben, maar ik wist hoe vreselijk ze het zou vinden als ze wist waar ik naar toe was. Ik voelde de drang met Lienie contact te houden, haar niet te laten barsten, om het grof te zeggen. Want diep in mijn hart liet het gebeurde me niet los. Ik vond het vreselijk dat het zo was gelopen, maar er was niets meer aan te doen. Niemand kan zijn leven terugdraaien en overdoen, ik ook niet.

Ik wilde niet terug naar Lienie, mijn leven lag bij Geeske en ons kind. Ik vertelde je moeder dus niet dat ik naar Friesland ging. Ik wist dat het een huilpartij zou worden. Ze zou denken dat ik mijn eerste liefde niet kon vergeten, maar zo was het niet. Het waren voor mij twee gescheiden werelden. Ik kan niet verklaren en uitleggen hoe het was. Mijn leven lag bij Geeske en jou en mijn verleden lag bij Lienie en het kind daar. Twee aparte werelden. Mijn hart was in de wereld hier, maar soms was het bij die andere wereld, die niet in mijn bereik lag, maar waarbij ik betrokken was.

Ik ging dus naar Friesland. Ik zei tegen Geeske dat ik voor het bedrijf waar ik werkte, iets moest doen in Zuid-Holland, maar ik reisde naar Berawolde. Ik praatte met Lienie. Het was een fijn gesprek. Geen haat van haar kant. De emoties van toen waren verdwenen. Lienie had het kind en was er blij en gelukkig mee. Ze werkte in de bakkerswinkel van Tjedde Visser en het kleintje dribbelde rond in het huis van haar ouders. Dat waren mensen van even in de veertig en moeder Grettema kon het best aan. 's Avonds hielp Lienie met alles wat nog aan huishoudelijk werk gedaan moest worden. Ze zei me dat ze beslist niet ongelukkig was.

Ze had tijdens haar zwangerschap en de eerste maanden na de geboorte een vreselijke tijd doorgemaakt, vooral ook omdat ze wist hoe er in het dorp over haar werd gekletst. Ze wist ook dat ik door mijn broers was beïnvloed. Voordat ze met mij omging, had Jochem verscheidene malen geprobeerd met haar op stap te gaan. 'Ik weet wel,' zei Lienie die avond, 'dat ik de jongens uitdaagde. Ik maakte ze gek, vrolijk lachen, ze aanhalen, dat vond ik leuk. Ik besefte niet goed wat ik in ze teweegbracht en dat het kwaad bloed bij ze zette als ik toch niet met zo'n jongen naar het Molenpad ging. Ik begrijp het nu, het was spelen met vuur, maar toen zag ik het alleen als een onschuldig spel. Wie verloor, moest dat gewoon accepteren. En dat was voor een man als Jochem niet gemakkelijk.' We hadden een goed gesprek, terwijl we rustig tegenover elkaar aan tafel zaten. Ik zei dat ik haar en ook het kind niet wilde loslaten. Maar ze vond zelf dat dat toch beter was. Ze had geen vriend, niet omdat er geen jongens waren die iets in haar zagen, dat zeker wel, maar tot nu toe was er niemand geweest van wie ze echt kon houden. En ze was niet van plan omwille van het kind te trouwen. Dat was absoluut niet nodig. Ze wilde alleen trouwen als ze ervan overtuigd was dat die man ook van het kind hield. En dat het goed zou gaan tussen hen drietjes. Anders bleef ze liever alleen. Ze ging vaak gezellig uit met haar vriendin Helga, de dochter van bakker Visser. Ze had een prettig leven. Ik hield vol dat ik contact wilde houden met het kind. We spraken af dat ik dat zou doen. Ik zou af en toe komen om samen te babbelen, maar als Lienie een nieuwe richting insloeg in haar leven, zou ik er niet tussen staan. Zo is het ook gegaan." Vader knikte bedachtzaam. .,Zo is het gegaan. Ik heb het Geeske gezegd. Ik wilde dit niet geheimzinnig buiten haar om doen. Ik vond het oneerlijk het tegenover haar te verzwijgen en meende dat ze het moest begrijpen. Ze begreep het ook wel, met haar verstand, maar gevoelsmatig was het moeilijk. Het stond tussen ons. Op de vreemdste momenten, als er eigenlijk geen aanleiding toe was, kwam ze ermee voor de dag. Daaruit bleek wel hoe ze ervan vervuld was. Als we een klein ruzietje hadden, kwam naar voren dat ik onbetrouwbaar en gemeen was. Je weet wel wat ik bedoel. 'Jij hebt wat te vertellen,' zei ze dan en ik zag aan haar gezicht, vooral aan haar ogen, hoe moeilijk ze het ermee had.

Het heeft ons huwelijk ongelukkig gemaakt. Ze leefde ermee, ze hield het vast en piekerde erover. Ze kreeg medelijden met zichzelf, en maakte zichzelf wijs dat ze een bedrogen vrouw was. Ik weet niet goed hoe ik het moet uitleggen. Ze zei dat ik haar had bedrogen, maar dat was niet waar. Ik hield echt van haar. Misschien ben ik in de eerste maanden van onze kennismaking wat hard van stapel gelopen omdat ik het dorp wilde laten zien dat ik een meisje had, maar dat kwam voort uit een geestesgesteldheid die ze mij niet mijn leven lang mocht verwijten. Ik heb eindeloos geprobeerd uit te leggen hoe ik me toen voelde en wat ik dacht.

Ik vond dat ze dat moest accepteren en achter ons laten. Maar ze greep er steeds weer naar. Het werd een wapen voor haar en ik had niets om me te verdedigen."

Vader zweeg weer. Loudy zat tegenover hem, haar mond was droog. Ze keek naar hem en had medelijden met hem. In haar hoofd warrelden vele vragen, maar er kwam slechts één vraag over haar lippen. Ze keek hem aan en vroeg zacht: „U zegt steeds 'het kind' Wat was het?"

„Een meisje. Ze heeft haar Lieneke genoemd."

HOOFDSTUK 12

Het leven was anders geworden. Vanaf het moment dat vader de naam van zijn eerste liefde, Lienie, had genoemd, wist Loudy dat alles anders was geworden. Er was opeens iets om haar heen, iets liefs, beschermends, veilig en goed. Ze kon het niet omschrijven, maar het was een gevoel dat haar blij maakte. Het was alsof donzig witte wolken op haar toedreven en haar van veraf omsloten. Zij zag ze en voelde ze, zij alleen.

Ze wist dat ze er niet op kon wegdrijven naar het land van geluk, dat was niet zo, maar het was opeens milder en zachter om haar heen. Er was geen verband tussen vader en Sjoerd.

De wolken kwamen naderbij. Het was of ze gezichten hadden die iets tegen haar wilden zeggen. Bolle gezichten met blijdschap op de bleke wangen. De wolken hadden lichamen, vol en zacht en rond, en daarin was voor haar de rust en bevrijding verborgen van alles wat haar bang en verdrietig maakte. De wolken zouden zich openen en haar laten zien hoe mooi de toekomst kon zijn.

Onzin natuurlijk. Misschien veranderde er niets. Maar het was in elk geval fijner tussen vader en haar. Ze begreep hem nu. Lang was er in haar iets van achterdocht geweest, ook door Davids opmerkingen. Ze had ze niet direct geloofd, maar er toch over nagedacht. Geleidelijk was er argwaan in haar hart gegroeid. Vader ten opzichte van moeder. Ze wist nog lang niet alles, maar ze begreep het beter. „Zullen we morgen verder praten?" vroeg ze. „Het is al laat. Ik heb zoveel gehoord en u hebt zoveel verteld, u zult moe zijn. Niet alleen van het praten, maar vooral van alle emoties die het naar boven haalt."

„Ik ben nog lang niet uitverteld, maar het is beter morgen verder te

215

gaan. Of overmorgen. Belangrijk zijn die dingen niet meer. Het is voorbij, verleden tijd en langgeleden. Het praten erover heeft veel bij me losgemaakt, daar heb je gelijk in. Ik ben moe. Maar ik zal toch niet kunnen slapen. Ik heb zoveel te overdenken. Want om de feiten heen is heel wat gebeurd. Het bracht ontzettend veel teweeg. Maar kom," – hij kwam langzaam overeind uit zijn stoel, hij had te lang gezeten, de spieren in zijn been waren een beetje stijf geworden – „het heeft me opgelucht erover te praten, kind. Ik heb er tegen jou nooit iets over gezegd. Het was niet nodig jou met alle nare dagen van ons leven te belasten. En het is zo met deze dingen, je moet het zelf meemaken om echt te weten wat je gedachten en gevoelens zijn. Het is eigenlijk niet te vertellen. Maar nu je zelf weet wat verdriet is, begrijp je misschien dat ik het er vreselijk moeilijk mee heb gehad."

„Ik denk de laatste tijd veel aan moeder. Ik begreep haar niet. Het hele ziektebeeld hield me bezig. Natuurlijk was ze lichamelijk ziek, maar ik zag dat ze het geestelijk moeilijk had. Ze praatte zichzelf aan dat zij vroeger, toen jullie elkaar pas kenden, niet uw grote liefde was. Ze zag het als een vlucht, de enige kans om dat andere te ontlopen. Dat is geen prettig idee voor een vrouw. Later is ze daarop verder gaan denken. Het groeide met de jaren mee. Het is intens triest, jezelf ongelukkig te maken als het niet nodig is. Want u zegt dat u echt van haar hield. Maar ze geloofde het niet en zo raakten jullie verwijderd van elkaar." Loudy nam de lege glazen van de tafel en liep ermee naar de keuken.

„Morgen praten we verder, papaatje. Of overmorgen. Het is, zoals u zegt, niet belangrijk meer." Maar in haar hoofd zongen de woorden: misschien wel, misschien wel, als Sjoerd het weet, dan komt hij…

„Het heeft me goed gedaan, meiske, dat je naar me luisterde, zonder een enkel verwijt. Ik voel dat je me niets verwijt."

Verwijten. Verweet ze vader iets? Nee, ze verweet hem niets, dat was waar.

„Ik ben wantrouwig en kortzichtig geweest, maar ik heb mijn straf gehad."

Loudy liep langzaam de trap op. Ze zou verdrietig moeten zijn omdat nu bevestigd was dat het huwelijksleven van haar moeder bij vlagen ellendig was geweest, maar stilletjes was ze blij, omdat ze nu wist dat Sjoerd niet…

Vaders geheim was toch een geval van zwangerschap geweest. Op haar kamer keek ze in de spiegel boven de wastafel. Ze zag haar gezicht. Het was rood en warm, haar ogen hadden een vreemde glans, van vermoeidheid, maar ook van spanning om alles wat ze had gehoord. Ze voelde zich schuldig omdat ze niet verdrietig was om mama. Ze mocht niet blij zijn, ze mocht moeders tranen niet vergeten. Maar moeders leven was voorbij, het hare nog niet. Een leven met Sjoerd samen…

Daar niet aan denken. Ze had niets meer van hem gehoord sinds ze hem duidelijk had laten merken dat ze voor David koos. Misschien zou hij van Cora horen dat het uit was tussen David en haar. Cora wist het. Cora had vorige week opgebeld om te vragen hoe het ging. Was Loudy nog in de wolken, in de zevende hemel, en hoe ging het met het huis, al meubeltjes uitgezocht? Loudy vertelde toen dat het voorbij was tussen David en haar. Ze wist wat Cora dacht: Sjoerd is er nog en Sjoerd houdt van je. Cora had het niet durven zeggen, omdat het niet fijngevoelig was, zo kort na het verbreken van de verloving, maar Loudy wist wat ze dacht.

Ze kleedde zich uit. Ze deed het licht in het kamertje uit en ging voor het raam staan. Het was donker buiten, de maan ging schuil achter een dik, donkergrijs, bijna zwart wolkendek. In de tuinen zwiepten de bomen, heesters en struiken heen en weer in de nachtwind. De wind maakte zacht fluitende geluiden langs de dakkapel. Er waren geen sterren te zien. Het was guur en triest buiten. Ze trok de gordijnen weer dicht. Ze lag in bed. In het donker. Wat ging er nu gebeuren…? Wat nu…?

De volgende avond zei vader: „Ik weet dat er geen schokkende onthullingen meer komen, Loudy, maar ik wil toch graag met je praten. Het zit me erg hoog, ik ben er vol van. Ik dacht dat het gebeurde in de loop der jaren in me tot rust was gekomen, maar na ons gesprek van gisteravond houdt het me weer erg bezig. Eigenlijk is het totaal zinloos er nog over te piekeren, over alles van toen, want het is voorbij. Lienie zal getrouwd zijn en Lieneke misschien ook. Ze is nu achtentwintig, het is bijna niet voor te stellen. Ik weet niet wat haar moeder haar heeft verteld. Dat heb ik me vandaag afgevraagd. En ik denk zo dikwijls: hoe had ik het anders moeten doen? Ik geloof niet dat er een andere weg was. Je moeder moest het weten, dat kon gewoon niet anders. Ze had er recht op, maar ongelukkig genoeg bleek ze ongeneeslijk jaloers op wat er tussen Lienie en mij was geweest. En dat kon niet meer ongedaan gemaakt worden. Later maakte ze zichzelf wijs dat ik veel vaker naar Friesland ging dan ik zei. Ze verdacht mij ervan dat ik afspraakjes met Lienie had. Dat was niet waar en dat zei ik steeds. Maar ze hield het halsstarrig vol. Haar gedachten waren er zo van vervuld dat haar geest er ziek van werd. Ik heb Lienie de eerste paar jaar af en toe opgezocht en dan praatten we over het kind. Ik gaf haar ook geld, zoveel ik kon missen. Dat vond ik niet meer dan mijn plicht. Geld, wat betekent geld in zo'n geval? Het was geen afkopen of goedmaken, maar ik wist dat Lienie niet veel verdiende en dat het kind geld kostte. Toch hebben we het contact verbroken toen het kind bijna vijf jaar was. Ik hoopte dat het daardoor beter zou gaan tussen moeder en mij. Maar eigenlijk werd het alleen maar erger. Ik heb er met een zenuwarts over gesproken. Onze huisdokter had moeder naar hem verwezen. Ze is er een paar maal geweest, toen wilde ze niet meer. Ze vond dat die man niets van haar begreep.

Die dokter – Van Rosmalen was zijn naam – zei mij dat het een vreselijk moeilijk geval was voor hem. Ze wilde niet luisteren, 'Het is eigenlijk zo,' zei hij, 'dat ze, zonder het zelf te beseffen, gelukkig is met haar verdriet. Ze koestert het, ze praat het zichzelf in. Op de manier van: wat ben ik toch een zielige vrouw dit wordt mij aangedaan, hoe moet ik het dragen.'

Dokter Van Rosmalen zei dat hij het een beetje overdreven voorstelde, maar hij was ervan overtuigd dat zijn zienswijze een grond van waarheid had. Op die grond bouwde moeder verder en het was voor hem onmogelijk haar denkbeelden te bestrijden, omdat ze hem van dat grondgebied weerde.

Ik heb mezelf vaak verweten dat ik het niet goed aanpakte. Maar liefde en geduld hielpen net zo min als woede en scheldpartijen. Ze sloot me buiten. Ze wilde me niet meer. We bleven bij elkaar, want waar moest ze heen? Ze kon niet voor zichzelf zorgen, een scheiding wilde ze beslist niet en ik evenmin, maar we waren allebei ongelukkig. Ik geloof dat dokter Van Rosmalen gelijk had toen hij zei dat ik mezelf veel verwijten maakte, maar dat zij zich nooit iets verweet. Zij was het slachtoffer, ze kon niet anders.

Er zijn tijden gekomen dat het beter ging tussen ons. Dat gebeurde toen jij groter werd en die hele geschiedenis steeds verder achter ons kwam te liggen. Toen hebben we redelijk goede jaren gehad. Misschien had ze later, toen ze ziekelijk werd, soms spijt van haar jaloerse houding, al zei ze dat nooit. Ze waardeerde het dat ik haar zo goed verzorgde."

De weken gingen voorbij. Het leven was voor Loudy anders geworden. Thuis waren de dagen en vooral de avonden plezieriger. De sfeer tussen vader en haar was zuiverder, met meer begrip, opener ook, omdat ze hem nu pas leerde kennen. Vaak zo maar in de loop van de avond, begon hij te vertellen. Over zijn jeugd in Friesland, zijn ouders, zijn broers, die in hun jongensjaren leuke, vlotte knapen waren. En zijn zusters, Djoeke en Martha. Het was of hij alle verhalen die hij zo lang in stilte had bewaard, kwijt wilde nu hij wist dat er iemand luisterde zonder hem te veroordelen. Hij vertelde hoe hij het bericht kreeg van het overlijden van zijn vader. Alleen een kaart, de zwarte letters op het witte papier gedrukt, onpersoonlijk: „Mijn man en onze vader…"

Onder aan de kaart stond vermeld wanneer de begrafenis zou zijn op het kerkhof naast het kerkje van Berawolde. Hij kende dat kerkhof goed.

Als jongen was hij er vaak geweest met zijn vriendjes. Je kon zo van de weg het kerkhof oplopen. Hij kende destijds de namen op de grafstenen bijna allemaal uit zijn hoofd. Nu zou zijn vader daar ook begraven worden en een steen krijgen. Er was geen kaart je bijgesloten waarop stond dat hij voor de begrafenis werd uitgenodigd. Hij ging dus niet, maar die hele dag was hij in gedachten in Friesland. Hij zag alles voor zich. Tien minuten voor twee, nu liep moeder met Jochem, de oudste zoon, achter de kist over het grintpad. Daarachter Johannes. Waren zijn broers getrouwd, en Djoeke en Martha? Die vast en zeker, want het waren mooie, frisse meiden. Toen moeder overleed, kreeg hij weer een kaart.

Toen wilde hij er niet heen. Hij had moeder willen zien na vaders dood, nu wilde hij niemand van het gezin meer zien.

Op een morgen – het was intussen januari geworden – kwam Annet Loudy's klas binnen. De kinderen joelden op de speelplaats; door het raam zagen ze David en Bets heen en weer lopen om een oogje in het zeil te houden. Annet ging zitten op het voorste tafeltje. „Weet je dat David probeert ergens anders een baan te vinden?"

„Nee."

„Dat dacht ik wel. Hij praat er met ons over, maar iedereen houdt zijn mond tegen jou. Ik vind het niet nodig er geheimzinnig over te doen. Als hij op een andere school geplaatst wordt en weggaat, moet je dat toch weten. Ik denk niet erg zult vinden."

Annet keek haar recht aan. „Het lijkt me niet bepaald prettig je vroegere verloofde elke dag om heen te hebben. Of er moet een stille hoop zijn dat het weer goed kan komen tussen jullie, dan is het natuurlijk beter dat hij in de buurt blijft."

„Die stille hoop heb ik niet."

Loudy leunde tegen het schoolbord. David wilde dus weg. Ze voelde er geen verdriet om. Hij mocht ook blijven. Ze kon het niet verklaren, het was onbegrijpelijk, maar hij liet haar onverschillig. Ze was niet boos op hem. Hij had gelijk toen hij zei dat het niet goed was tussen hen. Allebei zochten ze de weg naar een gelukkige toekomst, maar die weg laat zich niet altijd zoeken. Die is er, die ligt voor je open, die wacht op je. Of niet. Ze was niet boos op hem en mocht hem nog graag, maar vriendschap was niet mogelijk. Niet nodig ook. Ze hadden elkaar losgelaten en zo was het goed.

Annet boog zich wat voorover. „David denkt dat jij die hoop wel hebt."

„O ja??"

„Ik heb vorige week een hele tijd met hem gepraat. We wisten allemaal – behalve jij dan – dat hij bezig was met een baan in Alkmaar. Hij kreeg maandag het bericht dat het niet doorgaat en praatte daarover toen we na schooltijd samen naar buiten liepen. Hij vroeg me of ik koffie met hem wilde drinken bij Slauerman," – dus niet in de Wielewaal, waar David en zij altijd aan hun tafeltje achter in de zaal voor het zijraam hadden gezeten – „en dat heb ik gedaan. Hij vindt het jammer dat die baan niet doorgaat, want hij heeft het gevoel dat hij hier weg moet. Voor jou."

„Voor mij?!"

„Ja. Hij vindt je erg veranderd. Je bent afwezig en stil. Dat is ook zo, Loudy, je bent anders de laatste tijd. Niet om ongerust over te worden."

Annet lachte hartelijk. „David maakt zich zorgen om jou, zegt hij. Hij denkt dat je moeilijk kunt verwerken dat het uit is tussen jullie. David heeft het toch uitgemaakt?"

Dat had hij natuurlijk verteld. David was niet de verstoten geliefde, dat mocht niemand denken. Daarover had hij direct nadat het voorbij was, geen vraag bij hun collega's laten bestaan. En nu was hij de man die bezorgd was voor het meisje dat bleef treuren omdat ze zijn liefde had verloren. Ze voelde: zich boos worden.

„Ja, inderdaad. Maar het is beslist niet zo, Annet, dat ik het moeilijk kan verwerken, zoals jij het noemt." Ze moest nu oppassen wat ze zei.

Want in haar hart zong, heel stil van binnen, alleen de naam Sjoerd. Dat maakte haar blij, maar daarvan mocht Annet niets weten.

„Het is natuurlijk niet leuk als je verloving verbroken wordt, dat snap je zelf ook wel. David en ik hadden serieuze trouwplannen, maar het was zoals David zei: er was niet de grote liefde tussen ons die volgens de boeken nodig is voor een levenslang geluk."

„Wat zeg je dat leuk!" lachte Annet. „Het lijkt wel alsof je het echt niet zo vreselijk vindt dat het uit is."

„Ik vind het erg, maar niet vreselijk. Ik weet dat David gelijk heeft. Het was niet echt goed tussen ons."

Annet knikte en babbelde verder over Loudy op een toon alsof ze het over een ander had, een meisje dat ze allebei kenden. „David denkt dat je er verdrietig om bent. Je bent veel stiller dan vroeger. Je bent anders, dat is waar, dat merk ik ook."

„We praten niet meer zo onbevangen met elkaar, alle zes niet."

„Daar heb je gelijk in. Ik geloof dat David het verkeerd ziet. Je vindt het akelig, maar je gaat er niet aan kapot."

„Nee, zeker niet. Dat mag je tegen David zeggen. Ik wil het hem zelf ook wel zeggen."

Annet keek haar aan en knikte alleen. Loudy wist dat ze het zou zeggen. Was er iets tussen Annet en David?

Een week later kwam vader haar in de keuken tegemoet toen ze tegen half vijf uit school kwam. Hij lachte vrolijk.

„Wat is er voor leuks? Hebben we een prijs in de loterij?"

„Wij niet, Cora en Peter hopelijk wel. Kijk maar.„ Ze nam de zacht-gele enveloppe van hem aan.

„Cora Mathilde Brandenberg en Peter Havenkamp geven u kennis van hun voorgenomen huwelijk…"

Natuurlijk! Ze wist dat het ging komen, maar ze riep toch: „Wat enig, wat leuk!" Het was een uitroep om het bonzen in haar hoofd te over-stemmen: dan kwam Sjoerd, dan zou ze Sjoerd weer zien.

„Wanneer is het? Achttien maart en ik word uitgenodigd om erbij te zijn. Half drie op het stadhuis te Leiden."

„Het was een goed idee geweest als ze jou en die jongen uit Friesland – hoe heet hij ook – als getuigen hadden gevraagd. Jij voor Cora en hij voor Peter."

„Alsjeblieft niet. Ik kijk liever op een afstand toe. Cora's broer zal wel voor haar getuigen. Daar heeft ze een sterke band mee."

Ze hield de kaart in haar handen. Beelden schoven door elkaar. Cora in de bus, Cora pratend op haar kamer over Hugo. Ze waren ver van huis, alles was anders. Cora vond het fijn om te praten. Er was een spontane vriendschap tussen hen ontstaan, ze lagen elkaar, ze mochten elkaar.

De bruiloft van Cora en Peter, daar moest Sjoerd komen. Zou hij weten dat het voorbij was tussen David en haar? Natuurlijk wist hij dat. Peter en Sjoerd spraken elkaar geregeld, Peter zou het beslist verteld hebben. En anders Cora wel. Ze zag iets in hen samen. En ze wist niet van dat andere.

Het was vreemd dat Sjoerd geen contact had gezocht. Maar hij deed dat natuurlijk niet omdat er nog iets tussen hen stond, die zotte gedachte. Nee, zot was het niet geweest, het had gekund, maar het was niet waar.

Godzijdank was het niet waar. Maar Sjoerd wist dat niet. Haar fantasie nam haar mee. Als ze dacht aan de bruiloft, zag ze Cora in een fleurig japonnetje, iets zachtblauws en roze, en Peter stralend en knap. Dan zag ze Sjoerd, zijn ogen die naar haar lachten, zijn stem, zijn handen. Na het feest zouden ze ergens samen zijn, ze wist nog niet hoe en waar, maar ze was met hem alleen en vertelde vaders verhaal. Eerder kon ze het niet zeggen. Niet in een zaal met mensen, met gelach en muziek om hen heen en de kans gestoord te worden. Nee, ze moesten samen zijn. Dicht bij elkaar. Alleen zij tweeën op de wereld. Niemand die hen zag of hoorde en zij zagen niemand. Vaders verhaal. De poort naar de toekomst, de weg uit het doolhof.

Hij zou zijn armen om haar heen slaan en zeggen: „Meisje, waarom heb je me niet gebeld. Lieveling, waarom schreef je niet of ik gauw kwam? Je had zoiets belangrijks te zeggen. Hoe kon je zo lang wachten? Dat is het pad naar ons geluk." Ze zou dan niet zeggen dat dromen over dit pad al heerlijk was geweest en dat ze hem in gedachten vaders verhaal wel honderdmaal had verteld. Hoe zou hij kijken als ze de naam Lienie noemde… Hij zou weten dat het zijn moeder niet was geweest, als hij die naam hoorde.

Ze stond met een glimlach om haar mond nog in de keuken. Vader was naar de kamer gegaan. Ze hoorde het rinkelen van kopjes en schoteltjes. Hij zette ze op de tafel. Voor de koffie.

Sjoerd had haar niet gebeld toen hij wist dat het uit was. Waarom zou hij ook bellen? Uit medeleven, om te zeggen dat hij het akelig voor haar vond? Vond hij het echt akelig? Ze glimlachte nog, maar langzaam trok de lach van haar gezicht. Sjoerd had niet gebeld. Waarom niet? En opeens was er een gedachte die pijn deed. Ze schrok ervan, hoe kon ze dit denken, maar het was mogelijk... Sjoerd belde niet... omdat er een meisje was. Ze mocht niet denken: een ander meisje, want tussen hen was nooit iets geweest, omdat zij David had. En Sjoerd ging ervan uit dat er nooit iets tussen hen kon zijn. Als hij nu eens een meisje had ontmoet dat hij aardig en lief vond? Dan had hij haar opgezocht, met haar gepraat en gewandeld, haar gekust... Mijn hemel, als dat zo was, waren haar dromen voorbij, was haar leven voorbij. Dan kwamen er alleen nog jaren die ze moest leven, dagen en nachten, maar er was geen geluk.

En dat alles doordat zij vorig jaar die nacht op de hotelkamer in Opatya, met de vreemde geluiden van buiten, het donkere, grote water, de zacht heen en weer wiegende gordijnen in de avondwind, in een flits had gedacht dat er verband bestond tussen vader en Sjoerd. Ze had het als een ingeving gevoeld en als een visioen gezien, maar het was niets. Als die gedachtenflits er toen niet was geweest, zou ze hebben geweten dat Sjoerd voor haar de echte liefde was. Misschien was het nu te laat, als Sjoerd een ander meisje had ontmoet. Dat kon de reden zijn dat hij haar niet had gebeld nadat haar verloving met David was verbroken.

Ze werd bang. Ze moest er niet aan denken. Het waren alleen gedachten, trachtte ze zich gerust te stellen. Ze wist niets met zekerheid.

In het begin van de avond belde Cora. Een dolgelukkige, opgewonden stem. „Heb je onze kaart gehad? Het was natuurlijk geen verrassing, je wist het allang. Ja kind, we durven het aan, we weten allebei dat het goed gaat tussen ons. We willen vreselijk graag dat je op het stadhuis komt. Peter stelde eerst voor, jou en Sjoerd als getuigen te vragen, dat zou leuk zijn en toepasselijk, want jullie waren erbij toen we elkaar voor het eerst zagen, maar tegenover mijn familie wil ik dat niet. Stefan vindt het een grote eer om voor mij zijn handtekening te zetten. Waarom weet ik niet. Het stelt niets voor. Meneer Brandenberg, getuige van de bruid, en voorbij is het. Maar goed, jullie komen allebei, daar reken ik op."

Loudy durfde niet te vragen: Cora, weet je iets van Sjoerd...? Maar als Cora wist dat Sjoerd een meisje had, zou ze niet zo enthousiast jubelen: jullie komen allebei!"

„Ik weet niet of ik er 's zijn. Ik heb achtentwintig kinderen in mijn klas en een vrije dag voor de trouwpartij van een vriendin zit er niet in. Jullie hadden een woensdag moeten uitkiezen, dan zou er wat mij betreft geen probleem zijn geweest. Maar het is een donderdag. Dat geeft niets hoor, jullie hebben de eerste keus! Ik zal er op school over praten, misschien is er een oplossing."

Ze wist nu al dat ze het niet zou doen. Om David niet. Om zijn ogen, die zouden zeggen: 'Dan zie je Sjoerd en dat vind je fijn.' Want ze wist dat ze anders tegen David was geworden nadat ze Sjoerd had ontmoet. En hij wist dat ook.

„Ik hoop dat je kunt komen voordat we naar het stadhuis gaan. We hebben een plaatsje voor je in een van de taxi's. Maar je moet in elk geval zo vlug mogelijk komen. Hollen uit school, je vlug verkleden, want het is feest hier. Je kunt je schooljurk niet aanhouden. Het maakt niet uit wanneer je komt binnenvallen, het is altijd goed. Je bent van harte welkom, we wachten op je."

Het was fijn om te horen. Cora had een prettige, hartelijke stem en Loudy wist dat ze meende wat ze zei.

„Het is op een donderdag," zei vader in de kamer. „Dat komt voor jou niet goed uit. Als je geen vrije middag kunt krijgen, zal het niet meevallen er op tijd te komen. Reken maar uit. Op zijn vroegst ben je om kwart voor vier thuis, dan om kleden, want je moet er in feestgewaad heen. Je kunt met een taxi naar het station gaan, dat scheelt weer wat tijd, maar de eerste trein die je kunt pakken gaat pas om vijf uur. Je hebt anderhalf uur nodig om naar Leiden te sporen. Half zeven dus. Dan met een taxi naar het restaurant waar de bruiloft is. Ben je daar tegen zevenen."

„Dat kan toch? Als het feest tot twaalf uur duurt, heb ik nog vijf uur. Hoe laat is de receptie? Kijk, dat komt prachtig uit, tot zeven uur. Dan stap ik met de laatste handjesschudders binnen, sluit me aan in de rij en kan meteen blijven. Wat wilt u drinken, mevrouw? Graag een lekker kopje koffie en als u nog een stukje van de grote bruiloftstaart hebt, wil ik dat wel proeven."

„Een vrije middag zou alles veel rustiger doen verlopen. Het lijkt me leuk voor jou om Cora en Peter op het stadhuis te zien."

„Ik zou dat graag willen, maar het zal moeilijk gaan. Als ik een andere baan zoek, kijk ik uit naar kantoorwerk. Als ik dan een vrije dag wil, schuif ik de papieren in een grote la, of ik leg ze op een stapeltje op het bureau en ik zeg: tot overmorgen. Dat kan helaas niet met schoolkinderen. Ik blijf slapen bij de ouders van Cora. Haar vader brengt me vrijdagmorgen vroeg weer terug, met de auto, zodat ik toch op tijd op school ben. Krijg ik geen strafwerk voor te laat komen."

Ze praatte er op school niet over. Ze vermeed altijd gesprekken die iets persoonlijks van David en haar raakten. David kende Cora en Peter. Ze wist ook dat ze niet echt naar het stadhuis wilde. Ze zou alleen zijn tussen mensen die ze niet kende. Cora kon niet bij haar zijn en naast haar komen zitten. Stel je voor dat ze in de trouwzaal zei: „Meneer de ambtenaar van de burgerlijke stand, ik ga naast deze jongedame zitten, die is hier alleen en dat vindt ze vervelend. Ze is niet bang, maar ze vindt het gewoon ongezellig."

Dat ging niet. Het was eigenlijk kinderachtig en zo verlegen was ze toch niet, maar ze had gewoon geen zin om in haar eentje tussen al die vreemde mensen te zitten. Dat kwam door de ongerustheid, de stille angst in haar hart dat er die dag iets naars zou gebeuren.

„Je gaat donderdagavond natuurlijk niet terug," had Cora tijdens het telefoongesprek nog gezegd, „je slaapt lekker bij mijn ouders. Die hebben een schattige logeerkamer met een groen bed met geschilderde bloemetjes erop en sluitgordijntjes uit Oostenrijk, snoeperig gewoonweg, en een bobbeldik dekbed, lekker warm. Daar slaap jij. Ze rekenen erop dat je bij hen komt. Het is jammer dat je de volgende morgen niet met ze mee kunt komen om bij ons koffie te drinken. Dan kon je meteen het huis zien. Maar je moet natuurlijk vroeg weg naar je kindertjes. Vader brengt je 's ochtends vroeg terug. Ons huis zie je wel een andere keer.

Er is veel veranderd. Peter stelde eerst voor, dit huis te verkopen en samen in een andere woning opnieuw te beginnen. Ik heb hier veel herinneringen, maar vreemd genoeg doen die herinneringen me geen pijn. En Peter heeft er ook geen hinder van. We praten gewoon over Hugo als het uitkomt. Peter is niet jaloers op alles van vroeger. Het is geweest in je leven, zegt hij, het is niet uit te wissen en dat hoeft ook niet. We blijven dus hier. Maar we hebben nieuwe meubelen gekocht. Je zult ervan opkijken, de kamer is heel anders geworden. Veel lichter. Peter houdt van licht."

HOOFDSTUK 13

„Ik moet donderdag zo vlug mogelijk weg," zei ze op school in de derde week van maart. „Als er iets te bespreken is, moeten we dat vrijdag doen of later."

Ze zei niet waar ze heen moest. De vragende blikken van haar collega's waren even zovele onuitgesproken vragen, maar ze deed of ze die niet zag.

Donderdagmiddag fietste ze snel naar huis, douchte zich, verkleedde zich, en maakte zich mooi. Vader belde intussen een taxi. Ze dronk vlug een kopje koffie en at het broodje dat hij naast het kopje had neergelegd. Met de taxi naar het station. Ze zat in de trein, met de tas met het cadeau voor het bruidspaar naast zich op de bank. Het kleine handtasje op schoot. Hè, dat was haasten. Maar nu was ze op weg naar Leiden.

Wat zou deze middag brengen? Ze was bang. Bang dat haar een teleurstelling wachtte. Een gevoel van onrust, als een intuïtie. Ze had maandenlang geleefd met de gedachte dat ze Sjoerd weer zou ontmoeten. Ze geloofde erin. Ze had erover gefantaseerd en gedroomd en in die dromen was alles goed gekomen, maar nu het voor de deur stond, was ze bang. Misschien kwam Sjoerd niet eens. Omdat er iets was op zijn werk waardoor hij niet weg kon.

De trein raasde voort over de rails. Ze keek naar buiten zonder veel te zien. Weilanden en boerderijen. Wegen en sloten. Er liep nog niet veel vee buiten. Het had de laatste weken te vaak geregend. „Een nat voorjaar," zei vader, „de grond is verzopen." Het was aan het land te zien. Hier en daar stonden zelfs plassen waarin het jonge gras verdween.

Amsterdam. Overstappen. Ze liep met de stroom mensen mee de trap af. Kijken welk perron ze moest hebben, het tweede, ja, hier was het, deze trein. Vlug instappen. De trein was vol, maar ze vond een plaatsje naast een oude man, die vriendelijk naar haar knikte.

„Veel tijd had u niet," zei hij.

„Nee, maar precies voldoende." Ze nam haar tasje weer op schoot.

De trein reed onder de overkoepeling vandaan en zoefde richting Haarlem. In Leiden stapte ze uit. Vlug naar de uitgang, kijken naar een taxi.

Ze gaf de naam van het restaurant op. Even voor zeven uur stond ze voor de brede deur. Ze betaalde de chauffeur en liep naar binnen. In de hal bleef ze staan. Nu moest ze rustig zijn. Diep ademhalen en rustig zijn. Het jachtige gevoel van zich afzetten. Ze was er nu. Denken aan Cora en Peter, niet verder denken, nergens aan, beheerst zijn. Nu naar binnen.

Het was een grote zaal en haar eerste indruk was dat deze vol stond met tafels en stoelen. De tafels waren vierkante vlakken door de crèmekleurige, glanzende kleden, Ze zag ze als schimmen voor zich. Er waren veel mensen, het was er warm, benauwd bijna. Er werd gelachen, gepraat, een geroezemoes van geluiden; op de tafels stonden glazen, brandende kaarsen en kleine boeketjes rode roosjes in hoge vaasjes.

Ze liep door de mensen heen naar de hoek van de zaal waar ze Cora en Peter zag. Ze had het gevoel of iedereen naar haar keek, maar ze wist dat dat niet zo was. Wie lette nu op haar! Ze was gewoon iemand die het bruidspaar kwam feliciteren. Wie ze was, interesseerde geen mens. Ze kenden haar niet. Misschien vroeg een enkeling zich af of ze misschien een achternichtje was, maar van wie dan, van Cora of van Peter? Maar zelfs die vraag kwam niet in de mensen op. Ze lachten en praatten met elkaar en zagen haar niet.

Ze was bij het bruidspaar. „Loudy, wat heerlijk dat je er bent!" juichte Cora. „We keken al naar je uit!"

„Van harte gefeliciteerd met deze fijne dag…" Ze zei de woorden die ze in de trein had gerepeteerd. Ze was nerveus en moest oppassen geen domme dingen te zeggen. „Alsjeblieft, een klein geschenk voor jullie huis…"

Ze bedankten haar uitbundig. Cora pakte het uit en zei dat ze het erg leuk vond. Lachend zette ze het op de tafel achter hen, die vol stond met geschenken. Daarop stelde Cora haar voor aan haar ouders en Peters ouders en de naaste familieleden.

„Kom bij ons zitten, kind," nodigde mevrouw Brandenberg vriendelijk, „de receptie is gauw voorbij, er zullen niet veel mensen meer komen. We hebben veel handen geschud, hè Willem? Er zijn familieleden van Peter uit Friesland gekomen. Dat vinden we vreselijk leuk. En van de zaak waar hij heeft gewerkt, hebben ze een busje gehuurd om hierheen te gaan. Ze zijn nog niet weg, ze zitten daar, in die hoek. Ze zijn in een uitgelaten, vrolijke stemming, ze maken er een echte plezierdag van. En er zijn veel kennissen van Cora gekomen natuurlijk. Ook familie van Hugo, dat vinden we ontzettend lief. Wat wil je drinken? De ober komt eraan."

Toen zei ze: „Heel graag koffie. En als u nog gebak hebt…"

„Natuurlijk mevrouw. Ik haal het voor u."

Ze zat in de stoel en keek rond. Voorzichtig. Er waren zoveel mensen. Misschien zat Sjoerd bij Peters ex-collega's aan tafel. Haar ogen dwaalden in die richting. Maar opeens stond hij voor haar.

„Loudy!" Zijn ogen keken haar aan en ze wist dat het er nog was tussen hen. Er was niets veranderd. „Wat ben je laat! Waarom heb je me niet gebeld? Dan had ik je van huis gehaald en waren we samen gegaan."

„Ik kon niet eerder dan half vier weg van school."

„Kom hier zitten." Mevrouw Brandenberg trok een stoel, die iets naar achteren stond, dichterbij. „Jullie zijn de eerste getuigen van de romance tussen Cora en Peter." Ze lachte zelf om haar woorden. „Op die reis naar Joegoslavië is het immers allemaal begonnen. Ze zag er destijds vreselijk tegenop. Ze deed wel stoer alsof ze het helemaal niet erg vond ergens alleen op af te stappen, maar zo gemakkelijk was het natuurlijk niet." Dus Cora ook. Vlotte, gemakkelijke Cora. „Mijn man zei: 'Als je eenmaal in de bus zit, is het voorbij.' Wij hebben meermalen een busreis gemaakt. We vinden het gemakkelijk, je hoeft nergens om te denken of voor te zorgen, daarom raadden we het Cora ook aan. Wij vinden dat je snel het gevoel hebt bij elkaar te horen. Je vormt een groep. Alle mensen zijn vriendelijk en hulpvaardig en men wil niemand buitensluiten. Als je alleen instapt, zoals Cora en jij, Loudy, heb je het gevoel dat je een eilandje bent. Je staat alleen bij de bus en je zit alleen op je plaatsje, maar meestal is het gauw voorbij. Dat was het voor Cora ook. Ze belde ons dezelfde avond al om te vertellen dat ze naast een ontzettend leuk meisje zat." Mevrouw Brandenberg knikte naar Loudy. „Dat was jij. En de verdere reis, och, jullie weten er alles van. En nu dit, een huwelijk tussen Peter en haar. We zijn er erg gelukkig mee, mijn man en ik, en Stefan en Jeanet natuurlijk ook. Het was verschrikkelijk dat Hugo stierf. Ze hadden zo'n goed huwelijk, die twee. Maar zo is het leven nu eenmaal. De dood wandelt met je mee, zei mijn vader vroeger. Hij kan je elk moment bij de hand nemen. Mijn man heeft meer dan eens tegen Cora gezegd: 'Kind, al huil je alle tranen van de wereld, Hugo komt er niet door terug. En wat je ook doet in je verdere leven, Hugo komt nooit meer naast je.' Het is fijn dat ze met Peter over Hugo kan praten. Gewoon zijn naam kan noemen. Hij is niet meer bij ons, maar hij leeft met ons verder. Peter begrijpt het op precies de goede manier."

Het werd een gezellige avond. Zachte muziek op de achtergrond, een trio van musici, een jong meisje zong met een melodieuze, mooie stem romantische liedjes. Gepraat en gelach in de zaal, dansende paren op de kleine, gladde vloer. „Een fijn feest," zoals Peter later zei, „een feest omdat we blij zijn, en anderen in onze vreugde willen laten delen."

In Sjoerds armen gleed Loudy over de dansvloer. Een langzame Engelse wals. Zijn gezicht dichtbij haar.

„Peter vertelde me dat het uit is tussen David en jou."

„Ja. Het was niet echt goed tussen ons. Dat wist ik en dat wist David ook."

„Dan is het beter om er niet mee door te gaan." Ze dansten zwijgend. Nu kon ze niet vertellen wat ze wist, maar ze moest iets zeggen. Misschien ging Sjoerd straks terug naar Friesland. Hij wist dat zij vannacht in Leiden bleef, Ze moest zeggen dat ze hem wat te vertellen had.

„Ik wil nog met je praten, Sjoerd. Ik moet je iets vertellen."

„Is het belangrijk?" Een lachend vraagje dicht bij haar oor.

„Vreselijk belangrijk."

„In films zie je dan het dansende paar in de richting van grote balkondeuren glijden," lachte Sjoerd. „Ze zweven naar buiten naar het terras, dat een prachtig uitzicht biedt op een schitterende tuin. Een brede, stenen trap leidt naar beneden. De warmte van de voorbije zomerdag hangt nog om heen. Ze wandelen samen tot aan de fontein en vertellen elkaar geheimen. Maar het zijn geen geheimen. Het is: 'Ik hou van jou' en dat weten de mensen die de film zien, allang. Voor ons is het moeilijker. Ik zie geen balkondeuren en zo er een terras mocht zijn, is het daar veel te koud. We moeten een ander plekje zien te vinden."

„Ben je met de ex-collega's van Peter meegekomen?"

„Nee, dat wilde ik niet."

Hij drukte haar even tegen zich aan. Het was of de barrière tussen hen al weg was zonder dat ze hem vaders verhaal had verteld. Het was of Sjoerd alles wist, het voelde. „Ik hoop dat we een poosje samen kunnen praten. Maar waar?"

„In de gang bij mevrouw Brandenberg misschien." Ze lachte als een jong schoolmeisje, het klonk bijna giechelend. „Samen op de onderste traptree."

Toen zei ze ernstig: „Ik zeg tegen mevrouw Brandenberg dat jij en ik met elkaar moeten praten, dat lijkt me de beste oplossing. En het is niet jij en ik, het is alleen: jou iets vertellen."

„Wat dan?"

„Vaders verhaal." Hij keek haar aan en hield even stil op de dansvloer. Om hen heen de paren, maar ze zagen alleen elkaar.

„Vaders verhaal." Ze wist Jat hij dacht: vader... jouw vader, mijn vader...

„Straks," beloofde ze met een lief lachje.

Het liep tegen het einde van het feest. De ex-collega's van Peter waren vertrokken. „We missen je, ouwe jongen, maar we gunnen je het geluk. Het zal best goed gaan tussen jullie. Jij weet precies alle pluspunten onder elkaar te zetten en op te tellen en alle minder goede dingen werk je weg in je administratie..."

Loudy zei tegen mevrouw Brandenberg: „Ik slaap vannacht bij u, hè? Dat vind ik heerlijk. Ik zou niet weten hoe ik nu nog naar huis moest komen. Maar ik zou graag nog even rustig met Sjoerd willen praten. We kregen er in de zaal vanavond geen gelegenheid toe, dat begrijpt u."

„Kindje, Sjoerd kan toch meegaan naar ons huis? Als hij wil, kan hij zelfs bij ons slapen, we hebben ruimte genoeg. Maar als hij naar huis wil omdat hij morgenochtend vroeg op zijn werk moet zijn, nou meisje, dan babbelen jullie een poosje met elkaar. Je hebt de hele kamer beneden tot je beschikking. Mijn man en ik gaan naar onze slaapkamer. Het is nog niet zo vreselijk laat, het is geen bruiloftsfeest tot diep in de nacht geworden, maar het was een vermoeiende en enerverende dag. Jullie kunt praten zo lang je wilt. Als Sjoerd weggaat, kruip jij lekker in je bedje. Ik roep je morgenochtend vroeg genoeg en mijn man rijdt je naar school. Met de auto is het niet meer dan een goed uur. Als jullie om half acht weggaan, sta je om half negen gelijk met de kinderen voor het schoolhek."

Ze zaten in de onbekende kamer. Het was een wonderlijke gewaarwording. Het bankstel, met een groot bloemmotief in roze en wit tegen een ondergrond van verschillende kleuren groen, de geurende fresia's in de kristallen vaas op de lange, ovale salontafel, de kasten met boeken en serviesgoed, ze kenden dat alles niet, het was heel vreemd. Loudy dacht er even over na. Ze zou zich niet op haar gemak moeten voelen, maar dat was niet zo. Er was eigenlijk maar één gevoel en één gedachte en dat was dat ze intens gelukkig was. Het was of alles zo moest gaan, alsof dit het vervolg was van de film waarover Sjoerd vanavond praatte, samen wegdansen naar een terras en kijken naar een hemel vol sterren.

Deze kamer paste daarbij. De rust om hen heen na de uren vol muziek, stemmen, te veel geluid en drukte. Nu samenzijn. Sjoerd was bij haar en Sjoerd bleef bij haar. Het geluk dichtbij, wenkte haar en lachte naar haar.

„Het is een gek idee dat wij hier samen zitten," – Sjoerd zat in een brede, leren stoel, vast en zeker de stoel van meneer Brandenberg, – „in het huis van mensen die we niet kennen. Voor vanavond had ik ze nog nooit gezien en jij ook niet."

„We hadden voor morgen of overmorgen met elkaar kunnen afspreken, dat is waar, maar zo lang kon ik niet wachten. Ik wil je vaders verhaal vertellen."

Het was of het licht van de schemerlampjes langzaam milder werd, zachter en lieflijker. Ze zat op de bank en praatte over Lienie, de dochter van de schoenmaker, die naar Tjeerd Swinkels lachte tot hij dolverliefd op haar was en graag met haar meeging naar het werkplaatsje achter de winkel.

Loudy vertelde het hele verhaal en Sjoerd luisterde.

„Het kind was een meisje. Vader weet dat ze Lieneke heet. Ze is een paar jaar ouder dan ik." Toen ze zweeg, keek hij haar alleen maar aan. Minutenlang.

„Niets staat ons meer in de weg, lieveling," zei hij, „en ik wist het. Ik wilde het verhaal van je vader horen, maar gisteren heb ik met mijn moeder gepraat. Ik heb steeds gezegd dat ik dat niet durfde omdat ik bang was voor de emotie die de herinneringen bij haar konden losmaken. Ze voelt zich redelijk goed en ze maakt het redelijk goed, zoals de dokter zegt. Je moet steeds bedenken hoe ver ze van ons is weg geweest. Als je daaraan denkt, maakt ze het redelijk goed. Maar de moeder van vroeger is ze niet meer. Haar verstand is gelukkig nog helder. De laatste weken, sinds Peter me vertelde dat het uit is tussen David en jou, heb ik steeds aan je gedacht. Als wat jij vermoedde niet waar was, Loudy, dan stond er niets meer tussen ons. Gisteravond was vader naar Jillie en Eelke. Moeder en ik waren samen thuis. Ze begon zelf te praten over vroeger. Ze praatte eerst zomaar wat, dat doet ze tegenwoordig vaak. Ik noem het mijmeren. Ze heeft veel tijd om te denken. Iedere morgen komt iemand om in ons huis te werken, dan zit moeder in haar stoel en mijmert over honderden dingen. 's Middags rust ze, maar ze zegt dat ze niet slaapt.

Dan dwarrelen haar gedachten als vrije vogels weg. Zo gaat het eigenlijk de hele dag. Ze heeft veel tijd, want ze doet weinig. Ze praat graag over die mijmeringen. Gisteravond zei ze dat sommige dingen die eens vreselijk belangrijk waren in je leven, later soms niets meer te betekenen hebben. Problemen en zorgen waarvoor je geen oplossing wist en waarvan je vreesde dat ze je levenslang zouden achtervolgen, blijken volkomen te zijn verdwenen. Enfin, we babbelden genoeglijk, in een rustige sfeer. We waren het met elkaar eens en op een gegeven moment durfde ik te zeggen: 'Ik ben nu drieëndertig jaar, moeder. Het is totaal onbelangrijk, maar toch zou ik graag willen weten wie mijn vader is.' Je zult hem niet kunnen opzoeken, Sjoerd,' zei ze, 'want hij is dood.'

En toen noemde ze zijn naam. Jarenlang had ze gezwegen en opeens zei ze de naam. Meindert Visser. Ze heeft me over hem verteld. Hij werkte nu en dan op de boerderij als er veel te doen was, bij het hooien bijvoorbeeld en in de bietentijd. Ze vond hem aardig, maar niet meer dan dat.

En hij vond haar aardig, maar ook niet meer dan dat. Op een avond wilde hij opeens met haar vrijen. Hij had een paar jaar verkering gehad, maar het was uitgeraakt. Met dat meisje had hij vaak, zoals op het platteland de gewoonte was, tot diep in de nacht in de stal gezeten. Daar gebeurde meer dan alleen elkaar een zoen geven en handjes vasthouden. Opeens verlangde hij heftig naar een vrouw en mijn moeder was alleen in het kamertje op de achtergang. Hij kwam gewoon binnen. Ze had de deur niet op slot, dat hoefde nooit. De boerin wilde dat de deur los bleef omdat ze anders misschien opgesloten zat als er brand uitbrak. De boerin was vreselijk bang voor brand. Meindert kwam binnen en overviel haar. Verkrachtte haar, zoals moeder het noemde. Ze verweerde zich en riep om hulp, maar niemand kon haar horen. Meindert is na die nacht niet meer op de boerderij geweest. Hij is uit het dorp weggegaan. Hij was bang dat zij naar de politie zou lopen om hem aan te geven wegens verkrachting, maar ze was doodsbang en helemaal overstuur."

Sjoerd keek naar Loudy, maar zag haar niet echt. Hij zag het gezicht van zijn moeder toen ze het hem vertelde. De vermoeide ogen, de mond die langzaam praatte.

„Ze realiseerde zich niet dat ze van die ene keer zwanger kon worden, maar het gebeurde wel. Ze wachtte af, tot drie maanden en vertelde toen aan haar moeder wat er was gebeurd. De naam Meindert

Visser was een geheim tussen hen beiden. Beppe heeft tegen mij gezegd dat ze niet wist wie mijn vader was, toen ik haar onverwachts daarnaar vroeg. Ze was er niet op voorbereid en wist zo gauw geen antwoord. Daarom zei ze misschien een van de zoons van de boer waar je moeder Beppe is overleden zonder ooit tegen iemand de naam van vader te noemen. En moeder zei tegen mij: 'Ik was ook bijna doodgegaan zonder de naam te zeggen. Ik moet hem tegen één mens uitspreken en die ene ben jij.' Bij toeval hoorde ze vorig jaar dat Meindert Visser was overleden. Hij was naar Duitsland gegaan en had op een boerderij werk gevonden. Na een jaar trouwde hij met de dochter van de boer. Hij heeft een goed leven gehad. Moeder zei: 'Ik trouwde met Simon Rijswijk en ik ben altijd erg gelukkig geweest.' " Ze zaten stil bij elkaar, Loudy op de bank, Sjoerd in de stoel.

„Het is heel vreemd, Loudy. Ik wil niets liever dan jou in mijn armen nemen en zeggen dat ik van je houd en jij wilt dat ik dat doe, maar tussen ons staan de verhalen van onze ouders. Voor jou is dat je vader, voor mij mijn moeder. Ze dachten dat alles van toen niet meer belangrijk was, en dat is het ook niet, maar het heeft ons bijna uit elkaar gedreven."

„Omdat ik dacht…" Hij stond op en kwam naast haar op de bank zitten.

„Het was niet zo'n gekke gedachte, lieveling. Ik ben op een middag naar Breehuizen gereden. Ik wilde je vader zien. Ik had geluk, want hij kwam aan de deur toen er gebeld werd door een man die iets wilde verkopen. Ik schrok, want het is waar, ik lijk op hem. Ik begrijp het niet, want we weten nu absoluut zeker dat hij mijn vader niet is, maar ik lijk op hem. De vorm van het hoofd, het haar, ik denk zelfs de kleur ogen en ook iets in de houding. Ik begrijp het volkomen dat die gelijkenis je opviel toen je me in Didam zag. Maar alles is louter toeval."

Hij sloeg zijn arm om haar heen en kuste haar.

„Mijn lief meisje, mijn vrouwtje. Vandaag ben ik met een hart vol plezier naar het feest van Cora en Peter gegaan. Ik kon jou vertellen dat niets ons geluk in de weg staat. Maar je wist het al. Jij wilde het mij zeggen."

Sjoerd bleef die nacht in het huis van de familie Brandenberg slapen in de kamer die mevrouw hem eerder op de avond had gewezen.

„Je ziet maar wat je doet, Sjoerd. Ik geloof dat het verstandiger is als je na zo'n drukke avond en wat drinken niet het hele eind terugrijdt naar Friesland. Je ligt veiliger boven in bed!"

Nu zei hij: „Ik blijf hier. Morgenochtend rijden we samen naar Breehuizen. We rijden eerst naar de Oosterlaan, want jij moet je verkleden. Dan breng ik je naar school. Jij kunt niet wegblijven, maar ik neem een vrije dag. Ze kunnen me ook beter een vrije dag geven, want van werken komt niets terecht. Ik denk de hele dag aan jou en jubel van geluk. Als ik op tijd naar de zaak bel, neemt Anja de telefoon voor haar rekening en alle andere dingen regelen de jongens. Ik blijf bij je. We hebben zoveel te bepraten."

„We bezorgen u ontzettend veel drukte," zei Loudy de volgende morgen aan het vroege ontbijt. „U moet twee bedden verschonen voor één nachtje slapen."

„Kind, ik ben blij dat Sjoerd vannacht niet naar huis is gegaan. Ik ben bang voor zo'n nachtelijke rit en daar komt nog bij dat hij met zijn gedachten in de zevende hemel vertoefde en dat is gevaarlijk op de wegen. Maak je geen zorgen over de drukte, dat betekent niets. De lakens draaien lekker in een sopje in de wasmachine, daar hoeven we niets aan te doen. We vinden het plezierig jullie bij ons te hebben. En wij zijn als eersten getuigen van jullie verloving. Ja, want wie weet het deze morgen al? Je vader niet en Sjoerds ouders niet! Cora en Peter vermoeden wel iets, denk ik. Cora heeft steeds gezegd dat jullie ontzettend goed bij elkaar zouden passen. We vonden het fijn jullie hier te hebben en hopen dat jullie gauw nog eens komen."

„Dat willen we graag." Loudy lachte naar mevrouw Brandenberg. Cora had een schat van een moeder.

Ze reden vroeg in de morgen naar het noorden. Over het land hing nog een lichte nevel, de zon klom langzaam omhoog. Buiten was het fris, maar in de auto, met de verwarming aan, was het heerlijk. Loudy zou zo uren willen doorrijden, niet veel zeggen, hoewel er veel was om over te praten, maar dat kwam wel. Het voornaamste was bij elkaar te zijn.

„Waar denk je aan?" vroeg ze.

Sjoerd lachte.

„Die gedachten zullen je tegenvallen. Ik dacht heel nuchter, dat we niet veel tijd zullen hebben als we in Breehuizen aankomen. Jij moet je vlug verkleden, want je kunt niet in de feestjurk naar school en daar sta ik dan tegenover schoonpa."

Loudy schaterde. „Hij zal je zeker raar aankijken."

234

„Daar dacht ik over. Maar ik ben er niet bang voor. Dat lossen je vader en ik wel op."

„Hij weet van je bestaan."

„Maar meer ook niet, gelukkig." Hij grijnsde naar haar. Even voor acht uur stopte de auto voor het huis. Loudy zag vader die in de kamer stond. Hij liep meteen naar het raam en wachtte. Hij dacht dat meneer Brandenberg haar zou brengen. Zo was het immers afgesproken? Maar de man die uit de wagen stapte, kon onmogelijk meneer Brandenberg zijn, daar was hij te jong voor. Vader liep naar de voordeur en deed hem open.

„Hallo meisje, ben je daar weer? Leuk gehad?"

„Heerlijk, pap, en dit is Sjoerd, Sjoerd Rijswijk. Ik heb vaak over hem gepraat."

„Ja, ja," zei Tjeerd Swinkels en ze zagen allebei hoe hij naar Sjoerd keek.

„Kom binnen, jongen."

„Sjoerd blijft hier, pap, hij zal u alles uitleggen. Ik moet vlug naar boven om me te verkleden en daarna moet ik naar school, dat kan niet anders."

Ze liep de trap op. Ze keek even rond en zag vader en Sjoerd tegenover elkaar staan.

„Kom in de kamer. Het is een wat vreemde ontvangst, Zo aan de ontbijttafel, maar daar kan ik niets aan doen. Het is jammer dat Loudy geen vrije ochtend kan nemen. Als ze op een kantoor werkte, kon ze de spullen aan de kant schuiven of een ander nam haar werk over, maar dat gaat op hun school moeilijk. Ga zitten. Ik heb juist ontbeten, je ziet het, de hele boel staat nog op tafel. Ik dacht: ik laat het even staan. Als ze vroeg is, wil ze misschien nog een boterhammetje oppeuzelen. Maar dat zal niet lukken."

„Ik breng Loudy naar school, dan kom ik terug en zal ik u uitleggen wat er aan de hand is."

„Aan de hand is…?" Opeens lachte Tjeerd Swinkels. „Ik heb zo het idee dat ik dat al weet.."

Vroeg in de avond zaten ze met z'n drietjes in de kamer. Loudy had hun verhaal verteld.

„Ik begrijp dat je in Didam, toen je naar Sjoerd keek, in hem een gelijkenis zag met mij. Ik had vanmorgen hetzelfde. Maar ik denk dat het komt doordat we veel gewone overeenkomsten hebben. We zijn bijna even groot en hebben allebei iets hoekigs over ons, zoals andere mannen iets ronds kunnen hebben. Rechte schouders, en we zijn eerder te mager dan te dik. We hebben een rond hoofd, maar het is aan de kanten een beetje hoekig afgewerkt, zo zal ik het maar zeggen. Bij de kin bijvoorbeeld. We hebben allebei donkerblond haar, maar er zijn nog duizenden mensen met donkerblond haar. We hebben grijze ogen, maar ook dat is geen zeldzaamheid in Nederland. Ik had destijds een nichtje, Jetske heette ze, Jetske van Slooten. Een leuke meid met een ietwat rode wangen, blauwe ogen, die vaak lachten, een kleine neus, donkerblond, niet zo dik haar. Als ik op straat liep, kwam ik dikwijls een vrouw tegen die op Jetske leek. Niet sprekend, maar hetzelfde type. Zo is het bij ons ook."

Sjoerd knikte. Dat zou het zijn.

„Het kan erg vreemd gaan in een mensenleven," mijmerde vader.

Later zei Sjoerd, dat hij bij dit praten zo stilletjes voor zich heen, aan zijn moeder moest denken. Vader sprak op dezelfde manier, in zichzelf, maar toch blij dat iemand luisterde, nu hij alles wat voorbij was, nog eens aan zich voorbij liet trekken; hij bekeek het nu met andere ogen dan vroeger, wijzer, met meer afstand. „Ik ging met Lienie Grettema. Het was zo'n vrolijke meid." Hij schudde even met zijn hoofd, er was een glimlach op zijn gezicht. „Ze genoot van het leven. We waren echt gek met elkaar. De tijd was toen anders dan nu. Als de middelen om een zwangerschap te voorkomen toen zo gemakkelijk te verkrijgen waren geweest als nu, had Lienie die middelen zeker gebruikt en had er geen groot drama in ons leven plaatsgevonden. Men zei vroeger altijd dat het meisje er de dupe van werd. Maar dat was in ons geval niet zo. Het zwaarst heeft Geeske eronder geleden. Vreemd, dat ik nu Geeske zeg en niet 'mijn vrouw' of 'Loudy's moeder'. Geeske trok het zich vreselijk aan.

Ze wist niet of ik diep in mijn hart nog aan Lienie dacht. Het hielp niets of ik het ontkende. Geeske zei dat ik van Lienie had gehouden. Ik was toch geen beest dat als een mannetjesdier met haar had gepaard? Het stond voor haar vast dat ik nog steeds van Lienie hield. In grote verwarring gebracht door het praten van mijn broers en mijn moeder en de kletspraatjes in het dorp, had ik impulsief precies verkeerd gehandeld.

Ik liet Lienie los en pakte Geeske.

Dat geloofde ze en het liet haar niet los. Ze meende dat ik diep in mijn hart dolgraag terug wilde naar Lienie, maar dat niet deed omdat ik nu eenmaal met haar was getrouwd en zij een baby verwachtte.

Die gedachte maakte haar gek. Dat is geen goed woord, dat mag ik niet zeggen, want gek was ze zeker niet. Maar de gedachte hield haar gevangen, beheerste haar, ze kon er niet van loskomen. Het maakte echte liefde tussen ons niet meer mogelijk. Ik ben er vroeger boos en verdrietig om geweest, ik wilde vechten voor geluk, maar ik liep steeds met mijn kop tegen de muur en gaf haar de schuld van de verkoeling tussen ons. Later begreep ik hoe moeilijk het voor haar was geweest. Ze kon niet geloven dat ik ooit echt van haar had gehouden. Ze zei het eens heel cru: ze was een stop in het gat.

Het was zo jammer, zo jammer, want ik hield echt van haar. Zo maken mensen hun levens kapot. Ik eerst het mijne met Lienie, Geeske later het hare met mij. Lienie heeft niet lang gehuild. Ze had een andere natuur, zonniger, optimistischer. Ze heeft verdriet gehad, natuurlijk, ik had haar trouweloos en lafhartig behandeld, maar ze vergaf me. Ze wist hoe er over haar geroddeld was. Ze zag weer gauw toekomst. Ze was dol op het kindje en was ervan overtuigd dat ze geluk zou vinden. Ik denk ook dat ze dat heeft gevonden. Toen ik de laatste maal met haar praatte, had ze een vriend. Ik weet niet of ze met hem getrouwd is. Als je ouder wordt en veel alleen bent, zie je de dingen anders."

Hij keek op en zijn ogen gleden van Loudy naar Sjoerd. Hij glimlachte naar ze, maar ze voelden hoe ernstig hij was. „Jullie zijn nog jong. Als er in jullie leven iets komt – het zal heel anders zijn dan wat in mijn leven gebeurde – probeer dan het geluk niet kapot te maken."

HOOFDSTUK 14

Het voorjaar ging voorbij. Sjoerd kwam elk weekend naar Breehuizen en nu en dan reisde Loudy naar Friesland om bij Sjoerds ouders te logeren. Ze kon erg goed opschieten met Sjoerds moeder en met zijn stiefvader, een kalme, rustige man, met een stille, tevreden glimlach om zijn mond.

Op een dag in het begin van juni – op school werd al gesproken over de zomervakantie – vroeg vader. „Hoe gaat het nu verder, meisje? Ik denk dat jullie niet lang zullen wachten met trouwen. Je bent allebei niet piepjong meer en waarom zou je wachten? Jij hebt een aardig spaarbankboekje en Sjoerd zal dat ook hebben. Bovendien heeft hij een goede baan. Dat is belangrijk. Hij zal niet uit Friesland weggaan

om hier werk te zoeken. Dat betekent dat jij naar Oudewarden gaat."
Ze knikte.

„Het is niet anders, maar ik zie er verschrikkelijk tegenop. Je weet dat ik moeilijk alleen kan zijn. Wat moet ik alleen in dit huis doen, dag en nacht alleen, maar er is geen andere weg. Ik mag je niet tegenhouden en dat wil ik ook niet, maar ik mag wel zeggen dat ik je vreselijk zal missen. Dat weet je ook zonder dat ik het zeg."

„Wij hebben er ook over gepraat. Sjoerd stelde voor dat u dit huis verkoopt en bij ons in de buurt een andere woning zoekt."

Tjeerd Swinkels keek op. „Zou jij dat willen?"

„We zijn al zoveel jaren met elkaar omgesprongen, pap, u begrijpt toch wel dat ik niet graag ver bij u vandaan ben? We gaan inderdaad in Friesland wonen. Sjoerd heeft daar een goede baan, hij is graag bij zijn familie en heeft veel vrienden. Ik laat hier weinig achter. Weinig mag ik niet zeggen, u bent belangrijk genoeg," lachte ze, „maar u begrijpt wat ik bedoel. Ik laat weinig mensen achter. Ik heb geen echte vrienden en vriendinnen. Vroeger ging ik wel eens met Annet uit, maar u weet dat Annet met David is. Ik ben daar blij om. Ik hoop dat ze het erg goed met elkaar zullen hebben."

„Hier vandaan gaan…"

„Hebt u daar zelf nog niet aan gedacht?"

„Nee. Misschien klinkt dat vreemd, maar ik heb er nog niet aan gedacht. Ik ben gehecht aan dit huis. Toen ik uit Friesland wegging, had ik het gevoel dat ik verbannen werd. Ik mocht niet meer terugkomen, hier was mijn plek voortaan. Maar dat is natuurlijk niet zo. Jullie gaan niet wonen in mijn dorp Berawolde. De mensen zullen me niet kennen en als ze me kennen, och, het is allemaal zo lang geleden. De tijd is er met een glimlach overheen gestreken. Het is voorbij. Lieneke is groot geworden ook zonder Tjeerd Swinkels. Ze heeft hem misschien nooit gemist. Waarschijnlijk was er een andere man die lief voor haar was en ze had een moeder die haar als een warm zonnetje omringde en koesterde."

Loudy nam die woorden in zich op en bewaarde ze. Zo praatte vader nog over Lienie. Een warm zonnetje dat hun kind koesterde… Misschien was mama vroeger voor haar een zonnetje geweest, later niet meer. Moeder had haar verzorgd en van haar gehouden, maar als kind stond zij niet in de zon en ze had de stralen niet gevoeld. Het was meer een weten dat de warmte er was, verborgen achter een scherm.

Ze glimlachte om die gedachten. Maar er was gelijktijdig iets droevigs in.

„Maar ik ga niet met jullie mee, kind. Ik heb vorig jaar, met David, voorgesteld dat jullie hier in dit huis zouden komen wonen. Het huis is groot genoeg en het zou een goedkope oplossing zijn. Jullie wilden dat niet en ik heb daar later over nagedacht. Ik wist dat mijn voorstel hoofdzakelijk voortkwam uit eigenbelang. Ik probeerde mezelf wijs te maken dat het ook voor jullie leuk zou zijn. Het was immers voordelig en gemakkelijk? Ik zou melk nemen van de melkboer en brood van de bakker en ervoor zorgen dat de koffie klaar stond als jullie thuiskwamen, de kachel lekker warm in de winter, ik zou de aardappelen schillen en de spinazie wassen, ik noem maar wat. Dat praatte ik mezelf als voordelen voor jullie aan. Maar ik kan mezelf niets meer wijsmaken, het was in werkelijkheid alleen eigenbelang. Niet alleen te hoeven zijn. Iemand die niet dagenlang alleen is, weet niet hoe dat is. Jij hebt er geen idee van. Dat is geen verwijt, begrijp me goed. Je huppelt 's morgens de deur uit naar de kinderen en collega's, praten, lachen, bezig zijn en zo gaat het de hele dag. Hier valt de stilte als jij de deur achter je dichttrekt. Het is fijn dat ik de radio kan aanzetten. Dan hoor ik muziek en er zijn veel praatprogramma's. Ze interesseren me lang niet allemaal, maar ik luister toch. Ik weet wel dat dat geleuter weinig uithaalt in de wereld. Mooie woorden, maar jij en ik hadden ze ook kunnen zeggen, er gebeurt niets mee. Maar er zijn tenminste stemmen om me heen en dat is fijn. Ik weet dus dat het zuiver egoïsme was toen ik jullie voorstelde hier in huis te komen. Jij kunt het niet helpen dat je vader alleen is achtergebleven. Je mag er ook niet de dupe van worden. Ik wil geen blok aan je been zijn."

„Als u bij ons in de buurt woont, kunnen we vaker bij u komen."

„Op de manier van 'we moeten nodig even naar vader'. Nee liever, laat mij maar hier. We zullen wel zien hoe het gaat. Misschien went het."

Loudy stond op. „Het is nog niet zo ver, Sjoerd en ik hebben nog geen huis. U kunt erover denken. Ik ga nu aan het eten beginnen. We eten op tijd, want ik heb een hele stapel schriften om na te kijken en dat wil ik vanavond doen."

Het onderwerp bleef in huis hangen. Terwijl ze de andijvie in smalle reepjes sneed, dacht Loudy over vader. „Ik ben nooit alleen," had Sjoerd gezegd. „Op mijn werk niet en thuis niet. Alleen 's avonds op mijn slaapkamer. Maar dan stap ik meteen onder de dekens en ga slapen. Ik weet niet wat het is om alleen te zijn, zoals je vader. Het lijkt me vreselijk, Loudy. En nu gaat het nog. Hij heeft zijn bezigheden in huis als jij weg bent, wat opruimen, met de stofzuiger door het huis knorren en afwassen. Hij weet dat jij om twaalf uur thuiskomt. Tafellaken over het kleed, de bordjes en de kaasstolp erop. 's Middags dut hij in zijn stoel, dan de krant lezen, naar de radio luisteren en om vier uur begint hij met de koffiepot te rommelen en de koektrommel klaar te zetten. Want jij komt zo. De meeste avonden ben je thuis. Maar wat wacht hem? Ik moet er niet aan denken, ik vind het zielig voor de man. Zijn leven zal volkomen doelloos zijn. Ik weet wat de mensen zeggen als je hierover praat. Hij moet aansluiting zoeken bij mensen van zijn leeftijd, maar zo oud is je vader nog niet. De bejaardensoos is niets voor hem en hoe komt hij aan geschikte mensen om bij op bezoek te gaan? Het is verschrikkelijk moeilijk. Ik wil niet voorstellen met hem in één huis te wonen, dat lijkt me niet prettig, maar als hij bij ons in de buurt woont, kan hij langskomen en wij kunnen hem opzoeken. Al is het af en toe maar een uurtje, dan heeft hij iets om naar uit te kijken. Als wij in Oudewarden wonen en hij blijft hier' komen we af en toe een middagje, meer niet."

De andijvie was gesneden. Ze waste de groente in een grote bak. Zo praatte Sjoerd over vader. Heel anders dan David. Lieve Sjoerd.

Vader durfde de stap misschien niet te doen. Veel zou hij niet achterlaten. Alleen een huis van stenen en hout. En veel herinneringen, maar meer droeve, verdrietige herinneringen dan beelden van geluk. En herinneringen draag je vanbinnen. Die neem je mee, waarheen je ook gaat, die zijn bij je, waar je ook bent.

Die zaterdagmorgen zat Loudy in de tuin. Het was een prachtige zomerdag, de zon stond stralend aan een blauwe hemel. Ze hadden buiten koffiegedronken, vader en zij. Hij was naar binnen gegaan om de krant in te kijken. Buiten de krant lezen vond hij niet prettig. Hij kon de bladen niet wijduit voor zich op tafel leggen en als de zon op het bijna witte papier scheen, dansten de lettertjes voor zijn ogen.

Loudy leunde zalig lui achterover in de gemakkelijke tuinstoel, met haar gezicht naar de zon gekeerd, de ogen dicht. Ze hoorde de kinderen van de buren naar elkaar roepen. De hond van meneer Meester gromde.

Gistermiddag had ze tegen Robbert Bakker gezegd dat ze na de zomervakantie niet meer op school kwam. Hij wist er al van, natuurlijk, maar nu was het definitief. Sjoerd en zij gingen gauw trouwen. „Ik vind het voor jou heerlijk, Loudy, dat weet je. Ik hoop dat jullie heel gelukkig worden, maar voor de school en de kinderen is het jammer, je bent een lief juffie en een fijne collega."

Ze zou het wereldje ook missen. Maar ze verlangde naar een leven met Sjoerd samen. Hij kwam straks. Gisteravond had hij gebeld. „Ik kom morgen wat later, meiske, want ik ga eerst naar een huis kijken. Er komt een leuk huis te koop. Jammer dat je niet hier bent, dan gingen we samen. Maar ik kan er niet mee wachten tot je volgend weekend of pas het weekend daarna komt, want dan is het huis hoogstwaarschijnlijk al verkocht. Het is van een kennis van Kees, een van mijn collega's. De man wordt overgeplaatst naar Rotterdam. Kees vertelde het me vanmorgen. Niemand weet het nog, zei hij, want ze willen geen mensen aan de deur en nog minder mensen over de vloer om alles te bekijken, maar ik mag wel komen. En dat is afgesproken voor morgenochtend."

Nu was Sjoerd misschien in dat huis. Hij liep door de kamers, die misschien eens hun kamers zouden zijn. Nu was het huis nog vreemd en Sjoerd keek er met keurende ogen naar. Hoe groot was het, was het goed gebouwd, was het aan onderhoud toe, lekten de regenpijpen?

Het was nuchter en zakelijk kijken. Over een paar jaar was het misschien helemaal hun eigen plekje, hield het hun leven tussen zijn muren, hun geluk, hun verwachtingen, hun verdriet ook. Soms kon ze zich een duidelijke voorstelling maken van hoe het zou zijn als ze getrouwd waren. Sjoerd tegenover haar aan tafel, Sjoerd naast haar in bed, het was zo duidelijk en vanzelfsprekend. Het kon alleen Sjoerd zijn naast haar. Soms leek het te mooi om erover te kunnen dromen. Het was of ze het niet durfde.

Ze soesde wat weg.

Vader kwam het terras op. Ze hoorde zijn voetstappen, maar bleef met gesloten ogen liggen.

„Hoe laat komt Sjoerd?"

„Vanmiddag pas. Hij gaat vanmorgen naar een huis kijken. Een kennis van een collega gaat verhuizen. Het moet een leuk huis zijn. Sjoerd kent het natuurlijk wel van de buitenkant, want hij weet welk huis het is. Hij kent bijna alle huizen in het dorp. Hij gaat er vanmorgen heen. Alleen kijken natuurlijk. Als het wat lijkt, zullen we er eerdaags samen heengaan."

Ze zag vader niet, maar wist hoe hij nu stond. Een beetje gebogen, maar met een begrijpend knikkend hoofd.

„Het is het huis dat wij zoeken," zei Sjoerd die middag enthousiast. Even dacht Loudy aan David en het huis aan de Vierdesloot. Toen was het anders, heel anders. Ze wilde toen denken: „Wat ben ik er blij mee," maar ze was niet echt blij. Nu was ze dat wel, blij en nieuwsgierig. Ze was er opgewonden van. „Vertel gauw!"

„Het is niet zo groot. Een huis duidt men wat grootte betreft, vaak aan met het aantal slaapkamers, welnu, in dit huis zijn er drie."

Hij lachte naar haar. Dat lachje betekende: een voor ons, een voor onze zoon en een voor onze dochter.

„Dan kun je voorlopig vooruit," zei vader.

„Eerst maar vertellen over beneden. Een flinke kamer, een grote keuken, ja, echt groot, zeg maar een woonkeuken. Een gang natuurlijk en een toilet – zonder zo'n ding valt het ook niet mee – een bijkeuken en een flinke schuur. Het is een vrijstaand huis, rondom grond dus. Niet echt veel, achter het huis is de tuin een meter of vijf dieper dan de tuin hier en hij is breder, want naast het huis ligt aan weerskanten een strook grond van een meter of drie, vier." Hij vertelde verder over het huis, Loudy en vader luisterden en vroegen het een en ander.

„Ik heb met de mensen afgesproken dat we volgende week samen komen kijken. Ze hebben een vaste prijs in hun hoofd, of liever gezegd: hij heeft die in zijn hoofd. Er valt niet over te handelen. Dat vind ik jammer, want ik mag het spelletje van loven en bieden wel. Maar het mannetje wil dat niet. Het is echt het type van: zo en niet anders, dat heb ik in mijn hoofd en dat zal ik ook krijgen. Is het niet van ons, dan wel van een ander. En daar heeft hij gelijk in, want de prijs is niet extreem hoog. Wij zijn de eerste gegadigden."

De volgende zaterdag ging Loudy naar Friesland. Met de bus over de Afsluitdijk. Sjoerd stond in Sneek te wachten toen ze uitstapte.

„Zullen we eerst ergens een kopje koffie drinken? Je hebt al een ritje achter de rug. Dan gaan we samen naar de familie Gelderman. Het zijn een beetje vreemde mensen. Stug en stijf, ze zeggen niet veel en kijken nogal argwanend. Misschien vinden ze het idee niet leuk dat je met een kritische blik door hun huis loopt, maar dat kan nu eenmaal niet anders als je een pand dat je wilt kopen, gaat bekijken. Verder zijn ze wel geschikt."

Ze dronken koffie in een klein, gezellig restaurantje. Ze zaten voor het raam. Er liepen een paar vrouwen met boodschappentassen voorbij en een klein jongetje met een voor hem te grote hond aan de lijn.

„Je moet het huis wel met open ogen zien," zei Sjoerd over zijn koffiekopje heen. „Ik bedoel dat je er niet aan moet denken hoe wij samen aan de tafel in de woonkamer een zalig etentje zullen verorberen, of hoe wij in ochtendjassen in de keuken aan het ontbijt schuiven of wij samen in de slaapkamer. Je moet echt kijken of het een praktisch huis is en of je je er thuis zult kunnen voelen. Dat is vreselijk belangrijk. Tenslotte kom je in een heel andere gemeenschap terecht. Friezen zijn echt aardige en goede mensen. De verhalen dat je je nooit bij hen kunt aansluiten, zijn gewoon kolder."

Loudy dacht: ik kom uit Noord-Holland, maar ik heb me nooit bij de mensen aangesloten. Dat ligt aan mezelf. „Ik zal niet aan jou denken. Met jou is zelfs een klein krotje en een potkacheltje een hemeltje op aarde."

Sjoerd knikte tevreden. „Je snapt precies wat ik bedoel. Maar na een week wil je mijn kousevoeten niet meer voor het potkacheltje, want dat stinkt, en het krotje is je te klein. Je kunt me niet ontlopen en ik wil je steeds vasthouden en zoenen." Ze lachten erom, rekenden af en reden naar Oudewarden.

Het was een leuk huis. Loudy dacht: het lijkt op het huis aan de Vierdesloot. Dat was ook een leuk huis. Ze dacht eraan toen ze naast Sjoerd stond en van buitenaf naar het pand keek. Het had niet aan het huis gelegen, dat was best leuk geweest. Het was om David geweest. Ze wilde er niet met David wonen. Maar nu was het anders. Ze wilde het liefst hier zo vlug mogelijk met Sjoerd wonen. Ze drukte even zijn arm. Gelukkig kon hij haar gedachten niet lezen.

Een kleine, gezette man met donkere, priemende ogen en zwart haar deed de voordeur open.

„Kom binnen, jongelui," hij lachte naar Loudy – „mijn naam is Gelderman."

Zijn vrouw kwam de gang in. Een magere vrouw, groter dan hij, met dik, blond haar en kinderlijke blauwe ogen.

„Zullen we eerst het huis bekijken, dat is toch het voornaamste." Meneer Gelderman keek weer naar Loudy. „Uw verloofde heeft het al gezien, maar voor u is het nieuw. Ik zal er dus nog eens een en ander over vertellen. Als we het huis hebben gezien en u hebt nog belangstelling, praten we verder. Maar als u zegt," opeens lachte hij vrolijk, waardoor zijn hele gezicht veranderde – „ik heb het al gezien, hier wil ik nooit van mijn levensdagen wonen, kunt u de voordeur weer uitstappen, ha, ha!"

„En mijn koffiepot dan?" haakte de vrouw in, „ik heb een grote pot vol koffie gezet."

„Die drinken we in elk geval met zijn vieren leeg," vulde Sjoerd toen aan. Later zei hij: „Zo kun je je in mensen vergissen. Ik vond ze stijf en stug en jij komt erbij, mijn zonnetje, en ze zijn opeens humoristisch."

Loudy was weg van het huis. Niet te groot en niet te klein. Vanaf de achterzijde van de kamer en vanuit het keukenraam had het vrij uitzicht over de weilanden, aan de voorkant van het huis liep een brede straatweg, waarlangs het verkeer ging.

„U hoeft natuurlijk niet direct een beslissing te nemen," zei meneer Gelderman tijdens het koffiedrinken. „Misschien wilt u er een deskundig persoon bijhalen die advies kan geven over de bouw en de staat van onderhoud van het pand. Daar bent u vrij in. Het is tenslotte geen kilo suiker die u koopt en een mens kan niet overal verstand van hebben. Ik kan u zeggen dat het huis goed is onderhouden en dat u de eerste jaren beslist niet aan grote kosten toe bent. Of u moet grote veranderingen willen aanbrengen, dan is het natuurlijk een andere zaak."

De man had een vreemde manier van spreken. Kort en afgemeten. Na drie of vier woorden wachtte hij even.

Ze spraken af dat ze binnen een week zouden zeggen of ze het huis wel of niet wilden kopen.

„U weet de vraagprijs." De pientere ogen keken nu naar Sjoerd. Volgens meneer Gelderman gaat de man over de centen, dacht Loudy met een grijns. „En daarvan is niets af te dingen. Wel bij te voegen, ha, ha, maar dat zult u niet doen. Dat is niet gebruikelijk." De blauwe ogen van de vrouw lachten.

„We gaan eerst naar je vader en moeder," stelde Loudy voor toen ze weer in de auto zaten. „Ik weet dat ze op ons wachten. Ze zullen nieuwsgierig zijn naar de berichten over het huis. Wij samen hoeven er niet meer over te praten of we het wel of niet willen hebben. Ik vind het een heerlijk huis, een huis om van te houden, een huis om je in thuis te voelen, om naar te verlangen als je ver weg bent."

Ze keek hem van opzij lachend aan en hij knikte: ga nog even zo door, betekende dat. „Een huis om het samen gezellig te hebben, maar ook een huis dat roept om lachende en huilende kinderen."

Sjoerd hield met één hand het stuur vast, zijn andere hand legde hij op haar bovenbeen.

„Ik ben het helemaal met je eens, lieveling. En de prijs is echt niet gek."

Sjoerds moeder, of, zoals ze in huis vaak werd genoemd, 'memme' zat in haar stoel bij de grote tafel die voor het raam stond. Ze zag de auto voor het tuinhek stoppen, schoof het gordijn opzij en zwaaide naar hen. Vader Rijswijk liep over het pad naast het huis op hen toe.

„Jullie hebt het uitgehouden, zeg. Memme dacht dat jullie vandaag bij die mensen te gast bleven, maar dat is toch niet zo. Dag Loudy, dag meisje. Hoe is de reis gegaan vanmorgen? Het is toch een heel eind, door de Wieringermeer en dan over de Afsluitdijk."

„Ja, maar ik word er niet moe van. Ik zit rustig op mijn plekje in de bus en hobbel mee."

„Dat is waar. Als je het hele stuk moest fietsen, was het minder leuk." In de kamer stond de koffiepot nog op het lichtje.

„Wij hoeven geen koffie meer." Loudy begroette haar aanstaande schoonmoeder met een dikke zoen. „We hebben bij mevrouw Gelderman een knots van een koffiekan leeggedronken. Hoe is het? U ziet er goed uit."

„Ik voel me ook goed, kind. Ik houd me gehoorzaam aan de regels van de dokter. Een kind is niet altijd gehoorzaam omdat het niet snapt dat alles wat hem wordt voorgehouden, goed voor hem is, maar ik ben langzamerhand zo verstandig om dat wel te weten. Vertel nu over het huis. Ik ken dat huis goed. Het is een jaar of veertig geleden gebouwd voor meneer Steggerda en zijn vrouw. Die waren in hun jonge jaren naar Suriname gegaan om daar rijk te worden. Of ze dat echt is gelukt, weet ik niet, maar toen ze hier terugkwamen, konden ze dat huis laten zetten. Ze hadden geen kinderen meer thuis, en wilden dus geen grote woning. Ik heb het altijd een enig huis gevonden. Een jaar of tien geleden zijn de Steggerda's naar een bejaardenflat gegaan en toen kwamen de Geldermannen erin. Hoe vond jij het?"

„Een heerlijk huis, net wat u zegt, niet te groot en niet te klein."

Ze spraken uitgebreid over het huis en over de koopsom. „Ik geloof het direct als je zegt dat er met Thomas Gelderman niet te onderhandelen is," meende vader. „Het is geen beroerde kerel, maar wel een beetje vreemd. Maar de prijs is niet te hoog als je zeker weet dat het pand goed is onderhouden. En ook dat geloof ik direct. Zo is Gelderman. Ik weet niet hoe jullie met geld zitten," zei hij met een blik naar Sjoerd, „maar je weet dat wij, moeder en ik, jullie willen helpen."

Loudy bleef het weekend in Oudewarden. Praten over het huis, over de familie, over haar vader en over nog zoveel dingen.

„Weet je wat we morgen gaan doen?" vroeg Sjoerd toen ze 's avonds door het dorp wandelden.

„Geen idee, schat."

„Morgen gaan we naar Berawolde." Ze bleef staan. Ze had er zelf aan gedacht, al eerder, maar wat had ze te zoeken in Berawolde? Niets. Of toch? De twee broers van haar vader, Jochem en Johannes. Woonden ze er nog, leefden ze nog…? Het waren nu oudere mannen. En de twee zusters van vader, Djoeke en Martha? „Die zijn vast en zeker getrouwd," had vader over hen gezegd. „Het waren keurige, leuke meiden." Misschien waren ze weggetrokken uit Berawolde.

„Ik heb erover gedacht, Sjoerd, en ik heb er misschien wel wat te zoeken, twee ooms en twee tantes, hoewel ik ze zo nooit genoemd heb. Maar ik zal ze niet vinden omdat ik niet weet waar ik moet zoeken. Ik weet het huis niet waar vader vroeger woonde. Het ligt aan een water maar of het een brede vaart was of een smalle sloot, daar heb ik geen idee van."

„We gaan toch kijken. Eerst alleen kijken." Ze reden de volgende morgen na koffietijd weg.

„Waar gaan jullie heen?" vroeg memme, niet uit nieuwsgierigheid, puur uit belangstelling.

„Ik ga Loudy haar toekomstige land laten zien, ons mooie Friesland. We toeren wat in de omgeving rond, een paar dorpen bekijken, misschien pakken we Sneek met de waterpoort erbij."

Het was een prachtige zomerdag. En het was rustig en stil, echt zondagmorgen. Loudy zat naast Sjoerd en wilde liever niet praten.

Naar Berawolde. In dat kleine dorp had vader gewoond. Als jochie had hij over de stenen van de dorpsweg naar school geHold, hij had er met zijn vriendjes gespeeld. Loudy herinnerde zich dat hij over de begraafplaats had verteld, waar ze als kinderen kwamen, omdat je er zo van de weg af op kon lopen. „We hadden er niets te zoeken," zei hij, „ik was er altijd een beetje bang. Die grafstenen, de namen erop en het idee dat daaronder mensen lagen. Toen ze begraven werden, waren ze nog vrij gaaf, maar wat was er nu van die lichamen geworden?"

Hij wist dat het hem als kind vreselijk had beziggehouden. Nu waren ook zijn ouders daar ter ruste gelegd.

Ze zouden langs het kerkhof komen en er misschien gaan kijken. Misschien wilde Sjoerd vragen waar de familie Swinkels had gewoond, misschien zouden ze het huis zien. Misschien woonde Jochem er of Johannes. Er was zoveel: misschien… Vader had gezegd: „Het waren grote, eigenlijk lelijke jongens met stug haar en vaak rode gezichten van het werken in de buitenlucht. Geen prettige jongens. Daarom kregen ze ook niet gauw een vrouw."

Ze zou Jochem en Johannes wel willen zien, maar niet willen ontmoeten. Niet met ze praten.

Ze reden het dorp binnen. Het was er stil en vredig. Over de brede straatweg liepen een paar vrouwen, die met elkaar praatten. Een man fietste voorbij.

Ze reden verder. Hier moest de kern van het dorp zijn, het stelde niet veel voor. Een kerkje, daarnaast een kruidenierszaak, waar men ook bezems en stoffers verkocht. Ze hingen achter de grote winkelruit.

Sjoerd parkeerde de auto op het pleintje naast de kerk. Daar werd een dienst gehouden. Ze hoorden het zingen van de gemeente.

„We gaan lopen." Ze stapten uit en Sjoerd draaide de portieren van de wagen op slot.

Hij nam haar bij de arm. Loudy dacht: welke kant moeten we uit om het huis van vaders ouders te vinden? 'Mijn grootouders' kon ze niet denken.

Sjoerd zei: „We gaan eerst wat lopen, lieveling en dan kijken we of we iemand iets kunnen vragen."

„Wat wil je vragen?"

„Ik wil vragen waar Grettema woonde, misschien is het winkeltje er nog. Het zal nu geen schoenwinkel meer zijn, misschien is het een woonkamer geworden. En het werkplaatsje is nu keuken. Er zullen mensen zijn, die weten wat er met Lienie Grettema is gebeurd. Misschien vinden we iets terug voor je vader."

Ze bleef staan, midden op de straatweg, dat kon, er was geen verkeer. Ze sloeg haar armen om zijn hals en kuste hem.

ER IS EEN WEG NAAR MORGEN

HOOFDSTUK 1

Hand in hand liepen Sjoerd Rijswijk en Loudy Swinkels die zondagmorgen in juli in de dorpsstraat van Berawolde, het kleine dorp in Friesland waar Loudy's vader was geboren en waar hij zijn jeugd had doorgebracht. Hij was eruit weggegaan na zijn huwelijk met Loudy's moeder en hij was er nooit meer naar teruggekeerd. De reden van dat vertrek was Loudy nu bekend. Ze zocht er in de voorbije jaren naar en vond het. Het was een verhouding, die haar vader had met een meisje uit dit zelfde dorp; ze heette Lientje Grettema. Uit die verhouding werd een kind geboren, een dochter. Door gemene opmerkingen over Lientje van zijn broers en moeder liet Loudy's vader het meisje met haar moeilijkheden alleen.

En nu, zoveel jaren later, liep Loudy hier met Sjoerd, de man waarmee ze gauw zou gaan trouwen, op zoek naar meer gegevens over dat wat toen gebeurde.

Het dorp lag vredig te midden van de weilanden, waarin de koeien deze dag loom hun koppen bogen naar het malse gras en er rustig van aten. Ze hadden geen haast. De zon stond hoog aan de hemel en het weiland was groot en groen.

Aan de oever van de vaart, die langs de weilanden naar het dorp liep, stond deze morgen statig en rank een blauwe reiger, maar er was geen mens om naar hem te kijken. Het deerde de vogel niet.

Het was stil in het dorp.

Loudy's voetstappen klonken op de stenen. De zon scheen mild, het licht werd gezeefd door de bomen langs de straatweg. Een heerlijke zondagmorgen. De tuinen rond de boerderijen en huizen waren keurig onderhouden, alsof de zwarte grond tussen planten en struiken voor de rustdag was aangeharkt. Misschien was dat ook zo. De paadjes van kleine steentjes waren geveegd, in een van de tuinen stond op het gazonnetje een tuinkabouter met een schepje in de hand. Hij deed er niets mee.

Er was geen mens te zien. Het kwam Loudy bijna onwerkelijk voor. Het was of ze droomde en het niet echt beleefde. Ze liep in dit dorp van vader en het dorp was net als meer dan vijfentwintig jaar geleden. Ze kon door de dorpsstraat lopen, op het plein staan en naar de huizen kijken. Toch was er iets wonderlijks, er waren geen mensen. Het was alsof alles stilstond en de adem inhield, om zich aan haar te laten zien en om haar te zien. Het beklemde haar een beetje. Sjoerd had gezegd: „Alle mensen zitten in de kerk. We kunnen voor de ramen van de huizen gaan staan en rustig naar binnen kijken." Ze hoorde in zijn stem een lichte trilling.

Hij voelde ook de sfeer om hen heen.

„Welke kant zullen we uitgaan?"

„Het maakt niet veel verschil welke weg we het eerst nemen, we weten niet waar we moeten zijn. Maar ik denk dat we terug moeten naar het plein. De werkplaats van Grettema zal in die buurt gestaan hebben."

De werkplaats van Grettema... Lientjes vader was schoenmaker en in de ruimte, waar hij de schoenen van zijn klanten van nieuwe zolen en hakken voorzag, hadden Loudy's vader en Lientje elkaar in de avond, ontmoet.

Ze liepen terug. En stonden stil op de hoek. „Dit is het centrum." Sjoerd drukte haar hand en hij lachte even om dat 'centrum'. „Het stelt niet veel voor, de kerk en de zaak van Jan Hoeksema."

De naam was in sierlijke krulletters op de winkelruit geschreven. „Het kan niet missen. Kijk, daar op de hoek, het huis met het brede, lage raam, dat kan vroeger ook een winkel zijn geweest."

Ze liepen erheen. Langzaam, bijna slenterend, alsof het toevallig was dat ze hier waren. Maar hun ogen namen alles scherp op. Voor het raam hingen helderwitte gordijnen en er stonden broeiende planten in gekleurde sierpotten, donkergroen en grijs, op de vensterbank. Ze keken door het venster naar binnen. Er was niemand te zien. In de kamer stond een grote tafel. Er lag een donker, pluchen kleed op. Een vaasje met bloemen op een wit, gehaakt kleedje, een onderzettertje van spiegelglas onder het vaasje. Aan elke kant van de tafel stond een stoel met een hoge rugleuning en armleuningen. Meer konden ze niet zien. Ze durfden niet stil te blijven staan.

Het huis stond op de hoek van een smalle straat. Ze liepen de straat in.

„Ik denk dat we het al gevonden hebben, hier is de vroegere winkeldeur."

Sjoerd praatte zachtjes, je wist nooit of er toch iemand in de buurt was, in het huis misschien, boven, in de slaapkamer. Er kon een raam op een kier openstaan. Of er kon iemand in de gang zijn, achter de gesloten deur. Ze liepen langzaam verder. Een lage aanbouw met drie kleine vensters, dicht naast elkaar. En een oude deur.

Loudy knikte. Dit was de werkplaats geweest van Klaas Grettema.

Achter de ramen was vroeger de werkbank. Er lagen toen schoenen op die gerepareerd moesten worden, met doorgesleten zolen en scheefgelopen hakken. Er zouden stukken leer en rubber gelegen hebben, lijm en spijkers, een hamer en er stond een schoenmakersleest. En in dit hokje, want het was maar klein, vrijde vader met Lientje en verwekte een kind.

Op de vloer. Op een paardendeken. De warmte, die de nagloeiende eierkolen in het potkacheltje gaven, was om hen heen. Het was bijna niet voor te stellen, vader met zijn grijze haar, zijn rimpels en zijn pijnlijke been. Maar ze kon hem zien als sterke, jonge vent, met zijn handen het meisje vasthoudend, dat hem uitdaagde, kirrend lachte en hem zoende.

„Ze had mooie borsten en ze maakte me gek." Hier moest het gebeurd zijn.

Wat op een van die avonden gebeurde, veranderde het leven van Lientje Grettema en van haar ouders, van Loudy's vader, die er zijn familie door kwijtraakte en van haar moeder, die eronder leed en het nooit kon loslaten.

Lieneke moest nu dertig jaar zijn. Vader had verteld: „Mijn moeder zag het kind, want Lienie liep er natuurlijk mee in het dorp."

Het kind was toen twee jaar. Het leek op vader. Er was geen twijfel mogelijk. En in die tijd was haar moeder zwanger van haar.

De straat liep met een omweg terug naar het plein en kwam achter de kerk uit, maar er was nog een straat rechtsaf. Die wandelden ze in en opeens stonden ze bij de vaart. Het was geen breed water. Aan weerskanten was een geasfalteerde rijbaan. Als een rechte lijn leidden vaart en wegen naar het volgende dorp. Aan beide kanten van de vaart stonden huizen, maar niet veel. Aan elke kant misschien tien. Dan nog een grote boerenplaats aan deze kant en een kleine fabriek aan de andere kant van het water.

„We nemen eerst deze kant," besliste Sjoerd en Loudy knikte; het maakte niet uit. De huizen zagen er keurig uit. De kozijnen waren in donkergroen en wit geschilderd, mooie voordeuren met matglas en keurige tuinen met veel bloemen.

„Dit is het niet," zei Loudy, „maar aan de overkant, Sjoerd, dat lage huis... Daar is in jaren niet veel aan gedaan, dat moet het zijn."

Waarom juist die slecht onderhouden woning... Waarom zouden haar ooms, en misschien haar tantes, het huis niet goed onderhouden? Ze nam zonder meer aan dat het ietwat vreemde, rauwe mensen waren, want vader had gezegd: „Jochem en Johannes waren grote kerels met rode koppen, ze waren driftig en ruw."

Ze wist dat dit het huis was waarin vader werd geboren en zijn jeugd doorbracht. Hij was hier nooit meer geweest en toch was het dichtbij en bereikbaar. Hij kon in de trein stappen en erheen reizen en alles zien, maar hij deed het niet. „Ik voelde me verbannen," zei hij. En zij zocht naar wat er was tussen haar ouders en wist het lange tijd niet, maar hier lag, open als een prentenboek, het verhaal. „In het water voor ons huis, de vaart, visten we als kinderen..." Dat was hier dus.

„Het zou me niet verbazen als die twee broers van je vader er nog wonen. Het is een kluizenaarswoning en er is kennelijk geen soppende, schrobbende vrouw over de vloer, want het ziet er niet bepaald schoon uit. Vuile gordijnen, geen plantje voor het raam en rommel op het pad naast het huis."

Loudy knikte alleen.

„We lopen tot het eind van de huizen, dan gaan we terug. Jammer dat er hier geen brug is over het water, dan konden we ongemerkt langs het huis lopen, alsof we een blokje om kuieren. Nu zien spiedende ogen ons. Misschien de ogen van Jochem. We moeten eerst maar naar het dorp om aan de overkant te komen."

Ze liepen langs het huis. Er was niemand te zien. Wel blafte een kleine hond, die op het erf naast het huis rondscharrelde.

„De ooms zitten in de kerk of ze liggen nog in hun bed," dacht Sjoerd. Ze liepen terug.

Toen ze op het plein waren, gingen de kerkdeuren open en kwamen de kerkgangers naar buiten. Het waren er niet veel. De meesten droegen hun kerkboek in de hand, maar er waren geen twee mannen bij van omstreeks zestig jaar, die met elkaar over het plein in de richting van de vaart liepen.

„We gaan wat drinken in het dorpscafé. Misschien ontmoeten we iemand die ons meer kan vertellen. Daar moeten we het nu van hebben. En we vinden zo iemand zeker, want de meeste mensen willen graag praten en laten horen wat ze weten. Ik geloof ook in toevalligheden. Vaak gebeurt er net wat we nodig hebben. Dat is de voorzienigheid, de weg van het lot. Kom mee."

In het café was het roezemoezig druk. Rond het biljart, dat achter in de zaal stond, liepen twee jongemannen in overhemd. De keu in de handen. Met loerende, spiedende ogen volgden ze de ballen op het groene laken. Vanaf de stoelen langs de kant keken een paar mannen van middelbare leeftijd goedkeurend toe.

„In bêste bal, Rinse!" riep er één. En Rinse lachte. „Ja, mar nou fierder."

„Dat is de keunst." De toeschouwer lachte.

Op de hoge krukken aan de bar zaten jongelui. Ze keken even naar Sjoerd en Loudy. Vreemdelingen. Maar in de zomertijd kwamen veel toeristen naar het dorp. Gewoon op doorreis. „Wat wonen de mensen hier vredig en mooi," zouden ze zeggen. Loudy dacht even aan het liedje van Wim Sonneveld: „Het dorp".

Langs de houten lambrizering was een tafeltje vrij.

Ze schoven op de gladde stoelen.

Een jong meisje, met dezelfde donkere ogen als de kastelein achter de tap, kwam naar hen toe en vroeg wat ze wilden drinken. Sjoerd bestelde koffie. Hij voelde de blik van de man achter de tap, die naar hen keek. Een nieuwsgierige blik. Op het gezicht lag de vraag, die hij mogelijk straks ging stellen: „Kan ik u ergens mee helpen?"

Maar misschien lag op hun gezichten de vraag: „Wie helpt ons verder?" Zonder een gesprek, een aanwijzing kwamen ze er immers niet. De man bracht de bestelling. Het was een grote man in een wit overhemd, dat over zijn te dikke buik spande. Hij zette de kopjes op het tafeltje. „Alstublieft, mevrouw, meneer." Toen vroeg hij: „Op vakantie? Friesland is schitterend om vakantie te houden."

„Het is voor ons niet bepaald een vakantiereisje."

Sjoerd praatte Fries, maar Loudy kon hem goed verstaan. Nee, het was geen vakantiereisje voor hen, gedachten aan vaders broers, Jochem en Johannes, trokken hen naar Berawolde en ook Lientje Grettema. Ze zou nu Lien heten.

„Kent u mensen in het dorp die Swinkels heten?"

„Eén. Johannes Swinkels. Hij woont aan de vaart."

„Heeft hij een broer?"

„Hij had een broer, maar die is overleden. Een jaar of zes geleden. Misschien is het alweer zeven jaar, de tijd gaat zo vlug. Bent u familie?"

„Ja." Sjoerd bleef hem vragend aankijken.

„Ik kan u wel iets vertellen over Johannes Swinkels."

De man keek naar Sjoerd. Hoe stond deze jonge vent tegenover Johannes? Hij was een Fries, misschien een neef of een achterneef. Veel was er niet te vertellen, maar als het de jongelui interesseerde,

waarom niet iets gezegd. „Ik kan u wel wat zeggen, maar veel bijzonders is het niet, er is niets geheimzinnigs rond Johannes. Loopt u
even mee naar de andere zaal, daar is het rustiger."

Ze liepen achter de man aan naar een zaal opzij van de gelagkamer.
Een grote zaal, die gebruikt werd voor vergaderingen en feestavon-
den met veel tafeltjes met bruin-beige kleedjes, stoelen met ronde
rugleuningen, kleine schemerlampjes aan de wanden en schilderijen
van Friesland. Gezicht op een van de meren, een bootje in het riet,
een grachtje in Leeuwarden, de waterpoort van Sneek.

„Ik zeg niets verkeerds als ik zeg dat de mannen Swinkels een beetje vreemd waren, moeilijk zelfs. Dat is geen liegen of roddelen, dat
is gewoon de waarheid. Ik weet niet hoe u in de familie zit…"

Sjoerd zei alleen: „Er is jarenlang geen contact geweest."

De man knikte en ging verder. „De twee broers, Jochem en
Johannes, bleven in het huis toen hun ouders waren overleden. Er
zijn nog twee zusters, die zijn allebei getrouwd en voorzover ik
weet, komen ze niet vaak bij hun broer, maar ik zie daar weinig van,
want ik kom zelden of nooit aan de vaart. Een enkele keer, op een
mooie zomeravond, om te vissen, maar ook daar heb ik weinig tijd
voor, mijn stekkie is hier."

Hij lachte even. „Die zusters wonen niet meer in het dorp. Waar ze
wel wonen, weet ik niet. Ik moet zeggen, dat de broers uitstekend
voor hun ouwelui hebben gezorgd. Van buiten ziet de boel er verwaarloosd uit…"

Hij wachtte even en keek naar hen. „Weet u waar het huis staat?"

En toen Sjoerd knikte, vervolgde hij: „Maar vanbinnen schijnt het
erg mee te vallen. Vooral nu Johannes er alleen woont. Met
Johannes is ook beter om te gaan dan destijds met Jochem, al leeft
hij eigenlijk buiten de gemeenschap. Hij was metselaar, niet bepaald
een fijn vakman, maar hij had er toch aardig kijk op. Ons café
bezocht hij eigenlijk nooit. Jochem kwam hier vaker. Maar Jochem
was een nare man. Dat kan ik gerust zeggen, al bent u naaste familie. Toen hij jonger was stond hij gauw met zijn knuisten klaar. Hij
wilde meteen vechten als hij dacht dat iemand hem te na kwam,
zelfs als hij dacht dat iemand om hem lachte.

Hij was erg achterdochtig. Als hij iets grappigs zei, wist je niet wat
je moest doen. Als je lachte, dacht hij dat je het niet leuk vond en
hem in de maling nam. Maar als je niet lachte was hij boos, omdat je
zijn grap niet waardeerde. Moeilijke mensen, dat slag. Vooral in een

café. Ik hield hem liever buiten de deur. Veel mensen in het dorp begrepen niet dat Johannes het met hem kon uithouden. Maar ja, dat groeide van jongs af samen op, moet je denken, ze wisten niet beter. Ik zei het al, Johannes is beter. Prettiger. Maar ik zou hem toch niet als mijn vriend willen rekenen."

De man lachte even, maar was direct weer ernstig, misschien beledigde hij deze jongelui. Hoewel hij vond dat je niet verantwoordelijk bent voor het moeilijke karakter van je oom of achterneef…

„En de familie Grettema?" vroeg Sjoerd.

Het gezicht van de kastelein veranderde opeens. Het was niet te zien wat hij dacht en wat hij wist. Zijn ogen werden sluwer, doch hij zei op dezelfde, prettige en behulpzame toon van daarstraks: „Grettema, u bedoelt de schoenmaker?"

„Ja. We weten dat hij een schoenwinkel had."

„Dat was wat we hier noemden 'd'olde Grettema'. Die had een schoenwinkel en een schoenmakerij. Maar oude Grettema is dood en zijn vrouw ook. Een jaar of acht geleden zijn ze kort na elkaar gestorven. Hun zoon Wim heeft het nog een poosje geprobeerd met de schoenwinkel, maar hij was geen schoenmaker. Hij moest het dus hebben van de verkoop van schoenen en pantoffels en dat ging niet, daar is het dorp te klein voor. Veel mensen kopen hun schoenen in de stad. Als de vrouwlui naar Sneek of Heerenveen gaan om een nieuwe jurk te kopen of een mantel, kijken ze daar meteen naar schoenen. Er is meer keus. En vaak nog goedkoper ook. Voor de jongelui geldt hetzelfde. Wim Grettema is ermee gestopt. De winkel is verkocht en verbouwd tot woonhuis. Jaap Rosselaar en zijn vrouw wonen er. Het is een leuk huisje geworden."

Ze knikten allebei.

„Grettema had ook een dochter, Lien. Ze is weduwe, sinds een jaar of vier. Haar man heeft een trap gehad van zijn paard dat op hol sloeg. Het was een vreselijk ongeluk. Hij had het dier al een paar jaar en hij was er goed voor. Het was trouwens een fijne vent, Egbert van Rijssen, een goede boer ook. Hij was met het paard op weg naar het land toen het beest ergens van schrok. Egbert probeerde hem te pakken en te kalmeren, maar het dier was wild en steigerde en trapte Egbert in de buik. Vreselijk. Het hele dorp was er kapot van. Ze brachten Egbert direct naar het ziekenhuis in Sneek. Daar heeft hij nog twee dagen geleefd, maar vraag niet hoe. Ze konden hem niet redden."

„Verschrikkelijk."

„Ja, zeg dat wel, verschrikkelijk. Egbert heeft tegen een verpleegster in het ziekenhuis nog gezegd, maar hij kon bijna niet meer praten, dat het niet Rody's schuld was. Zo heette het paard: Rody. Natuurlijk was het dat niet, ze waren echt op elkaar gesteld, de baas en het paard, Rody wilde Egbert geen kwaad doen, maar het dier was bang en radeloos en wist niet wat het deed. Lien woont nu in de Waterstraat, dat is achter de kerk rechtsom. Het gaat goed met haar, voorzover ik weet tenminste, maar ze is niet meer de vrolijke vrouw van vroeger. Voor het ongeluk was het een pracht mens. Ik bedoel niet om te zien, maar om mee om te gaan. Vrolijk, ze lachte aanstekelijk en ze had zoveel humor. Als er iets te doen was hier in de zaal, kwam ze altijd met Egbert. We laten in de wintermaanden toneelgroepen komen en cabaret en muziek en daar is belangstelling voor. De mensen willen in die donkere tijd hun huis wel eens uit, er zijn te veel lange avonden. En iedereen ziet iedereen dan weer en kan bijpraten. Egbert en Lien kwamen bijna altijd, ze waren erg geliefd in het dorp, iedereen mocht ze. Dat geldt voor Lien nu nog, maar het is toch anders, een vrouw alleen. Onlangs zei Klaas Vriendstra dat nog tegen me. Hij vond het niet goed van zichzelf, maar het was toch niet zo prettig als zijn vrouw en hij een avondje naar Lien van Rijssen gingen. Vrouwen praten over andere dingen dan mannen. Vroeger kon hij met Egbert babbelen over het werk en de politiek, nu waren de gesprekken anders. Lien en zijn vrouw betrokken hem in het gesprek, maar het wilde toch niet zo lukken. Ze misten Egbert alle drie. Maar ja, daarom wegblijven is natuurlijk niet goed, dan zit Lien alleen."

De kastelein zat echt op zijn praatstoel. Loudy wilde vragen: „En haar dochter Lieneke… „„maar ze stelde de vraag niet. Ze wisten voorlopig genoeg. En misschien combineerde de kastelein toch de twee families waarnaar ze vroegen: Swinkels en Grettema. Ze keek naar het gezicht tegenover haar. Hoe oud zou deze man zijn? Tegen de vijftig, schatte ze hem. Zou hij weten van dertig jaar geleden? Toen was het een rel in het dorp, maar zoiets is gauw vergeten, omdat er andere dingen zijn die de gemoederen bezighouden. Dertig jaar is een lange tijd.

„Erg fijn dat u ons een en ander kon vertellen," hoorde ze Sjoerd zeggen.

„Ik hoop dat u er wat aan hebt, veel was het niet."

De man stond op en nam de lege koffiekopjes in zijn hand.

In het café rekende Sjoerd af en Loudy en hij stapten naar buiten. Ze liepen zwijgend naast elkaar tot ze aan de andere kant van het plein waren.

„Het is onbegrijpelijk, Sjoerd, alles is hier nog, net als vroeger. En als je wat vraagt geeft iemand gewoon antwoord. Zoals deze man zegt: het is geen roddelen, het is de waarheid wat hij zei over de broers van vader.

Jochem was een moeilijk mens. Jochem is dood.

Johannes leeft nog en woont aan de vaart.

Het komt me zo onwaarschijnlijk voor. Alsof het niet waar kan zijn. Ik zocht naar wat er in vaders leven is gebeurd en ik was ermee bezig, ik fantaseerde erover en hier wacht het gewoon tot ik kom. Vader verlangt misschien dit alles weer te zien, maar hij durft niet te komen. Het dorp ligt vredig in de zon en het zou niemand opvallen als hij nu bij ons was en met ons mee keek. En niemand zou hem kwaad doen. De enige die wrok tegen hem kan hebben is Lien Grettema. Maar ze denkt niet meer aan hem. Ze heeft verdriet om Egbert van Rijssen."

„Ik begrijp wat je bedoelt. Je vader voelt zich banneling en wat gebeurd is, blijft hem achtervolgen. We moeten zeggen: bleef hén achtervolgen, want het achtervolgde je moeder ook. Ze kon het niet loslaten en er geen afstand van nemen. En hier, waar alles zich afspeelde, gaf alle jaren de zomerzon warmte, waren de winter-maanden genoeglijk. Lien Grettema trouwde met Egbert van Rijssen en was gelukkig. Het kind speelde en lachte en werd een jonge vrouw en in hun huis aan de vaart leefden de broers hun eigen leven en dachten hoogstwaarschijnlijk weinig aan Tjeerd."

„Je zegt precies wat ik voel." Ze wrong haar hand in zijn hand. „Het leven van mijn ouders was ongelukkig en het was niet nodig geweest."

Ze keek om zich heen en ze nam alles goed in zich op. Het plein, de stenen die in een waaiervorm waren gelegd, de bank die onder de oude beukenboom stond, het pad naar de kerk, de winkel van Hoeksema en het lage woonhuis op de hoek, waar de planten voor het venster trossen witte en roze bloemen hadden. Het was allemaal onwerkelijk, maar het was toch gewoon. Zo was nu, en wat geweest was, was lang voorbij. Misschien niet vergeten door de mensen die erbij betrokken waren, maar de jaren gingen voorbij, de tijd wiste de tranen weg en bracht er een lach voor in de plaats.

„We gaan terug naar Hartelinge." Sjoerd liep in de richting van de auto. „Of wil je naar Johannes…?"

Hij lachte. Hij wist dat ze het niet wilde. Nu nog niet. In Hartelinge woonde Sjoerd nog bij zijn ouders, maar het was ook het dorp waar het huis stond, dat zij kochten om er direct na hun trouwdag in te trekken.

„Nee, dat maar niet. Ik weet dat ik bibberig voor de deur zou staan."

„We kunnen er beter eerst over praten. Wat we moeten doen." Ze reden terug langs rustige, stille wegen.

„Wil je nog ergens kijken? Sneek misschien, Sloten, Balk…?"

„Nee. Ik heb zoveel gezien, ik heb voorlopig genoeg."

In de avond reden ze terug naar Noord-Holland. Ze praatten over het huis dat ze gekocht hadden, over de verbouwing, want er moest wel het een en ander aan gebeuren. Maar op de achtergrond van Loudy's denken was toch Berawolde.

„Zal ik er met vader over praten? Ik ben er zo vol van."

„Je kunt ook wachten. We moeten gauw weer naar Friesland om de koop van ons huis te regelen, we moeten naar de notaris en, lieverd" – hij lachte naar haar en trok haar hand met één hand naar zich toe, met de andere hand hield hij het stuur vast, de Afsluitdijk was recht en rustig – „we moeten over ons huwelijk praten."

„Ja, dat is waar. Je moet me niet verkeerd begrijpen, Sjoerd, omdat ik daar niet over praat. Natuurlijk denk ik eraan en ik vind het heerlijk, trouwen met jou en met jou in dat huis wonen, zalig! Maar vanmorgen in Berawolde is zoveel op me afgekomen. Dat kan ik niet loslaten."

„Ik begrijp het wel, mijn meiske."

„En het voornaamste is, Sjoerd, dat ik denk dat het verdriet van mijn ouders niet nodig is geweest. Vooral het verdriet van moeder niet. Ik wil dolgraag Lien Grettema ontmoeten en horen of zij toen veel verdriet heeft gehad. Natuurlijk was het moeilijk voor het kind te moeten zorgen en te weten van de praatjes in het dorp. De broers van mijn vader vertelden dat ze met meer jongens op stap ging, maar later bleek – dat heeft vader me verteld – dat het niet waar was. Het was gemeen geroddel van zijn eigen broers. Maar Lien werd opgevangen door haar ouders. Mijn vader werd dat niet. Hij vertelde dat zijn moeder, toen ze ontdekte dat het kindje echt van hem was, de kant van de tegenpartij zocht. Om niet buiten de gemeenschap van het dorp gesloten te worden. Eerst was ze de moeder die haar jongen wilde behoeden voor de slechte streek van een meisje dat zei dat ze een kind van hem verwachtte. Hij mocht niet in de val lopen. Maar toen ze wist dat het kind inderdaad van hem was, draaide ze om. Ze was opeens de goede vrouw, die haar zoon niet meer als haar zoon wilde zien omdat hij een onschuldig meisje met een kind liet zitten. Die goede vrouw Swinkels! Dat heeft hem veel verdriet gedaan. Ook de houding van zijn broers. Hij was toen veel jonger en zag ze anders. Ze waren zijn broers. Als kleine kinderen speelden ze met elkaar, Jochem en Johannes waren ouder en groter, ze hielpen hem met roeien als ze met een boot de vaart op voeren en hij mocht met ze mee als ze gingen vissen. Hij kon met hen opschieten, zo bedoel ik het. Dat werd anders toen hij met Lien Grettema ging. Lien heeft hem verteld dat Jochem ook achter haar aanliep, maar ze moest Jochem niet. Dat heeft bij Jochem 'kwaad bloed' gezet, zoals mijn vader dat noemde. Vader heeft alles achtergelaten. Ik dacht daar nooit zo over na, hij praatte er ook niet over, maar de laatste tijd denkt hij veel aan vroeger, dat weet ik zeker.

Hij heeft veel tijd om te denken. Voor mijn moeder is het ook moeilijk geweest. Ze was jong, verliefd op een grote, blonde Friese jongen, zoals ik nu verliefd ben op jou, maar ze bemerkte later dat hij niet in de allereerste plaats met haar ging omdat hij van haar hield. Nee, het was om de mensen te laten zien: ik heb een meisje, ik was niet met Lientje Grettema in de werkplaats van haar vader. Dat is toch verschrikkelijk. En het liet haar niet meer los. Ze wist dat het kind wel van vader was, ze wist ook dat hij de eerste jaren naar Friesland ging en Lien ontmoette en het kind zag. Wat een toestand toch!"

„Ik kan me voorstellen dat je je vader wilt vertellen dat we in Berawolde zijn geweest. En misschien is het goed, Loudy, slechter kan hij er niet van worden. Het is langgeleden, er is zoveel gebeurd. Er is veel vergeten en vergeven. Misschien vindt hij het prettig te weten hoe het nu in Berawolde is. Helaas kun je hem niet zeggen, dat Lien gelukkig is. En hoe het met de jonge Lieneke is weten we ook niet. Over haar heeft de kastelein niets gezegd en ik wilde er niet naar vragen, want dan maakte hij beslist in gedachten de combinatie: Swinkels, Grettema, Lieneke Grettema. Maar misschien weet de man er amper iets van."

Het was al donker toen ze de Oosterlaan inreden en Sjoerd de wagen voor het huis parkeerde. In de kamer brandde de kleine schemerlamp, die op het dressoir stond. Naast de foto van moeder. Vader zat in zijn stoel schuin voor het raam. Hij wachtte op hen. Dat was te begrijpen, maar hij wachtte zo zichtbaar op hen, het benauwde Loudy een beetje hem te zien zitten.

„Ik blijf niet lang, lieveling," zei Sjoerd voor ze uitstapten. „Het is nog een hele rit terug en ik moet morgenvroeg weer op tijd mijn bed uit."

„Ik weet het. Het is jammer dat je weer weg moet." Ze zoende hem op zijn wang. „Ik wil graag met je praten over ons huis en over onze trouwdag, we hebben nog niet afgesproken wanneer en hoe…"

„Dat doen we volgend weekend. Ik kom vrijdagavond, dan kunnen we alles fijn bepraten."

Ze stapten het huis binnen.

Op het petroleumlichtje in de keuken stond de koffiepot. „Ik heb net koffie gezet, misschien vijf minuten geleden, want ik verwachtte jullie rond dit uur. Dan kan Sjoerd nog wat drinken vóór hij teruggaat. Hoe was het in Friesland en hoe is het met het huis afgelopen?"

„We hebben het gekocht, paps! Het is zo'n heerlijk huis, hé Sjoerd?"

„Ja, het is een fijn huis. Precies wat we zoeken. Vrijstaand, zodat we geen last hebben van de buren en zij ons niet kunnen horen schelden, niet te groot en niet te klein. En niet te duur." Hij zuchtte. „Soa, soa, mijn famke giet dus nei Fryslàn."

„Ja. We hebben zoveel te bepraten, eigenlijk kan Sjoerd niet weggaan, maar het moet wel, want morgenochtend rinkelt op kantoor de telefoon weer voor hem. Maar we willen trouwen voor het huis klaar is en we moeten nog uitzoeken wat we er precies aan veranderd willen hebben."

„Moet alles zo snel? Wanneer gaan die mensen eruit?"

„Per 1 oktober, dat duurt nog even, maar de tijd gaat vlug! We kunnen van de week al plannen maken, ik hier, met u samen. Ik zal u precies tekenen hoe het huis eruitziet en hoe de indeling is. En we moeten praten over de trouwerij. O, wat heerlijk allemaal!" Ze danste met de koffiepot in de hand door de kamer, de mannen keken lachend naar haar. Tjeerd Swinkels toch met een wat trieste blik in zijn ogen. Er was blijheid in haar, hij begreep het wel, maar zelf voelde hij zich bezeerd. Ze ging dus echt bij hem weg, hij zag er verschrikkelijk tegen op. Hij wist dat het ging komen, kleine dochters worden groot en gaan bij je vandaan en hij gunde haar geluk, maar waarom moest ze juist naar Friesland, zo ver weg… Vanmiddag had hij nagedacht over haar verloving met David. Hij had dat moeten aanmoedigen, dan was ze in de stad gebleven en had ze nu en dan bij hem kunnen binnenlopen.

Misschien zouden ze op zondagmorgen op de koffie zijn gekomen of zouden ze gevraagd hebben of hij bij hen wilde komen. En als er kinderen kwamen, kleinkinderen van hem... Maar hij had er zelf veel aan kapot gemaakt door te zeggen dat hij David niet geschikt voor haar vond. Hij dramde door met het huis; dat de jongelui bij hem zouden inwonen, dat was voor hem een prachtige oplossing, maar ze wilden het niet.

Hij weigerde ze met geld te helpen om een huis te kopen en nu ging zijn dochter naar Friesland. Hij nam zich voor ervoor te waken een breuk tussen Loudy en hem te bewerkstelligen. Ze was alles wat hij had en hij kon haar niet missen. Hij wilde niet denken aan de eenzaamheid die hem wachtte. Hij hoefde straks niet meer de tafel te dekken voor de broodmaaltijd van hen samen. Hij begon er soms om elf uur al mee. Het was bespottelijk, maar de twee bordjes op de tafel te zien maakte hem minder eenzaam. Zo was het ook in de namiddag. Hij wilde om vier uur al thee zetten. Dan was de school uit. Ze kon nu vlug komen, maar ze kwam nooit voor half vijf binnen. Er was altijd wel iets te doen. Ze proefde het als hij te vroeg thee maakte. En hij wilde niet dat ze wist dat hij vaak om half vier al naar de keuken liep en de ketel in z'n hand nam. Nee, nog wachten, zei hij dan tegen zichzelf. Wachten op Loudy.

Waarop wachtte hij als ze over een paar maanden getrouwd was? Op een brief. Hij wist nu al dat hij elke morgen op de post zou letten. Maar ze schreef natuurlijk niet elke dag. Misschien één keer in de week en dat was al veel. Misschien belde ze nu en dan op om te vragen hoe het met hem ging. Goed, kind, zou hij zeggen. Wat was goed? Hij was zo met zijn gedachten bezig dat hij het gesprek van de jonge mensen niet volgde.

„Paps, Sjoerd gaat weg!"

„Ja jongen, ja, je hebt nog een hele reis voor de boeg, voor de wielen kan ik beter zeggen. Maar rijd vooral niet te hard, het maakt niet uit of je tien minuten eerder of later thuis bent."

„Ik rijd m'n gewone gangetje, honderdtwintig, honderddertig."

„Nee, stouterd!" Loudy had iets jubelends, iets stralends over zich vanavond, hij begreep het, ze ging trouwen, ze kreeg haar eigen huis samen met Sjoerd, het was om ontzettend blij mee te zijn en die blijheid omkranste haar. Zo zag hij haar niet vaak. Ze was dikwijls stil en ernstig, maar zo was ze ontzettend lief. Hij keek naar Sjoerd, die haar glimlachend gadesloeg.

Ze liepen samen de gang in. Nu kusten ze elkaar, Tjeerd Swinkels wist het. Hij dacht aan Geeske. Toen zij trouwplannen maakten, was dat van Lienie er al. Geeske wist het niet. Het was vreemd van hem geweest. Niet aan denken. Voorbij is voorbij. Maar tussen Geeske en hem was nooit het grote geluk geweest, zoals nu tussen Sjoerd en Loudy.

Loudy kwam terug in de kamer.

„Paps, ik voel me zalig! We gaan trouwen en ik weet dat het tussen Sjoerd en mij goed gaat, nog beter dan goed: uitstekend. We houden van elkaar, we begrijpen elkaar en we weten alles van elkaar. Ik weet hoe Sjoerd denkt, hoe hij iets aanvoelt, iets begrijpt. Is er nog koffie in de pot? Zullen we nog een kopje nemen? Dan vertel ik over het huis."

Ze praatten er genoeglijk over. Loudy vertelde, maakte tekeningen op grauwe kladblokvellen. „Dit is de voorkant, hier is een raam en hier…" en ze schetste de plattegrond.

„Moet er veel aan opgeknapt worden?"

„In elk geval geschilderd en behangen, verder valt het wel mee. Volgens meneer Gelderman tenminste. Het is in goede staat, zegt hij. Maar hij is de man waarvan we het huis kochten, hij waakt er dus voor minder prettige dingen over het pand te zeggen!"

Het liep al tegen elf uur toen Loudy zei: „Ik moet u nog iets vertellen, paps." Ze keek hem aan en Tjeerd Swinkels vroeg zich af wat er zou komen. Geen vraag om geld te mogen lenen, ze zei: vertellen.

„Sjoerd en ik zijn vanmorgen in Berawolde geweest." Hij schrok. Alsof Berawolde aan de andere kant van de wereldbol lag.

Onzin. Het was niet ver van Hartelinge en toen hij voor de eerste maal hoorde dat Loudy met een jongen uit Friesland vriendschap had gesloten dacht hij: nee, niet met een Fries. En de naam Berawolde bleef zeuren in zijn achterhoofd.

„Zo… „zei hij alleen.

„Ja. Het is niet ver van Hartelinge."

„Nee."

„We hebben er gewandeld." Ze zat tegenover hem aan de grote huiskamertafel. Ze keek hem recht aan. „We hebben het huis gezien waar u vroeger woonde."

„Kind, Loudy, je weet niet hoe graag ik dat huis weer zou zien."

„U kunt erheen gaan en kijken."

Hij schudde zijn hoofd. „Ik heb gezworen er nooit meer te komen."

„Gezworen… gezworen… U hebt dat tegen uzelf gezegd, maar het heeft geen nut."

„Hoe was het er?"

„We zijn in het dorpscafé geweest en hebben er met de kastelein gepraat."

„Gepraat?! Over wie? Over mij?"

„Nee, natuurlijk niet! Hij vroeg of we met vakantie waren. We zeiden 'ja' maar ook een beetje op zoek naar verre familieleden. In zijn dorp konden nog mensen wonen die Swinkels heetten."

Vader keek naar haar, hij zei niets.

„Alleen Johannes woont er nog. Jochem is een jaar of zes geleden gestorven."

„Zo, zo, is Jochem dood? Het was vroeger zo'n grote, sterke kerel. Ik dacht: die wordt wel honderd! Maar dat is dus niet gebeurd. We gaan allemaal. Je krijgt een kwaal of een ongeluk of wat dan ook, maar je gaat dood. Jochem is dus niet meer. Woont Johannes nu alleen aan de vaart?"

„Ja." Loudy vertelde wat ze van de kastelein had gehoord.

Swinkels zei: „Johannes werkte vroeger bij een aannemer in het dorp. Van Beveren heette die man. Hij had een leuk bedrijf, het hele dorp was er klant. Johannes was metselaar. Maar hij opperde ook. Je weet wat dat is, het klaarzetten van de stenen en het maken van de specie en zo. Zwaar werk, veel sjouwen, maar daar hield Johannes van."

Opeens tilde vader zijn hoofd op en keek haar strak aan. „Heb je hem gezien?"

„Nee. We zijn langs het huis gelopen, maar er was niemand te zien. Alleen een hond. Het beest liep op het erf en blafte naar ons."

„We hadden vroeger altijd een hond. Geen grote, want die vrat te veel. En alle honden die we gehad hebben werden Teddy genoemd. Dat vond mijn vader een echte naam voor een hond."

Tjeerd schudde zacht zijn hoofd. Hij dacht aan het zwartwitte diertje, dat er was toen hij een jaar of zeven was. Een fel hondje, dat tegen iedereen die bij het huis kwam heftig tekeerging. Het werd doodgereden door de auto van de notaris.

Hij had het gezien, het gebeurde vlak voor het huis. Hij was er dagenlang ziek van geweest. En hij kon niet lief zijn tegen de bruine straathond die vader een week later mee naar huis nam. „We hebben weer een Teddy," zei vader en hij speelde met het dier alsof hij de andere Teddy was vergeten. Later begreep Tjeerd dat vader op deze manier probeerde het verdriet van de kinderen te verzachten en och, het was maar een hondje, daar kon je niet om blijven treuren. En de nieuwe Teddy was een lief dier, aanhankelijker dan de kleine keffer.

„We zijn door Berawolde gewandeld."

„Het is niet groot, vroeger tenminste niet. Misschien is er nu wat nieuwbouw. Voor mensen met geld is het een ideaal plaatsje om je bungalow neer te zetten. Heerlijk rustig en zalig tussen het groen. Het IJsselmeer niet ver weg en Gaasterland in de buurt."

„We weten ook waar vroeger de schoenwinkel van Grettema was." Het gezicht tegenover haar werd bleker, de grijze ogen donkerder.

„Is er geen winkel meer?"

„Nee. Grettema en zijn vrouw zijn allebei overleden. Een zoon van hen heeft de winkel nog een poosje gehad, maar het ging niet."

„Och nee, daar is het dorp te klein voor. Te weinig mensen, te weinig kopers. En tegenwoordig stappen ze in hun auto en rijden naar Leeuwarden of Drachten om inkopen te doen."

Even was het stil, toen vroeg hij: „Heb je ook iets over Lien gehoord?"

„Ja. Ze is weduwe. Haar man, Egbert van Rijssen…" „Egbert van Rijssen, is ze met Egbert getrouwd… Hij was vroeger al gek op haar. Zo, zo, dus hij is het geworden. Ik denk dat hij al eerder met haar had willen trouwen, maar Lienie wilde niet. Je weet dat ik contact met haar heb gehad toen het kind nog klein was. Ik wilde het contact niet verbreken, ik voelde me een schurk als ik hen helemaal losliet, maar Lienie vond dat het voor ons alle drie beter was als ik dat wel deed. Als ik niet meer kwam. En daarin had ze gelijk. Voor je moeder en mij was het in elk geval beter. Och Loudy, later, als je ouder bent, bekijk je alles anders dan als je jong bent. Toen dacht ik dat Geeske precies voelde wat ik voelde tegenover Lienie. Mijn grote schuld. Maar Geeske dacht dat er in mijn hart liefde was voor Lien. Misschien was dat ook zo. Ik heb echt van Lien gehouden. Misschien was het alleen verliefd zijn. En het verlangen van een man naar een vrouw. Lienie was vrolijk, ze lachte veel, met sterretjes in haar ogen en haar mond open. Ze had mooie, witte tanden. Ze was uitdagend. Ik vertelde je dat eerder. Ik zou nu zeggen 'ze speelde met vuur'. Dat is er een goede uitdrukking voor.

Ze maakte me dol. Ze was niet knap, maar ze had een mooi lichaam. Voor een jong meisje iets te dik, maar dat trok me juist. Ik ging te korte tijd met haar om over echte liefde te kunnen praten. En ik was ook gesteld op Geeske. Ze was zo anders. Ze kwam uit het westen, dat was al anders en ze was ernstiger en serieuzer dan Lientje. Later leerde ik dat Geeske zwaarmoedig was. Maar toen vond ik het interessant dat ze voor veel zaken de achtergrond zocht; voor dingen, die ik gewoon accepteerde. Geeske vroeg naar het waarom en wilde verklaren hoe het was ontstaan, gegroeid. Dat vond ik interessant. Ik weet achteraf niet of ze mijn verhouding met Lien op de juiste waarde heeft geschat. Zij dacht er als jonge vrouw over. Ze was met mij getrouwd, ze dacht dat zij de enige vrouw was in mijn leven en in mijn hart, maar ze moest na korte tijd ontdekken dat dat niet waar was. Ik begreep de ontgoocheling voor haar jaren later pas echt. Ze kon toen niet over mij denken als over een jonge vent, in wie lichamelijke driften werden losgemaakt door een meisje, bij wie het bloed te driftig door het lichaam klopte. Ze dacht in termen van gevoelens. Ze was nog jong en ze had weinig ervaring in de liefde. Ze had niet veel vriendjes voor ze mij ontmoette op die bruiloft. Och Loudy, ik denk veel over de voorbije jaren. Ik heb er de tijd voor. Ik beleef ze opnieuw. En ik zie wat ik fout heb gedaan. Er is veel onnodig verdriet geweest."

„Dat geloof ik. Moeder en u waren ongelukkig door wat toen gebeurde. Mama dacht erover, pluisde uit, wilde verklaren en weten. En in Berawolde leefde Lien blij met het kind en trouwde met Egbert van Rijssen en was gelukkig."

„Zo is het. Het is jammer dat een mens zijn leven pas ziet als hij ouder wordt en erop terugkijkt. Als je jong bent, doe je veel dingen verkeerd. Ik tenminste wel. En Geeske ook. Als zij er later op terug had kunnen kijken, had ze ook geweten, met dat denken en zoeken van haar, dat het onnodig was geweest en dat het ons leven verdrietig maakte. Maar vóór ze erover kon denken, maakte het haar kapot." Hij veegde met zijn hand over het tafelkleed. „Dus Egbert van Rijssen is gestorven?"

„Ja. Hij heeft een trap gehad van zijn paard."

„Egbert was een goede boer. Hij zal de boerderij van zijn vader hebben geërfd. Hij was enige zoon, enig kind ook. Ze woonden aan het begin van het dorp, een mooie plaats, rechts van de weg als je van Hartelinge aan komt rijden. De 'Rijssenhoeve'."

Opeens grijnsde vader. „Hoe zullen vader en moeder Van Rijssen het gevonden hebben dat hun Egbert wilde trouwen met een meisje dat een kind had van Tjeerd Swinkels…?"

„Ik kan u er geen antwoord op geven."

„Ik denk dat we dat antwoord ook nooit zullen krijgen, Loudy. En het is beter zo. Berawolde is vlakbij, dat ben ik met je eens, maar voor mij is het ver weg. En het is beter dat het ver weg blijft. Ik begrijp dat jij er wilde kijken. Je hebt het nu gezien. Ik zei zopas, dat een mens als hij ouder wordt, terugkijkt en alles duidelijker ziet dan toen hij jong was en dat is ook zo. Jij bent jong, ik ben oud. Ik zeg je dat het beter is alles te laten rusten. Het is voorbij en het is goed zoals het is. Het leven moest zo zijn voor Geeske, voor Lien en voor mij. Zo waren onze wegen. Zo bepaalde het lot. Gedane zaken nemen geen keer. Huilen, omdat het niet anders is gelopen, heeft geen zin."

Loudy knikte. „Misschien hebt u gelijk, vader."

Veel later, alleen in haar bed, de donkerte van de kamer om zich heen, het geluid van de wind die in de tuin met de bladeren van de bomen ritselde en het zachtjes tikken van het wekkertje op het tafeltje, dacht ze over alles na. Vooral over dit gesprek met vader. Zou zij ook eens, later, als ze ouder was, veel ouder, moeten denken over dingen die in haar leven en in dat van Sjoerd gebeurd waren en die niet goed waren, of zelfs gemeen, zoals vader gemeen was geweest tegenover Lienie? Hij had gezegd: „Ze daagde me uit, mijn broers zeiden: 'ze staat in brand' en ik was verblind…"

Als je ouder was, zoals vader nu, bijna zestig jaar, kon je het begrijpen van zo'n jonge kerel en vader wist misschien nog wat hij toen voelde als hij Lientje zag. David noemde dat 'het verstand op nul en de hartstocht met volle kracht vooruit', maar goed te praten was het nooit. Dat kon vader ook niet. Hij had Lienie bedrogen. En Geeske. Vreemd dat ze nu Geeske dacht en niet mama of moeder… Het was Geeske Herlingen geweest, een jonge vrouw, een meisje nog, dat verliefd werd op een blonde jongeman. Vader zei vanavond, dat haar moeder, vóór ze met hem ging, niet veel vriendjes had en ze geloofde dat direct. Moeder was stil, zette zichzelf op de achtergrond, ze zocht de jongens niet, ze wachtte, ze hoopte en verlangde als ze alleen was, die ene te ontmoeten, haar toekomstige man, met wie ze zou trouwen en gelukkig zijn. Want zo simpel zag ze het. Verliefd worden, echt van elkaar houden en de toekomst samen opbouwen. Geeske Swinkels vond het geluk voor korte tijd.

Welke dingen zou Loudy verkeerd doen? Tot nu toe was er in haar leven niets dat zo ernstig was als vaders verleden vóór zijn huwelijksdag. Het was een donkere schaduw achter hem geweest, die groter werd en zwarter en zijn leven en dat van moeder overvleugelde. Zoiets was er tussen Sjoerd en haar niet.

Ze moest niet denken dat er dingen gingen komen waarvan ze spijt kreeg, het hoefde helemaal niet te komen. Sjoerd en zij hielden van elkaar, het was geen hartstochtelijke liefde, wel een diepe liefde. Ze wilden elkaar gelukkig maken. Ze glimlachte, lekker onder de dekens.

Sjoerd... ze hield van hem en ze wist zeker dat het goed zou gaan tussen hen.

Wat er kwam in hun leven, ze stonden er samen voor. Niet zoals haar ouders, ieder met een zwart gat dat niet te dempen was. Wat Sjoerd en haar trof, trof hen beiden. En ze zouden elkaar helpen om het te dragen.

Dat maakte hen sterk.

In november trouwden Sjoerd Allard Rijswijk en Louise Dina Swinkels op een herfstdag, die regen en harde wind bracht.

De ambtenaar op het stadhuis haakte in zijn toespraak op het slechte weer in. „De natuur is triest vandaag, maar jullie, als het jonge paar dat voor me zit, stralen warmte en vertrouwen voor de toekomst uit. Regenvlagen en stormen deren je niet, ik hoop dat je ook de stormen van het leven met dezelfde kracht tegemoet zult treden. Ik zou zeggen: dan redden jullie het... Maar ik kan niet in de toekomst kijken. Misschien wordt jullie huwelijksleven een wandeling in milde zonneschijn, maar men zegt wel dat ieder mens zijn portie verdriet te verwerken krijgt en dikwijls is het ook zo. Maar als je het samen draagt met een optimistisch hart, zijn tegenslagen niet onoverkomelijk en kom je er gelouterd en met dieper inzicht in het leven uit vandaan."

Loudy knikte naar de man. David zei eens: „Zo'n toespraak op het stadhuis hoeft niet als wij trouwen. De man moet alleen vragen of we 'ja' willen zeggen en als we dat gedaan hebben, is het klaar." Maar Loudy was blij met de woorden. Ze wist dat zij ze bewaren zou.

Het werd een heerlijke dag.

Sjoerds familie was uit Friesland gekomen. Zijn moeder kwam niet mee.

De dokter vond de reis te ver voor haar en de spanning en drukte zouden te veel kunnen zijn.

„Maar in gedachten ben ik bij jullie, kinders," zei ze glimlachend toen ze dokters advies vertelde. „Buur Geertje komt de hele dag bij me over de vloer, dat hebben we al afgesproken. 's Morgens drinken we samen koffie en we nemen er wat lekkers bij. Sjoerd betaalt wel, ha, ha, en als het 's middags drie uur is, gaan we mooi aan tafel zitten en zijn we in gedachten bij jullie, want dan staat Loudy in haar mooie jurk en Sjoerd in zijn keurige pak en dan beloven jullie elkaar trouw. Ik weet niet wat de man van het stadhuis gaat zeggen, maar buur Geertje en ik kunnen het wel ongeveer raden!"

Ze lachte. „Lief zijn voor elkaar, niet gauw kwaad worden en niet slecht denken, dan heb je een aardige gebruiksaanwijzing voor een goed leven in je handen."

Cora en Peter waren uit Leiden gekomen, natuurlijk, die hoorden erbij.

Toen Loudy enkele jaren geleden een reis naar Joegoslavië maakte en op die reis Sjoerd ontmoette, waren Peter en Cora hun reisgenoten. Ook zij kenden elkaar nog niet toen de reis een aanvang nam, maar tussen hen groeide in die vakantiedagen een gevoel van vriendschap, die tot liefde uitgroeide. Er kwamen collega's van de Prinses Margrietschool en, met een bus, buren en vrienden van Sjoerd uit Friesland voor de receptie en feestavond. Sjoerds baas en zijn vrouw en alle medewerkers van het bedrijf kwamen naar 'De Roode Leeuw'. Het werd een fijne dag met een gezellige receptie, een goed diner en veel gelach en gezang in de avond.

De Friese mensen reden in de nacht terug naar huis, Sjoerd en Loudy bleven bij vader Swinkels slapen.

„Hé, hé," zuchtte deze gespeeld overdreven. „Wat een dag! Maar ik heb het erg naar mijn zin gehad, het was gezellig. Ik ben blij dat ik nu mijn schoenen kan uittrekken en die stropdas kan afdoen, dat ding knelt om mijn keel. Maar ik moest er als vader van de bruid keurig uitzien, daar moet je veel narigheid voor overhebben."

Sjoerd en Loudy lachten om hem.

„Je slaapt vannacht nog in dit huis," zei vader een beetje lacherig en ze hoorden de ernstige ondertoon, „maar niet meer als vroeger. Je bent mijn dochter nog en dat blijf je, mijn leven lang, maar je bent nu ook de vrouw van Sjoerd. Ik vind het fijn dat jullie niet meteen naar je eigen huis vertrekken. Dan is de overgang zo groot voor me. Al die mensen om me heen en dan alleen thuiskomen... Zo is het beter."

„Ja, pap. We drinken morgenochtend nog gezellig koffie met elkaar. Er is trouwens een flink stuk van de bruiloftstaart over, dat hebben we meegenomen. Daarna rijden wij naar Friesland."

Het leven was vol zonneschijn. De wolken boven het wijde Friese land waren in de herfst- en winterweken die volgden na hun trouwdag, vaak donker, bijna zwart en grauw. Het regende veel met striemende, harde buien die de droppels tegen de ruiten joegen en in de namiddag viel het duister vroeg in, maar in hun harten was het zonnig en warm.

Loudy hield het huis schoon, zorgde voor het eten, wandelde in de middag het dorp in om boodschappen te doen en wipte vaak even bij haar schoonouders binnen om een kopje thee met hen te drinken en een praatje te maken. „Famke," zei Sjoerds moeder op een van die middagen, „dû moast bisykje om ûs moaije fryske taal te learen, dû kenst my net ferstean. Ik zal het anders zeggen: Je moet proberen onze fijne, Friese taal te leren, al is het alleen maar dat je ons kunt verstaan, dat praat voor mij gemakkelijker. Ik moet nu zo naar de woorden zoeken."

Loudy vond het heerlijk alleen thuis te zijn en de dingen om zich heen, die ze met zoveel zorg hadden uitgezocht, nog meer tot dingen van zichzelf te maken. Ze zat vaak stilletjes alleen wat te mijmeren – fijne gedachten, zoete gedachten waren het, ogenschijnlijk onbelangrijk, maar niet voor haar. Voor haar betekenden ze iets. Ze dacht dan bijvoorbeeld over de grote kast die ze kochten omdat ze hem mooi van vorm vonden en praktisch door de vele ruimte. Toen ze hem uitkozen, stond hij tussen andere kasten in de grote meubelzaak en de keus was moeilijk. Nu stond hij in hun huis; de boeken op de planken waren van Sjoerd en van haar. Achter de ruitjes stond het servies, dat moeder jarenlang als pronkstuk had gekoesterd in de dichte kast in de achterkamer thuis. „Neem maar mee," had vader gezegd, „moeder heeft het opgespaard van het huishoudgeld. Met dubbeltjes en kwartjes, die ze in een busje stopte. Ze wilde graag een mooi servies in de kast, voor als we gasten kregen. Maar er kwamen weinig gasten."

Het was nu hun kast. Ze voelde het zo als ze met de stofdoek over het gladde hout ging en de snuisterijtjes één voor één voorzichtig opnam en afstofte. Ze voelde het ook met de andere meubelen in huis. Ze begreep nu wat oma Herlingen bedoelde toen ze zei, langgeleden – Loudy was nog een kind: „De stoelen horen bij me, we kunnen niet bij elkaar vandaan, ik neem ze mee naar het bejaardenhuis."

Vader had voorgesteld de inboedel te verkopen en lichte, kleine stoelen aan te schaffen.

„U weet dat de kamers niet groot zijn in het tehuis, als u die bakbeesten van meubelen erin zet kunt u er niet eens tussendoor scharrelen van de deur naar het raam."

Zij zag het toen voor zich. Oma was dik en ze liep moeilijk en ze zou zich langs de grote stoelen moeten wringen, vader had gelijk, maar oma nam ze toch mee, maar niet allemaal. „Twee is genoeg," zei ze. Zij vond het overdreven van oma, ze wist het nog, stoelen waren dode dingen en die van oma waren lelijk en de zittingen werden kaal. Nu begreep ze het beter.

Op een avond laat in december, Sint-Nicolaas en de kerstdagen waren al voorbij – ze waren die dagen naar Breehuizen gegaan zodat vader niet alleen was – zaten ze samen op de bank. De gordijnen dichtgeschoven, de schemerlampen aan, de verwarming zo afgesteld dat het behaaglijk was in de kamer.

„Sjoerd…" begon ze zachtjes te praten.

„Ja…" kwam zijn stem een beetje afwezig van boven de krant. Toen sloeg hij het blad terug en keek haar glimlachend aan. „Zeg het maar, vrouwtje."

„We zijn van de zomer naar Berawolde geweest en dat vertelde ik vader, dat weet je. Hij zei dat hij begreep dat ik daar wilde kijken, dat nam hij me ook niet kwalijk, maar hij vond het beter er een punt achter te zetten. Er niet meer kijken, er niet meer over praten en er niet meer aan denken. Maar ik denk er wel vaak over."

Sjoerd legde de krant neer. „Ik ook. Ik weet zelf niet wat ik erover denk, want eigenlijk is er niets waarover we echt kunnen denken. Alleen het idee: moeten we nog eens naar Berawolde gaan en met Johannes praten, misschien met Lien Grettema?"

Loudy knikte.

„Laten we aannemen dat we erheen gaan, naar Johannes. Er kunnen twee dingen gebeuren: hij wil met ons praten of hij wil niet met ons praten. Misschien gaat dat 'niet met ons praten' op een brute manier: 'Wie zeg je dat je bent? De dochter van Tjeerd? Mijn broer Tjeerd, die ken ik niet, die hebben we jaren geleden uit onze familie verbannen en zijn dochter interesseert me helemaal niet!'" Sjoerd praatte luid. Zachter zei hij: „Zo kan het gaan. We hebben niets verloren, we weten dan alleen dat er geen contact mogelijk is. Het is het proberen waard. Je moet wel voorbereid zijn op zo'n ontvangst. En zoiets kan je ook gebeuren bij Lien Grettema. Ik kan me voorstellen dat die vrouw, na alles wat ze aan verdriet heeft gehad over Egbert van Rijssen, er geen behoefte aan heeft te praten over de man, die haar jaren geleden minderwaardig heeft behandeld en in moeilijkheden heeft gebracht. Maar misschien heeft de tijd vele wonden geheeld. Mijn moeder zei, toen ze met me praatte over haar zorgen van vroeger, over mijn geboorte: 'Dat is langgeleden, jongen, de tijd streelt de tranen weg'. Dat vond ik toen een heel mooie uitspraak. Misschien denkt Lien Grettema er ook zo over?"

„Maar waarom zal ze met ons willen praten? Ze kan geen leuke herinneringen ophalen."

„Nee, dat zeker niet. Daarom moet je er rekening mee houden dat ze je niet wil ontvangen. Het is ook verschrikkelijk moeilijk er op de stoep te staan en aan te bellen. Wat moeten we zeggen? Maar als je echt wilt proberen contact te leggen, zullen we daar overheen moeten stappen."

Hij was even stil, toen zei hij: „Ik vraag het jou, ik heb het mezelf ook afgevraagd: waarom zouden we het eigenlijk doen…"

„Dat weet ik ook niet."

„Is het nieuwsgierigheid? Wat Johannes betreft kan ik me dat een beetje voorstellen. Hij is een oom van je, familie. Met vrouw Grettema – je weet dat wij hier in de omgeving niet mevrouw zeggen, maar vrouw – is het iets anders." Hij glimlachte naar haar, want hij gaf haar af en toe wat ze noemde 'praatles'.

„Ik weet zelf niet wat het is. Misschien nieuwsgierigheid. Dat is natuurlijk niet goed. Misschien is het ook het verhaal van de andere kant willen horen."

„Dat is gevaarlijk. Je vader kan er minder mooi van afkomen. Die kans is groot, want elk mens praat zijn eigen straatje schoon. Je vader zei dat Lienie hem het hoofd op hol bracht, zijn broers en zijn moeder zeiden dat hij niet de enige was, die in het donker met haar rollebolde. Dat gaf je vader het gevoel 'gepakt' te zijn, om er een nare uitdrukking voor te gebruiken. Misschien zegt Lien Grettema heel andere dingen."

Loudy knikte. „En toch wil ik meer weten."

„Goed meiske, we gaan naar Berawolde. Voor we gaan, bepraten we hoe we het zullen aanleggen. Je moet je voorbereiden op een minder prettige ontvangst."

Begin januari werd het echt winterweer. Een helderblauwe lucht, een koude wind die uit het oosten over de kale velden naar het dorp kwam.

Maar de mensen vonden het niet erg. „Het is januari, het is winter," zei vader Rijswijk erover, „en dit weer is gezonder dan de regen en nattigheid van december."

In de tweede week van januari reden ze op een zaterdagmiddag naar Berawolde.

„Laten we maar bij vrouw Grettema beginnen," had Loudy in het gesprek dat aan de rit voorafging, gezegd. „Wil je geloven, Sjoerd, dat ik bang ben voor Johannes?"

„Bang, Loudy, ik ben toch bij je!" zei hij spottend, om haar vrees weg te werken.

„Dat is waar en hij zal ons niet direct met een knuppel van het erf jagen, maar toch ben ik bang."

„Je denkt dat het bij vrouw Grettema beter zal gaan omdat zij een vrouw is. Maar heb je wel eens een woedende, krijsende, scheldende vrouw gezien? Dat is ook om bang van te worden, hoor! Maar we hebben het al een paar maal besproken: eigenlijk kan ons niets gebeuren."

Zo reden ze in de richting van het stille dorp. De weilanden lagen verlaten, de koeien waren nu binnen, in de warme stallen. De wind boog de kale takken van de bomen langs de wegen naar het westen, rond de boerderijen was niemand te zien. Ze stonden kleumerig in het wijde land.

Ze reden Berawolde binnen. Het was er heel anders dan in augustus, toen een milde zon door de dikke bladerkronen van de bomen probeerde te dringen. Nu waren de bomen kaal.

Sjoerd reed naar het plein en parkeerde de auto. Ze liepen, zonder iets te zeggen, in de richting van de Waterstraat. In het telefoonboek had Loudy het goede adres gezocht. Nummer vierentwintig. Ze liepen langzaam tot bij het huis.

„We lopen eerst langs en kijken binnen. Misschien kunnen we iets zien. Wie weet is Lientje vandaag jarig en zit de kamer vol feestvierende mensen. Dan kunnen we beter doorschuiven."

„Zou je denken?" vroeg Loudy ondeugend.

Ze liepen voorbij het raam. Aan de tafel zat een vrouw, die opkeek toen ze voorbijgingen. Ze knikte en keek hen na. Misschien dacht ze: wie kunnen dat nou in 's hemelsnaam zijn, vreemdelingen in Berawolde en dat midden in de winter...

Sjoerd stond stil, ze waren een paar huizen voorbij nummer vierentwintig.

„Sjoerd, ik durf niet, mijn hart klopt in m'n keel. Laten we maar naar huis gaan."

„Ben jij mal. Drie weken een plan de campagne maken, steeds zeggen dat ons niets kan gebeuren en nu terugkrabbelen? Nee, jongedame, dat doen we niet. En vergeet niet, dan blijf je met vragen zitten. Kom, ik zal het woord wel doen. Ik doe het in het Fries, dat komt vertrouwder over, maar je kunt ervan overtuigd zijn dat ik geen rare dingen zeg." Ondanks het beven moest ze even om hem glimlachen.

Ze liepen terug en Sjoerd drukte op de bel.

Loudy zag, hoewel ze niet echt naar het raam keek, dat de vrouw een beetje moeilijk uit de stoel overeind kwam, nog even door het venster keek – zij draaide vlug haar hoofd om – en door de kamer liep.

De deur ging open.

In het Fries vroeg Sjoerd: „U bent mevrouw Van Rijssen?"

Toen ze knikte, vervolgde hij: „Het is erg moeilijk, ik weet eigenlijk niet goed hoe ik moet zeggen waarom wij hier zijn. Ik ben Sjoerd Rijswijk en dit is mijn vrouw Loudy, wij wonen in Hartelinge. Maar de vader van mijn vrouw komt uit Berawolde. Hij is jaren geleden hier vandaan gegaan, hij vertelde haar niet veel over zijn leven hier en ze wil daar graag meer van weten."

De vrouw had een vriendelijk gezicht, maar ze zei toch een beetje nors: „Wat heb ik daarmee te maken?"

„Als mijn schoonvader over zijn geboortedorp praat, noemt hij wel eens uw naam."

„Welke naam dan?" Sjoerd keek haar recht aan. Loudy stond naast hem. Ze voelde alles in zich trillen. Haar armen en benen, maar ook haar mond en haar wangen. Ze voelde het kloppen van haar hart.

„Lienie Grettema," zei Sjoerd en hij bleef haar aankijken.

„Lienie Grettema, ja, zo heette ik vroeger." Opeens keek ze Loudy aan.

„Hoe heet je vader dan?"

„Hij heet Tjeerd Swinkels..."

„Tjeerd Swinkels." Ze herhaalde de naam langzaam, ze werd bleker, ze schudde zachtjes haar hoofd. „Ben jij een dochter van Tjeerd

Swinkels...? Ik weet niet wat ik moet zeggen. Kom maar even binnen, sa by de doar kenne wy dit net ôfdwaan."

Sjoerd drukte Loudy's hand in een vlugge beweging. Ze trilde nog. De deur sloot zich achter hen en Lien Grettema draaide de sleutel in het slot om. Opeens gleed een glimlach over haar gezicht. „Niet dat ik jullie wil opsluiten, maar het is hier gewoonte dat de buren door de voordeur binnenkomen, dat is een korter weggetje dan achterom met deze kou, maar ik denk dat het beter is dat we nu geen bezoek krijgen. Kom mee naar de kamer."

Het was een grote kamer met prachtige meubelen.

„Doe je jas maar uit, het is hier lekker warm. En pak een stoel. Zo, zo, dus jij bent de dochter van Tjeerd Swinkels en je bent met deze man getrouwd, een Fries, wat zei je, uit..."

„Sjoerd Rijswijk uit Hartelinge."

„Ja, ja." Ze ging in de armstoel bij de tafel zitten, ze zuchtte even.

„Eigenlijk begrijp ik niet wat je hier komt doen." Ze keek Loudy aan.

„Heeft je vader je over vroeger verteld?" Ze hadden afgesproken dat Loudy eerlijk zou zeggen wat ze wist.

„Ja. Ik wist namelijk dat er iets gebeurd moest zijn in het leven van mijn ouders."

„Niet in het leven van je ouders, in het leven van je vader. Het was nog vóór hij je moeder leerde kennen."

Ze keek Loudy recht aan. „Je weet dat ik een kind van Tjeerd heb?" „Ja."

„Ik zei hem dat ik zwanger was nog vóór hij je moeder ontmoette. Er was dus geen enkele reden waarom hij niet met mij zou trouwen. Maar ik weet wat er is gebeurd en dat zal hij jou ook verteld hebben. Geklets en geroddel in het dorp en grote bekken van zijn broers. Vooral Jochem. Jochem wilde ook met me, maar ik had absoluut geen zin in hem. Het was een heel lastige man. Ja, hij is dood en ze zeggen wel 'van doden niets dan goeds', maar dat is onzin. Hij was gewoon een nare man. Er was geen meisje in het dorp en in de hele omgeving dat met hem wilde. En je moest voorzichtig zijn met hem, want ik denk dat hij er ook niet voor terugdeinsde een meisje te pakken te nemen dat niet wilde. Bij mij heeft hij een blauwtje gelopen en dat zat hem danig dwars. Toen Jochem hoorde dat Tjeerd wel met me wandelde, zette dat kwaad bloed en toen Tjeerd thuis vertelde dat ik zwanger van hem was, was Jochem de eerste om te verkondigen dat ik meer vriendjes had. Als je de verhalen van toen moest geloven, lag ik elke avond met een ander te vrijen in de werkplaats van mijn vader. Och, ik wil niet zeggen dat ik een bedeesd en teruggetrokken meisje was, ik hield van de jongens en ik zoende ze graag, maar ik wist heel zeker dat deze zwangerschap alleen van Tjeerd Swinkels kon zijn."

Ze boog zich over de tafel. „Het is langgeleden en na die tijd is alles goed gekomen, maar het was verschrikkelijk van hem te moeten horen dat hij niet van plan was door mij in de maling genomen te worden." Ze leunde weer terug in de stoel. Met zachtere stem ging ze verder. „Het was een groot voordeel dat ik schatten van ouders had. Mijn moeder had spoedig in de gaten wat er aan de hand was. Dat was ook niet moeilijk te raden, want als ik 's morgens uit bed stapte, was ik ontzettend misselijk. Ze wist dat ik met Tjeerd Swinkels omging. Mijn ouders waren daar niet blij mee, want de jongens van Swinkels stonden niet gunstig bekend.

Over Jochem hebben we het al gehad, dat was gewoon een ongelikte beer. Johannes was wel iets beter, maar hij trok veel met Jochem op en werd door Jochem beïnvloed. Mijn ouders dachten dat Tjeerd met hetzelfde sop overgoten zou zijn en ze zeiden ook: 'Dat is hij, dat zie je, hij laat je er mooi mee zitten.' 'Maar,' zei mijn moeder en die woorden zal ik nooit vergeten: 'we zullen er geen traan om laten, famke, we kunnen er beter een leven bij krijgen in de familie dan dat we er één moeten verliezen.' De zuster van mijn moeder had een paar jaar daarvoor een jochie van twee jaar verloren.

Ik zeg dit zo gemakkelijk, maar je moet niet denken dat de stemming in ons huis juichend was, om de drommel niet. In het dorp werd er heftig over gepraat. Het kwam wel meer voor dat een jong stel moest trouwen, dat was niets bijzonders. Maar een meisje dat met een kind bleef zitten was een schande. Ik blijf erbij dat de positieve houding van mijn ouders ervoor gezorgd heeft dat over mij niet zo minderwaardig werd gekletst in het dorp. Mijn moeder vertelde iedereen dat Tjeerd Swinkels de vader was. Maar hij papte als de drommel aan met een meisje uit het westen en trouwde daar erg vlug mee. De hele familie Swinkels scheen ermee ingenomen te zijn, vooral moeder Swinkels. Maar toen Lieneke een klein hummeltje was, kon het hele dorp zien, dat het een kind van Tjeerd was."

De vrouw grinnikte. „Ze leek als twee druppels water op hem. Iedereen zag het. Toen hoorden we geen geklets meer van: ja, maar ze ging ook met andere jongens. Nee, iedereen zei: zie je wel dat het van Tjeerd Swinkels is… Toen moeder Swinkels het kind zag en moest toegeven dat het een kleinkind van haar was, keerde ze zich tegen Tjeerd. Dat was eigenlijk gemeen, mijn vader zei toen: 'Let op Rinske Swinkels. Ze voelt dat ze het dorp tegen zich krijgt en dat wil ze niet.' Zo was het ook. Toen zijn je vader en je moeder naar het westen gegaan."

Loudy knikte. „Zo heeft vader het me ook verteld."

„Lang geleden? Nou ja, lang natuurlijk niet, je bent nog jong…"

„Ik wist dat er iets was geweest, maar ik wist niet wat. Mijn moeder wist niet dat u een kindje verwachtte van mijn vader, toen ze met hem ging."

„Dat was echt een Swinkels-streek, zeggen ze hier. Want hoe je het ook bekijkt, meisje, al is het je eigen vader, het was gemeen, dat ben je toch met me eens."

„Dat ben ik helemaal met u eens. Mijn vader nu ook."

Lien van Rijssen knikte. „Mijn moeder is er nooit overheen gekomen."

„Nooit overheen gekomen, hoe bedoel je dat?"

„Mijn moeder dacht, dat mijn vader met haar was gegaan om aan de mensen te kunnen laten zien dat hij niet met u was."

„Dat dacht je moeder dan heel goed en het was ook zo. Het was voor haar niet prettig. Ik kan me voorstellen dat ze er verdriet over had."

„Dat verdriet ging niet meer over."

„Niet meer over…?"

„Nee. Het is hun hele leven tussen mijn ouders gebleven. Ze verweet hem oneerlijkheid en ze vertrouwde hem niet meer."

„Je moeder is overleden?"

„Ja."

„Ik kan het niet allemaal zo snel verwerken, ik moet erover denken en misschien is het beter dat ik er niet over denk. Maar dat zal niet lukken, jullie zijn hier en jullie vertellen me dit. En veel dingen die vergeten leken, omdat er na die tijd veel andere dingen kwamen, komen nu terug. Dus Tjeerd heeft geen gelukkig huwelijk gehad?"

„Nee."

„Ik zou bijna zeggen en dat zou menselijk zijn: gelukkig, maar dat zeg ik niet en dat denk ik ook niet. Want ik zelf heb een gelukkig huwelijk gehad, een gelukkig leven ook. Ik had Lieneke en het was een schat van een kind. Zonnig, blij, vrolijk, iedereen hield van haar. Toen ze een jaar of twee was kwam Egbert van Rijssen al om me, zo noemden ze dat hier. Hij was de enige zoon van rijke boerenmensen, ze hadden een grote plaats aan het begin van het dorp. Ik was de dochter van een arm schoenmakertje. Mijn moeder zei: 'Begin er niet aan, kind.' Misschien was ze bang dat Egbert met me wilde gaan omdat hij dacht: ze heeft een kind, ze neemt het niet zo nauw, met haar kan ik een avontuurtje op touw zetten, maar zo was het beslist niet en dat wist ik. Maar ik zei hem dat we niet bij elkaar pasten. Hij zo'n rijke boerenzoon en ik een schoenmakersdochter met een kind. En wat zeiden Egberts ouders ervan? Zijn ouders zeiden er helemaal niets van. Die vonden dat hij moest trouwen met wie hij wilde." Ze keek triomfantelijk van Sjoerd naar Loudy.

„Ja, het waren bijzonder goede mensen. Ze hadden veel geld, ze zijn allebei overleden, ze waren laat getrouwd. Ze waren verschrikkelijk gelukkig met de geboorte van Egbert, zijn moeder was tegen de veertig toen hij op de wereld kwam, ze konden hun geluk niet op. Zo'n gezonde, fijne jongen. We weten niet welke plannen ze met hem hadden, of ja, toch wel, hij moest een goede boer worden en de boerderij overnemen, maar vooral: hij moest gelukkig zijn in zijn leven. En hij zei dat hij alleen gelukkig kon worden als hij met mij trouwde. Dat is dan ook gebeurd. Hij heeft Lieneke zoals ze dat noemen 'geëcht', ze heet Van Rijssen. Lieneke van Rijssen. We hebben samen nog een kind gekregen, een jongen, Fokke. We zijn heel gelukkig geweest, dat kan ik zonder meer zeggen. Maar een paar jaar geleden kwam aan dat geluk een einde."

„We weten het," hielp Sjoerd haar, „uw man is door een ongeluk om het leven gekomen."

„Ja, kinderen. Mijn moeder zei vaak: het geluk is teer, het kan zo voorbijgaan, en daar wil je niet in geloven als je jong bent. Dan denk je dat er geen eind aan kan komen. Nou ja, geen eind, dat natuurlijk wel, want wij wisten ook dat we niet het eeuwige leven hadden, maar we hadden nog jaren voor ons vóór we oud zouden zijn. We hadden veel plannen. Fokke voelde gelukkig veel voor de boerderij. Zo'n kind groeit ermee op; al z'n vrije tijd, vóór en na schooltijd, was hij in de stallen of op het land, maar je weet toch nooit. Hij is naar de landbouwschool gegaan en we zijn even bang geweest dat het studeren hem op andere gedachten zou brengen, dat hij dan later niet in de mest zou willen werken en de beesten voeren, maar gelukkig is dat niet gebeurd. Fokke is een echte boer geworden. Hij zit nu op de boerderij. Hij was, toen Egbert stierf, te jong om de hele boel over te nemen, dat kon gewoon nog niet, maar we hadden een heel goede knecht. Die heeft ons geweldig geholpen. Hij is nog bij Fokke. Het is bijna een vader voor de jongen. Het gaat prima.

Ik wilde niet langer op de boerderij blijven wonen dan nodig was. Fokke is getrouwd, erg jong, dat is waar, en de ouders van het meisje waren er niet voor. Jetske was net achttien geworden, maar haar ouders wisten dat het goed was tussen het jonge stel, daarom hebben ze toch maar hun toestemming gegeven. Gelukkig wel. Toen heb ik dit huis in het dorp gekocht en ben hier gaan wonen."

Sjoerd en Loudy knikten.

„Lieneke is getrouwd met de jongen die al haar vriendje was toen ze samen naar de kleuterschool gingen." Ze glimlachte. „Het was zo'n leuk koppeltje samen. Lieneke is erg blond, als kind was ze bijna wit. Met krulletjes. Een pop om te zien. En Steffie, zoals hij toen genoemd werd – nu heet hij Stefan – was donker met grote bruine ogen, een matte huidskleur en zwart haar. Blond en bruin werden ze in het dorp genoemd. En altijd samen. Hand in hand naar de school, na vieren met elkaar spelen. Soms hadden ze ruzie, daar waren het kinderen voor, nietwaar, en Lieneke lachte hem vaak uit, daar kon hij niet tegen. Dan voelde hij zich gekrenkt, dat kleine manneke. Toen ze groter werden, gingen ze naar de school in Sneek. Op het dorp is alleen een lagere school. Ze gingen met een hele ploeg jongelui op de fiets naar de stad, maar bijna altijd reden Stef en Lieneke naast elkaar. Egbert en ik hebben in die tijd vaak tegen elkaar gezegd dat het toch opeens voorbij kon zijn tussen die twee, als de liefde op de proppen kwam. Want liefde is anders dan vriendschap, het zijn andere gevoelens. Ik praatte er ook met Liekene over. Ik zei, dat ze niet uit gewoonte met Stef moest blijven, dat ze allebei moesten nadenken over hun gevoelens. Ze moest Stef vrij kunnen laten als er een meisje in zijn leven kwam waarop hij verliefd werd. Maar dat gebeurde niet. De vriendschap ging over in liefde, dat kunnen we gerust zeggen. Ze zijn nu alweer een jaar of acht getrouwd. Ja, acht jaar is het wel. Ze wonen in Drachten, daar heeft Stef een goede baan. Ze hebben twee kinderen, twee jongetjes."

Ze zweeg. „Vreemd", zei ze dan, „dat ik zoveel aan jullie vertel. Normaal denk ik er niet aan. Maar ja, het is wel een deel van mijn leven. En terwijl ik praat staan me opeens veel dingen weer duidelijk voor de geest. De avond toen Tjeerd kwam en me zei dat hij gehoord had dat ik ook met andere jongens vrijde – er werd in het dorp zelfs de naam van een getrouwde man genoemd – en dat hij daarom niet met me wilde trouwen. Ik weet het nog. We hadden afgesproken bij de schuur van Krelis Wittersma, dat was een keuterboertje aan het Landpad, een klein bedoeninkje. Daar kwam nooit iemand. Krelis en Mina bleven 's avonds thuis, ze gingen trouwens met de kippen op stok. 's Morgens voor dag en dauw waren ze aan het werk, maar 's avonds brandde er nooit een lichtje in hun huis. Daar zei Tjeerd dat tegen me. Ik weet nog dat ik huilend en snikkend naar huis ben gelopen. Niet gehold, gewoon gelopen. Ik dacht dat de wereld ophield te bestaan, nu was alles voorbij.

Ik was altijd vrolijk en optimistisch, maar toen zag ik het helemaal niet meer zitten. Mijn vader hoorde me aankomen. Die deed de deur open en ving me op. Dat weet ik nog. Hij was een kleine man met een smal gezicht, maar die avond was hij voor mij een sterke reus.

Mijn moeder zei niet veel. Later vertelde ze me, dat ze in gedachten zei: wat een schurk, laat hem barsten. Hardop zei ze alleen: 'We redden het wel, famke. Na deze tijd komen andere tijden.' Mijn ouders zullen meer gezegd hebben, maar die woorden weet ik nu nog. Die herinner ik me.

Ik was het niet met moeder eens, ik was ervan overtuigd dat mijn verdere leven alleen uit tranen zou bestaan, ik zou elke dag huilen. Ik was zwanger en Tjeerd Swinkels liet me zitten. Maar dat ik een kind kreeg, drong de eerste dagen niet tot me door. En hoe dat zou zijn, wist ik ook niet.

Dat kwam later en toen was ik er nog blij mee ook. Het was net of dat wezentje in me met me praatte. Misschien deed het dat ook wel. We waren tenslotte dicht bij elkaar, het hoefde niet te schreeuwen om me te bereiken. Het zei dat het lief was en klein en van me hield en altijd van me zou blijven houden.

Het is vreemd, het verbaast mij tenminste, dat ik opeens zoveel dingen van toen duidelijk voor me zie. Jullie komen onverwachts, ik was op dit gesprek niet voorbereid en ik dacht er ook niet over, en toch zie ik veel weer voor me."

Loudy keek naar de vrouw aan de andere kant van de tafel. Een kleine, stevige vrouw met blauwe ogen. Ze had mooie ogen, volgens vader, ze lachte vaak en dan waren die ogen glinsterend blauw. Ze waren nog blauw en nog mooi, maar om de ogen waren rimpeltjes gekomen.

De tijd is bezig de tranen van het laatste verdriet weg te strelen, dacht ze, maar helemaal lukken zal het niet. Omdat voor Lien van Rijssen dit verdriet niet voorbijgaat.

„Als ik nu aan dat van toen denk…" De vrouw schudde langzaam haar hoofd. „Eigenlijk waren we nog kinderen, nee, kinderen niet meer, Tjeerd was zes- of zevenentwintig, dan ben je geen kind meer en vooral op ons dorp, daar werd onder de jongelui stoer gepraat en je zou zeggen, dat hij wist waar Abraham de mosterd haalt, maar in werkelijkheid wist hij niets. Hij had weinig ervaring met meisjes. Vóór hij met mij ging had hij niet wat we hier noemen 'ferkearing'. Ik was met meer jongens geweest. Ik wist van vrijen en zoenen, maar met Tjeerd liep het uit de hand, we gingen te ver. Mijn moeder zei later dat dat de natuur is. Het zal wel zo zijn, maar die ene avond heeft mijn leven veranderd en, naar ik nu hoor, óók het leven van Tjeerd Swinkels."

„Het heeft zijn leven heel erg veranderd. En dat van moeder!"

„Dat is jammer, erg jammer. Want weet je wat het is, zo zie ik het, moeder kon nadenken en tobben over dat wat Tjeerd had gedaan, maar er veranderde niets door. Begrijp je wat ik bedoel? Het kind van Tjeerd en mij was er, zij was met hem getrouwd en ze moest met hem verder. Maar ik kan begrijpen dat ze erover dacht. Ze vroeg zich natuurlijk af hoe groot zijn liefde voor mij was geweest en daar was ze mogelijk jaloers op. Achter veel dingen is, al zie je het niet meteen, hetzelfde verborgen, iets vreselijks dat veel vormen heeft, maar één naam: jaloezie." Ze leunde naar achteren, tegen de rug van de stoel. „Ik begrijp nog niet dat jij hier bent. De dochter van Tjeerd en ik vertel je zoveel. Waarom? Er is geen reden voor. Maar het hindert ook niet. Het is alles langgeleden, ruim dertig jaar. Lieneke is nu dus dertig jaar."

Sjoerd vroeg: „Heeft ze gevraagd naar haar echte vader?"

„Daar hebben we nooit een geheim van gemaakt. Ik denk dat dat goed is geweest. Ze kon met alle vragen bij me komen, ik gaf er eerlijk antwoord op. Maar er was toch een moeilijkheid. Toen Lieneke begon te vragen was ze een jaar of negen. 'Heette mijn vader Swinkels? Was hij een broer van Johannes en Jochem?' Ze kende die mannen natuurlijk en ze hadden op ons dorp geen prettige naam. Ik weet niet hoe ze zich haar vader heeft voorgesteld. Misschien ook als zo' n brute vent, die haar moeder te pakken had genomen, en daaruit was zij geboren. Ik probeerde wel duidelijk te maken dat Tjeerd anders was, netter, veel netter en beschaafder, maar het feit bleef natuurlijk dat hij ons in de steek heeft gelaten. Later vroeg Lieneke er niet meer naar. Ze wist wat ze weten wilde en ze had een fijne jeugd met Egbert, kleine Fokke en mij. Ze had veel vriendjes en vriendinnetjes, want het was een lief kind, hoewel ze anders was dan ik vroeger. Ik kan moeilijk van mezelf zeggen dat ik een gemakkelijk kind was, maar het is beslist waar dat ik vrolijk en opgewekt van aard ben. Zo is Lieneke niet."

Lien van Rijssen keek naar Loudy. „Ze heeft iets van het karakter van de Swinkels in zich. Maar het was toch een lief kind en het is nog een fijne meid. Stefan en zij hebben veel mensen over de vloer. Daar houden ze van. Het is altijd gezellig bij hen."

„Ik vind het fijn dat u met ons wilde praten." Loudy vond dat het tijd werd om weg te gaan.

„Met ons praten, dat zeg je, maar ik heb met jullie gepraat, je kwam er zelf bijna niet aan toe. Maar" – ze lachte ondeugend, de blauwe ogen glommen opeens – „het was ook zo dat jij iets wilde weten en ik wist dat. Ik moest dus vertellen." Toen trok het gezicht opeens strak en ze vroeg: „Heb je Johannes ook gesproken?"

„Nee. Als ik eerlijk ben, moet ik bekennen dat ik bang ben naar hem toe te gaan."

„Daar hoef je niet bang voor te zijn. Johannes is de laatste jaren een rustige man geworden. Sinds Jochem dood is, is hij aardiger, menselijker. Niet dat ik hem vaak spreek, ik kan wel zeggen dat ik hem nooit spreek, maar ik hoor dat van anderen. We komen elkaar een enkele maal tegen als er iets te doen is in 'De Swanneblom', daar komt hij alleen als het besprekingen betreft die het dorp aangaan, en dan groeten we elkaar. Meer niet. Ik heb er geen behoefte aan met hem te praten. Maar je hoeft niet bang voor hem te zijn."

Sjoerd stond op. Ook hij vond het tijd om te vertrekken.

„Er waren vragen die mijn vrouw erg bezighielden."

„Heb ik die voor je opgelost?"

„Ja. Wat mijn vader verteld heeft, is de waarheid. Dat hoorde ik van u."

Lien van Rijssen was ook opgestaan. Ze stond tegenover hen. Ze was veel kleiner dan Sjoerd, en ook nog iets kleiner dan Loudy.

„Hoe is het nu met je vader?"

„Goed. Hij heeft last van zijn rechterbeen, hij heeft er een ongeluk mee gehad. Maar het ergste is dat hij alleen is."

„Vooral nu jij hier woont zeker. Want na jou zijn er geen kinderen meer gekomen in zijn huwelijk, begrijp ik dat goed?"

„Ja. Ik ben de enige. Vader is dus erg alleen."

„Ik ben ook alleen. Ik ben vaak alleen in huis, laat ik het zo zeggen. Ik mis Egbert ontzettend. Het is zo vreselijk jammer dat hij er niet meer is, want we konden nog mooie jaren hebben samen, we hadden het zo goed. Waarom moest dat ongeluk gebeuren? Waarom, waarom? Maar het leven zit vol vragen. Ik wil mezelf leren er vrede mee te hebben, maar het is moeilijk dat te bereiken. Ik ben veel alleen in huis, maar ik ben niet verdrietig omdat ik alleen ben. Als ik aan Egbert denk, ben ik verdrietig. En ik heb leuke buren, met wie ik goed kan opschieten, we komen dikwijls bij elkaar. En mijn zoon Fokke komt vaak 's avonds even langs met zijn vrouw en Lieneke komt vast één middag in de week. Ze heeft een klein autootje. Dat is gemakkelijk, want Berawolde is niet eenvoudig te bereiken als je met de bus moet. Maar dat hoeft dus niet."

Sjoerd liep in de richting van de gangdeur, Loudy volgde hem langzaam. Ze moesten nu gaan, ze waren lang genoeg gebleven en mevrouw Van Rijssen had al zoveel verteld, maar Loudy wilde nog blijven. Er ging warmte van de vrouw uit, ze ontmoetten elkaar deze middag voor de eerste maal, maar het was of ze elkaar allang kenden. En er waren geen gevoelens van haat of wrevel in de vrouw. Alsof ze Loudy's gedachten raadde, zei ze: „Het is zo lang geleden, kinderen, we kunnen erover denken, maar er is niets meer om verdrietig over te zijn. Misschien voor je vader. Omdat zijn huwelijk er ongelukkig door is geworden. Dat begrijp ik uit jouw woorden. Maar misschien was het dat niet, meisje, het kan ook zijn dat Tjeerd en zij niet echt bij elkaar hoorden.

Het ging allemaal een beetje te snel. Maar het is wel jammer. Een mens leeft maar één keer en die ene keer moet met plezier zijn, zo is het toch?

Komt je vader vaak bij jullie, waar woon je ook alweer, je hebt het gezegd, maar ik ben het even kwijt, o ja, Hartelinge. Als hij bij je is, moet je eens met hem langskomen. Geen sentimenteel gedoe, dat is nergens voor nodig. Het is lang geleden gebeurd, we zijn er allebei overheen gekomen en Lieneke is blij dat ze leeft. Ze heeft het heerlijk. Zo moeten we het bekijken."

Ze stonden buiten. In de koude, frisse wind. Loudy's wangen waren rood van het gesprek, het denken en de warmte van de kolenkachel die in de woonkamer van mevrouw Van Rijssen heerlijk brandde.

Ze liepen terug naar de auto zonder nog een woord te zeggen. Pas toen ze in de auto zaten en Sjoerd de sleutel in het contact stak, zei hij: „Ik ben blij dat we er geweest zijn."

„Ik ook. Het is een aardige vrouw."

„Ja. Open en eerlijk en met een goede kijk op het leven."

Ze reden langzaam het dorp uit. Loudy zat stil naast hem, ze wilde met hem praten, alle gedachten vertellen, maar ze was opeens moe en ze wist niet hoe te beginnen. Sjoerd voelde dat. „Thuis babbelen we erover, mijn vrouwke."

Hij legde even zijn hand op haar been.

„Ga je met je vader naar haar toe, als hij hier een weekend is?"

„We vertellen hem eerlijk dat we bij Lien van Rijssen zijn geweest. Ik weet niet hoe ik over haar moet praten. Mevrouw Van Rijssen klinkt zo afstandelijk, vrouw Van Rijssen vind ik niet prettig om te horen en Lien is ze voor ons niet."

„Ja, we moeten het vader vertellen. Als de wegen goed zijn, gaan we zo gauw mogelijk naar Breehuizen."

„Hij was oudejaarsavond alleen. Hij zegt dat hij dat niet erg vindt. Hij kijkt naar de televisie en hij zit elke avond alleen. Hij is dankbaar dat we de kerstdagen bij hem zijn geweest en hij begrijpt dat we oude-jaarsavond met jouw ouders en je zusje Jillie en de kinderen wilden zijn."

Het vriezende winterweer hield aan. De lucht was elke dag helder-blauw, kleurde in de namiddag naar prachtig winterwit. De wegen waren droog en schoon en Sjoerd en Loudy reden in het begin van een zondagmiddag over de Afsluitdijk.

„We moeten wel op tijd van huis gaan," had Sjoerd gezegd, „want je weet niet wat voor weer het wordt. Het kan opeens omslaan. Als we om ongeveer één uur weggaan, zijn we om half drie in de Oosterlaan. Dan stappen we om zeven uur weer in en staan we voor onze eigen huisdeur vóór het erg laat wordt. Zien we in de tussentijd donkere wolken aankomen, dan kunnen we eerder weggaan. Maar dan zijn we toch een paar uur bij hem geweest."

Vader Swinkels stond voor het raam, toen de auto voor het huis stopte. Een hartelijke begroeting in de gang. Vader zag er niet zo goed uit, vond Loudy, een beetje grauw. At hij niet gezond, maakte hij niet elke dag een warme maaltijd voor zichzelf klaar? Ze kon het wel begrijpen, maar het was niet goed.

„Eet u wel lekker, pap? Ik vind dat u er een beetje bleek en grauw uitziet."

„Ik weet het, kind, het is niet goed, maar ik kook niet elke dag voor mezelf. Twee aardappelen in een pannetje en een armzalig beetje groente. Je weet dat er veel groenten zijn waar ik niet van houd. Het is zo'n werk en zo'n drukte, maar je hebt gelijk, elke dag een gebakken eitje en een bordje warm water met wat meel met een smaakje erin – dat heet dan soep uit een pakje – is niet gezond. Ik neem me iedere keer weer voor er wat meer regel in te brengen, maar het lukt me niet. Maar ik ben blij dat jullie er zijn en ik heb koekjes voor jullie in huis. Kom gauw mee naar de kamer, wat is het koud! Ik keek vanmorgen naar buiten om te zien of er sneeuw lag, want ik wist dat jullie dan niet zouden komen. En dat moet je ook niet doen, rijden met slecht weer of slechte wegen. Het is een heel eind en de Afsluitdijk is een vervelend stuk. Maar het weer was goed, gelukkig. Ik ben blij dat jullie er zijn."

Iets bijzonders had vader nooit te vertellen. Loudy was zich dat opeens bewust toen ze bij elkaar aan de tafel zaten. Vader praatte over een radioprogramma, hadden ze dat gehoord, nee, dat zou ook wel niet, ze hadden geen tijd om de hele dag naar de radio te luisteren, hij wel. Dat zei hij erbij. Lazen ze in de krant dat artikel over... Nee, zij hadden natuurlijk geen tijd om de krant uit te pluizen, hij wel, hij had het gelezen en... Hij zei het niet op een toon alsof hij ze een verwijt maakte, dat kon hij ook niet, zij konden zijn eenzaamheid niet oplossen, hij vroeg evenmin om medelijden, maar evengoed... Hij vertelde uitgebreid over het krantenbericht. Misschien om te laten merken dat hij zich nog betrokken voelde bij het gebeuren in de wereld. Misschien ook alleen om een onderwerp aan te dragen.

Na de koffie kwamen de wijnglazen en de wijnfles op tafel. „Een dronk op het nieuwe jaar, kinders. Er kan in een jaar ontzettend veel gebeuren, er kan ook heel weinig in gebeuren. In het voorbije jaar zijn jullie getrouwd, wie weet wat het komende jaar je brengt."

Hij lachte.

„Weet u waar we vorige week geweest zijn, vader?" begon Loudy aan het onderwerp waaraan Sjoerd en zij deze middag steeds moesten denken.

„Geen idee, kind. Je kunt naar zoveel plaatsen toegaan. Leeuwarden misschien?"

„Nee. We zijn nog een keer in Berawolde geweest." Zijn gezicht betrok. „Wat moest je daar, Loudy? Je hebt er geen herinneringen en geen banden. Toen je me de vorige keer vertelde dat je er geweest was, heb ik daarover nagedacht, natuurlijk, ik heb genoeg tijd om te denken. En ik zou er ook wel eens willen rondkijken, maar dan moeten er geen mensen meer wonen die mij hebben gekend. Nu leeft Johannes nog. Ik wil hem niet ontmoeten. Je kunt zeggen, dat alles langgeleden is – verjaard, als je dat woord ervoor kunt gebruiken – maar het feit blijft dat mijn broers me veel narigheid hebben bezorgd. Het geeft nu niet meer daarover te zeuren, niemand weet hoe het leven gelopen zou zijn als ik met Lien was getrouwd. Maar ik heb geen behoefte met Johannes te praten en herinneringen met hem op te halen aan vroeger. Zo leuk was mijn jeugd trouwens niet. Mijn vader en moeder werkten hard, vader bij de baas en moeder in huis; bovendien had ze een paar werkhuizen. Ik zat altijd in de schaduw van mijn broers en dat was geen pretje. Nee, ik heb geen behoefte aan herinneringen ophalen. En het nu mooier maken dan het toen was, wil ik ook niet. De tijden waren anders, ik weet het allemaal, maar het hoeft niet meer. De enigen die ik zou willen ontmoeten zijn mijn zusters. We gingen vroeger niet veel met elkaar om, ze waren heel wat jonger en ze waren altijd met z'n tweetjes. Ze hielden zich afzijdig van de jongens en dat kan ik me voorstellen, met zulke broers. Maar ik zou met Djoeke willen praten, ja."

Er gleed een glimlach over zijn gezicht. „Ik weet ook niet hoe het met haar is. En met Martha. Hebben jullie daar iets over gehoord?"

„Nee."

„Jullie zijn niet bij Johannes geweest?"

„Nee."

„Zomaar wat rondgewandeld in Berawolde? Het zal er een stille en koude bedoening zijn geweest. In de winter was er vroeger al weinig te beleven. Alleen als er ijs in de sloten lag. We konden heerlijk schaatsenrijden op de vaart en als het ijs sterk genoeg was gingen we door naar de meren. Maar dan moest het een flinke tijd gevroren hebben. Ik weet nog van een keer..."

Vader vertelde verder. Over de tafel heen keken Sjoerd en Loudy elkaar aan. Zou vader niet denken aan Lien Grettema?

Of deed hij zo, speelde hij de onnozele, in wiens gedachten een bezoekje aan haar niet opkwam?

Na het verhaal over het ijs zei Loudy: „We hebben wel iemand van het dorp gesproken."

„De kastelein weer? Hoe heet die man? Vroeger zat er een Visser in, Tjabe Visser. Maar die zal wel dood zijn, in elk geval staat hij niet meer achter de tap. Maar zijn zoon, dat kan. Hij had een zoon. Ik weet niet meer hoe die knaap heette. Dat is me ontschoten."

„We weten niet hoe de kastelein heet. Maar die bedoelen we ook niet." Loudy keek haar vader recht aan. „We hebben Lien Grettema gesproken."

„Lien Grettema..." Hij zei niet: hoe kon je dat nu doen? Waarom deed je dat? Dacht je dat er nog een ander verhaal was dan dat wat ik je vertelde? Er is maar één verhaal dat waar is en dat vertelde ik je. Hij vroeg dat niet. Hij keek haar alleen aan. Zijn gezicht was bleker geworden, grauwer bijna dan het al was. Hij vroeg: „Hoe is het met haar?"

„Goed."

„Ze woont niet meer op de boerderij, hé? Dat vertelde je me de vorige keer."

„Ze woont in de Waterstraat. In een niet zo groot huis, maar dat hoeft ook niet voor haar alleen. Het ziet er keurig uit, met mooie spulletjes."

„Dat zal wel. Egbert van Rijssen zat goed bij kas, die heeft haar niet onverzorgd achtergelaten. Wie doet de boerderij nu, of is die verkocht?"

„Nee. De zoon van Egbert en haar woont er nu. Het is een nog jonge vent, wat zei ze" – ze keek naar Sjoerd – „drieëntwintig. Maar hij heeft een goeie knecht."

„Die was er vroeger al, een vriend van Egbert. Willem van Diepen, ja, dat weet ik nog. Egbert en Willem waren altijd samen en allebei gek van de boerderij. Willem was 'eerste arbeider', maar ze voelden die verhouding nooit zo. Willem zal kapot geweest zijn toen Egbert stierf. Zo, zo, zit er nu een zoon van Egbert op de plaats. Willem woont ernaast. Vroeger stonden de arbeidershuisjes achter in het land, nou, achterin, dat hoefde niet, maar toch wel zo op het erf, dat de boer en de boerin geen last van de mensen hadden. Maar het huis van Willem was een mooi huis. Dat weet ik, want ik heb het gezien, een van de laatste keren toen ik Lien ontmoette. – En" – hij durfde het bijna niet te vragen, maar hij deed het toch – „en de jonge Lieneke, hoe is het daarmee?"

„Ze is getrouwd en woont in Drachten. Ze heeft twee kinderen, twee jongetjes."

Vader schudde zijn hoofd. „Mijn hemel toch, wat gebeurt er veel in het leven en wat gaat het snel. Lieneke getrouwd en twee kinderen. Vertelde Lien dat allemaal?"

„Ja." Opeens lachte Loudy. „We wilden erheen, ik wilde erheen, maar we stonden met bibberende benen op de stoep voor de deur."

„Maar niks aan de hand zeker? Even de schrik: wat moeten die lui, maar toen: kom binnen. Ja, zo was Lien vroeger al. Spontaan. Hartelijk. Maar het moet voor haar toch een schok zijn geweest te worden geconfronteerd met mijn dochter."

„Ik geloof niet dat ze het zo voelde. Meer als iemand die weet van vroeger en daarover wil praten. Misschien is het voor u niet prettig om het te horen, maar ik kreeg niet het gevoel dat ze, wat Lieneke betreft, nog aan u denkt als aan de vader. Het kind heet Van Rijssen en is door die man en haar opgevoed, er waren geen problemen. Voor haar gevoel is Lieneke de dochter van Egbert en haar."

„Zo is het natuurlijk ook. Ik heb haar verwekt, meer deed ik er niet aan. En wat betekent die enkele daad? Niets, helemaal niets. Die is voor de opvoeding onbelangrijk. Ik kan ook niet zeggen dat ik echt het gevoel heb gehad nog een kind te hebben. De eerste tijd, ja, want toen zag ik het kleintje af en toe en later dacht ik soms aan haar, maar ik had er geen band mee. Toen ze klein was, zag ik haar een paar maal."

Hij schudde met zijn hoofd, „het was een leuk ding om te zien. Blond, blonder dan ik ooit ben geweest en ze had krulletjes. Ze leek op mij, dat zag ik. Maar ze had de natuur van haar moeder, ze was veel vrolijker en blijer dan ik." Hij schudde zijn hoofd. „Wat kan het toch raar lopen in het leven."

„U en moeder hebben verdriet gehad en verwijdering tussen u bei-den om dat kind, maar Lien – ik zal haar maar Lien noemen, hoewel ik het niet prettig vind klinken uit mijn mond – maar Lien had er geen zorgen mee. Ze hield dolveel van het kleintje, was er blij en gelukkig mee. Haar ouders en haar broer accepteerden het meiske volledig en voor Egbert van Rijssen was het geen enkel probleem."

„Je vat het in een paar zinnen samen, maar je hebt wel gelijk. Het heeft tussen Geeske en mij gestaan. Het kwam voornamelijk omdat ze niet wist welke gevoelens er geweest zijn, vroeger. Hield ik veel van Lien, dacht ik nog steeds aan haar, had ik veel spijt dat ik niet met haar getrouwd was, wilde ik naar haar toe, dacht ik aan het kind, spaarde ik stiekem om het kind later iets te kunnen geven; van al die dingen heeft ze me verdacht. Ze was achterdochtig, ze wist mijn gevoelens niet en dat maakte veel kapot. Dat had Lien niet. Alles was open en eerlijk. Ze zal Egbert gezegd hebben dat ze echt van me hield toen we met elkaar gingen, in elk geval dat ze verliefd op me was, maar later was het voorbij. Helemaal voorbij. En ik kan het me voorstellen. Na alles wat ik haar aandeed."

„Ze vroeg, of u, als u bij ons bent, bij haar langs wilt komen."

„Hoe is het mogelijk, hoe is het mogelijk!" riep hij verbaasd uit.

„Ze heeft geen wrok, vader."

„Nee, Lienie heeft geen wrok tegen me. Dat geloof ik direct. Zo is ze niet."

„En er zijn zoveel jaren overheen gegaan. Ze heeft nu alleen verdriet om haar man, die dood is."

„Ja, ja, naar Lien toegaan, mijn hemel, wat moeten wij met elkaar bepraten?"

Hij keek Loudy verbaasd aan, met grote ogen, hij wist niet wat hij moest denken. Was hij hier blij mee, wilde hij dit? Aan de ene kant niet, Lien weer onder ogen komen, maar het was langgeleden. Hij had er in de loop der jaren op een verdrietige manier aan gedacht en wakkerde zo een gevoel van zonde aan – want dat was het geweest, een meisje met een kind laten zitten – maar Lienie zag alleen de zonnige kant. Een schat van een kind, dat lachte en babbelde. Daar kon ze niet verdrietig om zijn. Ze kon hem vergeven. Maar als ze nu tegenover elkaar stonden, als bijna oude mensen... Hij voelde zich oud de laatste tijd. Hij liep moeilijk, zijn haar was dun geworden, zijn gezicht had veel rimpels. Wat was er over van de onstuimige jongeling, die haar in zijn armen trok in het donker van de werkplaats van haar vader en haar kuste en zei dat niets belangrijk was op de wereld, alleen zij beiden en dat ze altijd samen zouden blijven, hij zou altijd van haar houden, zijn leven lang, en voor haar zorgen... Dat zei hij allemaal... maar alleen die avond.

Sjoerd en Loudy keken over de tafel heen naar elkaar. Het was genoeg zo.

„Denkt u er maar rustig over," zei Sjoerd, „u hebt nog een paar weken de tijd. Als het weer redelijk blijft, en ik bedoel daarmee, geen dikke laag sneeuw op de wegen, kunt u misschien over een week of drie een weekendje bij ons komen. Ik haal u op."

„Ja, laten we dat eerst maar afwachten. Als het glad is, moet je niet rijden, hoor! Er gebeuren iedere winter zoveel ongelukken en ook al loopt het goed af wat jezelf betreft, dan heb je toch de schade aan je auto en dat kan heel duur worden, tegenwoordig. De vrouw van de kruidenier had daar gisteren nog een verhaal over. Haar zoon is met zijn bijna nieuwe wagen tegen een hek gereden, hoe het gebeurde weet hij zelf niet. Hij zegt dat het stuur uit zijn handen glipte, maar hij kwam wel tegen een hek terecht en de auto zit aan de voorkant helemaal in elkaar. 'Reken maar op een duizend gulden schade,' zei mevrouw Wiggers. En hij is een paar dagen de wagen kwijt als die in de garage moet. Dat is ook lastig. Dus kijk uit. Maar ik wil graag bij jullie komen, dat weet je wel."

Opeens lachte hij. „Wat we dan met Lien doen, daar moet ik nog eens over denken..."

Op de terugweg in de auto begon Loudy er na een poosje zwijgen over. „We hebben vader veel stof tot overdenken gegeven..."

„Ja. Hij zal de hele film opnieuw laten draaien. Ik zie hem zitten. Alleen in de kamer, een leeg kopje op de tafel, zijn rechterbeen op het krukje. Denken aan toen hij een jonge vent was en smoorverliefd. Vóór jij begon te praten, dacht ik erover hoe dat moest zijn. Stel je voor: ik ben verliefd op jou, ik ga met je naar bed, om die uitdrukking maar te gebruiken, maar een lekker zacht en warm bed hadden je vader en dat meisje niet. Na een poosje hoor ik dat jij zwanger bent, maar door alle verhalen eromheen wil ik niets meer met je te maken hebben. Om dan te horen, dat het kind dat geboren is wel degelijk van mij is... Ik kan me niet voorstellen hoe dat voelt, wat er in je omgaat."

Hij keek van opzij naar Loudy. „Wij zijn getrouwd en je weet dat ik het heerlijk zal vinden als er bij ons een kind komt. Je weet dat ik dat graag wil, daar hebben we meer dan eens over gesproken. Je vader had een kind, maar hij bemoeide zich er niet mee. Ik kan niet begrijpen dat zoiets je loslaat. Ik weet wel dat er in je leven dan weer andere dingen gebeuren die je bezighouden. Je vader was getrouwd en jij werd geboren, ook allemaal heerlijk en veel afleiding, maar het moet toch, vooral die eerste jaren, in zijn achterhoofd zijn blijven zitten."

„Ja. En wat doet hij nu? Gaat hij naar Lienie of gaat hij niet?" Ze lachte er even om.

„Ik geloof niet dat hij het doet. Want het heeft geen enkele zin. Alleen herinneringen ophalen, maar die zijn zo leuk niet. Misschien is het enige belangrijke dat ze tegen hem zegt: 'Ik heb je alles vergeven,' maar ik geloof niet dat hij daarop zit te wachten. Hij heeft het allemaal allang in zijn gedachten verwerkt. Daar heeft hij innerlijk geen moeilijkheden meer mee."

Januari bleef een echte wintermaand. Er viel in één nacht zoveel sneeuw dat het dorp een sprookjesdorp werd. Toen Loudy 's morgens in haar duster beneden kwam en de gordijnen opentrok, zag ze het wonder. De straatweg was bedekt met een dikke laag sneeuw, er waren een paar sporen in van autobanden, maar ze misstonden niet, alleen was de sneeuw nu niet meer ongerept. De tuin was een plaatje. De donzige kapjes op de takken van de struiken, de witte kussens over de lage heg. De huizen en tuinen aan de overkant waren op dezelfde manier met de toverstaf van de natuur aangeraakt en bijna onwerkelijk geworden.

„Sjoerd," riep ze bij de trap, „het heeft gesneeuwd! Het is zo mooi, kom gauw kijken!"

„En de auto, ook onder de sneeuw en de wegen, ook onder de sneeuw?" klonk het niet bepaald blij van boven.

„Ja, alles!" Ze pakte de ketel om thee te zetten. Ook de tuin achter hun huis was een bladzijde uit een schitterend winterboek.

Ze voelde zich die hele morgen gelukkig. Alsof ze deel had aan dit wonder en dat was ook zo, ze mocht ernaar kijken en ervan genieten. Sjoerd mopperde. Hij moest eerst zijn auto met een zachte stoffer schoonmaken en gelukkig, de wagen startte, maar blij was hij niet met de sneeuw.

„Die troep, het is mooi, dat ben ik met je eens, maar als je ermee te maken hebt voor je werk, als je erdoor moet met de auto, is het niet zo'n lolletje. Voor mij zou het geen ramp zijn als ik niet kon rijden, naar de zaak is nog best te lopen, maar er zijn andere mensen. Daar moet je ook aan denken. Zulk weer kost geld, neem dat van mij aan."

Loudy geloofde hem direct, maar haar stemming, een bijna feestelijke stemming, leed er niet onder. Ze voelde zich een beetje als Alice in wonderland, de wereld was zo prachtig, de natuur zo machtig, dit zien was een belevenis. Ze zou straks haar laarzen aantrekken, een dikke jas aan doen en dan ging ze erop uit. In die prachtige wereld lopen. De sneeuw voelen.

Ze wist dat er nog iets was waardoor ze zich zo gelukkig voelde. Het was een vreemd blij gevoel van binnen, bewust weten dat je gelukkig bent en verwachten dat de toekomst goed zal zijn. Ze had nog geen zekerheid, het was nog te kort, twee weken nu, maar ze hoopte dat ze zwanger was. Ze voelde zich zweverig, bijna alsof ze twee personen was, één Loudy Rijswijk die in het huis liep en in de keuken de kopjes en bordjes afwaste, en één Loudy Rijswijk in wie een wonder zou plaatsvinden en zij mocht het beleven, ervan genieten, het bewust doormaken. Ze hoopte erg dat het zo was, ze wist dat Sjoerd graag een kind wilde en zij wilde het zelf ook.

„Als het mogelijk is, want dat moet je altijd afwachten. Niet elk huwelijk wordt gezegend met kinderen, dat weten we allebei, maar als wij ze wel kunnen krijgen, wil ik graag een paar kinderen. Echt een gezinnetje. En niet omdat het zo lief is, dat kleine spul, dat is het natuurlijk, een baby'tje dat naar je lacht, wat wil je nog meer, maar als ze groter worden kun je er echt problemen mee hebben. Bij ons op het terrein spelen vaak knaapjes van een jaar of tien, elf, nou, ik zeg je dat daar nu en dan bandieten tussen zitten. Met zulke jochies hebben de ouders beslist nu en dan moeilijkheden, want ze zijn brutaal. Ze willen stoer doen, moedig en sterk zijn, maar ze zijn dat nog niet. Om hun tekort te overwinnen stompen en slaan ze en schreeuwen ze erop los. Ik heb wel eens gedacht: ik ben blij dat ik zo'n kind niet in mijn huis heb. Maar het zal anders zijn als het je eigen kind is en dat bedoel ik: ze begeleiden en meemaken van klein hummeltje in de wieg, dat nog niets kan, alleen slapen en drinken en huilen, tot een volwassen mens en dan weten dat jij – en je vrouw – hem of haar het leven hebben gegeven en naar de volwassenheid hebben opgeleid, weten dat hij het aankan, er klaar voor is. Dat is een taak, er zijn genoeg mensen die kinderen krijgen, ze heel erg lief vinden als ze in de wieg liggen en ook als het kleutertjes zijn er nog met plezier mee omgaan, maar als ze groter worden is het vaak lastig. Het is niet gemakkelijk kindergedachten te begrijpen. Ik weet niet of alle ouders dat wel genoeg doen. Zich verdiepen in het kind. Een kind denkt anders dan jij en ik, een kind heeft ook andere angsten en zorgen. Misschien onnodige angsten en zorgen, maar het lijkt mij juist een prachtige opgaaf daarnaar te zoeken en er een oplossing voor te vinden. Zodat je kinderen evenwichtige, blije mensen worden."

Loudy glimlachte toen: „Ik geloof niet dat mijn moeder zich vaak in mijn gedachtegang verdiepte. Ze was te veel met zichzelf bezig. En vader… zou hij kunnen ontdekken wat een meisje van een jaar of tien denkt? Dat geloof ik niet. Maar als je zo je kinderen volgt als jij zegt, ja, dan geef je ze niet alleen goed te eten en een dak boven het hoofd, dan doe je ook wat ze 'opvoeden' noemen. Het lijkt mij heerlijk."

En lachend had ze gevraagd: „Over hoeveel denk jij?"
„Drie of vier."
„Een huis vol gesnater dus." En nu was ze ruim twee weken 'over tijd'. Gisteren was ze bij moeder Rijswijk. Die zei: „Bist hwat wyt om 'e noas." (Je ziet wat bleek om de neus.) „Dat komt door de kou, het is gemeen koud buiten."
„Ja, het is koud buiten, maar daar moet je eigenlijk rode wangen van krijgen!"

Zes weken later, begin maart, wist ze zeker dat ze in verwachting was. Ze waren er allebei blij mee.
„Zullen we je vader dit weekend halen?" vroeg Sjoerd toen hij donderdagavond van zijn werk thuiskwam. „Er is nu niets meer aan de hand met de wegen, die zijn schoon en vriezen doet het niet meer. En voor een regenbui ben ik niet bang. Als je geen zin hebt om mee te gaan, dat geschommel in de auto maakt je misschien misselijk, ga ik alleen. Het is toch heen- en terugrijden."
„Ik heb niet veel zin om zo'n lange tijd in de auto te zitten en ik geloof ook niet dat baby Rijswijk daardoor leert niet wagenziek te worden."
„Nee, dat geloof ik ook niet. En bovendien, daar moet hij zelf maar vanaf zien te komen, later. We zullen hem tot zelfstandigheid opvoeden. Zoals Karsten, een collega zegt: 'Dat is zijn probleem, dat lost hij zelf maar op'."
„Op die manier hoef je nooit iemand te helpen."
„Dat doet Karsten ook niet."
„En als hij zelf hulp nodig heeft?"
„Roept de hele werkplaats: dat is jouw pakkie-an!"
„Gelijk hebben ze. Maar om op vader terug te komen, zal ik hem bellen? Hij is van de winter erg lang alleen geweest, want het was voor ons geen doen om erdoor te gaan."
„Bel hem maar."
Tjeerd Swinkels hoorde het rinkelen van de telefoon toen hij aan tafel wat zat te dutten. De kamer was behaaglijk warm, buiten was het koud, hij had net tegen zichzelf gezegd dat hij tevreden moest zijn, hij zat hier lekker, hij hoefde niet in de striemende regen te lopen, hij had een eigen huis en boven stond zijn bed, er waren duizenden, wat, miljoenen mensen op de wereld die dat niet hadden. Hij moest tevreden zijn en och, dat was hij ook wel, maar toch, het

was weinig: wat soezen in de stoel, de krant inkijken en vanavond de televisie. Als het een toneelstuk was, kon hij niemand zeggen hoe hij het vond, wat hij er goed aan vond en wat juist verkeerd, of ze het naar zijn idee goed speelden of dat het net even anders moest. In gedachten zou hij er met zichzelf over praten. En als het een leuk stuk was, zou hij er in zijn eentje om lachen, maar niet al te hard, dat durfde hij niet meer sinds hij alleen was. Toen hij dat voor de eerste keer deed, schrok hij en hij dacht dat hij een beetje gek werd. Wie lacht er nu luidop en schaterend, als hij alleen is…?

Dat had hij wel gedaan toen Loudy thuis was. Maar dan kon hij het haar vertellen als ze binnenkwam. „Ik heb toch zo gelachen, moet je horen…" en hij schilderde de situatie en hij herhaalde de woorden van de spelers en Loudy lachte met hem mee. Maar sinds ze in Friesland woonde, had hij die kans niet meer. Soms praatte hij in zichzelf. Dat was natuurlijk ook vreemd. Maar hij vond dat hij dat moest doen, anders zei hij in uren niets, want er kwam niemand aan de deur. Als dat onverwachts wel gebeurde, kón hij niet eens praten. Zijn keel was droog en het was vreemd, alsof de woorden wel in zijn hoofd waren, maar niet de weg naar zijn mond konden vinden. Daarom babbelde hij zachtjes tegen zichzelf. En wat gaf het, niemand kon hem horen en niemand zag hem. Op de radio hoorde hij laatst in een gesprek een bejaarde dame zeggen, dat ze een poes had genomen omdat ze het niet vreemd van zichzelf vond als ze met het beest praatte. Het was een idee. Maar hij wilde geen poes. Hij hield niet van katten. Thuis hadden ze vroeger altijd een kat, zo'n beest kon je zo ondoorgrondelijk aankijken. Hij wist nog dat hij als kleine jongen bang was geweest voor de kat die ze toen hadden. Het was een groot, zwart beest en hij loerde naar hem. Achteraf begreep hij dat het beest steeds op zijn hoede was omdat Jochem hem gemeen kon treiteren. Maukie krabde en beet dan ook en moeder zei eens tegen Jochem dat hij voorzichtig moest zijn, want als de kat echt razend werd, kon hij hem naar de keel vliegen en dat was niet zo prettig.

Hij hield niet van katten. Ze bleven hem vreemd. Dat was met honden anders. De honden thuis waren altijd zijn vrienden geweest. Maar hij kon nu geen hond meer hebben. Dan moest hij 's morgens met het beest naar buiten en 's middags en 's avonds laat nog een keer. Daar zag hij tegen op. Het zou anders wel gezellig zijn. En dan had hij iets om mee te praten. Zo'n klein, wollig beestje met een lief kopje, begrijpende ogen…

De telefoon rinkelde. Dat kon alleen Loudy zijn. Anders belde niemand hem op. Hij slofte naar het toestel. „Swinkels."

„Pap, met mij."

„Ik hoor het, lieve kind." Eigenlijk hoorde hij de woorden niet eens, zo blij was hij met haar stem.

„Komt u het weekend hierheen? Sjoerd haalt u dan op."

„Ja, dat wil ik graag, dat weet je wel. Ik sta altijd direct klaar met m'n koffertje als jullie bellen. En het kan nu weer, hé, wat de wegen betreft. Het regent wel, maar dat hindert niet. De ruitenwissers op de auto van Sjoerd zijn nog prima."

„Ja. Hoe is het bij u?" Ze wist het antwoord al: rustig, kind, heel rustig. En dat zei hij dan ook.

„Zullen we dat dan afspreken? Morgenavond om een uur of acht, ja, dat wordt het wel. Sjoerd moet eerst douchen en zich verkleden en eten natuurlijk en dan nog naar u toerijden, reken maar niet vóór acht uur!"

„Ik zorg dat de koffie klaar is, dat is lekker, dan drinken jullie eerst een kopje voor we teruggaan."

„Ik kom niet mee."

„Nee? En je bent altijd zo gek op een autoritje! Is de aardigheid eraf naast je man te zitten en hem te helpen de weg te vinden en hem te zeggen dat hij niet zo hard mag rijden?"

Vader lachte luid. Loudy hoorde hoe goed hem dat deed. Misschien was dit zijn eerste lach op deze dag. Mogelijk waren zijn woorden tegen haar ook de eerste woorden die hij deze dag zei.

„Nee, dat is het niet, maar ik zal u een klein geheimpje vertellen, zo door de telefoon, dan kan niemand ons horen: ik ben in verwachting."

„Meiske, wat heerlijk, ik weet dat jullie het graag willen. Dan heb je gelijk, ga maar niet met Sjoerd mee. Niet dat het kwaad kan, autorijden, jullie hebt een goede wagen en zo'n baby'tje zit veilig opgeborgen, maar je kunt er misselijk van worden en het is onnodig, we kunnen met elkaar praten als ik het weekend bij jullie ben. Gezellig. Ik heb er zin in. Hoe is het met vader en moeder Rijswijk?"

„Goed. Moeder houdt zich aan de voorschriften van de dokter. Maar vader Rijswijk zei van de week dat ze wel steeds meer praatjes krijgt vanaf de stoel voor het raam. Ze commandeert maar! Hij zei het natuurlijk als een grap en het valt ook best mee, maar het is wel een beetje waar. Ze stuurt hem om de haverklap om een boodschap. Ik denk dat ze alles wat ze in huis wil hebben niet in één keer kan bedenken. Koffie, suiker en thee, bijvoorbeeld. Eerst schiet haar koffie te binnen en ze stuurt vader om koffie naar de winkel en een halfuurtje later zegt ze: 'Simon, we moeten ook suiker hebben, haal een pak.' En een uur later komt de thee aan de beurt. Maar vader heeft er al wat op gevonden. Hij heeft een bloknootje op tafel gelegd en daar schrijft hij 'de orders', zoals hij ze noemt, op. Een halfuur vóór sluitingstijd gaat hij naar het winkeltje van Minke-Jan om de spullen te halen.

Moeder kan er vóór die tijd wel over zeuren. Dat brengt haar ziekte mee, denk ik. 'Simon, denk je om de koffie? Vergeet je het niet?' En dan zegt vader. 'Nee, want het staat op het briefje.' De laatste orderlijst neemt hij mee. Ze lacht erom, maar je kunt merken dat ze achteruit is gegaan, na de hartaanval. Maar ze is er tenminste nog, we zijn dus erg blij."

„Ja, ze is er nog. Simon Rijswijk zit niet alleen."

Loudy gaf er geen antwoord op. Vader had gelijk. Wat moest ze erop zeggen?

Vrijdag, laat in de avond, stopte Sjoerds wagen voor de deur en stapte vader uit.

„Hè, hè, heen en terug is toch een hele zit."

Sjoerd strekte zijn lange benen, maakte een paar kniebuigingen en wipte van de ene op de andere voet. „De spieren weer een beetje losmaken." Ze dronken nog een glaasje frisdrank en gingen toen naar bed.

De volgende morgen zaten ze aan het ontbijt, toen Tjeerd Swinkels over Lienie begon te praten. „Ik heb erover gedacht, dat begrijp je wel. En ik wil naar haar toe."

„Het lijkt me het beste dat we haar opbellen en een afspraak maken. Stel je voor dat ze visite heeft als we voor de deur staan, dat is een beetje pijnlijk. En we brengen u, maar we blijven er natuurlijk niet bij zitten."

„Waarom niet, dat kun je gerust doen."

„Nee, dat lijkt me niet zo prettig voor jullie. Ik zal haar telefoonnummer opzoeken. We praten er eerst nog even over, we drinken nog een kopje, dat is voor de bedenktijd, u kunt nog terug, maar als het 'ja' blijft, draai ik het nummer." Tjeerd Swinkels bleef bij 'ja'.

Loudy draaide het nummer.

„Van Rijssen," klonk een vriendelijke stem van de andere kant van de lijn.

„Mevrouw Van Rijssen?"

„Ja. Ik geloof dat ik je stem herken, kind, mag ik raden? Loudy Rijswijk?" Ze zei niet: Swinkels, hoewel ze aan die naam eerder moest hebben gedacht dan aan de naam Rijswijk.

„Inderdaad. Bent u alleen thuis?"

„Ja. Alleen de poes is binnen. Die vindt het buiten te nat. Ze slaapt op de bank, ik verdenk haar er wel eens van dat ze meeluistert, maar ze kan niets verder vertellen, dat is prettig."

„Vader is dit weekend bij ons. We vertelden hem dat we u hebben ontmoet en dat u hem uitnodigde eens langs te komen. Hij wil dat graag doen."

„Mijn kind, nadat jullie weg waren, heb ik er ook over gedacht, natuurlijk. Ja, laat Tjeerd maar eens komen. Emotioneel doet het me niets meer, ik kan zonder tranen praten over vroeger. Ik denk zelfs, dat ik er een beetje over kan lachen. En ik heb vaag het gevoel dat Tjeerd dat niet kan."

„Nee, zeker niet."

„Dat is door de nasleep voor hem. Ik zeg het oneerbiedig, maar je begrijpt wat ik bedoel. Zit hij bij je in de buurt nu je belt?"

„Ja, we hebben de telefoon in de kamer en hij zit op de bank."

„Doe hem alvast de groeten van me. Wat zullen we afspreken? Vanavond? Dan doe ik de gordijnen op tijd dicht en ik draai de deur op slot, want niemand heeft er iets mee te maken dat ik Tjeerd Swinkels op visite heb. Vreemd idee, hij bij mij op visite." Ze lachte zachtjes. „Ik zeg het ook liever niet tegen de kinderen. Dat lijkt me beter. Ik weet niet hoe ze erop zullen reageren. Maar ik denk dat zij ook wel eens iets doen dat ze niet tegen hun moeder zeggen."

„Vanavond dus? Zegt u maar hoe laat."

„Een uur of acht? En jullie brengen hem, ja, dat is het gemakkelijkste. Als we uitgebabbeld zijn, bel ik en komt je man hem weer ophalen. Zo gaat dat als je zestig bent. Zo ging het niet toen we twintig waren… Och, och, wat kan het leven vol verrassingen zitten! Maar het is afgesproken, vanavond. Doe mijn groetjes aan je man en aan je vader. Daag…"

Loudy legde de hoorn terug op de haak.

„Vanavond."

„Ik zit opeens te trillen op mijn stoel."

„U moet het proberen te zien zoals mevrouw Van Rijssen. Ze zei: 'Dus jullie komen hem brengen en je haalt hem weer op. Ja, dat gaat zo als je zestig bent, anders dan toen we twintig waren…"

„Lienie is nog niets veranderd. Zo was ze vroeger ook en dat trok me aan. Bij ons thuis was het nooit echt vrolijk, er werd weinig gelachen. Mijn ouders waren geen opgewekte mensen. Ze hadden geen humor, ze lachten wel eens, natuurlijk. Als heit over de bezem viel, die verkeerd in het achterhuis stond, lachte men hartelijk, maar er waren geen kwinkslagen, geen geestige opmerkingen, niet van die lichte, leuke dingen die Lienie had en, zo ik hoor, nog heeft. Ik heb dat zelf ook niet, dat weet je. Lienie maakte het leven blij met die flitsjes, ik weet nog dat ik dat vroeger al heerlijk vond in haar. Mijn zus Djoeke was wat dat betreft wel anders dan de rest bij ons thuis. Die kon leuk verhalen vertellen. Als ze op school iets beleefde, vertelde ze dat thuis op een grappige manier. Vader en moeder glimlachten erom, maar schaterend lachen was er niet bij en zo leuk was het meestal ook weer niet, maar het was wel grappig. Jochem kon alleen grommen en schelden. Het zal niet echt zo zijn, maar ik kan me niet herinneren dat ik die jongen ooit heb zien lachen. Johannes trok zijn gezicht nu en dan in een grimas. Als ik nu aan ze denk, zie ik die koppen voor me. Ik maakte Lienie voor de eerste keer mee op het bal na een uitvoering van de toneelvereniging, die we in het dorp hadden. Ik weet niet of die club nog bestaat, hij heette 'Ons genoegen'. Ieder jaar voerden ze een toneelstuk op, meestal een blijspel, dat vonden de spelers leuk om te doen en de mensen in de zaal hielden daar ook van. Na afloop was er bal en daar ging het hele dorp naartoe.

In elk geval de jongeren. Op zo'n avond ontmoette ik Lienie voor de eerste keer en er ging een wereld voor me open. Ik was eerder naar zo'n uitvoering geweest met jongens die ik kende, maar toen hingen we na afloop een beetje aan de tap en eigenlijk was er niets leuks aan. Maar die avond kwam ik terecht in een groepje dat rond een tafeltje achter in de zaal zat. Er heerste een vrolijke stemming, er werd rap gepraat, je weet hoe jongelui dat kunnen doen, flitsend, ad rem, opmerkingen over en weer, maar het waren leuke opmerkingen, geen hatelijkheden, alleen grappige dingen en ik voelde me meteen tot Lienie aangetrokken, want zij was de spil aan de tafel en zonder dat de anderen er erg in hadden, hield ze de sfeer op peil. Er werd natuurlijk over mij gepraat, ik was nieuw in hun kringetje. 'Het is er een van Douwe Swinkels,' riep een van de jongens, 'dan weten jullie het wel!' Hij sloeg me vriendschappelijk op mijn schouder. Toen zei Lienie: 'Ja, dat weten we. Zijn vader en moeder hebben eerst Jochem gemaakt, maar ze ontdekten algauw dat die niet goed was, het was in de wieg al een chagrijnig jochie. Toen maakten ze Johannes, dat was al beter, die begon in de box pas lastig te worden, maar met Tjeerd hebben ze alle fouten eruit gehaald.' Daar gierden ze om. 'En z'n zusters dan?' 'daar waren ze een stukje bij vergeten, maar al doende leert men!' "

„Die opgewekte, blije natuur heeft mevrouw Van Rijssen nog."

„Ja, dat is iets in je, dat gaat er niet uit. Het mag minder worden door verdriet en narigheid, maar de inslag houd je."

„U hoeft er niet tegenop te zien haar te ontmoeten, vader, echt niet. Ze zei zopas nog: alles is anders geworden. Maar met elkaar praten kan ons geen kwaad doen."

Tien minuten voor acht uur stapten vader en Sjoerd die avond in de auto. Loudy stond in de deur en zwaaide hen na. „Waarom doen we dit?" had Sjoerd haar nog gevraagd, toen ze samen in de keuken waren. Ze wist het: ze hoopte dat het voor vader alle nare herinneringen en schuldgevoelens, die diep in zijn hart waren achtergebleven, zou wegwissen.

Het werd ook voor Sjoerd en Loudy een vreemde avond. Ze keken naar de televisie, maar ze vonden de uitzending niet interessant, ze konden hun gedachten er niet bijhouden en Loudy drukte na een poosje op de knop, zodat het beeld wegvloeide. Sjoerd zette een plaat op. Mooie, rustige muziek klonk door de kamer. Ze praatten af en toe met elkaar, maar bijna niet over vader. Alleen tegen half tien zei Sjoerd: „Het gaat toch goed, anders had hij al gebeld of ik hem kwam halen." Loudy knikte alleen.

Maar even vóór elf uur ging de telefoon. „Haal je me even?" Even later stapte vader de kamer binnen. Loudy kon aan zijn gezicht niet zien of de avond hem was meegevallen of juist niet.

„Wilt u iets drinken of eten? Of gaat u liever naar bed?"

„Ben je mal, kind, ik moet jullie toch vertellen hoe het is gegaan? En ik kan voorlopig geen oog dichtdoen. Nee, nog niet naar bed. Als je een glaasje wijn hebt, een licht wijntje, daar heb ik zin in."

Daarna vertelde hij: „Het was natuurlijk een emotionele toestand na bijna dertig jaar weer tegenover elkaar te staan. Misschien vinden jullie dat ik overdrijf, maar het is toch zo dat wij samen een kind hebben op deze wereld. Dat kind is net zoveel mijn kind als jij."

Hij keek naar Loudy. „We zijn veranderd, ik vooral. Lienie wordt in maart vijftig, ik ben zestig. Ik zie er oud uit. Ik trek met m'n been, ik loop wat voorover, ik heb rimpels in m'n nek. Jullie weten dat, maar zij niet. Ze zag me voor het laatst als een jonge, rechte kerel met een fiere kuif, een glad gezicht en heldere ogen." Hij reikte naar de tafel, nam het glas op en nipte er even aan.

„Het was moeilijk om het gesprek op gang te krijgen, maar Lien begon. Ze praatte over haar gesprek met jullie. En dat ze, nu ze me zag, wist dat ik inderdaad verdriet in mijn leven heb gehad. Ze begreep uit jullie woorden, dat Geeske ook niet gelukkig is geweest. Toen vertelde ze over haar eigen leven en het kwam erop neer, dat het onnodig was, dat droevige, terneergeslagene tussen Geeske en mij. Het was niet nodig te tobben. Het kind was blij en gezond en had het goed en Lienie was vrolijk, ging uit en ontmoette Egbert. Ik zei haar dat het zo simpel niet lag. Ik kon het niet opzijschuiven, er nooit meer aan denken was onmogelijk.

Dat Geeske gedachten had die haar verdrietig maakten, was ook begrijpelijk, want ik moest Lienie bekennen dat ik vaak aan haar dacht. En aan het kind. Wat ik zopas al zei, ze is evenveel mijn kind als jij. Jij was om me heen, ik zag je, ik begeleidde je zoveel ik kon, maar dat kind zag ik nooit. Ik wist dat het op mij leek, dat maakte moeder me wel duidelijk en ik zag het zelf ook. Maar ik was haar kwijt. Ik wist niet goed hoe ik het Lienie moest vertellen. Ook niet, dat ik aan haar dacht in voorbije jaren. Maar Geeske wist het en het was voor haar niet prettig, maar het was niet te veranderen, ik kon mezelf niet dwingen nooit meer aan Lienie te denken."

Vader zweeg even, hij keek van Sjoerd naar Loudy. „'Lienie' – zo noem ik haar nog, ze blijft voor mij Lienie, hoewel ze nu door ieder-een Lien genoemd wordt en dat past ook beter bij haar – Lienie begrijpt me. En ze heeft volkomen gelijk. Ze zegt dat ik het nu achter me moet laten. We kunnen niets in ons leven overdoen. Het verdriet van Geeske is voorbij. Daar hebben we een poosje over gepraat. Heel serieus. Toen vroeg ik, hoe het met Lieneke is. Ze vertelde me, wat jullie ook al gezegd hebt, dat ze getrouwd is – een goed huwelijk – en dat ze twee jongetjes heeft. Ik vroeg of ze Lieneke had verteld over jullie bezoek en dit gesprek van vanavond. Ze heeft Lieneke vroeger, toen het nog een kind was, verteld wat het kind kon begrijpen. Eerst dat Egbert van Rijssen niet haar echte papa was, maar dat wist Lieneke wel. Want er was een tijd dat hij er niet was in hun leven. Toen woonden ze bij pake en beppe Grettema. Bewust wist de klei-ne meid dat misschien niet, maar onbewust wel. Egbert kwam later en zij gingen met Egbert mee naar zijn huis. Toen ze oud genoeg was om de hele geschiedenis te kunnen begrijpen, vertelde Lienie haar die. Ze wilde er op geen enkele manier een waas van geheimzinnigheid omheen hebben en het kind hoefde niet te zoeken en te piekeren, ze kon met alle vragen bij haar moeder komen.

Maar Lieneke nam de feiten niet zonder meer aan. Toen ze klein was natuurlijk wel, maar toen ze twaalf, dertien jaar was zei ze dat ze blij was met vader Egbert en dat ze haar echte vader een rotvent vond. Hij deed haar moeder verdriet en hij liet hen in de steek. Andere mensen moesten wat hij kapot had gemaakt, opknappen: pake en beppe Grettema en pappa Egbert. Haar echte vader was een slechte man. Ik vertel het je eerlijk, zei Lien, de kans dat je Lieneke ontmoet is niet groot, maar je moet wel weten hoe ze over je denkt. Kinderen van twaalf, dertien jaar voelen zich dikwijls tekortgedaan, ze hebben vaak ook dramatische gedachten en misschien was dat met Lieneke ook het geval, ze wilde misschien slachtoffer zijn. Lienie praatte veel met haar, maar het hielp weinig. Ze zei haar moeder ook nog, dat ze niet begreep hoe die met een jongen van Swinkels had kunnen gaan, ruige jongens, onopgevoede lui, kijk maar naar die broers van hem en zij was daar een kind van, zij had eigenschappen van hem meegekregen!

Lien heeft het een paar jaar moeilijk gehad met Lieneke. Toen het meisje zestien werd en met jongens op stap ging, werd het weer beter. Ze leerde toen wat hartstocht was.

Lienie vertelde haar dochter dat jullie bij haar op bezoek zijn geweest. Ze zei er niet veel op. Alleen, heel sarcastisch: 'Die vrouw is dus een halfzuster van me. Voor haar zorgde hij wel, naar mij keek hij niet om.'

Toen Lienie zei dat ze had voorgesteld me te ontmoeten, werd Lieneke echt boos. Ze schreeuwde, dat haar moeder gek was. Die ouwe vent zat nou alleen, zijn vrouw lag door verdriet veel te vroeg in het graf, maar wat kon je anders verwachten van een Swinkels? Nu zit hij dus alleen, waar haalt hij een vrouw vandaan? Daar waar hij woont wil niemand hem hebben, maar misschien kan hij wat gezelligheid vinden bij Lien Grettema, dat was vroeger ook een leuke meid en ze is weduwe. Mijn lieve Tjeerd, wat wil je nog meer!"

Sjoerd en Loudy luisterden verbijsterd naar hem. Vader praatte luid, zijn ogen waren groot en fel. Waarom vertelde mevrouw Van Rijssen dit?

„Lien stond erop me te zeggen hoe de toestand is. Er is geen ontmoeting tussen Lieneke en mij mogelijk. En het is het beste onder de hele zaak een streep te zetten."

„Vader toch, wat verdrietig…"

„Ja, eigenlijk is het verdrietig, maar ik heb het verdiend. Er is een spreekwoord dat zegt: 'Eén uur van onbedachtzaamheid kan maken dat men jaren schreit.' Dat zei mijn moeder vroeger tegen Djoeke en Martha toen ze op de leeftijd waren dat ze met jongens uitgingen. Moeder bedoelde dat ene uur, waarin je je verstand niet gebruikt, alleen maar verliefd bent en de natuur zijn gang laat gaan. Het is een ware uitspraak. Ik heb er veel verdriet van gehad. En Lienie ook. Minder, maar de verhouding tussen Lieneke en haar is toch niet helemaal goed. Lieneke houdt van haar moeder, maar diep verborgen in haar hart is een koude plek, waarin ze het haar moeder kwalijk neemt dat ze met mij heeft gevrijd en haar uit die verhouding geboren heeft laten worden. Ze weet zelf, nu ze volwassen is, dat het niet rechtvaardig is, dat ze niet mag oordelen en de gevoelens van ons van toen voor elkaar niet kent, maar het blijft een zere plek vanbinnen."

„Het is jammer, vader, dat u Lien van Rijssen hebt ontmoet."

„Och, ik weet nu meer. Lien zelf heeft geen gevoelens van wrok of haat tegen me. Ze zegt ook dat we allebei dom waren, maar jong en verliefd. Alleen, het had anders afgewikkeld moeten worden. Maar ze vergeeft me, omdat ik jong was en niet wist wat ik moest doen. Maar al met al blijft het een verdrietige zaak. Ik moet ermee leven tot mijn dood. Dan lost alles op. Dan is het voorbij. Maar het is triest daaraan te denken."

Sjoerd en Loudy zaten stil aan de tafel.

Later, in het grote bed in hun gezellige slaapkamer, praatten ze er fluisterend over na. Loudy lag dicht tegen haar man aan, zijn arm was om haar heen.

„Ik heb medelijden met vader. Ik weet zeker dat hij erop hoopte Lien vaker te ontmoeten. Maar dat zit er niet in, want dat ontketent een ruzie tussen moeder en dochter en dat mag niet. Dat beseft vader ook. O Sjoerd, wat is het toch verdrietig, wat kan er allemaal voortkomen uit wat vader zegt: één uur van onbedachtzaamheid…"

Hij streelde haar zachtjes over haar arm. „Dat is waar, lieveling, maar het is niet goed er nu een drama van te maken. Dat drama is geweest. Jij moet er niet te veel over denken. Je verwacht onze baby…"

„Die heeft er geen last van. Die zit veilig in mijn buik en die heeft een schat van een vader."

Het werd een vreemde zondag. Ze praatten nog wel over de voorbije avond, maar Loudy voelde dat ze er alle drie in gedachten veel sterker mee bezig waren. 's Avonds bracht Sjoerd zijn schoonvader weer terug naar huis. Het was een rustige tocht, ze spraken niet veel.

Bij zijn thuiskomst in Hartelinge zei Sjoerd tegen zijn vrouw: „Wat vind je ervan om overmorgen naar de Lege Mieden te gaan om heit en mem te vertellen dat ze weer pake en beppe worden?"

Ze liepen er dinsdagavond samen heen.

Loudy voelde zich licht en dromerig.

Moeder zou erg blij zijn met dit geluk. Een kind van Sjoerd in de wieg, een kindje, dat anders dan hij, met blijdschap werd ontvangen. Hij kende het verhaal. Zijn moeder verwachtte hem, ze had geen man; de vader van haar kind was de knecht van de boer, waar ze toen werkte. Hij was vertrokken toen hij van haar zwangerschap wist. „Ik was niet echt ongelukkig," zei zijn moeder, „het was niet om jou, ik hield van je, je was mijn kind, maar echte blijdschap, nee, dat was er niet."

Sjoerds vingers sloten zich warm om Loudy's hand. Ze liepen langzaam, genietend van de rustige avond. De lucht kleurde lichtgrijs en roze door de dalende zon. De lente hing in de lucht, als een zoet geheim dat de zachte wind met zich meevoerde, die onzichtbaar en niet-grijpbaar langs hun gezichten streelde. Stil, het woord zweefde als een wachtwoord door de avond, stil, straks bloeien de krokussen en vroege narcissen in een weelde van lila, wit en stralend geel. Loudy hoorde hun zoete stemmetjes, al hielden de wondertjes zich nog verborgen in de donkere aarde.

Moeder Rijswijk was alleen thuis.

„Heit is naar Jan Rinkema. Hij wilde er even uit en het is net een aardige wandeling."

„We komen jullie iets fijns vertellen." Sjoerd ging tegenover zijn moeder zitten en keek haar warm aan. „We hoopten dat vader ook thuis zou zijn om het nieuws te horen, maar die is er niet. U moet het hem maar vertellen, ik kan mijn mond niet langer dichthouden. Loudy verwacht een baby. En we zijn er ontzettend blij mee!"

„Wat heerlijk, kinders!" Moeder Rijswijk wiegde zachtjes in de grote leunstoel. „Ik hoop dat ik het nog beleven mag dat dit kindje wordt geboren."

Ze schrokken allebei van deze reactie. Loudy verwachtte dat Sjoerds moeder zou zeggen dat het heerlijk is als een man en een vrouw samen blij zijn met het komende kindje. Moeder Rijswijk had vaak zulke opmerkingen, maar dit antwoord verwachtten ze geen van beiden en ze schrokken ervan.

„Natuurlijk beleeft u dat, het gaat toch goed met u?"

„Dat weet ik niet. Ik voel me de laatste tijd niet in orde. Ik kan niet omschrijven wat er met me is. Ik heb niet meer pijn anders, ik ben ook niet benauwd en toch ben ik anders dan een paar maanden geleden." Sjoerd en Loudy wisten niet wat te zeggen.

„Het is net, kinderen" – ze keek hen recht aan – „of ik voorbereid word op het komende afscheid van het leven. Je weet dat ik niet vroom ben, maar ik geloof wel in een leven na dit leven, een god of oppermacht die onze geesten tot zich neemt. Het lichaam is dan niet belangrijk meer. Het is of die kracht me erop voorbereidt, ik kan geen ander woord vinden, dat het niet lang meer zal duren. Dat ik niet lang meer bij heit en bij jullie zal zijn, bij Jillie en Eelke en de kinderen. Het is heel vreemd.

Vóór ik die hartaanval kreeg, dacht ik soms over oud worden en moeten sterven. Ik denk dat elk mens dat wel eens doet. Ik weet nog dat ik het ook deed toen ik nog jong was. 's Avonds in bed dacht ik daarover en ik huilde bij het idee dat ze me in een kist zouden leggen en onder de grond stoppen. Vreselijk vond ik dat. Vóór ik ziek werd, had ik lang niet meer aan sterven gedacht en wat er met mijn lichaam zou gebeuren.

Maar nu vind ik het vreselijk te bedenken dat ik eens niet meer bij heit zal zijn. Ik weet hoe verlaten en eenzaam hij zich zal voelen als ik dood ben. Hij heeft het meegemaakt toen hij jong was en Marie overleed. Hij bleef met zijn dochtertje Jillie achter en was ongelukkig, erg ongelukkig.

Maar hij was jong, het leven wachtte op hem en misschien heeft hij diep verborgen in zijn hart de hoop gehad dat er voor hem weer geluk zou komen. Dat is ook gekomen, want ik ben niet trots of eigenwijs of hoe je het ook wilt noemen, als ik zeg dat heit gelukkig is geweest met mij.

We hadden het goed samen en dat is nog zo, ook al kan ik weinig. Ik ben er, we praten veel samen, we begrijpen elkaar. Als ik doodga, is hij alleen en hij blijft zijn verdere leven alleen. Jij weet, Loudy" – ze keek haar schoondochter aan – „wat het is, een man alleen in een huis, je ziet het bij je eigen vader. Het is, in een paar woorden gezegd, een trieste bedoening zonder hoop. Zo zal het voor heit dan zijn. En daar zit ik over in. En ik zie de kinderen niet meer. Ik weet niet hoe het verder gaat met jullie. Met Jillie en Eelke. Dat huwelijk is niet helemaal goed, ze leven bij elkaar, maar niet met elkaar. Jillie heeft er behoefte aan hier te komen en met mij te praten. Ik ben geen zielenherder of hoe noemen jullie dat tegenwoordig, psycholoog, ik zeg misschien de verkeerde dingen, maar ik zeg niet dat ze bij Eelke weg moet gaan omdat het niet goed gaat tussen hen. Ik zeg dat ze moet proberen met hem te praten. Maar Eelke is een gesloten, stille figuur. Daar is bijna niet mee te praten. Hij heeft zijn gedachten, die heeft elk mens. Jillie moet die van hem leren begrijpen. Dan kan ze hem volgen. Zo praten we vaak samen en ik heb het gevoel dat ze er weer even tegen kan als ze hier vandaan gaat. Dat zal niet meer zo zijn als ik er niet meer ben. Waar moet Jillie dan heen? Misschien praat ze met haar vader. Dat is goed. Hij houdt van haar, ze is zijn kind. Ik denk ook aan hun kinderen, Reitse en Hermientje. Hoe groeien ze op, wat wordt er van hen? Maar geen mens kan zijn kinderen en kleinkinderen eeuwig blijven volgen. Er komt een moment van afscheid nemen. Eén ogenblik en je bent van de wereld af. Het is vreemd dat ik daar nu niet meer zoveel moeite mee heb. We hadden vroeger een dominee op het dorp, die zei:, Je krijgt kracht naar kruis.' Toen ik jong was, was ik het daar niet mee eens. Het was ook niet van toepassing op heit. Zijn vrouw stierf bij de geboorte van hun jongetje. En ook het jongetje was dood. Hij moest verder. Geen mens kan sterven, met het leven ophouden, wanneer hij dat wil. Heit moest verder. Dat is naar mijn gevoel geen kracht naar kruis krijgen, maar gewoon de bittere waarheid dat je verder moet. En de dagen en nachten gaan voorbij en je gaat verder en na verloop van tijd verwerk je alles en gaat het weer. Maar het is mij nu of er binnen in me iets is dat me afstand van het leven laat nemen."

„U moet zo niet praten."

Sjoerd schoof de stoel wat dichter naar de tafel en keek zijn moeder strak aan. Ze leunde zwaar achterover in haar stoel, ze hing bijna tegen de rugleuning. „Op deze manier trekt u de dood naar u toe. Ik vind het vreselijk om het woord te gebruiken. U mag zo niet praten. Dat is helemaal verkeerd. U weet dat wij u niet kunnen missen, heit niet en Jillie en Eelke niet en hun kinderen niet en Loudy en ik niet en straks onze baby niet. U moet positief denken. Dat is een uitdrukking die een psycholoog zou gebruiken. U had het zopas over een psycholoog, nou, als die hier kwam, zou hij zeggen: 'Mevrouw Rijswijk, u moet positief denken, aan mooie en goede dingen. Aan het leven en aan uw man en uw kinderen en dat u bij hen wilt zijn."

„Ja jongen, ik begrijp je wel, maar ik voel het anders."

„Bent u erg moe?" vroeg Loudy.

„Niet meer dan een paar maanden geleden. Ik kan niet zeggen wat het is en misschien gaat het weer voorbij, is het een inzinking, moedeloosheid omdat ik weet dat ik niet beter word, dat ik gekluisterd ben aan deze stoel. Ik kan alleen een stukje lopen in huis, 's morgens met veel moeite en hulp van Simon uit bed stappen en 's avonds er weer in komen. Maar ik kan niet buiten lopen in de frisse wind en niet in een kamer zijn waar veel mensen komen en waar gerookt wordt en noem maar op. Mijn leven is beperkt. En dat kan ik soms niet aanvaarden. Ik weet hoe ik was en wat ik allemaal kon, ik heb veel werk verzet, dat is echt zo. En nu dit, alleen zitten en op mezelf passen. Maar" – opeens lachte ze; als een bevrijding zagen Sjoerd en Loudy het gebeuren, de lach op het rimpelige gezicht – „ik zal aan jullie woorden denken. In elk geval, Loudy, famke, wil ik bij jullie blijven tot de baby geboren is. Dat moet wel. Een kind van mijn Sjoerd en zijn vrouw…"

Toen ze terugwandelden naar huis, waren ze allebei stil. De avond was gevallen, de grijs-roze lucht van het begin van de avond was nu donkerblauw. In de huizen brandden lampen. De wind was krachtiger en frisser. De nog kale takken van de bomen bewogen in een licht ritme.

Toen ze de dorpsstraat helemaal uit waren, zei Sjoerd: „Het is vreemd met moeder."

„Ja. Alsof haar dood zich aankondigt."

Loudy keek van opzij naar Sjoerd. Angst maakte zich opeens van haar meester. „Geloof jij erin, Sjoerd? Denk je dat ze meer voelt en weet dan ze ons wilde zeggen?"

„Ze zegt dat dat niet zo is, maar het is niets voor mem om ons onnodig ongerust te maken. Ze praat alsof ze ons wil laten weten dat ze er geen strijd van zal hebben uit het leven te gaan."

Sjoerds stem was opeens intens treurig. „Zegt ze het opdat we minder verdrietig zullen zijn als het zover is? Ik kan het niet geloven. Ze zal eraan denken hoe moeilijk we het zullen hebben met haar sterven, je hoorde hoe ze nu al over vader tobt. Maar ook al weet hij dat ze geen strijd heeft gevoerd om ons los te laten, dan nog is hij alleen en mist hij haar."

Ze liepen zwijgend verder. Toen zei Sjoerd: „We moeten proberen er niet te veel aan te denken, lieverd. Voor jou zijn al die trieste gedachten ook niet goed en het is nog niet zover, misschien is het een inzinking van moeder. En ik kan me voorstellen dat ze die heeft. Want als je daar zo moet zitten, de hele dag…"

„We zeggen niets van wat we gehoord hebben aan vader en aan Jillie."

„Nee, dat lijkt me het beste."

De volgende morgen rond elf uur rinkelde de telefoon. Loudy liep erheen. Dat zou vader zijn, dacht zij. Hij voelde zich alleen en wilde een praatje maken. Ze nam de hoorn op. Ja, inderdaad, vader aan de andere kant van de lijn. Maar zijn stem klonk opgewekt, bijna vrolijk, toen hij vroeg: „Hoe gaat het met je, kind?"

„Prima. Met u ook alles goed?"

„Ja. Ik heb zojuist een brief van Lien gekregen…"

„Een brief van Lien…?"

„Je weet toch dat we elkaar af en toe schrijven? Je moet er niet om lachen. We stellen ons heus niet aan als kinderen van vijftien, zestien jaar, die elkaar brieven schrijven. Zulke kinderen doen dat trouwens in onschuld en verliefdheid en die tijd hebben we ver achter ons. We zijn allang niet meer verliefd en het was niet onschuldig. Het is anders. We zijn allebei al wat oudere mensen; oude mensen mag ik van Lien niet zeggen, want ze voelt zich met haar vijftig jaren nog niet oud en dat is ze ook niet. Ik ben nu zestig, ik vind het zelf een hele leeftijd, maar Lien zegt dat ik mogelijk vijfentachtig word, dan staan er nog vijfentwintig jaren te wachten en dat is een hele tijd!"

Hij lachte. „Ja, we schrijven elkaar. Misschien is elkaar schrijven beter dan met elkaar praten. Lien heeft me dat in deze brief gezegd. Ze zat alleen in de kamer aan de tafel met het lege vel papier voor zich. Ze schreef haar gedachten op, ik viel haar niet in de rede, ik vulde niet aan, zoals ik misschien zou doen als we bij elkaar zaten en praatten. Lien schrijft veel over haar leven met Egbert. Ze mist hem ontzettend. Ze vindt het fijn me te schrijven. Ze vertelt in die brieven ook over Lieneke. Je moet niet denken dat er elke morgen een op de deurmat ligt, zo is het natuurlijk niet, maar af en toe krijg ik een brief. Ik zei, dat ze me over Lieneke schreef, maar dat is absoluut niet omdat ze het gevoel heeft dat ik meer over Lieneke moet weten. Het is omdat ze moeilijkheden heeft met haar dochter. Het ligt op een moeilijk vlak, er is geen oplossing voor. In Lienekes hart is verwijt en wrok en onbegrip, al denk ik, dat ze het zelf niet als zodanig herkent. Lien kan de gedachten en gevoelens van haar dochter niet volgen. Ze vindt, dat Lieneke een fijne jeugd heeft gehad. Ze kreeg veel liefde. In de eerste plaats natuurlijk van haar moeder, maar ook van grootouders Grettema en later van Egbert. Hij hield echt van haar. Lien zegt, dat haar dochter als kind geen reden had zich ongelukkig of misdeeld te voelen, maar je weet niet wat zich afspeelt in het bolletje van een klein meisje. Ik verdiepte me daar vroeger bij jou ook niet genoeg in. Ik denk ook dat ik het toch niet aan de weet was gekomen, ook al had ik geprobeerd erachter te komen. Lieneke moet zichzelf als kind tekortgedaan hebben gevoeld. Naar de begrippen van de volwassenen om zich heen had ze daar geen reden toe en ze praatte er ook niet over. Er was een man, een vader, die haar niet wilde. Wie weet welke gedachten en fantasieën er over mij waren. Dat weet Lieneke alleen. En ze bewaarde ze vanbinnen. Ze koesterde ze misschien. Soms vinden kinderen het heerlijk misdeeld en verlaten te zijn. Als je volwassen bent, is dat niet te begrijpen, maar ik geloof dat het zo is. Haar moeder was slecht, want het is slecht een kind te hebben als je niet getrouwd bent. Ze was nog jong en zag de waarheid niet, maar dat kon ook niet als je elf, twaalf jaar bent. Die gevoelens zijn gebleven. Ze groeien niet mee, want toen Lieneke ouder werd en meer wist van liefde en seksualiteit, begreep ze meer, maar de gevoelens bleven. Het verwijt van vroeger. Denken aan het stille verdriet dat ze als kind had. De schuld van haar moeder. Maar het is gebeurd, wat Lien ook deed, het wordt niet ongedaan gemaakt.

Ik heb Lien geschreven dat het van Lieneke nog afweer is van vroeger en dat weet Lien natuurlijk ook, ik vertel echt geen nieuws. Het is zeker dat Lieneke als kind opmerkingen heeft gehoord als: 'jij bent niet echt een kind van Egbert van Rijssen' of nog erger: 'wij weten wel wie je echte vader is, een man van Swinkels...' Ze kon maar één mens als zondebok aanwijzen, en dat was haar moeder. Ik denk dat het door de jaren heen niet voorbij is gegaan. Maar ze is nu volwassen, ze moet nu weten en begrijpen en kunnen vergeven. Het is voor Lien erg verdrietig, Loudy. Ik denk dat ze er juist met mij over praat en mij schrijft omdat ik ervan weet, erbij betrokken was, omdat het ook iets is dat mijn leven beheerste. Geen troost bij elkaar zoeken of van de ander horen, dat er geen schuld is geweest, nee, alleen er met elkaar over kunnen praten, omdat het ons nog steeds bezighoudt. Met de buurvrouw bespreekt Lien dit niet en ook niet met Fokke en Tetske."

„Het is vreselijk, dat Lieneke haar moeder dit aandoet. In plaats van dankbaar te zijn dat ze toch een fijne jeugd heeft gehad met zoveel mensen om zich heen die van haar hielden! Ze is nu dertig, ze is getrouwd, ze heeft twee kinderen, waarom kijkt ze achterom? Laat ze vooruit kijken en lief zijn voor haar moeder, die kan wel wat troost gebruiken, maar geen verwijten over dingen die langgeleden zijn gebeurd! Ze maakt zichzelf ongelukkig en haar moeder erbij."

Loudy wond zich behoorlijk op. Dit was nu een vorm van wat David vroeger noemde: 'jezelf vermoorden, je eigen geluk om zeep helpen…'" David, de man waarmee ze eens dacht haar leven te zullen delen, maar het ging voorbij. Ze pasten niet bij elkaar. En ze ontmoette Sjoerd… David had scherpe uitspraken. Dit was er één van. Je eigen geluk om zeep helpen…

„Ik ben blij dat je er net zo over denkt als ik. Lieneke is ook boos omdat haar moeder mij te woord heeft gestaan. Van de brieven weet ze niets. Maar Lien vroeg me, wanneer ik weer naar Hartelinge kom."

„Wanneer u maar wilt, u weet dat u altijd welkom bent."

„Graag, meiske. Sjoerd hoeft me niet te halen, het weer is nu goed. Ik kan met de trein naar Sneek komen. Als hij me van het station wil halen…"

„Natuurlijk, zegt u maar wanneer u komt. Vrijdagavond? Sjoerd kan niet voor half zes van kantoor gaan om u op te halen. Gaat u dan echt naar Lien?"

„Ja. Ik wist niet welk weekend jullie me kunnen hebben, maar ik bel haar straks en ik zeg dat ik zaterdagavond kom. Als Sjoerd me tenminste wil brengen en halen, want om dat hele eind te lopen is het me te ver en fietsen doe ik niet meer."

„Het is geen enkel bezwaar, dat weet u wel. Ik hoop voor jullie dat Lieneke niet onverwachts even gezellig langskomt!"

HOOFDSTUK 2

In de vroege morgen van de vijfentwintigste september wist Loudy dat die dag hun baby geboren zou worden. Tegen zes uur maakte ze Sjoerd wakker.

„Sjoerd…"

Hij schrok en zat meteen rechtop in het bed. „Wat is er? Voel je je niet goed?"

„Welke datum is het vandaag?" Ze vond het zelf een gekke vraag.

Sjoerd trok aan de lichtschakelaar. „Ik moet even naar je kijken, wat een vraag! Welke datum, vijfentwintig september en hoe laat is het, bijna zes uur."

„Vandaag komt de baby…"

„Ja, voel je dat? Ik stap meteen uit bed en kleed me aan, wat moet ik doen, de dokter bellen en de zuster?"

„Nee, dat is nog niet nodig. Jillie zei van de week nog, dat we niet te vroeg alarm moesten slaan, want een eerste kindje komt over het algemeen niet vlug. En als het wel vlug gaat, is dokter hier direct. Hij woont vlakbij."

„Hij kan bij een patiënt ver buiten het dorp zijn en meer mensen op zijn route bezoeken. Ik bel nu nog niet, nu ligt hij hopelijk lekker te slapen, maar na zeven uur bel ik om te zeggen dat jij ons kind vandaag verwacht. Dan kan hij er rekening mee houden. Zeven uur, uiterlijk half acht, dat is vóór het spreekuur begint."

Loudy vond het een goed idee. Ze voelde de pijn in haar buik weer. De zuster zei dat ze op de klok moest kijken om te zien hoe vaak het kwam.

Ze keek op de wekker en wachtte af, maar het duurde ruim een kwartier voor ze weer pijn voelde.

„Heb je zin in een kopje thee en een paar biscuitjes? Misschien is het goed als je iets eet."

„Een kopje thee lust ik wel. Ik heb een nare smaak in mijn mond."

Tegen half acht belde Sjoerd naar het doktershuis.

„Fijn dat je me belt," was het vriendelijke antwoord, „ik houd er rekening mee. Je kunt het beste ook zuster Brouwer bericht sturen, ze komt dan langs om te kijken hoe het zich ontwikkelt. Ik kom direct na het spreekuur, als ik vóór die tijd geen seintje krijg. Maar dat verwacht ik niet, zo snel wagen nieuwe wereldburgers de stap meestal niet, ze doen rustig aan. Als zuster Brouwer gewaarschuwd is, kan ik het de eerste tijd aan haar inzicht overlaten. En aanstaande vader, probeer je vrouw rustig te houden. Ik bedoel: geen paniek, er is geen enkele aanleiding om te denken dat het niet goed zal gaan. Sterkte, voor jullie allebei en tot straks."

In de namiddag werd de baby geboren. Een jongetje, dat meteen huilde met een ijl, hoog stemmetje. Toen het eerste geschrei klonk, leunde Loudy vermoeid in de kussens. Goddank, de baby was er en alles was goed. Straks kon ze hem zien. Het kind dat ze bij zich droeg, ze waren zo intens samen geweest. Ze voelde elke beweging van hem en hij voelde haar warmte, haar rust en onrust, hij kende mogelijk haar stem, ook door de woorden die ze zacht tegen hem zei. Dat heel intieme tussen hen was nu voorbij. Het kon niet blijven. Hij had een eigen leven. Voorlopig dicht bij haar, nog heerlijk dicht bij haar.

„Een prachtige jongen." Dokter Rindertsma stond naast het bed en lachte naar haar. „Hij wordt blond, hij heeft bijna witte vlashaartjes en… nou ja, je mag hem straks zien, zuster zal hem een schoonheidsbehandeling geven vóór hij naar zijn mama gaat voor de eerste kennismaking. Dag mama… dag jongetje…"

De dokter lachte zachtjes. „Gefeliciteerd" – hij hield Loudy's hand vast – „je hebt je moedig gehouden. Bevallingen zijn de mooiste werkzaamheden in de praktijk van een dokter, zo denk ik er tenminste over en in hoor vaak van collega's, dat het voor hen ook zo is. Maar daarnaast blijft ons medeleven met de moeder, want het is in de meeste gevallen toch een pijnlijk gebeuren. Maar je hebt het keurig gedaan. De jongeman ziet er prima uit."

Sjoerd was met de zuster meegelopen naar de commode, waarop hun kleine jongen lag te huilen. Sjoerd moest naar hem kijken. Later vertelde hij Loudy: „Ik wist niet wat ik op dat moment voelde. Vóór het kind er was, dacht ik er natuurlijk vaak aan een ik vond het fijn dat het zou komen, maar ik had er geen voorstelling van. En nu lag hij daar en opeens was het heel anders. Een vreemd gevoel was dat en ik voelde meteen een band met dit wezentje. Dit is een kind van ons samen dacht ik, dit kleine mensje is van ons, blijft van ons…"

Hij keerde terug naar het bed en boog zich over Loudy heen. „Een pracht van een jongen, lieveling."

De woorden kwamen juichend over zijn lippen. „Een zoon!" Ze hadden er dikwijls over gepraat, bedachten namen voor jongens en meisjes, vooral voor meisjes, want Loudy had het gevoel dat het een dochter zou worden en ze wist er veel mooie namen voor. Maar het was een jongen. En de naam was niet moeilijk: het kind zou Simon heten. Simon Rijswijk.

Na een kwartiertje mocht kleine Simon bij mamma in het grote bed. Een klein hoopje in een warm dekentje gewikkeld, een zorgelijk kopje, toegeknepen oogjes, rimpelige handjes.

In gedachten praatte Loudy met hem. De zuster liep bedrijvig in de kamer heen en weer en Sjoerd zei iets tegen haar, Loudy hoorde hem wel, maar ze keek naar het kleine mensje in haar armen en zei de woorden zonder ze uit te spreken tegen hem. Nu ben je niet meer heel dicht bij me, niet meer in mijn lichaam, we hadden dezelfde warmte, jij en ik, maar we horen nog net zo bij elkaar als toen. Hij lag in de kom van haar arm. De oogjes gesloten. Zo moeten we een poosje bij elkaar blijven, dacht ze, zo moeten we bij elkaar blijven, om het loslaten van jouw lichaampje van mijn lichaam te verwerken. Maar zuster Brouwer besliste veel te snel dat hij in zijn wiegje moest.

„Hij heeft warmte nodig. Een pasgeboren baby'tje kan zijn lichaamswarmte nog niet produceren en hij mag niet koud worden. Daar ben ik altijd erg bang voor. We zullen hem bij zijn kruikje leggen. Kom maar jochie." Ze nam het kind uit Loudy's armen, deed voorzichtig het dekentje van hem af en legde hem in de wieg.

Loudy zuchtte zachtjes.

„Bel je vader op? En jouw ouders? Wat zal je moeder blij zijn dat het achter de rug is. En je vader. Hij praat er niet over, maar ik weet zeker dat hij bij het woord bevalling aan zijn eerste vrouw en hun zoontje denkt. Moeder vindt het beslist heerlijk dat het kind Simon heet. Ze viste wel eens naar de naam, maar dan zei ik dat we iets moderns wilden: Michael of Christiaan of Edgar. Ze zei: 'Het is jullie kind, je mag hem noemen zoals je wilt en het maakt niet uit hoe hij heet, het kind is er even lief om.' Maar ik denk dat ze het fijn vindt dat we vader Simon vernoemen."

„Je moet je een beetje rustig houden." Zuster Brouwer had kleine Simon in de wieg gelegd, de gordijntjes een beetje toegeschoven voor het licht. Ze trok de deken van het grote bed recht. „Je moet stil blijven liggen. Je lichaam moet weer tot rust komen. Heb je ergens zin in? Een kopje koffie? Niet zo sterk, een lekker bakje. Of heb je liever thee, een glas melk…?"

„Ik heb wel zin in koffie. Is Sjoerd al naar beneden om te bellen? Ik weet dat mijn vader er elke dag aan denkt. Hij wist niet precies wanneer de baby verwacht werd; ik zei hem, dat het begin oktober zou worden, maar ik weet dat hij eraan denkt. Als hij bericht krijgt dat alles achter de rug en goed is, zal hij opgelucht ademhalen. Hij komt vast gauw."

Ze lag met gesloten ogen in het bed. Ze was moe, heel erg moe, maar ook heel erg gelukkig. In zijn wiegje met strookjes en kantjes lag hun zoon, beneden belde Sjoerd naar zijn ouders en naar haar vader, in de keuken hoorde ze de zuster bezig met de kraan. Wat was het leven heerlijk en goed, wat kon het intens geluk brengen en vreugde.

Vader zou gauw komen. Hij was deze zomer driemaal geweest. Ze glimlachte er in stilte om. „Hij komt niet voor ons," wist Sjoerd, „hij komt voor Lien."

En zo was het ook „Eigenlijk is het onbegrijpelijk, Sjoerd, dat die twee met elkaar praten. Na wat er tussen hen gebeurd is. Soms denk ik: ze waren toen verliefd op elkaar, want ze zijn echt een poosje met elkaar omgegaan vóór het mis liep, iets van die aantrekkingskracht is gebleven. Met hun verstand weten ze dat het onwijs is dat ze nu met elkaar praten, maar vanbinnen is er toch iets dat trekt. Ik kan het niet verklaren, maar voor vader ben ik er blij om. Hij koestert geen enkele illusie waar het Lien betreft, dat heeft hij me de laatste keer toen hij bij ons was, nog verzekerd. Ik moest niet denken dat er iets is tussen die vrouw en hem, maar ik ben daar nog niet zo zeker van. Waarom vraagt Lien hem steeds weer te komen? Ze kan er zich een verschrikkelijke ruzie met haar dochter door op de hals halen. Als ik al die verhalen hoor, geloof ik trouwens dat Lieneke geen gemakkelijke tante is. In het begin was het: 'zo'n lief meisje', maar we horen steeds meer dingen die niet zo prettig zijn."

„Eigenlijk, Loudy," zei Sjoerd toen, „zou ik die Lieneke wel eens willen ontmoeten."

„Maar het zal er wel nooit van komen."

Sjoerd kwam de slaapkamer binnen. „Meisje" – hij boog zich over het bed en kuste haar – „gefeliciteerd van je vader, van mijn vader en van mijn moeder. Drie dikke kussen dus. Je vader kon eerst alleen maar zeggen: 'Gelukkig, gelukkig dat het achter de rug is.' Mijn vader zei:, Jongen, van harte gefeliciteerd, wat heerlijk.' Toen kreeg ik moeder. 'Sjoerd, lieverd, wat heerlijk!' We praatten nog wat: hoe het nu met jou is en hoe de bevalling is verlopen, toen vroeg ze hoe onze jongen heet. Ik zei het. Het bleef even stil. Toen fluisterde ze: 'Simon, een echte Simon Rijswijk.' Welke gedachten ze daarbij heeft, weet ik niet en het interesseert me ook niet. Onze jongen heet Simon Rijswijk. Ik weet zeker dat vader het fijn vindt."

Zuster Brouwer ging na acht dagen weg. „Als ik je een goede raad mag geven, doe het kalm aan. Je voelt je misschien erg goed, maar je hebt toch lichamelijk en ook geestelijk een zware tijd achter de rug. En de eerste maanden is er veel werk aan de baby. Om de drie uur voeden en veel wasgoed. Doe alleen het werk in huis dat echt gebeuren moet. Met overleg, een beetje organiseren. Dan ben je er over drie, vier maanden weer helemaal bovenop."

Loudy probeerde die raad zoveel mogelijk op te volgen. Na Simons voeding zat ze vaak lang en stilletjes met hem in haar armen op de bank. Ze keek naar het kleine gezichtje. Simon sliep. Drinken was een vermoeiende bezigheid voor hem. Er straalde rust van het kleine snoetje.

De baby voelde zich veilig en geborgen en dat maakte haar blij en gelukkig. Ze dacht vaak aan Sjoerds moeder. Het ging toch niet goed met haar.

Vader Rijswijk praatte er vorige week ook over. „Ze zegt dat ze geen pijn heeft en zich niet minder voelt dan een paar maanden geleden en toch voel ik dat het niet goed gaat. Het is alsof ze toeleeft naar het einde van haar leven. Het is vreemd om het te zeggen, ik vind het zelf raar en ik durf het eigenlijk niet te zeggen, maar ik voel het zo."

Maar er waren ook andere momenten. Als Sjoerd en zij met de baby bij hen waren.

„Hij lijkt op jou, Sjoerd. Ik denk dat het net zo'n heerlijk ventje wordt als jij vroeger was. Wat zal ik met plezier naar hem kijken! Je was zo'n parmantige dreumes!"

Ze dacht ook aan haar vader. Hij kwam een paar dagen na Simons geboorte. En ging 's avonds naar Lien. Ze dacht ook aan Sjoerds woorden: 'Ik zou die Lieneke wel eens willen ontmoeten" en haar antwoord, toen: „dat zal er wel nooit van komen." Daar geloofde ze in.

Maar dat was toch niet waar, want toen kleine Simon ruim twee maanden was, werd er op een morgen aan de deur gebeld. Loudy was juist in de bijkeuken bezig wasgoed in de machine te stoppen. De baby lag boven rustig te slapen, de voedingstijd van tien uur was achter de rug, hij lag schoon en warm in zijn wiegje.

Loudy droogde haar handen af en liep naar de voordeur. Ze dacht er niet over wie het kon zijn, ze was in gedachten nog bij het wasgoed. Ze trok de deur open.

Op de drempel stond een jonge, slanke vrouw. Loudy zag alleen de ogen. Donkerblauwe, boze ogen.

„Ik ben Lieneke Bergers. Jij bent Loudy Rijswijk?"

„Inderdaad." Loudy had geen zin haar binnen te laten. Ze voelde de vijandigheid scherp als een wapen op zich gericht. Ze wilde geen twistgesprek met deze vrouw. Waarover? David had haar geleerd dat ze niet altijd moest doen wat andere mensen wilden en haar opdrongen. Hij had gezegd: 'je moet vlugger beslissen voor jezelf. Niet later zeggen: dat had ik niet moeten doen. Dan is het te laat."

Ze dacht nu: ik laat haar niet binnen. Ik wil het niet. Ze was bang voor Lieneke Bergers. De ogen tegenover haar waren fel, de houding hooghartig.

„Ik wil met je praten."

„Waarover? Ach... ik weet het wel." Loudy deed een stap naar voren, ze stond in de deuropening de vrouw deed een klein stapje terug.

„Over mijn vader en jouw moeder."

Mijn vader... gonsde het na in haar hoofd, het was even, een flits, ze had geen tijd erover na te denken, mijn vader... jouw vader... Meteen schoot door haar heen: deins niet terug, wees flink, je hoeft niet bang voor haar te zijn. Ze zei: „Ik heb daar niets mee te maken. Je moeder is oud genoeg om zelf te beslissen met wie ze praat en meer dan praten is het niet. Mijn vader is zestig, hij weet ook wat hij doet."

„Maar ik vind het verschrikkelijk! Het achtervolgt me mijn leven lang al en nu..."

„Wat achtervolgt je je leven lang?"

„Wat die man ons aandeed!" De stem schoot hoog uit, als wilde ze zeggen: je weet heel goed wat ik bedoel en als je dat niet weet ben je stom!

Maar Loudy dacht: jou achtervolgt... het achtervolgde mijn moeder misschien veel meer.... Ze werd opeens heftig. Later wist ze dat ze zichzelf niet kende op dat moment. Ze kon Sjoerd ook niet zeggen hoe ze gepraat had, het kon haar ook niet schelen of iemand in de omgeving haar hoorde. „Zal ik je wat zeggen" – ze schreeuwde de woorden bijna – „niets achtervolgde jou! Je had een schat van een moeder en Egbert van Rijssen is een goede vader voor je geweest, maar je wilt je achtervolgd voelen, je wilt zielig en misdeeld zijn, maar je hebt er totaal geen reden toe! Er is één mens die onder de hele geschiedenis heeft geleden en dat was mijn moeder! Je weet niet waarover je praat en waarmee je jezelf ziek maakt."

Lieneke Bergers deed nog een stap terug. Loudy zag verbazing in de ogen, ontzetting en onbegrip.

„Zo is het. Ik wil er niet met je over praten."

Loudy voelde zich opeens kalm. Wel met een trilling van binnen, maar toch kalm. Ze had de situatie in de hand, ze was de baas. Het gaf voldoening het te voelen, hoewel het gevoel van voldoening haar niet blij maakte.

„Jouw moeder?" De stem was rustiger. „Wat heeft jouw moeder ermee te maken? Helemaal niets!"

Lieneke voelde de boosheid weer in zich opkomen. „Het was jouw vader die die gemene streek leverde, jouw vader liet mijn moeder in de steek. Jouw moeder was zo dom met die man te trouwen, ze haalde zelf de narigheid op haar hals die ze later met hem beleefde. Die kun je van zo iemand verwachten. Maar mijn moeder zat met de ellende, meneer vertrok naar een andere stad. Ik praat mijn moeder niet vrij, ze heeft er ook aan meegewerkt, maar jij en ik weten hoe dat is gegaan. Ze hield van hem en vertrouwde hem. Maar hij liet haar zitten. Ik heb het mijn hele leven gevoeld."

„Wat heb je gevoeld?"

„Dat ik anders was dan andere kinderen."

„Ik geloof niet dat dat nodig was. Ik heb je als kind niet gekend, maar ik heb over je jeugd gehoord en er waren mensen om je heen die van je hielden. Toen je de naam Van Rijssen kreeg, was je vijf jaar. Op school en met de kinderen van het dorp waren er wat dat betreft geen moeilijkheden. Die wisten niet beter dan dat je Lieneke van Rijssen heette. Ik geloof ook niet dat je er als klein kind last van had dat Egbert van Rijssen niet je echte vader was. Dat is later gekomen. Gegroeid in je denken."

Loudy praatte tegen de blauwe ogen en de strakke, gesloten mond, maar ze zag als in een visioen een kind, Een meisje van twaalf, dertien jaar met een ontevreden gezicht, een scheefgetrokken mond.

„Je wilde zielig zijn, misdeeld, tekortgedaan."

„Jij bent gek," was het enige antwoord.

„Ik wil er nu niet over praten. Misschien als het op een normale manier kan. Zoals twee volwassen mensen praten over iets dat dertig jaar geleden is gebeurd."

„Maar het is teruggekomen en dat is jouw schuld! Ik haat die man! Waarom moest je naar mijn moeder gaan?"

„Ik wil je dat vertellen. Maar niet nu."

Lieneke Bergers zuchtte. Alsof ze blij was toch iets bereikt te hebben.

Een gesprek in het vooruitzicht.

Loudy deed een stap terug de gang in, ze hield de voordeur vast om hem te sluiten.

„Als je nog belangstelling hebt, bel je maar," zei ze en ze sloot de deur.

Ze wist niet hoe verbaasd Lieneke Bergers op het tuinpad stond.

Loudy leunde tegen de gangmuur. Ze voelde het kloppen van haar hart.

Het trillen van haar lichaam. De stilte van het huis sloot bijna dreigend om haar heen. Buiten waren voetstappen die zich langzaam verwijderden.

Rustig, ze moest rustig zijn, er was niets om bang voor te zijn, praatte ze zichzelf in. Ze had niets verkeerds gezegd tegen Lieneke Bergers. Alleen dat van haar moeder. Dat begreep Lieneke natuurlijk niet.

Dit was dus Lieneke. Een dochter van vader, evenveel een dochter van hem als zij. Vreemd dat te denken. Maar het was de waarheid. Ik haat die man, zei Lieneke. Vader was nooit een vader voor haar geweest. Dat kon niet. Hij trouwde met Geeske Herlingen en had een gezinnetje met haar.

Ze liep langzaam in de gang. Ze durfde niet naar de kamer te gaan. Als Lieneke er nog was.... Ze stond misschien op de weg en keek naar het huis en als ze haar zag, zou ze naar het raam lopen en zeggen dat ze nu wilde praten.

Loudy ging naar de keuken. Ze dronk een beetje water en leunde tegen het aanrecht. Kon ze nu maar met Sjoerd praten.... Maar hij kwam pas tegen zes uur thuis. Misschien was het goed dat ze moest wachten. Nu kon het bezinken. Belangrijk was het niet. Lieneke was boos omdat zij met Lien van Rijssen had gesproken. Daaruit kwamen de gesprekken en brieven tussen Lien en vader voort. Lieneke kon dat van haar moeder niet begrijpen. Met de man, die haar zo gemeen behandeld had, die geen verantwoordelijkheid had willen dragen voor zijn kind, praatte haar moeder nu! Ze zaten samen aan tafel, lachten misschien samen en keken naar elkaar. Wat tussen hen gebeurde, was lang geleden, maar niet vergeten en voorbij. Voor haar, Lieneke, het 'ongelukje' van toen, zeker niet. Ze duldde hun glimlach naar elkaar niet en kon woorden tussen hen niet verwerken. Ze voelde als kind haat tegenover de man die haar verwekte, en minachting omdat hij niet voor haar zorgde. Mogelijk was ze jaloers op het kind dat ook zijn dochter was en dat hij wel koesterde en beschermde.

Het was Loudy of ze keek naar het leven van het kind Lieneke van Rijssen. Het deinde in gedachten en beelden aan haar voorbij. Een meisje van twaalf, dertien jaar met dik, blond krullend haar en een knap gezichtje. Maar het was een gezichtje waarin, verborgen achter gelach en snaterpraat, pijn was. Ze hoorde veel, maar begreep het niet. Misschien droeg ze gevoelens mee van nog eerdere jaren. Mamma had haar al.

't Was niet zoals met Fokke, pappa droeg hem in zijn armen door de kamer. Er was geen pappa geweest die haar als baby'tje droeg. Egbert van Rijssen was met mamma getrouwd; en alleen omdat zij van mamma was, ging ze mee naar de boerderij. Zonder mamma had Egbert van Rijssen haar niet bij zich genomen, want eigenlijk hoorde ze niet bij hem.

Toen ze ouder werd en met jongens omging, leefde ze zich het gevoel van vernedering in dat haar moeder gevoeld moest hebben. Het wanhopig verlangen naar de man van wie ze hield, maar die haar losliet, haar alleen liet met zwangerschap en tranen en wegging uit haar leven.

Gevoelens van haat en afkeer die je als kind hebt, kun je later vaak verklaren, dat kon Lieneke Bergers ook, maar ze kon ze niet loslaten. Ze raakte ze niet kwijt. Ze bleven op de bodem van haar hart bewaard. Ze vergat ze, want er kwamen gelukkig andere gevoelens in haar leven, maar ze waren niet weg.

Loudy had het gevoel Lieneke te begrijpen en te kennen. Het maakte haar rustig.

Het werd een vreemde middag. Ze was alleen met de baby, die dronk, naar haar keek met grote, blauwe ogen en weer sliep. De stilte bleef in huis. De telefoon rinkelde geen enkele maal en de bel zweeg.

Het was alsof ze uitgebreid de kans kreeg zichzelf te zien en de gevoelens van Lieneke Bergers te peilen.

Sjoerd kwam na zes uur thuis. Ze was in de keuken bezig met de maaltijd.

„Beetje laat, hè? Guus Bartels kwam op het laatste nippertje binnen met een flinke order die morgenochtend meteen de deur uit moet. We hebben hem samen doorgelopen. En Guus stapt nooit direct op, dat weet je. Hoe is het hier? Onze zoon zoet geweest? Maar dat zal wel."

Hij zoende haar op haar wang. „Het is nog geen ondeugend jongetje. Eten we algauw?"

„Met vijf minuten." Ze zei nog niets over haar bezoek. Pas als ze rustig aan tafel zouden zitten. Ze schudde de aardappelen in de pan om. De warme damp streek langs haar gezicht.

Toen ze tegenover elkaar zaten, zei ze: „Er was vanmiddag iemand aan de deur. Je kunt niet raden wie."

„Als ik het niet kan raden, zeg het dan maar. Ik dacht even aan Sinterklaas. Hoor, wie klopt daar…. Maar de goede man rust onder de Spaanse zon en hij verdient die rust. Wie was het?"

„Lieneke Bergers."

„Lieneke Bergers? Wat moet die hier, bij jou? O, ik snap het al. Ze wil met je praten over…"

Sjoerd lachte even, het was een wrang grapje, maar Loudy kon dat hebben, „over jullie vader."

Loudy schonk er geen aandacht aan. „Dat niet direct. Ze wilde over mij praten. Waarom wij – maar het was vooral mijn werk – haar moeder opzochten. Daaruit is het contact tussen haar moeder en mijn vader ontstaan en daar is ze helemaal niet blij mee. Ze was nogal opgewonden en boos. Ik liet haar niet binnen. Ik had geen zin me door haar te laten overbluffen; omdat ze onverwachts kwam, was ik helemaal niet voorbereid op het gesprek."

Sjoerd schoof een stukje aardappel op zijn vork.

„We hebben alles wat we over Lieneke hoorden op een rijtje gezet en we kwamen tot de conclusie dat het geen prettige vrouw is. Ik weet niet wat er in haar karakter niet prettig is, misschien is het jaloezie of ze meent een overdreven recht op haar moeder te hebben. Maar wat het ook is, ze is nu dertig, ze is getrouwd en heeft twee kinderen. Wat gebeurd is, is gebeurd. Het was niet prettig, maar het is voorbij en ze had een jeugd met liefde en goede verzorging. Ik denk, dat ze niet kan begrijpen dat haar moeder wil praten met de man die haar destijds zo behandelde, maar dat is iets waarmee zij niets te maken heeft. Ik geloof dat het goed is als Lieneke Bergers de zaken nuchter onder ogen gaat zien en alle frustraties van vroeger loslaat, want wat ze doet is gevaarlijk."

„Ik ben het niet helemaal met je eens. Je weet niet wat ze als kind heeft gevoeld en gedacht."

„Och, we hebben alle drie als kind wat gedacht. Ik zag mijn echte vader op een prachtig paard voor de deur stoppen. Hij had een kasteel met een ophaalbrug over de gracht en een ridderzaal met harnassen tegen de muren. Jij piekerde over een geheim achter je vader en dat kon van alles zijn. Lieneke heeft ook over haar echte vader gedacht. Het bracht haar nare gedachten. Ze voelde zich het verlaten kind...."

„Dat kan toch?" viel Loudy hem in de rede, „een jong kind, een meisje, zulke kinderen hebben gedachten en gevoelens van zes, zeven jaar; waarvan de ouders geen weet hebben. Fantasie en zorgen, die je niet voor mogelijk houdt. Ze praten er niet over, zelfs niet met vader of moeder, maar het houdt ze bezig, ze liggen er 's avonds in het donker van wakker. Als volwassenen zeggen we: het hindert niet, het hoort erbij, het gaat voorbij.

Voor jou werd Simon Rijswijk een fijne vader en toen ik ouder werd, wist ik dat het geheim van vader op een ander vlak moest liggen dan een moord met een lijk dat hij midden in de nacht in de duinen verborg. Maar ik kan me voorstellen dat voor Lieneke de gevoelens tegen de man die haar moeder het verdriet aandeed, zijn gebleven."

Sjoerd boog zich over de tafel naar haar toe.

„Het verdriet van haar moeder... haar moeder was helemaal niet verdrietig. Daarmee raak je precies het probleem. Ze denkt niet aan het verdriet van haar moeder, ze denkt alleen aan zichzelf. Haar vader liet haar in de steek, ze was een zielig kind, niemand begreep haar stil verdriet en het gemis.... Ze moet later gedacht hebben hoe fijn haar moeder en grootouders en oom Wim, de broer van haar moeder, haar opvingen, maar ik vraag me af of ze daar ooit aan gedacht heeft. Wel aan wat ze niet had, niet aan wat ze wel had. Egbert van Rijssen hield van het kind en ze had een leuke jeugd. Lien zei dat ook tegen ons: als kind was Lieneke blij en vrolijk. Toen ze dertien, veertien was, begon ze het verdrietige te benadrukken en ze liet het niet meer los. Misschien vond ze het interessant, daarmee werd ze een mens met een achtergrond en met gevoel, want ze trok het zich allemaal zo aan!"

Sjoerd vervolgde cynisch: „Ze was er zelf volkomen onschuldig aan, een ander deed het. Ze heeft het nooit losgelaten. Ze kon niet met een milde glimlach omzien. En nu heeft ze het gevoel het recht te hebben over het leven van haar moeder te mogen beslissen. Maar is ze echt zo lief voor mammie? Er is ook jaloezie bij, aandacht willen hebben. Ik wil wel met haar praten en alles op een rijtje zetten en…"

„Wind je niet ze op!"

„Loudy, luister naar me. Ik weet wat jij denkt. Er is in het leven van Lieneke Bergers iets geweest dat niet prettig was, dat is gewoon zo." Hij keek haar strak aan. „Maar echt verdriet heeft ze er niet van gehad. Ze heeft geen vader zien weggaan die nog één keer naar haar keek en naar wie ze haar handjes uitstrekte en 'lieve pappie' riep. Zo was hij nooit een vader voor haar. Ze kende hem niet eens. En ze hoorde haar moeder niet vertwijfeld snikken: 'Tjeerd, blijf bij me.' Toen ze oud genoeg was om dat te kunnen horen, zat haar moeder naast Egbert van Rijssen op de bank.

Ze beleefde het door haar echte vader verlaten zijn alleen in gedachten. En ze kreeg medelijden met zichzelf. Er zijn voor duizenden mensen dingen in hun jeugd niet prettig geweest. Een zieke moeder, een tirannieke vader, een echtscheiding, een broertje of zusje dat gehandicapt was en veel aandacht vroeg, ouders die een zaak hadden, de hele dag werkten en 's avonds moe en chagrijnig waren. Zo kan ik nog wel een poosje doorgaan. Het gevoel hebben dat een ander kind in het gezin wordt voorgetrokken. Maar stel je voor dat al die mensen daarover blijven tobben, dan hadden we nog meer psychiaters nodig dan er nu al zijn. Als volwassen mens mag je omkijken en dingen zien die niet goed waren, maar je moet ook vooruitkijken. Dat is gezonder. En Lieneke Bergers had genoeg om erg blij mee te zijn. Daar blijf ik bij. Jij denkt er anders over, dat weet ik en dat zie ik aan je gezicht. Je begrijpt Lieneke en je begrijpt dat ze boos is."

„Dat zeg ik niet. Ik zeg ook niet dat ik het niet goed vind dat vader en Lien van Rijssen elkaar ontmoeten, wat dat betreft denk ik er net zo over als jij. Ze zijn niet zo jong meer, ze zijn allebei alleen, wat gebeurd is kan niet overgedaan worden en als ze er zelf geen moeite mee hebben, laat ze. Maar je moet toegeven dat het voor Lieneke anders is. Mijn vader is haar vader…"

„Kijk aan!" riep Sjoerd, „vader en moeder toch weer bij elkaar."

„Doe niet zo vervelend!" Loudy werd boos. „Hij is nooit een vader voor haar geweest."

„Weet je wat ze moet doen: haar gezond verstand gebruiken. Leven in het nu."

„Jij zult wel precies weten wat ze moet doen!" Ze voelde hoe nijdig ze werd. „Maar jij staat veel te snel met je oordeel klaar. Ik dacht er vanmorgen, toen ze voor de deur stond, precies zo over, in eerste opwelling. Maar ik had de hele middag tijd om na te denken en ik ben tot de slotsom gekomen dat alles wat vroeger gebeurde, Lieneke Bergers' leven heeft beïnvloed. Nu het opnieuw naar voren komt, komen ook haar gevoelens in alle hevigheid terug."

„O ja, jij bent zo begrijpend, jij begrijpt het helemaal! Zal ik je eens wat zeggen: Lieneke Bergers wil ons laten denken dat ze zo gevoelig is en ze heeft jou al veroverd. Andere kinderen hebben er niet veel moeite mee een vader of moeder te hebben die niet hun eigen vader of moeder is – ik bijvoorbeeld – maar zij wel. Zij heeft zo'n gevoelige natuur, zij leeft met haar moeder mee... Nou, ik geloof er niets van. Ze wil interessant doen, dat is het. Medelijden opwekken."

„We praten er niet meer over."

„Dat lijkt me beter. Wij zouden er nog ruzie over krijgen."

De maaltijd was voorbij. Ze zaten langer aan tafel dan andere avonden.

Loudy stond op om de borden op het aanrecht te zetten.

Van boven klonk een ijl gehuil.

„Onze zoon." Sjoerd was ook opgestaan, hij nam de lege vlaschaaltjes in zijn handen.

„Ga vlug naar hem toe, laat hem niet huilen. Wie weet wat voor complex het jochie ervan overhoudt. Hij riep om zijn ouders, maar ze kwamen geen van beiden. Dat kan hem bijblijven. Je moet niet denken dat het alleen grote dingen zijn die een mens zijn leven lang kunnen achtervolgen."

„Je bent echt vervelend!" voegde Loudy hem toe vóór ze naar boven ging om Simon te halen.

Het werd een nare avond. Ze zeiden niet veel tegen elkaar. Alleen de hoognodige woorden werden gewisseld. Laten op de avond zei Loudy: „Ik ga naar bed."

Sjoerd antwoordde: „Ik lees dit hoofdstuk eerst uit."

Twee weken later rinkelde de telefoon in het begin van de middag. Dat was vader, wist Loudy. Ze ging op de bank naast het toestel zitten.

„Hallo, mijn meisje. Hoe is het bij jullie?" Vader begon elk telefoongesprek met die vraag. Belangstellend informeerde hij naar Simon, of zijn kleinzoon goed groeide, of hij kon lachen en zich omdraaien in de box. Loudy deed verslag van de vorderingen.

„Fijn dat te horen, kind. Maar nu iets anders. Weet je nog dat je me, vóór je met Sjoerd trouwde, zei dat het geen gek idee zou zijn mijn huis te verkopen en bij jullie in de buurt te gaan wonen? Ik voelde daar toen niet voor, Friesland, dat weet je, trok me niet. Maar het is natuurlijk toch zo, dat we een eind bij elkaar vandaan zitten en dat het steeds een hele reis en voor jullie om bij mij te komen en voor mij om jullie op te zoeken. En dan, voor wie moet ik hier blijven? Ik ga met niemand om. Niets bindt me hier."

„En u kent Lien weer…" Hij lachte aan de andere kant van de lijn. „Ik hoef het dus niet alleen te gooien op de slechte weg in de wintertijd. Ik wil ook de kleine Simon graag vaker zien, natuurlijk. Hij is nu nog te klein om met me te wandelen en te spelen, maar als hij groter is kan ik met hem de eendjes voeren en we kunnen samen vissen in de sloot achter jullie straat en zo zijn nog een paar dingen te noemen die een grootvader en een kleinzoon samen kunnen doen. Met autootjes spelen, een puzzeltje maken en ik kan goed voorlezen, misschien herinner je je dat van vroeger. Daarom dus ook, Loudy – begrijp me niet verkeerd – denk ik de laatste tijd dat het niet zo gek zou zijn als ik dichter bij jullie ging wonen. En de mogelijkheid is er. Ik heb dit huis vrij, ik kan er een leuke prijs voor maken, want het is een goede woning, de laan is netjes en noem maar op. Voor het geld koop ik in jullie omgeving een aardig, klein huisje."

„U zoekt iets in Berawolde?"

„Nee kind, dat beslist niet. Je denkt dat ik dicht bij Lien wil wonen. We hebben er wel over gesproken, maar ik wil haar niet in de weg zitten. Ik bedoel: ik vind het leuk dat we elkaar ontmoet hebben. Leuk is het woord niet, ik vind het prettig, erg prettig. Want het gevoel dat ik in de loop der jaren niet helemaal was kwijtgeraakt, dat er in haar hart haat was tegenover mij, is nu verdwenen. Lientje kan het zo mooi zeggen. Ik weet haar woorden natuurlijk niet meer precies, maar ze zei zoiets als: 'We zijn allebei mensen, Tjeerd, die door het leven gelouterd werden. We hebben moeilijkheden gehad, die blijven bij je, die laten je niet los, maar we weten nu ook dat we vooral de mooie en goede dingen moeten vasthouden en dat achteromkijken en treuren niet veel geeft. Het maakt je alleen verdrietig. En verdrietig om dat van toen zijn we geen van beiden meer. 'Het is heel gek, Loudy, maar we kunnen gewoon goed met elkaar opschieten. Maar ik wil Lien niet voor een voldongen feit plaatsen. Op een goede dag zeggen, dat ik mijn huis hier verkocht heb en in haar omgeving ben komen wonen. Ze moet zich niet verplicht voelen met me om te gaan. Maar ze zei een paar weken geleden zelf, dat het niet zo gek zou zijn als ik naar Friesland kwam."

„En Lieneke?"

„Och" – ze hoorde vaders zucht – „Lieneke, dat is een verdrietige zaak, meisje. Lieneke vindt het vreselijk dat haar moeder en ik elkaar hebben ontmoet. Het is erg jammer. Ik heb haar nog niet ontmoet en dat wil ik toch graag. Niet direct omdat ze mijn dochter is, want vreemd, zo voel ik het niet. Ik weet dat het zo is, maar ik ken haar niet. Ik zag haar niet van kleine hummel opgroeien, zoals ik jou zag opgroeien. Lieneke zal ineens voor me staan als een volwassen vrouw. Ik heb foto's van haar gezien, Lien heeft een album vol. Het is een knappe vrouw. Ze lijkt op me. Een smal gezicht, ik wil niet zeggen hoekig, maar wel smal. En ze heeft niet het vrolijke, blije en genoeglijke op haar snoet van haar moeder. Maar Lieneke is boos op haar moeder. Dat is erg verdrietig."

„Vindt mevrouw Van Rijssen het niet verschrikkelijk?"

„Ja, natuurlijk. Maar ze hoeft haar dochter niet te gehoorzamen. Lien heeft daar een goede kijk op. Ze zegt, dat Lieneke nog jong is; later, als ze ook vijftig jaar is, zal ze er anders over denken. Maar daar hebben we nu natuurlijk niets aan. Lien wil niet dat ik weg blijf omdat Lieneke dat wil. Het zit moeilijk in elkaar en we hebben er uren over gepraat, ook via de telefoon. Lien wil het niet tussen ons laten staan. Je moet niet denken, kind, dat er echt iets is tussen haar en mij, ik bedoel een verhouding, je vader gaat heus niet op het vrijerspad met zijn vroegere meisje."

Hij lachte, een eigenaardig lachje.

Loudy wist hoe moeilijk het voor hem was hierover te praten, hij wilde het met een grapje afdoen, maar het feit bleef: hij ging weer met Lien Grettema om. En het kind van hen samen stond aan de kant en keek boos toe.

„Als u in ons dorp wilt komen wonen," praatte Loudy over haar zorgen heen, „er staat een leuk huisje te koop aan de Reigersweg. Het zou net iets voor u zijn. Een vrijstaand woninkje, stukje eromheen, maar niet te veel, want dan is er veel werk om het te onderhouden en u bent nu niet bepaald een goede tuinier!"

„Nee, een paar bloemetjes om de deur vind ik leuk, maar ik wil geen dagen moeten spitten om de boel netjes te houden. Dat gewroet in de grond ligt me niet, dat weet je. Hoe is het huis verder?"

„Dat weet ik niet. Toevallig vertelde Sjoerd vorige week dat de mensen die erin wonen, naar een bejaardentehuis gaan en hij zei dat het net een huisje zou zijn voor u…"

„Zo!" Er klonk blijdschap in de stem. „Ik maak daaruit op dat mijn schoonzoon er geen bezwaar tegen heeft dat ik in zijn buurt kom te wonen…"

Loudy dacht: vroeger zou hij eraan hebben toegevoegd: maar ik begrijp het wel, het scheelt hem veel ritjes over de dijk… Zo wrang was vader een poos geleden nog, de laatste tijd niet meer. Terwijl ze de hoorn aan haar oor hield en naar hem luisterde, dacht ze: vader is veranderd sinds hij Lien weer kent. Milder geworden. Ze begreep het wel. Zijn eenzaamheid was minder.

„U kunt op Simon passen als wij een avondje uit willen…" Ze zei het om iets te zeggen.

„Ja, ja," antwoordde hij lachend, „maar laten we ons even aan de feiten houden. Er is dus een huis te koop en het lijkt jou, op het eerste gezicht, geschikt. Wil je er eens gaan kijken en informeren naar de prijs? Ik kan wel hals over kop naar Friesland komen, maar als jij na één bezoekje weet dat het toch geen haalbare kaart is wat de prijs betreft, hoef ik het niet te doen. En voor jou en Sjoerd is het misschien een kleine moeite."

„Dat is het zeker. De mensen wonen nog in het huis. Ik zal Sjoerd vragen of hij er vanavond langs wil gaan. Misschien is het inmiddels al verkocht."

„Dat kan ook. Dan zijn we er helemaal snel over uitgepraat."

Sjoerd fietste die avond naar het huis in de Reigersweg. Loudy bleef thuis, bij Simon. Dat vader hier zou komen wonen, lokte haar erg aan. Ze miste hem, ze waren zo lang samen geweest. Vanaf moeders ziekte was er een band tussen hen ontstaan, ook al was vader niet altijd gemakkelijk en plezierig om mee te leven. De ergernissen van toen, het beslag dat hij op haar legde, de manier waarop hij haar aan zich wilde binden, was ze niet vergeten, maar het telde niet meer. Ze stonden anders tegenover elkaar, nu ze getrouwd was. Ze dacht vaak aan vader. Hoe hij alleen in huis was, ze zag hem door de kamer schuifelen, alleen zijn kopje koffie drinken, met de tas aan de hand boodschappen doen bij de buurtwinkel op het plein. En de avonden alleen achter de gesloten gordijnen.

Als vader op het dorp woonde, kon hij bij hen binnenlopen, even met Simon spelen en zij kon met het kind naar hem toegaan, dan had hij afleiding en het gevoel er toch bij te horen.

Sjoerd kwam terug. „Aardige lui, vooral die man, een gezellige kletser. Het huis is niet verkocht. Ze hebben er nog niet officieel werk van gemaakt, want ze weten niet wanneer ze een kamer in het tehuis kunnen krijgen, maar erg lang zal het niet duren. Ik heb het huis bekeken. Er moet het een en ander aan worden opgeknapt, maar dat is altijd zo, dat zag je in ons huis. Het is een solide woning. Ik vind het net iets voor je vader. Ik heb met hen afgesproken dat ze nog niet met andere kopers in zee gaan. We moeten je vader bellen en hem vertellen hoe de vork in de steel zit. Hij moet maar gauw komen, dan kan hij het zien en beslissen, want die mensen houden het natuurlijk niet weken en weken voor hem vast."

„Wat let je, de telefoon staat bijna naast je."

Sjoerd belde en vertelde over het huis. Loudy hoorde hem praten. „Een flinke kamer, nee, kleiner dan de twee bij u, maar met meer ramen. Een gezellige kamer, ja, dat zeker. En boven drie slaapkamers…"

Hij heeft er aan één genoeg, dacht ze. Misschien ook als Lien een nachtje bij hem komt logeren… Ze glimlachte om de zotte gedachte: haar vader en Lientje…

De koop ging door. Het huis werd opgeknapt, behangen en geschilderd en in het najaar verhuisde Tjeerd Swinkels naar Hartelinge.

Lien van Rijssen kwam het huis bekijken toen het leeg kwam. Ze belde Loudy op een morgen in de zomer.

„Loudy, met mij, Lien van Rijssen. Je vader vertelde me dat hij gaat verhuizen en dat hij een huis bij jullie heeft gekocht. Ik heb er niets mee te maken, want er is niets tussen je vader en mij, alleen vriendschap, maar ik wil het huis toch graag zien. Ik vind het altijd opwindend als mensen in een ander huis gaan wonen. Ik ben maar tweemaal in mijn leven verhuisd, eerst van het ouderlijk huis naar de boerderij. Maar ik kende de boerderij toen al op mijn duimpje, omdat ik met Egbert omging vóór we trouwden. Er zat geen enkele verrassing in. En ik verhuisde van de boerderij naar hier, maar dat was geen plezier. De kinderen hebben het huis voor me bekeken en uitgezocht. Het interesseerde me helemaal niet waar ik terechtkwam. Toen had niets waarde voor me. Maar het lijkt me zo spannend, naar een huis te gaan kijken waar je misschien gaat wonen. Je komt er voor de eerste maal binnen, alles is vreemd, je neemt het in je op, je kijkt naar de ramen, het uitzicht en je bedenkt dat het eens jouw huis zal zijn. Je moet je er thuis kunnen voelen, begrijp je wat ik bedoel? Ik geloof niet dat een man als je vader daar zo over denkt, ik weet ook niet in wat voor huis hij nu woont. Hij lijkt erg nuchter, maar ik ken Tjeerd Swinkels van vroeger en ik weet dat hij dat niet is. Vroeger tenminste niet. Hij moet een gezellige woning hebben."

„Wij vinden dit een leuk huis voor hem. Maar u kunt toch komen kijken? Als u in de bus stapt bent u in twintig minuten bij ons! Zullen we een afspraakje maken? U komt eerst bij me koffie drinken, dat vind ik leuk, dan kunt u meteen onze kleine jongen zien."

„Graag Loudy. Ik ben blij dat je er zo tegenover staat."

Loudy wist wat ze bedoelde: niet zoals Lieneke.

En zo kwam Lien van Rijssen op visite bij Loudy. Het was een stralende dag in de zomer. De deuren naar de tuin stonden open, kleine Simon zat in de box en lachte tussen de spijltjes door naar hen.

„Ik ben blij dat jij anders tegenover onze vriendschap staat dan Lieneke," zei Lien van Rijssen.

„Het ligt voor mij anders."

„Dat is beslist waar."

„Maar ik vind het niet goed dat Lieneke zo doet."

Loudy keek de vrouw tegenover haar recht aan, ze vroeg: „Is Lieneke echt zo gevoelig? Gelooft u, dat ze in haar jeugd eronder heeft geleden dat haar echte vader niet in haar omgeving was?"

Lien van Rijssen keek haar ook recht aan. „Daar denk ik vaak over, je raakt een moeilijk punt. Lieneke zegt dat ze haar vader heeft gemist, maar ik geloof niet dat het waar is. Ze kende hem niet, ze wist niet wat ze miste. En heus, Egbert was lief voor haar. Hij mopperde wel eens als ze iets deed dat hij niet goed vond, maar dat zou haar echte vader ook gedaan hebben. Ik heb uren en uren gedacht over Lienekes motieven. Ik ben veel alleen, vooral de middagen en avonden en het zit me dwars.

Veel beelden kwamen terug. Vanaf Lienekes kinderjaren. Van toen ze een klein baby'tje was. Ze werd gekoesterd door mijn ouders en door mij, zelfs door mijn broer, die gek was op het kleine ding. Uit die tijd kunnen echt geen frustraties zijn ontstaan. Lieneke was gewoon een vrolijke baby. Ze lachte altijd. En later, toen ik met Egbert getrouwd was, had ze een fijn leventje. Ik heb Lieneke nooit over haar vader gehoord. Ze vroeg naar hem toen ze groter werd en ik vertelde alles eerlijk. Dat was het beste, want er waren op het dorp mensen genoeg die de hele geschiedenis kenden, die erover praatten met hun kinderen de die vertelden erover aan Lieneke. Er was niets om geheimzinnig over te doen. Toen bemerkte ik niet dat Lieneke eronder leed. Daar komt ze nu mee op de proppen en ik geloof dat het is zoals jij pas zei: ze doet nu alsof ze er jarenlang onder gebukt is gegaan." Lien van Rijssen verschoof op de stoel, „nu we erover praten, Loudy, moet ik je nog iets vertellen. Op een avond kwam Stefan bij me. Hij zei dat Lieneke de laatste tijd moeilijk was om mee om te gaan. Ze hadden dikwijls ruzie, vaak om kleine dingen. Hij had ook het gevoel dat ze hem soms niet naast zich kon verdragen. Heel vreemd, want ze was smoorverliefd op hem toen ze verkering hadden en dolgelukkig toen ze met hem trouwde. En ook de eerste jaren van hun huwelijk waren heel goed. De twee jongens werden geboren en ze was erg blij met ze. Je zou zeggen, zoals we dat hier in Friesland zeggen: Neat van'e hân, dat is: geen vuiltje aan de lucht. Maar de laatste tijd, eigenlijk al een paar jaar, veranderde er iets in Lieneke. Stefan zei me dat hij erover was gaan denken wanneer het ongeveer was begonnen, maar hij kon dat niet nagaan. Maar" – Lien keek Loudy aan – „in elk geval ver vóór ik Tjeerd weer ontmoette, want dat is eigenlijk nog maar kort geleden, dat weet je zelf. Er moet iets anders zijn geweest."

„Hoogstwaarschijnlijk heeft het niets met vader en u te maken."

„Dat geloof ik ook. Volgens Stefan is er in hun huwelijk niets voorgevallen. Geen vreselijke ruzie of zo, maar het kan natuurlijk zijn dat ze het leven met hem gewoon gaat vinden, dat het saai wordt. In wezen is dat ook een beetje zo. Stefan heeft zijn werk, de jongens gaan naar school, Lieneke is in huis. Ze heeft niet veel vriendinnen, wel kennissen, waar ze zaterdagavond met Stefan naartoe gaat en die bij hen komen, maar geen vriendinnen die bij haar op de koffie komen en waarmee ze een middagje naar Sneek gaat, ik noem maar wat. Misschien is het een beetje onvrede met haar leven, dat kan. En omdat zij zich niet helemaal gelukkig voelde, is ze gaan zoeken naar een oorzaak."

Opeens lachte Lien van Rijssen. Het was de lach die vader bedoelde, waaruit bleek dat ze opeens ook de vrolijke kant kon zien, alles relativeren, hoe belangrijk het ook was, zoals in dit geval.

„De oorzaak die ze zocht, kon in haar jeugd liggen. Misschien kwam ze zo bij de vader die haar in de steek liet. Maar eerlijk gezegd geloof ik daar niet in. Lieneke praat zichzelf aan dat ze niet gelukkig is, en ze is daaraan natuurlijk niet zelf schuldig, dat is een ander. Stefan bijvoorbeeld, die niet genoeg aandacht aan haar geeft. Maar hij vertelde me die avond dat het ontzettend moeilijk voor hem is, want ze wil niet met hem praten. Jij begrijpt me niet, zegt ze steeds, je kunt het niet begrijpen. Ze wil ook niet dat hij haar aanhaalt. Het was altijd een leuk stel. Als hij langs haar liep, hield hij haar even vast, weet je wel. Dan nam hij haar even in zijn armen en gaf haar een kusje. Daar lachte ze altijd om, dat vond ze leuk. Maar de laatste tijd mocht dat niet meer. Ze schudde Stefan van zich af. 'Doe niet zo zot,' zei ze dan. Ook in bed wil ze steeds minder van hem weten. Het is niet zo, dat er helemaal niets meer tussen hen plaatsvindt; Stefan praat er openlijk over, want hij vindt dat het belangrijk is. En als hij en ik erover praten, moet ik alles weten. Ze hebben nog wel gemeenschap, maar ze laat hem toe, ze doet er zelf niet meer aan mee, zoals vroeger. Toen daagde ze hem uit, maakte hem gek, stoeide en speelde met hem en ze waren dolgelukkig samen. Het is voor Stefan heel moeilijk. Hij stelde voor er met de dokter over te praten. Maar dat wil ze beslist niet. Ze is niet ziek, ze weet zelf heel goed wat haar dwarszit. Ze denkt te veel. Als hij dan vraagt waarover ze denkt komt hetzelfde antwoord: 'Dat kun jij niet begrijpen.' Stefan wist niet wat te doen, hij hoopte dat het vanzelf voorbij zou gaan. Een depressie. Een inzinking. Maar toen.kwam als tweede slag mijn gesprek met Tjeerd. Ik vertelde het haar, dat moest ik, en ze was woedend. Ze kan niet begrijpen dat ik met hem wil praten. Ze schreeuwde dat ik geen gevoel heb, geen eergevoel. Misschien heb ik dat ook niet, maar lieve kind, zei ik, het is dertig jaar geleden, jij en ik zijn allebei goed terechtgekomen. Tjeerd weet nu zelf ook dat hij niet goed heeft gehandeld, maar het is gebeurd, we kunnen niet terug en niets overdoen. Lieneke heeft het voorval aangegrepen om zich nog meer in de moeilijkheden te werken, want zo voel ik het en ik heb medelijden met haar. Ze is niet echt boos omdat ik met Tjeerd praat, dat is het niet, daarvan ben ik overtuigd. Het komt door haar geestelijke toestand dat ze zich nu hieraan vastklampt; ze praat zichzelf in dat ze zo gevoelig is; andere mensen zijn hard, zoals ik, dat ik hierover kan heenstappen. Ik ben hard, zij niet. Zij lijdt in stilte. En niemand begrijpt haar."

„Het is heel erg."

Loudy leunde voorover in de stoel. „Nu Lieneke zich minder met u bemoeit, heeft ze geen steun meer, niemand die haar begrijpt. Het is een gevaarlijke situatie. Ze kan jaloers zijn op mijn vader, omdat die wel met u omgaat."

„Ik geloof ook dat er veel jaloezie bij komt. We hadden vroeger in het straatje naast de winkel een buurvrouw, ze woonde net achter de werkplaats. Het was een wijze vrouw. Heel eenvoudig, ze kwam uit en arm gezin, veel schoolopleiding had ze niet, maar het leven had haar wijs gemaakt, zei ze dikwijls. Zij zei me eens dat ik, als er moeilijkheden waren met mijn man, mijn kinderen of met andere mensen, moest denken aan jaloezie. Daar komt zoveel uit voort, zei ze. Jaloers zijn op de bezittingen van anderen, op het uiterlijk van anderen, op de liefde van anderen.

Ze had gelijk, ik zag het dikwijls om me heen, het komt er vaak aan te pas. Vóór Tjeerd een rol meespeelde in deze geschiedenis was Lieneke misschien jaloers op Stefans leven. Dat heeft meer afwisseling dan het hare. Hij gaat 's morgens de deur uit naar zijn werk, hij werkt op een kantoor en hij vertelt verhalen hoe gezellig hij en zijn collega's het samen hebben. Zij blijft alleen thuis met de afwas op het aanrecht en het wasgoed in de mand. De enige stem die ze hoort, is die van een man of vrouw van de radio. De kinderen gaan naar school. Ze zullen het niet altijd naar hun zin hebben, hoewel ze nooit mopperen of zeuren over de school. Ze lachen met hun vriendjes. En Lieneke zit thuis. Te denken, veel te veel te denken. Ze haalt zich van alles in het hoofd en misschien is ze jaloers op Stefan en de kinderen, dat kan. Er is niet met Lieneke te praten. Ik heb het verschillende malen geprobeerd, maar ze begint te schreeuwen en luistert niet. Ik heb erover gedacht het contact met Tjeerd te verbreken terwille van Lieneke. Hoewel… contact, och, zo hevig is het niet. Hij is een paar maal een avondje op visite geweest, ik schreef hem een paar brieven, want ik weet dat het heerlijk is als de post iets voor je door de brievenbus gooit als je zo eenzaam bent als hij. Hij schreef me terug. We zijn allebei eenzame mensen, zo moet je het zien. Eenzame mensen met een verleden. Onze verledens raken elkaar op de weg terug, de weg achter ons. Er is een tijd geweest dat we van elkaar hielden. Een beetje begrip is er nog. Waarom moet ik het opgeven? Ik denk niet dat het Lieneke echt goed zal doen. Ze voelt het mogelijk als een overwinning, maar het helpt haar niet. Alleen de wraakgevoelens die ze ten opzichte van je vader heeft, worden er door bevredigd. Want wraak wil ze. Hij liet haar in de steek." Lien van Rijssen zweeg even. „Het is allemaal erg moeilijk. Het ging niet goed met Lieneke vóór jij en Sjoerd aan mijn deur belden, maar na die tijd is het nog erger geworden. En toch wil ik niet toegeven en haar haar zin geven. Ik praatte er met Stefan over. Het is voor die jongen verschrikkelijk en hij wil ten koste van alles proberen de Lieneke van vroeger terug te krijgen, maar hij heeft ook het gevoel dat het niet echt helpt als ik Tjeerd loslaat. Alleen een glimlach van overwinning voor Lieneke.

Buur Ansje, die vroeger naast ons woonde, zou zeggen: ze hoeft dan niet meer jaloers te zijn op jouw aandacht voor Tjeerd. Maar dat lost niet alle verkeerde gedachten in haar hoofd op. Het is een verschrikkelijk nadeel voor haar dat ze zoveel uren alleen in huis is. Ze denkt te veel. Geen mens is lang zonder gedachten, er is altijd wel iets dat je bezighoudt, maar in het hoofd van Lieneke zijn de gedachten spoken geworden. Ik vind het vreselijk het te moeten zeggen."

Met Simon in de kinderwagen wandelden ze later op de morgen naar het nieuwe huis. Ze kwamen enkele dorpsbewoners tegen die hen vriendelijk groetten. Misschien denken ze, dacht Loudy met een glimlach: wie is die vrouw naast de vrouw van Sjoerd Rijswijk? Zijn schoonmoeder hoogstwaarschijnlijk. Maar ze lijken helemaal niet op elkaar, die twee vrouwen. Hoe het precies in elkaar zat, kon niemand raden.

De schilders waren druk bezig de kozijnen aan de buitenkant in de glansverf te zetten. Binnen rook het ook naar verf en nog niet gedroogd behang.

Lien van Rijssen liep door de woning. Loudy keek naar haar en glimlachte stilletjes. Lien keek echt rond, ze nam alles in zich op en aan haar gezicht te zien was ze er – voor Tjeerd – mee in haar schik. Er was een tevreden blik in haar ogen en ze knikte goedkeurend. „Een gezellig huis, Loudy. Grote ramen, veel licht. Als de zon schijnt kan die lekker binnenkomen, daar houd ik van, ik vind dat een huis licht en open moet zijn. Trouwens, met slecht weer is het ook boeiend om naar buiten te kijken. De donkere wolken over het land zien komen in zoveel verschillende kleuren grijs en bijna zwart, het jagen ervan, maar ook mist, die als een sluier hangt en door de zonnewarmte wordt opgelost. Daar kan ik naar kijken, ik neem de tijd om ernaar te kijken. Je vader kan ervan genieten, dat weet ik. Hij heeft hier een heerlijk vrij uitzicht, hij kan ver kijken. Hij vertelde me laatst dat hij in de laan waar hij woont, nooit heeft kunnen wennen. Hij voelt zich er niet thuis. Als hij uit het raam kijkt, ziet hij huizen, door het voorraam en door het achterraam. Dat betekent stenen, dichte deuren, dakpannen en antennes. Hij was het in Berawolde anders gewend. Voor het huis de brede vaart – in de vaart zien de mensen daar hoe de wind waait – en achter het huis de weilanden. Hier kan hij groen zien en bomen en bloemen. Hij zal het heerlijk vinden hier te wonen en ik voorspel je dat hij gauw gewend zal zijn. Natuurlijk ook omdat jullie dicht in de buurt zitten. Als hij zijn pantoffels uittrekt en zijn schoenen aanschiet, is hij bij wijze van spreken al halfweg. Want hij mist je erg. Het was een hele overgang voor hem, jij elke dag in zijn huis en toen helemaal alleen. Vooral de avonden waren vreselijk. Ik zeg niet dat hij nu elke avond bij jullie in een stoel moet zitten, dat zal hij beslist niet doen, dat weet je zelf ook, maar je bent dichter bij hem, je kunt desnoods een halfuurtje bij hem binnenwippen, dat breekt de avond toch. En als hij een loopje maakt, wat veel mensen in onze dorpen doen op zomeravonden, kan hij bij jullie een praatje maken. Ik weet zeker dat hij het hier naar zijn zin zal hebben."

Ze liepen het hele huis door, bewonderden de keuken en de slaapkamers boven. „In moai hûs" vatte Lien van Rijssen het samen toen ze weer beneden in de kamer stonden.

„En het wordt veel gezelliger ingericht dan ons oude huis," vertelde Loudy.

„Daar ligt donkere vloerbedekking op de vloer. Het ligt er al jaren en jaren. Ik stelde dikwijls voor het eruit te halen en iets nieuws en lichts te nemen, want je zag er elk pluisje en draadje op, maar vader zei dat je in donkere vloerbedekking de vlekken niet ziet. Bovendien gaf hij geen geld uit voor nieuwe vloerbedekking als er geen gaten of heel slechte plekken in de oude zaten. Ik heb gezegd dat hij andere meubeltjes moet nemen. Hij neemt wel een paar mee, hij wil niet alles nieuw en ik geloof ook niet dat dat goed is, dan zal hij zich vreemd voelen in zijn eigen huis. En er zijn genoeg dingen die mooi zijn en dus mee kunnen. Hij heeft een prachtige kast en een schitterend dressoir en theemeubel. Maar hij koopt nieuwe, gemakkelijke stoelen. Ik ga met hem mee om uit te kiezen en ik zal ervoor zorgen dat het lichte stoelen zijn, ook een lichte, vrolijke bekleding."

„Ik vertrouw het je helemaal toe," zei Lien lachend.

Ze groetten de werklui, wensten ze prettige arbeid en liepen terug naar huis.

's Avonds vroeg Sjoerd: „Hoe was het met ons Lientje?"

„Ze heeft het huis goedgekeurd."

„Zo, dat is belangrijk! Stel je voor dat Lien zegt: 'Je moet daar niet gaan wonen, Tjeerd. Als je daar woont, kom ik nooit bij je op visite.'"

„Dan doet hij het huis zo weer van de hand!" Ze konden samen grap-

jes maken over de vriendschap tussen vader en Lien. Als Loudy erover nadacht, vond ze het vreemd en onwezenlijk dat dit kon, maar
ze dacht aan de woorden van Sjoerds moeder: 'De tijd streelt de tranen weg' en dat was in dit geval zeker waar.

„Vertelde ze verder nog iets? Hoe is het met Lieneke? Nog altijd
boos?"

„Ik weet het niet. Ze komt bij haar moeder, maar het is niet meer zo
gezellig als vroeger. Ze vermijden allebei de naam Tjeerd Swinkels
te noemen, maar ik denk dat die naam vaak op hun lippen ligt. Maar
het is niet alleen deze kwestie van pappa voor Lieneke. Ik wil er wel
met je over praten, maar ik wil niet dat je direct en plompverloren
je mening klaar hebt. Ik weet de oplossing niet, Stefan en Lien ook
niet, en ik neem aan dat jouw voorstellen ook niet direct de beste
zijn."

„Ik beloof je mijn mond te houden maar je weet hoe ik over zulke
toestanden denk. Hoe meer er gepraat en verondersteld wordt, hoe
slechter het meestal gaat. Maar stil, anders heb ik mijn oordeel al
gegeven vóór je gaat praten."

„Zo is dat." Loudy keek hem strak aan. Toen vertelde ze wat Stefan
zijn schoonmoeder had gezegd. „Er is dus meer, het zit dieper."

„Ja. Het is een moeilijk geval, want Lieneke wil niet praten. Ik weet
dat jij tegen praten bent…"

„Nee, nee, dat zeg je verkeerd, ik ben absoluut niet tegen praten. In
dit geval is er ook maar langs één weg een oplossing te vinden en dat
is met haar praten. Een pak rammel helpt niet, haar buiten de deur
zetten helpt niet en zo kan ik nog een paar volkomen verkeerde aanpakken noemen.

Maar het gaat erom hoe je met haar praat. En ik blijf erbij – ik durf
het bijna niet te zeggen omdat ik de kans loop dat je boos wordt –
maar ik blijf erbij dat ze wat ze aan gezond verstand heeft bij elkaar
moet rapen, de deur naar het verleden moet dichttrekken, optellen
wat ze nu heeft en daarmee verdergaan. Maar dat is de kwestie juist.
Ik kan dat.

Ik kijk met een glimlach of een traan achterom, maar ik kijk meer
met open ogen en vol verwachting vooruit. Dat kan Lieneke niet. Er
is iets dat haar dwarszit. Ook in het huwelijk met Stefan. Maar het
hoeft nog niet zo te zijn dat het Stefan zelf is. Als ze eens wil nadenken, alles goed op een rij gaat zetten, dan komt ze heus tot de kern
van de zaak, dan weet ze wat haar dwarszit. En dan moet ze zoeken,

met hulp van Stefan, misschien ook van haar moeder, naar een oplossing. Maar ze zoekt niet bij zichzelf."

„Ik ben bang dat er geen oplossing in zit. Voorlopig tenminste niet. Misschien gaan haar ogen nog open."

„Laten we het hopen."

De zomer was voorbij. Het was een fijne zomer geweest. Loudy had genoten van de dagen vol zon. 's Morgens, als Simon uit zijn bedje kwam en zijn bordje pap met veel gesmeer en geklieder had opgegeten, zette ze hem in de box, die op het terras stond. Simon was een lief kereltje.

De dokter op het zuigelingenbureau zei: „Een tevreden kindje" en dat was ook zo. Hij speelde dat het een lust was. Hij kon met een speelgoedhondje in zijn handjes zitten, het beestje draaien in zijn kleine knuistjes, wat peuteren aan de oogjes, maar die konden er niet uit, het diertje neerleggen en dan weer opnemen.

Loudy volgde het spel met bewondering en liefde. Hun kleine jongen, hun Simon. Zo ontdekte hij een heel klein stukje wereld. Met zijn handjes voelde hij de zachte stof, soms hield hij het hondje even tegen zijn wangetje en genoot van de zachtheid. Dat was aan zijn snoetje te zien.

Dan weer gooide hij het beestje in een hoek, ging erop staan, om het even later weer te pakken.

Toen hij acht maanden was probeerde hij zich op te trekken aan de spijlen van de box en het lukte hem. „Kijk", fluisterde Loudy tijdens een van zijn martelpartijen, zoals Sjoerd het noemde, en ja hoor, het lukte!

Met een triomfantelijk snoetje keek hij over het randje van de box. „Onze zoon zoekt het hogerop."

Sjoerd juichte bijna, toen knielde hij bij het ventje neer en bewonderde hem. „Wat word je al een grote jongen, nu kun je staan, ja, dat is mooi! Maar hoe kom je nu weer terug? Laat je maar gewoon zakken, handjes om de spijltjes houden…" Maar Simon was helemaal niet van plan terug te gaan naar de boxvloer, hij vond het prachtig zo over het hekje te kunnen kijken.

De herfst kwam. De verwarming moest aan.

Vader woonde in zijn woning in Hartelinge en het beviel hem prima. Hij kwam dikwijls ik de loop van de morgen even bij Loudy binnen.

„Paps, we moeten het zo doen, dat u niet echt op visite komt. Ik bedoel, dat ik niet direct koffiewater op zetten moet als u de achterdeur opendoet. U hoort er gewoon bij. Als ik met iets bezig ben, ga ik daarmee door, daarna drinken we samen een kopje."

„Goed idee, kind, en ik verveel me niet bij jullie, want Simon en ik hebben elkaar veel te vertellen."

Simon schoof nu over de vloer. Hij kroop op een vreemde manier met één opgetrokken beentje door de kamer. Hij kon bij de stoelen opklimmen en de spulletjes van de salontafel afzwiepen. Hij vond het fijn als opa kwam, want opa tilde hem op, droeg hem door de kamer, bekeek de schilderijtjes aan de muren en vertelde wat erop stond. „Dit is een watermolen. Als je groot bent gaan we samen kijken bij een watermolen, nu weet je nog niet wat het is, maar onthoud het alvast maar, het is net zoiets als op dit schilderij staat. En dit is…" Zo deden ze samen de ronde.

Tijdens een van die bezoekjes zei vader: „Je weet dat Lien en ik elkaar vaak spreken, gistermiddag is ze nog geweest. Het was goed weer, dat maakt trouwens niet uit, want Lien is niet bang voor regen. Ze vindt het zelfs heerlijk om in de regen te lopen. Warme jas aan, muts op haar hoofd en daar stapt ze door de plassen, net Hanneke of Janneke uit het liedje van vroeger. Ze is gistermiddag dus geweest. Het was erg gezellig."

Hij streek met zijn hand over zijn hoofd en zweeg even. Hij dacht erover na of hij verder zou praten of niet. Hij geloofde dat het beter was het wel te doen. „Het is vreemd, Loudy en ik durf het eigenlijk niet te zeggen, maar ik wil er toch met je over praten. Je moet het niet verkeerd begrijpen. Het is niet dat ik niet gelukkig ben geweest met moeder, dat ben ik wel en dat weet je, maar met Lien is het anders. We passen beter bij elkaar, we voelen elkaar meer aan. Misschien is het omdat we allebei in deze streek geboren zijn. Met Geeske was er vaak, ook al waren we getrouwd en veel bij elkaar, een afstand. In ons denken. Alsof ik haar niet goed begreep, alsof ze iets achterhield. Dat was ook zo. Ze vertelde me niet alles wat ze dacht. Ik haar ook niet. Dat hoeft ook niet als het om kleine dingen gaat. Maar het waren tussen ons geen kleine dingen.

Het zwijgen schiep afstand. Met Lien heb ik dat niet. Ze praat veel over Egbert. Ze hadden een goed leven samen. Lien is open in eerlijk en dat was ze ook tegen Egbert. Zo is haar natuur, haar karakter. Egbert wist alles van haar. Wat ze dacht en wat ze wilde. Lien is vrolijk, ze is blij om je heen. Ze straalt een gezellige sfeer uit, ook nu, ondanks de moeilijkheden die ze heeft en waarover ze echt piekert. Ze denkt veel aan Egbert en de vraag 'waarom moest hij dat ongeluk krijgen?' blijft. En ze tobt natuurlijk over Lieneke. Het gaat er voor haar niet in de eerste plaats om hoe Lieneke tegenover haar staat, het gaat om Lieneke zelf. Ook voor haar man en de kinderen. Lien denkt daarover, en ze bepraat het, ze betrekt mij erbij. Zo was het met Geeske niet. Ik kende haar gedachten niet, ik wist niet waar ze bang voor was en als ik vermoedde dat ze ergens bang voor was, wist ik niet hoe diep en hoe ver het ging. Zij kende mijn gedachten niet. Misschien vermoedde ze wel dat die vaak in Friesland waren. Bij ons dorp, bij mijn ouders en broers en zusters, die ik nooit meer zag. Maar Geeske was erg met zichzelf bezig, het is de vraag of ze daaraan dacht. En ik dacht aan Lientje en het kind. Geeske vermoedde dat natuurlijk, maar ze wist niet hoe dikwijls ik daarmee bezig was. Ik praatte er niet over, want ze wilde dan niet naar me luisteren.

Hoe was ze daarmee bezig? Ze kon het voor zichzelf dieper maken dan het was. Met Lien is alles open. Gistermiddag zei ze:, Als het van de winter slecht weer is en de wegen zijn glad door ijzel of sneeuw, moet je niet komen. En als ik bij jou kom, ga ik vroeg weg. Beslist niet met de bus van zeven uur in het donker. Overdag. In de berm van de weg terechtkomen lijkt me niet zo akelig als 's avonds, in het donker."

Ik zei voor de grap: „Dan blijf je toch hier? Ik heb twee logeerkamers, dat weet je, want je inspecteerde ze vóór ik hier kwam wonen."

„Toen keken we elkaar aan, Loudy, en we lachten er allebei om. Het is zo vreemd… Toen we jong waren vrijden we met elkaar, we hadden samen een kind, maar we zijn nu niet meer dan goede vrienden. We durven geen van beiden te zeggen: dan blijven we bij elkaar slapen. Ik denk niet dat we in hetzelfde bed durven stappen. Ik heb er gisteravond over nagedacht. Ik bracht Lien naar de bus, die om tien over zeven bij de kerk vandaan vertrekt. Ze glimlachte naar me. We dachten aan hetzelfde. Lien ziet er ook de humor van in. Dit is iets waarover we nog niet samen hebben gepraat."

„Het is ook een grote stap verder te gaan dan 'goeie vrienden'."

Loudy zei de woorden en ze glimlachte naar hem, maar vanbinnen waren opeens heftige gevoelens. Ze dacht aan haar moeder. Ze zag het smalle, bleke gezicht voor zich met de matte ogen. Een stil gezicht. Vader had gelijk als hij zei dat Lien anders was. En het kwam niet alleen om dat wat tussen vader en moeder stond, het was haar natuur, haar karakter. Moeder was stil, teruggetrokken, ze had een sombere instelling, terwijl Lien juist optimistisch en vrolijk was. Het deed pijn vader zo te horen praten. Ze voelde medelijden met moeder. Het gaf niet meer, moeder was dood, moeder was weg en vader moest verder. Ze had medelijden met hem, toen hij alleen in Breehuizen woonde. Wanneer ze dacht aan de stille kamer, vooral 's avonds, de donkere gordijnen gesloten en hij alleen op zijn stoel tussen de meubelen. Als hij bij Lien was of Lien bij hem was hij niet eenzaam meer. Dat was fijn voor hem. Ze moest het hem gunnen. En ze gunde het hem ook.

„Ik weet waaraan je denkt, kind, ik denk daar zelf ook vaak aan. Aan moeder. Waarom kon het tussen ons niet anders zijn, waarom was er een brug tussen ons, die we niet over konden om elkaar te bereiken? Het is zo gemakkelijk als je Lien ziet, gewoon praten, open zijn, vertellen wat er in je hoofd rondspookt. En als de ander het er niet mee eens is – dat gebeurt tussen Lien en mij ook, was dacht je? – erover praten zonder boos te worden. Elkaars mening toch respecteren. We praten veel over Lieneke. Ik wil haar graag ontmoeten. Misschien verandert haar houding als ze me kent, als ze met me heeft gepraat. Maar Lieneke wil me niet ontmoeten en Lien wil haar niet in de val lokken. Ik bedoel daarmee: mij op zondagmorgen vragen te komen en dan Lieneke en Stefan ook uitnodigen. Dat wil ze niet. En ze heeft gelijk. Het is niet eerlijk. Maar soms moet je iets forceren. We kunnen daarover praten."

„Denkt u er wel over met Lien samen te gaan wonen, misschien… met haar trouwen…?"

„Och nee, trouwen niet, dat heeft zoveel gevolgen, wat geld en nalatenschap betreft. Lien heeft geld, ik ben een arme jongen. Er is natuurlijk een oplossing voor te vinden, maar waarom zouden we trouwen, op onze leeftijd? Nee, dat niet. Maar met Lien wonen, in haar huis of hier, ja, daar denk ik wel eens over. En dat is begrijpelijk. Ze brengt me naar de bushalte als ik in Berawolde ben geweest, dan zwaaien we naar elkaar als de bus wegrijdt en dan heb ik het gevoel dat ik zeventien ben. Het zal gezellig zijn, voor allebei, wij bij elkaar. Maar het is een hele stap en zover zijn we nog niet. Ook niet vanwege Lieneke. Ze kan dan niet meer bij haar moeder komen, als ze mij niet wil ontmoeten."

Toen vader weer naar huis was gegaan, bleven zijn woorden Loudy bezighouden. Ze hielp kleine Simon, ze at een boterham – Sjoerd bleef vandaag op de zaak, het was erg druk, hij belde om dat te zeggen. Toen de kleine jongen sliep, ging ze op de bank zitten om alles te overdenken.

Moeder, herinneringen aan moeder, steeds weer zag zij haar gezicht, vooral de ogen, verdriet was erin, vader was toen ook moeilijker dan nu, er was te veel wat hem dwarszat en hij vond geen hulp en begrip bij haar, omgekeerd kon zij niet op hem steunen.

En nu Lien in zijn leven. Lien met haar open, fris gezicht. Ze gaf hem zoveel gezelligheid.

De telefoon rinkelde. Ze nam op. Het zou Sjoerd zijn om te zeggen... Maar het was Lieneke Bergers.

„Ik wil toch nog eens met je praten." De stem klonk opgewonden, niet boos, alleen opgewonden. Alsof ze er lang over had gedaan de haak op te nemen en het nummer te draaien en nu niet goed wist wat te zeggen.

„Dat kan," zei Loudy rustig, „zeg maar wanneer je wilt komen. Maar ik zeg je vooruit, dat ik niet over mijn vader wil worden aangevallen."

„Nee, nee, ik zal me rustig houden. Maar ik zit zo in de put, ik ben bij de dokter geweest, met Stefan samen, hij sleepte me er gewoon heen. Als een kind, dat naar de tandarts moet. Ik was razend, maar hij had een afspraak gemaakt en ik moest wel, ik kon de dokter niet laten zitten, ik heb hem wel eens nodig. Nou goed, we zijn er geweest, maar je wordt er natuurlijk geen cent wijzer van. Logisch ook, wat kan zo'n man eraan doen dat mijn moeder zo dom is?"

De stem was gejaagd, de woorden struikelden over elkaar. „Hij heeft me naar een andere dokter gestuurd, nee, geen psychiater, ik zei direct dat ik daar niet heen wil. Daar heb ik genoeg over gehoord. Praten en praten en je komt er geen stap verder mee. Ze hoeven voor mij niet uit te zoeken waar mijn spanningen vandaan komen, dat weet ik zelf heel goed. Het komt uit mijn jeugd. Maar dat vertel ik je wel, als ik bij je ben. Misschien begrijp je me dan. Daar schiet ik ook niets mee op, of jij me begrijpt of niet, wat dat betreft hoef ik niet te komen, maar Stefan wil dat ik iets doe. En jij staat op het lijstje. Van die andere dokter heb ik tabletten gekregen. Hij zei, dat het niet iets verdovends is, zoals valium of librium, maar dat is het wel. Want ik slaap direct als ik zo'n ding heb ingenomen. Hij zegt, dat het is om rustiger te worden en als ik rustiger ben, kan ik het beter overzien. Er is niets te overzien, ik overzie alles uitstekend, dat is het juist."

339

„Kom een middagje hier, kwaad kan het in geen geval. Wij hoeven elkaar niet in de haren te vliegen."

„Nee, maar jij hebt die vervelende man weer bij mijn moeder in huis gebracht. Ze praat gewoon over hem, terwijl ze weet dat ik niet kan dulden dat hij bij haar aan tafel zit en dat ik het niet begrijp van haar, maar ze heeft het over hem alsof hij een buurman is die een schaaltje andijvie komt brengen!" Lieneke hijgde een beetje.

„Wanneer kom je? Noem een middag, ja, een middag is het beste. Ik heb het 's morgens druk met mijn zoontje, maar 's middags slaapt hij tot drie uur, half vier, dan kunnen we rustig praten." Lieneke Bergers wilde donderdagmiddag komen.

Loudy vertelde het 's avonds aan Sjoerd.

„Ik vind het prima." Opeens lachte hij vrolijk naar haar. „Maar als ik het niet prima vind, gaat het gesprek toch door geëmancipeerde vrouw dat je bent, en gelijk heb je, maar ik zeg je wel, dat ik niet wil dat je je door haar laat afblaffen. Ik heb uit je opmerkingen opgemaakt dat ze behoorlijk tekeer kan gaan, maar je hoeft je niet door haar te laten overbluffen. En je hoeft ook niet te zeggen, dat je er spijt van hebt dat je naar haar moeder bent gegaan. Daar had je het recht toe. Er was in haar leven iets waarover ze denkt en waarvan ze alles wil weten, voor jou geldt precies hetzelfde."

„Zoet maar, ik weet wat ik zal zeggen."

„Het zal mij benieuwen. Ik wil je geen raad geven, want die neem je toch niet aan." Zijn ogen lachten, maar hij meende wat hij zei. „Maar verplaats je niet te veel in haar gedachtegang. Ze denkt verkeerd. Dat is het punt."

Lieneke Bergers kwam even na half twee. Loudy zag de kleine, donkergroene auto voor het huis stoppen. Lieneke stapte uit. Ze droeg een prachtig mantelpakje in zachte kleuren bruin, beige en wit. Schoenen met hoge hakken, waarop ze wiebelig liep. Het blonde haar was naar achteren geborsteld en werd met speldjes, waarop kleine glinsterende steentjes waren aangebracht, bijeengehouden. Ze was erg opgemaakt, te erg opgemaakt. De lippen te rood, de oogwimpers en wenkbrauwen te zwart. Ze maakte een nerveuze indruk, maar Loudy verwachtte niet anders.

„Hallo." Lieneke stapte op de gangmat achter de deur. „Ik weet eigenlijk niet wat ik hier moet doen. Het was een impuls, jou op te bellen, maar goed, we. hebben de afspraak gemaakt en die wil ik ook nakomen."

„Zo is het, ga door naar de kamer."

Lieneke streek neer op de bank. Ze strekte haar lange benen. Ze had mooie benen. Loudy keek ernaar. Het was een knappe vrouw, ze was alleen te gespannen, ook haar gezicht, er was een zenuwtrek om de mond en ze knipperde met de ogen.

„Ik vertelde je dat ik bij die dokter ben geweest, dokter Veldhoven, een aardige man hoor, echt het type van de specialist die je op je gemak zal stellen. Op de manier van: zo mevrouwtje, gaat u eerst eens even rustig zitten en ontspan u een beetje en vertelt u eens, wat is er allemaal aan de hand, alsof hij tegen een kind praat. Maar daarmee strijken ze mij meteen al tegen de haren in, want ik houd niet van zo'n behandeling. Ik ben geen onmondig kind dat op zijn gemak gesteld moet worden. Ik weet heel goed wat er met me aan de hand is. Ik ben hypernerveus, dat is waar en ik ben een ramp voor mijn man, dat is ook waar, maar het heeft een oorzaak. Ik weet die oorzaak heel goed. Daarvoor hoeft geen dokter met me in mijn verleden te gaan graven. Het zit me al jaren dwars. Vanaf klein kind."

„Vanaf hoe klein?" Met strakke ogen keek Lieneke haar aan. Het is geen vrouw om Lieneke te heten, dacht Loudy. de naam had voor haar een lieve, kinderlijke klank en deze vrouw was noch lief, noch kinderlijk.

„Hoe klein? Dat weet ik niet precies."

„Ik heb met je moeder gesproken, dat weet je."

Loudy glimlachte. Het gezicht tegenover haar verstrakte, ja, dat wist Lieneke Bergers, daar wilde ze straks over praten. „En zij zegt dat je een blije jeugd had. Je was een vrolijk kind."

„Toen ik erg klein was misschien wel, dat weet ik niet meer. Ik herinner me niet veel van de tijd toen ik drie, vier jaar was en moeder en ik bij pake en beppe Grettema woonden. Ik kan me wel herinneren dat moeder met Egbert trouwde. Ik mocht mee naar het raadhuis. Ik zat naast beppe op een harde stoel en mijn moeder zat midden in een grote kamer, naast Egbert en een meneer zei wat. Meer weet ik er niet van. Egbert is altijd goed voor me geweest. Ik zal nooit zeggen dat dat niet zo is. Maar toen ik groter werd, besefte ik toch dat hij mijn eigen vader niet was. Nee, dat zeg ik verkeerd, hij was net zo goed en net zo lief voor mij als een eigen vader kon zijn, maar ik voelde de band met hem niet. Een oom kan lief voor je zijn of een onderwijzer of een broer, maar de band met je vader is anders."

„Weet je zeker dat het zo is? Misschien was je een meisje met veel fantasie, dat 's avonds in bed, of gewoon, alleen in je kamertje, zulke dingen wilde geloven. Ik zelf was het enige kind van mijn ouders, ik was thuis vaak alleen. Ik speelde dat ik een zusje had. Ze was twee jaar ouder dan ik. Ik praatte tegen haar, in mijn spel, in mijn fantasie. En ik hield van haar. Zo is het misschien ook met jou gegaan. Je dacht: een eigen vader... dat moet iets heel bijzonders zijn."

„Nee!" Er was een harde trek om haar mond. Ze zei het heel beslist. „Ik verbeeldde me zoiets niet. Ik voelde dat in me een band was met de mens die mijn vader was, maar die band was stukgesneden en ik leed daar pijn door. Niemand kan het begrijpen. Ik zie aan je gezicht dat jij het ook niet begrijpt, maar toch is het zo. Toen ik jong was, zeven, acht jaar, kon ik de gevoelens en de pijn niet thuisbrengen, maar ik wist dat het kwam door mijn vader. Ik kon er met niemand over praten. Mijn moeder vertelde me hoe de vork in de steel zat, dat ik geen echt kind was van Egbert. Maar hij hield van me, hij zorgde voor me, het kon niet anders, zo was ons leven, dus niet piekeren of zeuren, zo was het goed. En het was ook goed, aan de buitenkant. Maar het heeft me vanbinnen nooit losgelaten."

„Je hebt er te veel over gedacht."

„Misschien wel, maar ik kon niet anders."

„Toen je groter werd, ging het niet over?"

„Ik probeerde het los te laten, want ik was echt geen dom, zenuwziek wicht, dat niet probeerde ervan los te komen, maar het lukte me niet. Het is een tijd bijna weg geweest, toen ik met Stefan trouwde. Stefan en ik kennen elkaar vanaf onze kinderjaren, dat zal moeder je verteld hebben."

Ze zei dit laatste met een vervelend lachje, cynisch, bijna wreed. „Tussen Stefan en mij is het bijna zoals het tussen mij en mijn vader had moeten zijn, we horen bij elkaar. Ik geloof dat ik niet verder had kunnen leven als Stefan me op een goede dag gezegd zou hebben, dat hij verliefd was geworden op een ander meisje en het had willen uitmaken tussen ons. Dat kon gewoon niet. Wij horen bij elkaar. We zijn getrouwd en we hebben twee jongens. Maar dat weet je natuurlijk ook. Ik ben gelukkig dat mijn kinderen hun eigen vader en moeder hebben. Ik weet wel, dat zei die dokter ook, dat er duizenden en duizenden mensen zijn die niet door hun eigen ouders zijn opgevoed en die er totaal geen moeite mee hebben; allemaal waar, maar ik heb het wel. Ik kan die breuk niet verdragen."

Loudy dacht: wat let je kind, om die band te herstellen... maar ze wist dat voor dat antwoord de tijd, wat Lieneke betreft, nog niet rijp was. En ze zag haar vader opeens voor zich. Het grauwe gezicht, de bange ogen als hij Lieneke zou ontmoeten; wat zou dat in haar teweegbrengen…? Was dit de man aan wie ze dacht, die ze miste…?

„Toen de kinderen klein waren had je weinig tijd om na te denken over wat je vroeger miste," zei ze.

„Ik had het druk. Kleine Stefan was een moeilijk manneke als kleutertje. Erg driftig en hij wilde bijna niet eten. Daarmee was ik uren bezig. Verhaaltjes vertellen, hapje voor pappa en voor mamma, nou ja, je kent het wel. Met Basje had ik gelukkig minder drukte, dat was een hongerwolf. Die huilde alleen als hij dacht dat zijn prakje vijf minuten te laat klaarstond. Als het bordje leeg was, kon ik hem afvoeren naar de box of de kinderstoel, daar was hij dan heel tevreden in. Ik had het druk en ik geef toe dat ik toen minder last had van wat dokter Veldhoven 'een complex' noemt. Voorstellingen uit het verleden die me bijblijven. Ik denk dat ze mij nooit los zullen laten."

„Er is maar één mens die je eraf kan helpen, die kan zorgen dat je weer gezond wordt, geestelijk gezond en dat je fijn kunt leven: dat ben jezelf. Het zijn jouw gedachten. Het waren ook vroeger jouw gedachten. Ik kan het begrijpen van een jong kind. Ik heb zelf veel gedacht en dingen in mijn hoofd gehaald die me verdrietig maakten. Maar als je ouder wordt, volwassen, moet je weten dat het je alleen maar ziek en ongelukkig maakt daaraan vast te houden. En zoals het nu met jou gaat" – Loudy praatte vlug door, Lieneke moest blijven luisteren, ze wilde dit beslist zeggen – „maak je niet alleen jezelf beroerd, ook Stefan."

„Stefan…? Wat heeft hij er eigenlijk voor last van? Nou ja, dat ik misschien niet zo blij ben, maar dat valt hem amper op. Hij is de hele dag van huis. Dat kan niet anders, dat weet ik, hij heeft zijn werk. Maar hij is in elk geval niet thuis. Dus hij weet niet wat ik dan denk en doe. Hij is 's avonds ook vaak weg. Hij houdt erg van biljarten, één avond in de week gaat hij naar een café bij ons in Drachten om te biljarten. Een nette tent hoor, en hij drinkt een paar glaasjes bier, maar beslist niet te veel. Niets aan de hand en ik gun hem die avondjes. Maar ik zit wel alleen.

Nu zijn de jongens wat groter, ze gaan niet meer om zeven uur naar bed, maar later dan half negen is het nooit en dan zat ik daar. Dan denk ik over mezelf. Ik wil heus wel anders, je moet niet denken dat het een lolletje is in de zenuwen te zitten over dingen van vroeger."

„Het is niet meer van nu…"

„Nee, Loudy…" Ze boog voorover in de stoel, haar houding was opeens anders, met minder afweer; de stem was ook anders, zachter en Loudy dacht in de klank ervan vertrouwen te horen, te voelen bijna. „Ik zal proberen je uit te leggen wat ik voel. Het is heel vreemd. Het gaat niet om de man op zich, ik bedoel degene die mij heeft verwekt. Ik zie hem nooit als persoon, ik verlangde ook nooit hem te zien, zoals je soms hoort van mensen die hetzelfde hebben meegemaakt. Ze willen overal heenreizen en alles doen om hun echte vader te zien en ze dromen dat hij ook steeds aan hem of haar denkt en dat ze elkaar eens juichend in de armen zullen vallen. Dat is het bij mij niet. Het is het gevoel in de steek gelaten te zijn, aan de kant geschoven, niet belangrijk genoeg te zijn. Ik weet eigenlijk niet hoe ik het moet zeggen. Losgelaten. Ik zag eens een film, waarin een vader met zijn kind in een brandende stad liep. Een vreselijke oorlogsfilm. Ze wisten niet waarheen te vluchten, vluchten was niet mogelijk. Maar het kind hield haar handje in vaders hand, in het misplaatst vertrouwen dat hij redding zou weten. Maar de vader wist niet wat te toen en opeens liet hij het kind los en holde weg door de straat. Ze stond als een standbeeld op de stoep. Zo voelde ik het vanbinnen. De band was doorgesneden. Het is heel vreemd. Mensen die zoiets niet meemaken, kunnen niet weten wat voor gevoel het is. Zelfs dokter Veldhoven kan het niet begrijpen. Hij knikt wel naar me, ja, ja, en hij begrijpt dat het iets van vroeger is, ja, ja, een vader die de moeder niet trouwde, maar hoe ik het voel, begrijpt hij absoluut niet.

Ik weet dat het niet goed voor me is alleen thuis te zitten. Er is te veel tijd om te denken en te piekeren. 'Ga wat doen,' zegt Stefan. Maar wat moet ik? Het maakt ook niet uit wat ik doe, ik neem mijn gedachten in een onzichtbaar koffertje mee en ik kan het koffertje niet dicht laten en naast me neerzetten, het blijft niet gesloten. De gedachten bespringen me. Dokter Veldhoven vroeg of ik angst heb, maar angst heb ik niet. Ik ben niet bang. Waarvoor zou ik bang zijn? Het is de leegte vanbinnen, het gevoel iets te missen. Het is moeilijk te omschrijven."

„Ik ben geen psychiater, ik heb niet gestudeerd in die richting, ik weet er helemaal niets van en ik ken jou ook niet. Ik was onderwijzeres op een lagere school, daarvoor leerde ik en ik ging met veel kinderen om. Ik heb vaak in die hoofdjes problemen vermoed en geprobeerd met de kinderen te praten. Ik ben nooit tegengekomen wat jij hebt meegemaakt, maar wel veel in die richting. Dat kinderen zich losgelaten voelden, in de steek gelaten. Maar of het echt waar was...? Jouw echte vader liet je in de steek, zeg je, maar eigenlijk is dat het goede woord niet. In de steek laten is: je eerst met iemand bemoeien en hem dan loslaten. Dat is in jouw geval niet gebeurd. Hij heeft nooit naar je omgekeken."

„Nee, de schurk, hij liet mijn moeder met de narigheid zitten..."

Loudy boog zich voorover, naar Lieneke toe. „Je vond het intens gemeen tegenover je moeder, zij had er verdriet van en jij zat daar, als nog ongeboren kindje, tussen. Het was gemeen. Maar ik neem aan dat je weet hoe de omstandigheden waren. Vroeger luisterden de jonge mensen naar hun ouders en oudere broers en voor jouw vader was het toen zo dat hij dacht dat alles wat zijn ouders zeiden waar was en goed voor hem.

Maar het heeft geen zin het allemaal uit te pluizen, je weet het wel. Ik las eens een artikel over een dokter die een deel van ons denken en onze gevoelens terugvoerde tot in de tijd dat we als foetus in het lichaam van de moeder zijn. Het leek me toen erg ver gezocht."

Loudy glimlachte, de sfeer tussen hen werd minder gespannen. „Maar toen ik in verwachting was van Simon voelde ik dat het waar kan zijn. Je bent zo dicht bij elkaar, moeder en kind. Een baby kan de blijheid merken die de moeder voelt en de baby kan het verdriet voelen. Misschien sluimerde dat in jou. De eerste jaren van je leven was je te klein om het te onderkennen, later ging je er des te meer over denken. En je voelde het, je vond het interessant, een kind – ook een volwassene – kan zich koesteren in narigheid, in zelfmede-lijden. Later dacht je misschien dat je gevoeliger was dan andere mensen. Dat was een fijn gevoel, je was beter, tederder, je had een warmer hart. Meisjes van zestien, zeventien jaar voelen zich vaak misdeeld, niet begrepen en verlaten. Daar pasten de gevoelens uit voorbije jaren voor jou bij, ze schoven daarin, bij wijze van spreken. Je liet ze los toen het tussen Stefan en jou echt verkering werd, toen was er liefde in je hart, je maakte plannen voor later, droomde over de toekomst. Daarna werd alles werkelijkheid: Stefan en jij als brui-degom en bruid, het ingerichte huis, alles mooi en nieuw. Toen de kinderen. Je was – en bent – er gelukkig mee, want je houdt van alle drie je 'mannen', maar het is hier alles rozengeur en maneschijn. 's Morgens opstaan voor het ontbijt, kibbelende jongens aan tafel, manden vol wasgoed, vuile wastafels. Denken aan de bruidsdag met

Stefan hoeft niet meer, dromen over een baby'tje in je armen in het kraambed is geweest. Toen kwam dat van vroeger terug. Jezelf inpraten dat je iets mist. Maar Lieneke…" Loudy zweeg even, na een pauze drongen de woorden beter door, ze deed het vroeger op school ook zo, ze wist dat het hielp.

„Als je verdrietig denkt, voel je je verdrietig. Je hebt het zelf in de hand. Kijk eens naar je verleden met de ogen van een vreemde. Je ziet dan dat je een schat van een moeder hebt, die van je hield en van je houdt. Ze maakte je leven zonnig met haar vrolijkheid en blijheid. En je jeugd op de boerderij, met pappa Egbert, die over je waakte en je broertje Fokke, met wie je speelde en Stefan, Steffie, die vaak bij je was. Je moet de verkeerde gedachten aan vroeger loslaten."

„Ik kan het niet."

„Je moet." Loudy zei het luid en dringend. Ze wist zelf niet waarom ze zo praatte, ze wist ook niet of het goed was, een psychiater zou het anders doen, maar zij was geen psychiater, zij dacht alleen: ze moet er niet meer over tobben, het is zoals Sjoerd zegt: nuchter denken en vooruitkijken. Als ze dat niet doet, gaat het niet goed tussen Stefan en haar; ze maakt alles kapot, maar ze ziet niet dat ze het kapot maakt. Later misschien, veel later, jaren later, maar dan is het te laat. „Je moet dat van vroeger loslaten, want je verliest je toekomst op deze manier. Stefan werd verliefd op een vrolijke meid. Met haar trouwde hij, haar wilde hij als vrouw. Maar nu heeft hij een vrouw die huilt over iets dat niemand ongedaan kan maken, hij ook niet. Je maakt jezelf ziek. Je kunt Stefan erdoor verliezen."

Het was een sprong in het diepe. Ze begreep niet waar ze de moed – of was het geen moed, alleen een ingeving – vandaan haalde dit te zeggen. Om het zo scherp te stellen. Maar misschien schudde het Lieneke wakker en dat was het enige dat telde.

Ze schrok van de reactie van de vrouw tegenover haar, maar ze liet haar schrik niet merken. Het smalle gezicht werd langzaam opgeheven, als was het heel moe en zwaar. De ogen waren groot en starend. „Ik begrijp je niet… Wat zeg je… Je bent gek! Stefan… Ik kan het toch niet helpen, het is mijn schuld toch niet! Hij heeft medelijden met me, hij weet hoe erg het voor me is en jij durft te zeggen…"

„Dat je moet oppassen, ja," viel Loudy haar in de rede, „anders gaat alles kapot." Opeens leunde Lieneke zwaar achterover in de stoel.

„Ik ben zo moe," fluisterde ze. Loudy schrok. Er zou toch niets met haar zijn, ze zei dat ze valium gebruikte, misschien had ze meer tabletten ingenomen dan de dokter voorschreef vóór ze hier kwam. Om rustig te zijn, om haar woordje te doen. Ze had misschien thuis geoefend wat ze wilde zeggen over vader, ze zou haar boosheid uiten omdat Loudy met haar geklets moeder en vader weer in contact met elkaar had gebracht... Maar daar mocht niets van komen!

„We praten over wat anders." Loudy stond op. „Ik zal verse koffie zetten. In een klein potje, het is zo klaar. Dat is goed voor ons allebei."

„Ik wilde jou zeggen dat ik..."

„Ja, je wilde over mijn vader praten." Loudy kwam terug van de keukendeur. „Laat dat even rusten, het komt later wel, het is niet belangrijk."

„Niet belangrijk..." herhaalde Lieneke de woorden sloom.

Loudy bleef in de keuken. Om Lieneke tijd te geven zich te herstellen. Even niet praten, geen woorden. Ze pakte de koffiebus uit de kast en spoelde de koffiepot om met heet water. Ze zette de suikerpot en het melkkannetje op een blaadje en wachtte tot het water kookte.

Toen ze weer in de kamer kwam zat Lieneke rechtop op de bank.

„Ik ga naar huis."

„We drinken eerst nog een kopje koffie." Vanboven klonken geluidjes. Gelukkig, dacht Loudy, Simon is wakker, dat komt goed uit, dat leidt af.

„Mamma!!" Hij kon haar al roepen. Sjoerd en zij waren zo trots toen hun jongen voor de eerste keer riep 'mamma...' Het klonk niet echt duidelijk maar hij zei het beslist. „Hoor je dat?"

Sjoerd rende naar de box, waar het kereltje over de rand leunde. Nog eens zei hij: 'Mamma...' Zijn snoetje straalde, de blauwe ogen lachten en hij wiegde op zijn beentjes heen en weer. Blij met pappa's bewondering. Als dat kwam omdat hij 'mamma' zei, nou, dan wilde hij het nog wel een keer zeggen als ze dat leuk vonden!

Nu was het alweer gewoon.

„Je zoon is wakker."

„Ik zal hem halen. Anders begint hij te huilen en dat is niet nodig, hij heeft een lekker slaapje gedaan."

Een halfuur later vertrok Lieneke. Voor ze de deur uitstapte; draaide ze zich om, keek Loudy aan met bijna vlammende ogen. „Een heerlijke jeugd, moeder en Stefan en jij zeggen alledrie hetzelfde. Als je lacht, ben je blij, maar dat is niet waar. Ik lachte overdag, ik huilde 's nachts. Maar niemand begrijpt het."

Ze liep over het tuinpad. Ze keek niet meer om. Ze stapte in de wagen en reed weg.

Loudy sloot de deur langzaam en liep terug naar de kamer. Ze zakte op de bank neer. Nu pas voelde ze hoe vreselijk moe ze was en nu pas kon ze haar gedachten op zichzelf richten. Had ze er goed aan gedaan tegen Lieneke te zeggen wat ze had gezegd... Maar ze kon niet anders.

Lienekes laatste woorden herhaalden zich in haar hoofd. Boos en verdrietig hadden ze geklonken. „Ik lachte overdag, ik huilde 's nachts..." Begreep zij er dan toch niets van...?

Ze leunde tegen de dikke kussens. Ze sloot haar ogen.

Ze was zo moe... Simon speelde in de box. Het was fijn dat hij af en toe nog in de box wilde. Maar het moest niet te lang duren. Als hij alle speeltjes in handen had gehad, wilde hij eruit. De kamer was groter en in de keuken was ook veel te beleven. Nu was hij nog stil. Ze kon even bijkomen. Ze had hoofdpijn. Van de spanning natuurlijk. Rustig blijven zitten, dan zakte het misschien. Ze had tegen het gesprek met Lieneke opgezien. Maar Lieneke was er niet aan toe gekomen haar aan te pakken. David zou zeggen: „Goed gedaan, zorg ervoor dat je niet in de hoek komt waar de klappen vallen."

Onzin natuurlijk, het lag hier heel anders. Zij moest Lieneke wat zeggen, dat was belangrijker dan dat Lieneke haar wat zei.

Ze was ervan overtuigd geweest dat wat ze zei waar was en goed. Sjoerd had het ook gezegd: Lieneke moest niet omzien, dat hielp haar niet, ze moest vooruitkijken; maar nu wist ze toch niet of ze gelijk had.

De telefoon rinkelde. Zou ze hem laten bellen? Misschien was het vader, die nieuwsgierig was hoe het gesprek met Lieneke was verlopen. Maar nee, vader belde nog niet. Hij wist niet dat Lieneke al weg was. Ze strekte haar arm uit en nam de hoorn van de haak. „Met Loudy Rijswijk..."

„Loudy, met mij." Het was Sjoerd, zijn stem klonk gejaagd, „we moeten direct naar de Lege Mieden. Moeder is niet goed geworden. Het is heel ernstig."

„Ik vraag Jetske voor Simon." De verbinding was alweer verbroken. Ze zuchtte. Dat ook nog. Maar dit was veel erger dan alles wat er die middag was geweest. Sjoerds moeder, mijn hemel, ze hadden het zien aankomen, het was al zoveel jaren een dreiging en moeder Rijswijk zei zelf dat ze zich niet goed voelde, maar ze hadden het steeds gesust; helemaal goed was ze inderdaad niet, maar als ze zich hield aan de voorschriften... Maar nu, wat ging er gebeuren, wat moest ze doen?

Ze wist het niet. Ze was zo moe, ze stond op, haar benen trilden, de pijn in haar hoofd werd erger, het bonsde en klopte boven haar slapen. Ze keek naar Simon. Hij zat zoet in de box met een lappenpopje in de handjes. Ze moest Jetske vragen op hem te passen, Jetske Waterman, de buurvrouw. Een jonge vrouw met wie ze goed kon opschieten. Ze kwamen niet veel bij elkaar, Jetske had ook haar werk, maar in dit geval... Ze keek nog even naar Simon, rende dan de keuken door en via het achterpad naar Jetske.

„Kind, wat is er?"

„Kan Simon een poosje bij jou? Sjoerd belt me net dat het ernstig is met zijn moeder. Ik moet er direct heen."

„Natuurlijk. Ik ga met je mee, ik neem Simon mee, doe jij je jas aan, staat er niets op het fornuis? Ga maar vlug, ik draai de achterdeur op slot. Ik moet toch wat voor Simon meenemen..."

Vijf minuten later al fietste Loudy door het dorp op weg naar het huis van haar schoonouders.

In de keuken zat Eelke. „Ze zijn in de slaapkamer, de dokter is er."

„Is ze...?"

„Ja, ze is dood. Vijf minuten geleden."

„O, Eelke toch... We waren er al zo lang bang voor..."

„Zij zelf niet, Loudy." Hij keek omhoog naar haar. Zijn gezicht was grof, zijn huid verweerd door het vele buitenzijn, maar zijn ogen waren zacht. „Het was een goed mens, een lief mens."

Loudy legde haar hand op zijn handen, die op tafel lagen. „Dat was het zeker, een lieve moeder." Ze liep naar de slaapkamer, deed de deurknop omlaag en stapte binnen.

Sjoerd draaide zich om, trok haar naar zich toe en drukte haar tegen zich aan. „Moeder is dood."

„Eelke zei het me." Ze keek naar het gezicht in het witte kussen. Er lag een vredige uitdrukking op. Zo was het ook, ze had er vrede mee, ze wisten het, maar ze hielden haar zo graag in hun midden.

Vader Rijswijk huilde zacht. „Kinderen, mijn kinderen, wat vreselijk. We waren er allang bang voor, ja dokter, u zei het me verschillende malen, het hart is erg zwak, het kan weinig meer hebben en nu is het dan gebeurd. Moeder is overleden." Hij schudde zijn hoofd.

„Kom mee naar de kamer, heit." Jillie probeerde hem weg te leiden.

„Nee, nee, ik wil naar haar kijken en bij haar blijven. Ik weet wat er gaat gebeuren. Straks komen de mannen van de begrafenisonderneming, er moet veel geregeld worden, ik weet het, het moet, het kan niet anders. Maar die mensen vragen zo veel en praten zo veel. Wanneer is de begrafenis en wat moet er op de kaarten staan. En ze nemen moeder mee."

Hij schudde zijn hoofd, de tranen gleden over zijn wangen, Loudy zag het en ze voelde een intens medelijden met deze man. „Ze doen hun werk en het moet," ging de stem verder, „Maar ik wil moeder graag hier houden tot de begrafenis."

„Dat kunt u beter niet doen, Rijswijk, echt niet." De dokter nam hem nu ook bij de arm en bracht hem met Jillie samen naar de woonkamer.

„Als uw vrouw in huis blijft tot na de begrafenis, zult u dagen, weken, misschien maanden daarna nog zien hoe ze lag opgebaard. Het is beter haar de dagen voor de teraardebestelling niet in huis te hebben. En u moet het niet zien als; nu is er geen plaats meer voor haar, dat is het niet en dat weten we allemaal."

Simon Rijswijk knikte. Hij wist niet meer wat hij wilde. De dokter zou gelijk hebben. Maar dan was Frieda – hij noemde haar vaak Friedje – straks al uit zijn huis, bij hem weg. Vanmiddag praatte ze nog met hem.

Kleine Simon is al een jaar, zei ze, ze was zo blij dat ze dat kindje dikwijls had gezien. Vanavond zou ze in het gebouwtje naast de kerk liggen. Kil en alleen. De deuren op slot. In het donker. Ze wist niets meer, ze voelde niets meer, ze kende niemand meer. Hij kon nu nog naar haar kijken. Frieda Wiegersma, die hem zo gelukkig maakte, die hem het verdriet om Marie en hun jongetje deed vergeten, het althans naar de achtergrond drong. Marie echt vergeten kon hij niet. Ze hadden nog vaak over haar gepraat, Frieda en hij. Hij wist nog hoe hij na Maries dood in de kamer zat, met Jillie op zijn schoot. Een blond kindje, dat van alle ellende om zich heen niets begreep en met angstige ogen tegen hem aan leunde, zijn hand wilde vasthouden. In de kist, in datzelfde gebouw achter de kerk, lag Marie toen met hun jongetje in haar armen. Mijn God, bad hij toen zacht, wees bij me, blijf bij me, help me, hoe gaat dit voorbij… Maar het ging voorbij. Zijn leven kreeg weer kleur door Frieda. Ze had zelf een jongetje. „Je hoeft me er niets over te vertellen, meisje."

Hij wist nog dat hij die woorden tegen haar zei. „Het is een schat van een kind en we zijn allebei blij dat hij er is en we zullen samen voor onze kinderen zorgen, voor Jillie en Sjoerd."

Ze hoopten op een baby van hen samen, maar dat kindje kwam niet. Ze waren gelukkig met elkaar en de kinderen hadden een fijne jeugd met een lieve moeder. Nu was ze bij hem weggegaan. De kinderen stonden om hem heen. Jillie, een grote vrouw al, met haar man. Hij was niet blij toen ze vertelde, dat ze met Eelke de Winter verkering had en later, toen ze zei dat ze met Eelke wilde trouwen. Hij hield niet van die man. Hij had geen contact met hem, de ogen keken altijd van hem weg als hij met hem praatte en daar hield Simon Rijswijk niet van. Sjoerd was ook in huis. Zijn Sjoerd. Sjoerd kreeg zijn naam op de dag toen hij met Frieda trouwde in het raadhuis van hun dorp. Sjoerd was hier met zijn vrouwtje. Zij hadden kleine Simon. „Dat is het eeuwige leven op aarde," zei Frieda tegen hem, „ik weet zeker dat onze zielen verder leven in een ruimte die niemand kent. Die ruimte reikt veel verder. dan de aarde, we noemen het hemel, maar we kunnen het niet bevatten, het is oneindig en niet te begrijpen voor ons mensen. Dat wacht op ons, later, als we de aarde verlaten hebben. Hier leven we verder in onze kinderen. Jillie heeft het karakter van Marie, Sjoerd lijkt op mij."

Toen lachte ze. Hij wist het nog, waarachtig, hij wist het nog. Het was op een regenachtige zondagmorgen. Een dag als andere dagen, maar hij zou hem niet vergeten, deze dag niet. Ze lachte en zei: „Hij heet Sjoerd Rijswijk. Zo gaat jouw naam over de aarde; later weet niemand dat hij geen echte Rijswijk is geweest. Dat hoeft ook niet. Hij zal een fijne vent worden en daar gaat het om…" Simon Rijswijk hoorde de stemmen zacht om zich heen.

Jillie zei: „Dokter gaat even weg, vader, hij moet naar een patiënt."

„Goed, goed," zei hij met een hoofdknik, „gaat u maar dokter, misschien kunt u daar nog iets doen, hier kunt u niets meer doen voor Frieda."

„Wilt u iets drinken, vader, een kopje thee?" Het maakt niet uit, wel thee of geen thee. Als Jillie hem thee wilde geven, zou hij het opdrinken als ze dat wenste…

Loudy reed alleen terug naar huis. Sjoerd bleef om met Jillie de mensen van de begrafenisonderneming te woord te staan. Er moesten namen en adressen van familieleden genoteerd worden om de kaarten te versturen. Maar Loudy moest naar Simon.

„Kind, wat verschrikkelijk!" Jetske en Klaas condoleerden haar met het verlies van haar schoonmoeder. „Vrouw Rijswijk was allang ziek, dat is waar, maar het is toch onverwachts gegaan zeker."

„Ja. Ze zei dat ze zich niet goed voelde. Opeens zuchtte ze, hij keek naar haar, haar hoofd zakte opzij en ze was van ons weg."

Loudy zuchtte, toen vroeg ze: „Hoe ging het met Simon?"

„Prima. Trudy en Pim speelden met hem over de vloer en dat vond hij prachtig. Ik weet niet precies wat hij al kan eten, ik heb uit jouw kelder een potje babyvoeding gehaald. Hij heeft het lekker opgegeten. Een beetje vla toe. Wat dat betreft kan hij zo naar z'n bedje. Zal ik hem even brengen? Je ziet er verschrikkelijk uit."

„Nee, ik doe het zelf wel. Maar ik voel me inderdaad afschuwelijk."

„Ik kom straks bij je. Sjoerd blijft bij zijn vader?"

„Voorlopig wel." Loudy tilde Simon op en liep naar de keukendeur. „Bedankt, hè, ik wist niet waar ik met hem heen moest."

„Je kunt hem hier altijd brengen, dat weet je, of ik kom bij jou thuis." Klaas legde een hand op haar arm. „Een goede buur… Loudy, we overlopen elkaar niet, maar als we elkaar kunnen helpen doen we dat." Ze droeg Simon naar hun huis.

„Jongetje, jongetje, kom even stilletjes bij mamma zitten, mamma is zo beroerd, zo verdrietig." Haar zachte stem deed Simon opkijken, hij hield zijn kopje met blonde krulhaartjes en klein mondje schuin, het was of hij aanvoelde dat er iets was. Hij bleef stil op haar schoot zitten, dicht tegen haar aan.

De achterdeur ging zachtjes open, ze hoorde hem piepen. Jetske mogelijk al. Maar het was vader.

„Ik hoor dat Sjoerds moeder is overleden, Loudy, wat verschrikkelijk."

„Ja vader, het is verschrikkelijk. Het ging heel onverwachts. Voor haar een zegen natuurlijk, ze heeft het niet benauwd gehad en ze had geen pijn, maar voor vader Rijswijk was het verschrikkelijk. Het is zoals hij zegt: we wisten dat het kon komen, de dokter waarschuwde ons en moeder zei het zelf, want ze voelde dat het steeds slechter ging, maar nu we voor het feit staan, is het anders dan toen we eraan dachten, maar het nog niet hoefden mee te maken."

„Waar is de kleine Simon geweest? Ik belde je, maar ik kreeg geen gehoor. Toen wist ik het niet. Frederik Lanting zei het zopas tegen me. Zijn broer werkt bij de begrafenisonderneming."

„Ik bracht Simon bij Jetske."

„Je kon mij toch bellen? Ik was direct gekomen."

Ze gaf er geen antwoord op. Moest ze zeggen: maar als hij een schone luier moest hebben, had u hem dan verschoond? En als ik langer was weggebleven, zou u hem dan eten hebben gegeven? Het was haar allemaal te vermoeiend.

„Ik dacht er niet aan en hij heeft het goed bij Jetske."

„Dat is ook zo. Je ziet er slecht uit, kind."

„Ik voel me ook miserabel. Het is onbegrijpelijk, dat ze er niet meer is. We kunnen haar nu nog zien, als ze in de kist ligt, maar ze zal nooit meer tegen ons praten, nooit meer naar ons lachen. En over een paar dagen is ze helemaal weg. Gewoon weg. Ik weet nog dat ik niet kon begrijpen toen mamma overleden was. Het is gewoon onvoorstelbaar, maar het is waar, het is onherroepelijk voorbij. Voor vader Rijswijk is het vreselijk. Het is voor iedereen erg als zoiets gebeurt. Voor u was het vreselijk toen mamma stierf, voor vader Rijswijk was het verschrikkelijk toen hij zijn eerste vrouw moest missen. „Ik viel in een zwart gat," zei hij eens toen hij erover praatte, „maar Frieda haalde me eruit." Nu is er niemand om hem eruit te halen. Jillie en Eelke en Sjoerd en ik zullen hem helpen zoveel we kunnen, maar ik ben bang dat we weinig voor hem kunnen doen."

Vader knikte. „Ik denk dat je daarin gelijk hebt."

Jetske kwam binnen. Loudy zat nog op de bank met kleine Simon op haar schoot. Ze had niet de kracht om op te staan, het kind de trap op te dragen, hem een schone luier om te doen en in zijn bedje te leggen. Ze had het vage gevoel dat alles zou blijven zoals het nu was. Ze bleef zitten met Simon, ze hoefde niets, alleen zitten met het kind. Vader zat in zijn stoel en bleef daar ook zitten. Ze kon niet denken en niet praten.

„Geef mij Simon maar." Jetske nam het kindje van haar schoot. „Ik breng hem naar boven. Ja, tante Jetske weet wel hoe dat moet," praatte ze tegen het ventje. „Toen Pim zo'n kleine baby was, nou klein, wat zegt tante Jetske, zo klein ben je al niet meer, je kunt al staan en al... „Ze liep al pratend de gang in en trok de deur achter zich dicht.

„Een lief vrouwtje," zei vader.

Loudy knikte.

„En dit vandaag, na Lieneke..." Hij wilde naar het gesprek vragen, maar voor Loudy was het zo ver weg en zo lang geleden en ze was zo moe...

„Dat komt nog wel eens," zei ze.

„Ja kind, ja natuurlijk. Veel nieuwe gezichtspunten zal het niet opgeleverd hebben." Ze keek naar hem. Hij zat daar zoals ze vanmiddag aan hem dacht. Een man met een grauw gezicht. Lienekes vader. En haar vader.

De stilte viel weer in de kamer. Loudy sloot haar ogen. Ze zag moeder Rijswijk. En Sjoerd. Zijn strak, bleek gezicht met een trek van niet-begrijpen.

Jetske kwam weer binnen. „Hij ligt er lekker in. Zal ik wat te drinken voor je maken? Een kopje koffie? En wil je iets eten?"

„Ik ga maar naar huis." Vader stond op. „Als je wilt dat ik kom, bel je me dan?"

„Ja vader." Ze zaten samen in de kamer. Loudy wilde uitleg geven waarom ze zo intens moe was. „Ik had vanmiddag een rot gesprek met de dochter van een kennis van ons." Jetske knikte en Loudy wist dat Jetske het groene wagentje had gezien.

„Ik was er vreselijk moe van en toen belde Sjoerd. Ik klapte gewoon in elkaar."

„Blijf maar stil zitten. Ik schenk koffie in." Koffie, een boterham in dobbelsteentjes op een bordje.

Na een halfuur zei ze: „Ik kom een beetje bij. Jetske, wat verschrikkelijk toch dat een mens moet sterven."

„Dat is het leven. Geboren worden houdt sterven in."

„Ja. Ik vind het zo erg voor vader Rijswijk. Hij zal haar verschrikkelijk missen. Ze was altijd thuis. En het was een lieve vrouw. Ze mopperde ook wel eens op hem, ze vond heus niet alles goed, maar ze mopperde op een genoeglijke manier. Wat ben je toch een vervelende, rommelige man… Ik kan me niet herinneren haar ooit boos te hebben gezien. 'Nee,' zei ze daar lachend over, 'ik mag me niet boos maken, dat is slecht voor mijn hart. Ik laat alles langs me heen glijden, ik ben een Joriske Goedbloed!' En nu is ze dood."

Ze praatten zachtjes met elkaar. Opeens klonk schel de telefoon. Ze schrokken er allebei van. Loudy nam de hoorn op.

„Met Stefan Bergers. Mijn vrouw is helemaal over haar toeren, ze huilt verschrikkelijk. Ik word er gek van!"

„Laat maar huilen, dat lucht haar misschien op. Of bel de dokter. Mijn schoonmoeder is vanmiddag gestorven…"

„Neem me niet kwalijk… „en aan de andere kant werd de hoorn neergelegd.

„De man van de vrouw van vanmiddag," legde ze aan Jetske uit, „ik heb nu geen zin met hem te praten."

Jetske bleef nog een uurtje. Loudy zei: „Als je naar huis wilt, kun je gerust gaan. Klaas zit alleen en ik ben er weer overheen. Ik ben erg blij dat je bij me kwam. Ik voelde me leeg en vreemd, ik kan niet zeggen hoe." Ze kon het niet uitleggen en niemand begreep het. Leeg en vreemd, dat waren er goede woorden voor. Even flitste het door haar heen: Lieneke Bergers klaagde ook dat niemand haar begreep, maar dat was heel anders. Die zei dingen die niet goed waren en dat maakte haar onrustig en bang. Echt over Lieneke denken kon ze niet, er was nu iets veel ergers en verdrietigers dat haar gedachten bezighield, maar op de achtergrond, zag ze toch vaag Lieneke Bergers. De ogen, de rode lippen, die uiteengingen en weer op elkaar geperst werden, de boze stem.

Even na half twaalf kwam Sjoerd thuis. Hij trok zijn jasje uit en hing het over de leuning van een stoel. Hij kuste Loudy.

„Jillie blijft vannacht bij vader. Dat is de beste oplossing. Hij kan niet alleen in het huis achterblijven. Eelke vond het goed. Ik vond Eelke toch erg geschikt vanavond. Hij zei direct dat hij het met de kinderen wel kan redden."

Sjoerd liep door de kamer heen en weer. „Het is onzin om te zeggen dat het onverwachts is gekomen, we wisten hoe zwak haar hart was, we weten hoe erg het vijf, zes jaar geleden was." Hij keek naar Loudy. Ze herinnerden zich die tijd allebei nog goed. „Maar het is moeilijk er vrede mee te hebben. Ze is nog geen zestig jaar geworden, dat is – voor deze tijd – toch te jong om te sterven?" Hij bleef voor de bank staan. Zacht praatte hij verder: „Ik stapte zopas het huis uit. Ik ben op het pad blijven staan. Het is een mooie avond, het is erg stil buiten. Ik keek om me heen en naar boven; de hemel is zo groot! Er zijn veel sterren te zien, in het blauw-zwarte donker. Dat bedoelde moeder als ze zei dat er zoveel is waarvan we niets weten. Het waait een beetje. Een zachte wind, die er het ene moment is en het volgende moment niet. Hij strijkt langs je wangen. Dat was ook iets vreemds voor moeder, de wind. Waarom is die er opeens wel en dan weer weg? Ze zei eens: alsof de wind iets tegen je wil zeggen. Woorden – stilte – weer woorden. Maar het is een stem die wij niet kunnen verstaan. Moeder was ervan overtuigd dat haar geest, haar ziel blijft voortleven. Ergens in die oneindigheid. Er is ruimte genoeg, zei ze lachend, ruimte genoeg voor de geesten van alle stervelingen op aarde. Ik lachte er toen om en ik geloof het nog niet. Maar moeder is dood. Haar lichaam ligt in het gebouwtje naast de kerk, maar waar is haar geest?"

„Sjoerd, lieverd, ik geloof niet dat het goed is daarover te denken. Er zijn zoveel vragen voor ons, nu, vandaag, vanavond, maar we krijgen er geen antwoord op. We weten alleen dat moeder van ons is weggegaan."

„Ja, dat weten we heel zeker." Hij ging naast haar zitten op de bank, sloeg zijn arm om haar heen en trok haar naar zich toe. Wat fijn, dacht Loudy, dat het zo is tussen ons tweetjes. We kunnen over het verdriet praten, we weten elkaars gedachten en we proberen elkaar te helpen.

Sjoerd moet niet te veel en te ver weg denken, zoeken naar voor ons, mensen, onbegrijpelijke en onbereikbare dingen.

Het was nu echt herfst geworden. De wind rukte hard aan de bladeren van de bomen en zwiepte de takken woest heen en weer in een poging ze af te breken. Maar de takken bogen mee. Af en toe sloeg een kletterende regenbui tegen de ruiten.

„Reken, reken!" riep Simon blij. Hij vond het leuk zijn snoetje plat tegen het glas te drukken en van heel dichtbij de druppels te zien spatten op de ruit. Maar hij werd er lekker niet nat van!

Hij was nu ruim een jaar. Een tenger jongetje met stevig, blond haar en helderblauwe ogen. Hij begon leuk te praten, hij wist al heel veel woorden, maar ze echt goed uitspreken was nog een probleem. Pappa en mamma lachten er soms om en dat vond hij niet erg, ze lachten hem niet uit, dat wist hij zeker, ze vonden het gewoon leuk zoals hij de woorden uitsprak. Maar beter kon hij het nog niet. Hij kon rustig spelen. Hij was blij als opa kwam, want die had tijd zich met hem te bemoeien. Die tijd had zijn moeder ook wel, zo druk had ze het niet in hun huishoudentje, maar Loudy bemoeide zich niet met hem als hij in zijn spel was verdiept. Hij had voor zijn verjaardag een auto met een laadbak gekregen die hij elke keer weer vol blokken gooide en dan tuffend en grommend over het vloerkleed naar de hoek naast de boekenkast liet rijden om daar te lossen. Dat was, wat Sjoerd noemde 'het grove werk'. Simon praatte tegen de auto in woorden, die Loudy niet kon verstaan, maar ze vermoedde dat hij met de kar afsprak dat ze de blokken strakjes weer kwamen ophalen. Want ze daar laten liggen had ook geen zin.

Op een van die dagen maakte ze een afspraak met Stefan Bergers. Hij had gebeld op de avond dat Sjoerds moeder was overleden. Ze had toen geen zin met hem te praten en hij begreep dat, maar veertien dagen later belde hij weer. „Het zal niets uithalen," begon hij niet direct optimistisch, „maar ik wil toch met je praten. Lieneke heeft dat ook gedaan en ik kan wel zeggen dat ze na die tijd niet te genieten was. Het gaat de laatste dagen iets beter, maar laat ik niet te enthousiast zijn, want daar is geen reden toe. Ik weet echt niet wat ik met haar aan moet. Ik heb onze huisdokter gesproken, die vindt het 't beste weer contact op te nemen met dokter Veldhoven, maar dat wil Lieneke beslist niet. Ze zegt dat ze heel goed weet wat haar dwarszit en dat dokter Veldhoven de oplossing niet kan brengen, gewoon omdat die oplossing er niet is. Maar dat is natuurlijk onzin. Ze kan zo niet doorleven, dan komt ze in een inrichting terecht. Ja, Loudy – ik mag wel Loudy zeggen, hè? We hebben nog geen kennisgemaakt, maar we weten van elkaar. Lieneke in een inrichting, och, zo'n vaart zal het natuurlijk niet lopen, maar soms denk ik: hoe is het bij de mensen die wel in een inrichting zitten, begonnen?
Het is meestal niet zo: de ene dag gezond en de volgende dag volkomen in de war. Dat zal wel eens gebeuren, maar ik denk dat het de meeste keren langzaam groeit.
Loudy hoorde de monotone stem. Ze keek naar Simon, die gevaarlijk dicht langs de tafelpoot kroop. Straks stootte hij zich.
„Als het gepieker en getob tot een kookpunt is gekomen borrelt de boel over. Maar dan is er weinig meer aan te doen. Zo zie ik het. En hoe lang pruttelt het al in Lieneke? En welke zotte dingen heeft zij zich in haar hoofd gehaald? Dat gezwam over haar vader… Ik geloof er niets van!"
Zijn stem was nu heftig. „Dokter Veldhoven heeft tegen haar gezegd dat het goed zou zijn als zij een poosje in een andere omgeving vertoefde, om los te komen van alles wat haar bezighoudt. Welke andere omgeving hij bedoelt weet ik niet. En het woord 'vertoeven' is me ook niet duidelijk. De laatste tijd zoek ik zijn bedoeling in een minder prettige richting. Hij zei ook dat het uitgepraat moet worden, uitgezocht en uitgepraat, maar Lieneke zegt, dat niemand haar begrijpt: ze hoeft dus met niemand te praten. Het is een vreselijke toestand. Ik kan dat gerust zeggen, ik overdrijf niet. Ze heeft niet veel belangstelling meer voor de jongens. Wel doet zij de gewone dagelijkse dingen voor ze: schone kleren aantrekken en tanden poetsen vóór ze in bed

stappen, ze naar muziekles brengen, maar verder niet. Ik zei haar vorige week dat ze haar kinderen mogelijk ook met een complex opzadelt, ze luistert niet naar hun verhalen en dus zwijgen ze maar over alles wat ze beleven. Ik dacht: ik probeer het, je weet niet wat helpt, maar het was helemaal fout. Ze werd razend, ze kan de laatste tijd zo woedend worden. Dan schreeuwt ze en zwaait met haar armen en aan het eind van de uitbarsting huilt ze. Daarna is ze spoedig gekalmeerd. Maar vreselijk moe. Meestal gaat ze vlug naar bed."

„Dat mag zo toch niet doorgaan, Stefan, er moet iets aan gedaan worden."

„Je zegt het mooi, lieve kind!" Ze hoorde sarcasme in zijn stem, maar ook moedeloosheid en onbegrip. „Ik weet alleen niet wat! Maar een keer samen praten, jij en ik, kan geen kwaad."

„Je moet niet vergeten dat ik Lieneke niet ken."

„Dat weet ik. Maar ik wil toch met jou over haar praten. Jij hebt haar ontmoet en gesproken en ik kan niet zeggen dat het na dat gesprek beter is gegaan, juist het tegenovergestelde."

Ze spraken af voor diezelfde middag.

„Wat moet ik zeggen?" vroeg ze aan Sjoerd. Ja, wat moest ze Stefan zeggen? Sjoerd wist het ook niet. Hij bleef bij zijn mening dat Lieneke nuchter moest denken, haar verleden bekijken met de ogen van de volwassen vrouw die ze nu toch was. Het gejammer over 'zich als kind tekortgedaan voelen' haalde niets uit. Daar had ze nu niets meer aan.

Alleen ellende, dat ondervond ze.

Loudy gaf hem gelijk, maar niet ieder mens kan zo nuchter en rechtlijnig denken en het was voor hem en haar gemakkelijk te zeggen; zij hadden de frustraties niet. Want op de achtergrond had Loudy het gevoel dat ze begreep wat Lieneke bedoelde. Ze dacht aan de tijd, dat ze Simon verwachtte. In die laatste maanden waren er wonderlijke uren geweest van ontroering. Ze was behoorlijk zwaar, ze liep niet meer gemakkelijk en vooral in het begin van de middag, als ze 's morgens in het huis aan het werk was geweest, was ze moe en vond ze het fijn op de bank te zitten. „Ga een poosje naar bed," raadde Sjoerd haar toen aan, „wat let je, je bent in je eigen huis, je bent een aanstaande moeder, kruip lekker een uurtje onder de wol." Maar ze lag niet lekker in bed. Ze zat liever op de bank of in een stoel.

Als ze stil zat, voelde ze na een poosje het kindje in zich bewegen. Dat was niets bijzonders en dat wist ze. Ze droeg het bij zich, het kindje leefde en bewoog armpjes en beentjes, maar het gaf haar sterk het gevoel dat het met haar verbonden was en zij met hem. Zonder woorden praatte ze zachtjes met hem. Wij horen bij elkaar, zei ze zoetjes vanbinnen, jij bent mijn kindje, ons kindje, want pappa hoort er ook bij, ook al kan hij je niet voelen zoals ik je voel. Ik weet niet of jij al kunt denken, nee, dat zal wel niet, je bent nog zo klein, nog niet echt een mensje, maar pappa kent jou helemaal nog niet. Ik ken je een klein beetje. Niet dat ik je heb gezien; ik weet niet eens of je een jongen of een meisje bent, maar ik ken je toch een beetje. Je bent bij me, je leeft bij me, we zijn samen in mijn lichaam. Als jij geboren bent, ziet pappa jou voor het eerst. Ik ook. Pappa voelt je soms, als hij zijn hand op mijn buik legt, want als je erg schopt, laat ik hem dat voelen. Hij zegt, dat je een druktemakertje wordt, maar ik heb in bladen gelezen dat het helemaal niet zo hoeft te zijn. Je wilt je gewoon even bewegen, je beentjes strekken, dat wil niet zeggen dat je een druk kindje bent. De ruimte om je heen is gewoon te klein, maar meer ruimte is er niet...

Het was of het kindje haar verstond, het werd altijd rustiger, maar misschien was dat toeval. Ze sprak de woorden niet echt uit. Misschien voelde het haar gedachten...

Het was heerlijk zo te zitten en te denken. Het waren fijne uurtjes, waarover ze niemand vertelde. Ook Sjoerd niet. Ze zei wel dat Jantje druk was geweest vanmiddag – ze gaven het kindje allerlei namen, ook meisjesnamen, van Hannelore tot Sofia Maria – maar ze zei niet dat ze het gevoel had contact met hem te hebben.

Na het gesprek met Lieneke dacht ze dat Lien Grettema ook gedachten gehad moest hebben toen ze zwanger was. Veel gedachten zelfs. 's Avonds en 's nachts, als ze alleen in haar bed lag. Misschien zat ze op de rand van het bed of op een houten, harde stoel in het kamertje omdat ze niet kon slapen. Ze had misschien niet woordloos met haar kindje gepraat zoals zij deed, maar ze dacht wel en ze was vol wanhoop en verdriet. Ze was niet met Tjeerd getrouwd, hij wilde haar niet meer, ze hadden samen geen huis en geen bed en zochten niet met zorg en liefde een wieg uit voor hun baby. Lienie huilde van verdriet om de verloren liefde, en van wanhoop, mijn hemel, hoe moest ze verder...

Loudy wilde niet geloven dat het ongeboren kindje van Lien Grettema de gevoelens van haar moeder in zich had opgenomen. Ze had daar geen zekerheid over, ze kon het denken omdat ze het

gevoel had al vóór zijn geboorte een band met kleine Simon te hebben gehad, maar ze mocht er niet op voortbouwen. Dat was niet bouwen op zekerheden, het was bouwen op gevoelens en, misschien, op dromen. Dat deed Lientje mogelijk ook en het was niet goed. Maar Lieneke, als kleine baby en het peutertje, voelde mamma's stemmingen beslist. Ze zou ook wel iets hebben opgevangen over vader, uit de gesprekken tussen haar moeder en haar grootouders. Misschien had Lienie ook wel rechtstreeks gezegd: „We redden het wel, laat die man maar barsten..." Zulke gedachten bleven in haar bewaard. Ze voelde als kind dat mamma niet gelukkig was en sloot het gevoel in haar hartje. Mamma's boosheid werd de hare.
Lieneke zei dat het niet de man op zich was. Het was het nare gevoel van binnen, dat bleef en dat ze niet kon loslaten. Ze wilde het loslaten, echt waar, maar ze kon er niet van loskomen omdat het haar niet losliet. In die richting moest ze praten met Lieneke. Het verdriet dat haar moeder werd aangedaan en de onmacht van het kleine kind om te helpen, dat samen bewaarde ze van binnen en het kwam steeds terug. Maar als ze wist wat het was, kon ze het nu loslaten....
Loudy glimlachte om haar gedachten en schudde haar hoofd. Dacht ze dat zij de oplossing in handen had? Wist ze meer dan een gestudeerd man als dokter Veldhoven, was ze niet te zelfverzekerd en te eigenwijs...?

Stefan Bergers was niet groot. Toen ze de deur opentrok en hem zag, wist ze dat ze zich onbewust een andere voorstelling van hem had gevormd. Groot en blond en een onzekere houding. Ze stonden tegenover elkaar en keken elkaar aan. Nee, hij was niet groot. Mal, dat ze daaraan dacht op dat moment. Misschien was hij even groot als Lieneke, maar mogelijk was hij zelfs kleiner dan zij. Hij had een knap gezicht met een gladde, gave huid, mooie, bruine ogen en een smalle mond met bleke lippen. Zijn haar was donker en in een goed model geknipt. Ze dacht: ik mag hem niet...
„Kom binnen." Ze deed een stap terug de gang in.
In de kamer zei hij: „Ik weet niet wat ik moet zeggen. Het is vreemd jou Loudy te noemen. We ontmoetten elkaar niet eerder en ik ben erg gesteld op goede omgangsvormen. Elkaar direct tutoyeren hoort daar niet toe." Ze keek alleen naar hem.
„Maar ik denk dat het gemakkelijker praat voor allebei en dat is belangrijk."

Loudy knikte. „Zoek een plaatsje."

Hij was zenuwachtig en dat was begrijpelijk. Hij maakte zich zorgen over Lieneke en een gesprek met een totaal onbekende vrouw over die zorgen, waarvoor hij zelf geen oplossing wist, wachtte nu. Hij zat in een stoel, draaide zijn vingers in elkaar en trok met zijn mond.

„Laten we maar meteen beginnen. Dan moet ik zeggen dat ik niet begrijp wat ik hier doe, want jij kunt de oplossing niet brengen. Maar het is voor mij misschien goed ergens mijn hart te kunnen luchten. Dat kan ik nergens. Mijn ouders zijn gestorven, mijn broer en zijn vrouw, met wie we in het begin van de narigheid wel eens gesproken hebben, omdat we dachten dat we goed met ze konden opschieten en dat ze begrip hadden, waren heel gauw klaar met hun conclusie. Wat geweest is, is geweest; afsluiten en over. Ik wil ze niet veroordelen, in mijn hart dacht ik er in het begin ook zo over, maar zo gemakkelijk is het niet. Mensen die niet lijden onder angst en onzekerheid, kunnen niet oordelen over wat iemand voelt die daar wel mee te kampen heeft. Ik weet dat Lieneke ermee vecht. Mijn zuster zegt dat Lieneke bezig is gek te worden. En dat daar niets aan te doen is. Arme Stefan met zijn twee kinderen. En dan krijg ik verhalen te horen, dat ze het vroeger al gedacht hebben. Lieneke was altijd al een beetje vreemd. Maar dat is gewoon kolder. Ik ken haar vanaf de lagere school. We speelden met elkaar en met andere jongens en meisjes rond en in de boerderij van haar vader. We mochten daar zoveel. Lienekes vader gaf ons planken en spijkers en hamers om hutten te bouwen en in de zomer mochten we een tent opzetten op het bleekveld en we gingen mee naar het land als er gehooid moest worden, en zo waren er nog veel heerlijke dingen die we als kinderen deden. Toen was Lieneke beslist niet anders dan de andere kinderen. Ze was een lieve, vrolijke meid. Toen we vijftien, zestien jaar waren was het heel gewoon dat wij met elkaar gingen. Daar werden geen woorden aan besteed. Sy wie myn faam en ik har feint. Mijn moeder was toen al gestorven en ik weet nog dat mijn vader er niet blij mee was. Niet om Lieneke, want hij kon goed met haar opschieten en ze was als huisvrouw niet gek, ze kon werken en ze gooide het geld niet over de balk, dat was het allemaal niet, maar hij zei, dat ik de tijd van verliefd-zijn had overgeslagen en dat vond hij een gemis voor me. Ik lachte daarom, want het was beslist niet waar. We kenden elkaar al heel lang, maar toch was ik echt verliefd op haar. Ik zag haar heel anders dan vroeger. De blauwe ogen, het figuurtje, ze was mooi, niet te mager, niet te dik, mooi slank, alles was mooi aan Lieneke. En ze was lief en vrolijk.

Het is eigenlijk begonnen na de geboorte van kleine Stefan. Ze had huilbuien en als ik vroeg wat er was, wist ze dat niet. We praatten erover, maar vonden er geen reden voor en schreven het toe aan de verandering die de baby in haar leven bracht. We dachten aan de verantwoordelijkheid die Lieneke sterk voor het kind voelde. En we zeiden dat het 't vele werk was, de zwakte nog van de bevalling, ze had minder tijd voor zichzelf, enfin, je kunt je voorstellen wat we allemaal opnoemden.

Het ging beter toen Stefan ongeveer anderhalfjaar was, maar toen bleek dat ze weer in verwachting was. Dat was te vlug, maar ja, het was nu eenmaal zo. Ze voelde zich in die zwangerschap niet goed, duizelig en moe, maar ze had te veel werk aan Stefan om te kunnen gaan zitten of naar bed te gaan. Dat kan gewoon niet met zo'n klein kind over de vloer, dat weet je zelf. Na Bastiaans geboorte is het in golven goed en slecht gegaan. Maar als je een lijn moet trekken, ging het steeds slechter. Ze was ontevreden, gauw boos, ze kan ontzettend grof en beledigend zijn als ze boos is. Ik was dat niet gewend en vond het verre van prettig."

Loudy knikte. Een naam flitste door haar hoofd: 'Jochem Swinkels'. Ze keek naar de man tegenover haar en zag de donkere ogen fel op zich gericht.

„Ik zei het je al, ik ben gesteld op goede manieren en goede omgangsvormen en dit geschreeuw van Lieneke stuit me tegen de borst. Dokter Veldhoven zegt dat het een uitingsvorm is, maar mijn hemel!, ze is toch niet zo gek dat ze zich niet kan beheersen!"

Loudy gaf hem niet direct antwoord. Snel vormde ze zich een beeld van Stefan Bergers. Hij trouwde met een vrolijke vrouw, want hij hield van haar. En er zouden gezonde, blije kinderen komen, een gezin om als man trots op te zijn, een zonnig gezin. Terwijl Loudy dit dacht, bleef ze naar hem kijken, maar ze zag alleen stekende ogen, het gezicht eromheen was vaal en vervaagd.

Zijn ogen gleden van haar weg. Ze zou willen zeggen: je zei op het stadhuis... in voor- en tegenspoed, mijn antwoord is 'ja'. Sjoerd zou lachen als hij dit wist. „Dat is de schooljuffrouw in jou nog, iemand de les lezen". Het probleem was dat Stefan diep in zijn hart niet van de Lieneke van nu hield... Toch was er geen andere oplossing dan verdergaan. Ze hadden het gezin met de leuke kinderen en hij was er verantwoordelijk voor, maar hij wist niet hoe hij de toekomst voor zijn jongens vrolijk en zorgeloos kon houden.

„Ik wil nog wel eens met Lieneke praten. Misschien weet ik een weggetje. Ik weet niet of ik gelijk heb. Als ze toch niet naar een specialist wil om hulp te zoeken, kan het geen kwaad om het te proberen. Slechter wordt ze van een babbeltje met mij in elk geval niet." Stefan vroeg niet waarover ze dan wilde praten. En Loudy zei het hem niet. Hij zou het niet begrijpen.

Hij ging weg. Ze bleef nog een poosje voor het raam staan toen de donkerblauwe wagen allang de straat was uitgereden. Ze mocht Stefan Bergers niet. Een lieve echtgenoot in goede tijden, fijn en romantisch met een lachende vrouw die hem uitdaagde en graag in zijn armen kroop, maar een man die stug en kort werd als het tegenliep in zijn leven. Hij verdiepte zich niet voldoende in wat haar bezighield.

Een week later praatte Loudy met Lieneke en vertelde over de band die zij, vóór haar zoon werd geboren, met het kindje had gevoeld. Mogelijk was er bij haar ook zo'n gevoel van verbondenheid geweest, met moeder Lien.

Loudy praatte en Lieneke luisterde. Ze zei: „Ik zal het allemaal eens napluizen. Misschien is het waar. Weet je, Loudy, ik denk voortdurend, dat begrijp je. Ik ben niet gek, ik voel me gewoon ellendig. Ik zocht de oorzaak bij Stefan, misschien horen wij niet echt bij elkaar, misschien is het Stefans schuld. Maar misschien is het van langer geleden. Mogelijk was ik ook onbewust jaloers op Egbert, omdat hij zo'n grote plaats in het hart van mijn moeder innam. Als ik denk zoals jij zegt... En toch hield ik veel van Egbert. Maar mamma was niet meer van mij alleen. En later, Fokke. Ik was blij met mijn broertje. Maar ik weet nog dat ik 's avonds in bed speelde dat niet hij, maar ik het kleine kindje was, dat mamma op schoot dicht tegen zich aanhield."

Toen ze wegging lachte ze naar Loudy. „Ik wilde de man, die mijn vader is, nooit zien, maar gisteravond, toen ik erover dacht dat ik vanmiddag naar jou zou toegaan, realiseerde ik me dat wij dezelfde vader hebben, jij en ik en ik vind het geen nare gedachte."

Twee jaren gingen voorbij. Twee heerlijke jaren voor Sjoerd en Loudy met dagen, weken en maanden vol liefde en blij zijn met elkaar en met kleine Simon.

Er waren nu en dan kleine strubbelingen tussen hen, echte ruzies konden het niet genoemd worden. Sjoerd mopperde als Loudy naar zijn idee te veel geld uitgaf, of iets deed dat zijn goedkeuring niet kon wegdragen, bijvoorbeeld toen Loudy een volgens Sjoerd veel te dure mantel kocht. En dat was ook de ruzie, die Loudy zich jaren later nog herinnerde.

„Je lijkt wel gek zoveel geld voor een jas uit te geven," viel hij uit toen ze was thuisgekomen van het winkelen en de mantel aantrok om hem Sjoerd te laten zien. Ze voelde zich zo heerlijk in die jas. Ze was er zo blij mee, ze wist dat hij haar prachtig stond en ze draaide als een mannequin door de kamer. Maar Sjoerd had het prijskaartje gezien. „Je weet hoe we er voorstaan! Ik verdien goed, maar we hebben de rente en de vaste lasten van het huis en de auto kost geld en ga zo maar door en dan koop jij een mantel voor zo'n kapitaal! En ik weet precies hoe het gaat! Als je eenmaal gewend bent veel geld voor je kleren uit te geven gaat dat gewoon door. Vandaag een jas van driehonderd gulden, volgende week moet een nieuwe jurk tweehonderd kosten, anders steekt hij af bij die jas en je voelt je in goedkope spulletjes niet meer thuis."

Er was een vervelende, sarcastische klank in zijn stem, die haar razend maakte. Wat een onzin, wat een volkomen nonsens! Sjoerd wist heel goed dat ze nooit dure kleren kocht! Alleen deze jas…

„Schreeuw niet zo", begon ze ook luid te praten, „je weet heel goed dat ik nooit dure kleren koop, maar ik vond deze jas zo mooi, ik was er gewoon gek van. Maar de aardigheid is er alweer af, ik wil het ding niet meer. Ik breng hem morgen terug en ik zal zeggen dat mijn man niet wil dat ik hem koop."

„Dat is onzin en dat kun je niet doen. Houd hem nu maar, maar ik zeg je, dat het niet meer moet gebeuren."

„Dus jij verbiedt me, jij leest me de les, wie denk je wel dat je bent, mijn heer en meester, nou, echt niet! Je mag het gevoel hebben dat het jouw centen zijn, omdat jij ze verdient en in je loonzakje mee naar huis neemt, maar zo voel ik het helemaal niet. Als je daarover doordaast, zoek ik een baan. Je ziet maar waar je je zoon laat. Jij hebt net zoveel verantwoordelijkheid voor hem als ik. En als ik thuis kom van mijn werk, kook ik geen eten en ik maak niets schoon in huis en ik was niet." Ze was door het dolle heen. Ze was woedend. „Dan heb ik mijn eigen geld en kan ik kopen wat ik wil."

Het was een hele rel geworden. Loudy was woedend, maar ze zag ook het idiote ervan in en ze wist dat Sjoerd het niet echt meende, maar ze wilde dit meteen goed aanpakken. Ze was diep teleurgesteld. Ze was naar Sneek gegaan om een nieuwe mantel te kopen omdat ze die voor de winter nodig had. Ze kon niet slagen tot ze deze jas zag. Ze streelde zacht de stof, toen de mantel nog in het rek hing. Ze keek naar het prijskaartje. Veel te duur. Maar hij was zo mooi, ook van kleur en model.

Een verkoopster kwam naar haar toe. „Mooie mantel, hè mevrouw?" „Ja, heel mooi, maar hij is te duur voor mij."

„Past u hem toch even, dat kost niets. En misschien is het zo, dat hij tegenvalt als u hem aan hebt. Dan hoeft u er niet meer over te denken."

Maar de jas viel niet tegen. Loudy keek in de spiegel en was verloren. Hij stond haar zo goed, de kleur en het model. „Alsof hij speciaal voor u gemaakt is," zei de verkoopster. Ze keek, met haar hoofd schuin, goedkeurend naar Loudy.

„Hij is werkelijk schitterend, maar ik wil er nog even over denken." De verkoopster begreep dat en hing de mantel terug in het rek. Loudy liep de winkel uit, maar keek niet meer in andere modezaken. Zo'n jas zou ze niet meer vinden en een andere jas kon ze nu niet kopen. Ze dronk een kopje koffie in 'De Wijnberg' dacht aan de mantel en bleef eraan denken en uiteindelijk besloot ze hem te kopen. Sjoerd zou het begrijpen. Ze wist dat het te veel geld was om uit te geven voor een mantel, maar ze vond hem zo mooi! En het was toch zo, dat ze met deze jas jaren vooruit zou kunnen. De kwaliteit was prachtig en hij zou haar niet vervelen. Ze kon het Sjoerd uitleggen en hij gunde haar zo'n jas natuurlijk en hij moest toegeven dat hij haar werkelijk beeldig stond.

Maar toen ze thuiskwam, keek Sjoerd alleen naar het prijskaartje en begon meteen te schreeuwen. De teleurstelling, de moeheid van de hele middag sjouwen in de stad en wikken en wegen wat te doen, dat alles bij elkaar maakte haar woedend en ze begon tegen hem te schreeuwen en het eindigde ermee dat ze de hele avond geen woord met elkaar spraken en in bed stapten zonder iets te zeggen.

De volgende morgen dronk Loudy koffie bij Jetske. Jetske had op Simon gepast, die bewuste koopmiddag. Loudy nam de jas mee toen ze over het pad naar het huis van de buren ging. Ze showde hem in de ruime woonkamer. Jetske was enthousiast. „Wat een prachtige mantel, kind, Loudy, wat ben je goed geslaagd! Wat staat hij je goed!" Loudy trok hem weer uit. „Ik zal je de ontvangst thuis vertellen." Ze begon op lichte toon, ze wilde er geen drama van maken, maar ze voelde de boosheid en teleurstelling weer bovenkomen en begon te huilen.

„Ik begrijp precies wat je bedoelt." Jetske ging tegenover haar zitten. „Klaas en ik hebben ook zulke ruzies gehad. Misschien niet over een jas of over nieuwe schoenen, maar het maakt niet uit waarover je ruzie hebt. Je hebt gewoon ruzie. Ik weet niet hoe het jou gaat, maar ik dacht meteen dat ons huwelijk niet goed was en dat Klaas toch eigenlijk een vervelende man was. Ik had niet met hem moeten trouwen, hij hield niet genoeg van me, daarom deed hij zo lelijk en hij begreep me niet, mijn hemel, hoe moest het verder... Mijn moeder zei toen dat ik me er niet druk over moest maken. Het is heel gewoon in een huwelijk dat er af en toe een rel ontstaat. Zij zei dat het ook iets is van 'kijken wie de baas is', maar dat vind ik overdreven. Hoewel het in dit geval, bij jullie" – opeens lachte Jetske – „wel een beetje meespeelt. Sjoerd zal zeggen hoe het geld moet worden uitgegeven. En dat zou niet zo gek zijn als hij met een vrouw was getrouwd die een gat in haar hand had, die maar uitgaf. Dat kan natuurlijk niet, dan moet een man paal en perk stellen. Maar Sjoerd weet drommels goed dat jij zo niet bent. Het is vooral, Loudy, dat hij een man is en niet begrijpt hoe verliefd een vrouw kan zijn op een mantel als deze. En hoe graag je hem wilt hebben. Maar dat dringt vandaag of morgen tot hem door en dan heeft hij spijt van zijn uitval, want hij gunt je deze jas natuurlijk. En hij vindt het leuk als je er goed uitziet."

„Dat kan allemaal wel zijn," Loudy droogde haar tranen, dat van 'je huwelijk niet goed' was niet in haar opgekomen en zo was het ook niet. Ze hield nog dolveel van Sjoerd en hij van haar, maar het laatste wat Jetske zei, dat was het. Sjoerd zou er spijt van krijgen, maar daar wachtte ze niet op. „Mijn plezier is eraf en ik wil die jas niet meer. Kan Simon vanmiddag nog even bij jou? Ik ga met de ene bus heen en met de volgende terug, veel tijd heb ik niet nodig, naar een andere jas kijk ik niet, ik breng deze alleen terug."

De eigenaresse van de zaak was er niet blij mee, maar Loudy zei dat ze er thuis een heftige ruzie om had gehad met haar man en dat mevrouw de mantel terug moest nemen, ze kon gerust een flink bedrag als schadevergoeding aftrekken. Het ging haar nu niet meer in de eerste plaats om het geld. Het werd op een vriendelijke manier geregeld. Mevrouw zei, dat ze de mantel zou terugnemen, maar ze vertrouwde erop dat ze Loudy als klant toch had gewonnen. En die beloofde dat ze, als ze weer om iets nieuws naar Sneek zou komen, eerst naar deze zaak zou gaan. Maar voorlopig hoefde ze geen nieuwe jas. Ze sjouwde de hele winter wel door met het donkerblauwe ding dat ze nu al drie winters droeg. Sjoerd zou haar niet meer over een andere jas horen. Nieuwe kleren kocht ze ook niet meer. Als hij haar graag als sloofje wilde zien, zou hij zijn zin krijgen.

Weken daarna was het meningsverschil uit de wereld, maar erom lachen kon Loudy niet. Er bleef iets van hangen. Een nieuwe mantel kocht ze die winter niet. Sjoerd durfde er ook niet over te beginnen. Hij had spijt van zijn woorden. Maar hij begreep niet dat een mooie mantel zo belangrijk kan zijn voor een vrouw, een mantel waarin je je lekker voelt, niet te deftig en niet te gewoon, maar lekker.

Toen Sjoerd maanden later een nieuwe fiets kocht, zonder haar daarvan op de hoogte te stellen, waren er weer woorden gevallen.

„Jij geeft zomaar geld uit voor een nieuwe fiets..."

„Geeft zomaar geld uit! Heb je mijn oude karretje gezien, dat is gewoon verroest, vandaag of morgen zak ik erdoorheen! De lamp kan niet meer gemaakt worden en het zadel is kapot en er mankeert van alles aan. Ik moet toch een fiets hebben? Dat is geen luxe artikel, dat is een gebruiksvoorwerp."

Een wintermantel is ook een gebruiksvoorwerp, dacht ze, maar ze zei het niet, want ze wist het antwoord: ja, maar niet zo'n dure...

Want Sjoerd was een echte stijfkop, hij gaf het niet op, ook al wist ze dat hij spijt had van zijn woorden van toen.

Maar buiten die kleine donderkopjes, die af en toe aan de horizon verschenen en een heftige bui veroorzaakten, ging het fijn tussen hen. En Jetske zei dat zulke strubbelingen normaal waren, Klaas en zij hadden ze ook.

Het was heerlijk met Jetske bevriend te zijn. Ze konden over zoveel onderwerpen samen praten en Jetske had een nuchtere en vaak humoristische kijk op het leven. „Nu maak je je nog over van alles druk, maar dat wordt steeds minder. Ik merk het aan mezelf. Toen we pas getrouwd waren kon ik het niet uitstaan als Klaas een opmerking had over mijn werk. Als ik de afwas liet staan bijvoorbeeld. Dan zei ik: 'die doe ik zo' en dan holde ik naar het aanrecht, sop in het teiltje en draaien met de borstel. Later zei ik: 'heb je er last van? Staat de rommel op jouw stoel of op jouw plekje in bed? Ik doe het morgen wel.' Ik denk dat ik over een paar jaar zeg: 'als het je in de weg staat, jongen, je weet waar de afwaskwast hangt…' En dat kan ik dan zeggen zonder me bezwaard te voelen. Ik ga gewoon door aan mijn breipatroontje. Als ik tegen de vijftig loop, is het normaal dat Klaas de afwas doet, ha, ha!" En daar lachten ze dan schaterend om.

Zulke gesprekken veranderden Loudy. Ze kon meer relativeren, afstand nemen, er anders tegenaan kijken. Het was normaal dat het niet altijd 'lieve schat' en 'wat doe je dat goed' was. Twee mensen steeds bij elkaar en dan ook nog een man en een vrouw. „Dat alleen al is een verschil," stelde Jetske vast en Loudy kon slechts instemmend knikken. Je dacht allebei anders en dat botste nu en dan. Maar het waren geen belangrijke dingen. Een nieuwe fiets kopen of niet, wel of niet naar het feestje gaan dat buren verder in de straat gaven. Sjoerd vond dat ze erheen moesten. Loudy zei dat ze de mensen amper kende. „Dat is het kille van het westen," lichtte Sjoerd toe, „je buiten de gemeenschap houden. Maar we wonen hier op een dorp en als mensen van een dorp feest vieren, willen ze daar iedereen uit hun omgeving bij hebben." Het waren dus kleine, soms venijnige donderwolkjes, maar niet belangrijk.

„Maar," raadde Jetske lachend aan, „toch op je hoede zijn, want Sjoerd is een beste jongen en ik mag hem graag, maar het is wel een mannetje dat zijn eigen wil doordrijft."

„Daar komt hij niet aan toe," meende Loudy fier.

„Denk aan de groene jas," zei Jetske toen en Loudy kon er voor het eerst om lachen.

Kleine Simon was nu bijna vier jaar. Een rustig ventje met een tenger lijfje en een smal, fijn gezichtje. Hij had dik, blond haar, dat krulde. Het waren echte krullen, die hem iets vertederends gaven, een kind om tegen je aan te drukken, te knuffelen. En hij had mooie, blauwe ogen. Ze wilden graag nog een kindje. Ze wisten allebei wat het was als kind alleen thuis te zijn. Sjoerd had Jillie vroeger wel om zich heen, maar ze was zeven jaren ouder en ze speelde niet echt met hem. Ze hield hem zoet. „Zal Jillie een mooi pakhuis voor je bouwen van de blokken?" Ze was als een reuzin, die het kunstwerk voor hem in elkaar zette. Ze was niet het kameraadje dat het zware werk van de blokken verzamelen en naar de bouwplaats brengen met hem samen uitvoerde, kruipend over de grond en roepend bij obstakels als stoelpoten en de houtbak naast de kachel, waaraan je je zo akelig kon stoten. Dat ding was zo hard. En hij had ook geen inspraak bij de bouw. Hij hoefde niet te zeggen hoe het moest. Jillie nam gewoon de blokken in de hand en maakte een pakhuis.

Loudy herinnerde zich nog het gespeelde vriendinnetje uit haar kinderjaren, het fantasiekind waarmee ze praatte, maar dat nooit echt iets deed. „Neem jij Tedje mee naar de dokter…" zei ze wel, maar ze moest zelf de pop naar de dokter brengen. De dokter woonde tussen de kussens op de divan.

Ze wilden graag een broertje of een zusje voor Simon, maar ze wilden ook zelf nog een kindje. Het was een heerlijk bezit, zo'n klein ding, en ze dachten aan het gezinnetje dat ze graag wilden: drie of vier kinderen. Leven en vrolijkheid om hen heen, ook zorgen en moeilijkheden, maar zo was het leven nu eenmaal… En voor later zouden de kinderen steun aan elkaar hebben en gezelligheid vinden bij elkaar.

Eigenlijk wilde Loudy zwanger worden toen Simon anderhalfjaar was, dan zou er ruim twee jaar verschil zijn tussen de kinderen en dat was mooi. Maar het leven laat zich niet dwingen. Ze raakte niet in verwachting. Simon was nu bijna vier en elke maand, keurig op tijd, werd ze ongesteld. Ze maakte er geen drama van, ze hadden Simon en waren vreselijk gelukkig met hem. Maar ze mochten hopen en verlangen en als Loudy alleen was, dacht en droomde ze erover. Een baby in haar armen, het zachte huidje voelen, het eerste lachje zien, de herkenning, de geur van zalf en zeep en de geluidjes in huis. Maar tot nu toe waren het zoete dromen.

Vader Rijswijk woonde alleen in het oude huis aan de 'Lege Mieden'. Kort na moeders dood maakten ze zich zorgen om hem, vooral Jil, Sjoerd en zij. Eelke bekeek het anders. „Het overkomt elk jaar duizenden mensen. Ze moeten hun levenspartner missen en dat is triest en vreselijk, maar al die mensen komen erdoorheen, de één wat vlotter dan de ander, maar weinigen willen zelf ook niet verder en overlijden aan verdriet." Sjoerd en Loudy maakten zich wel zorgen en Jillie ook. Moeder nam zo'n grote plaats in vaders leven in, ze was altijd thuis en wachtte op hem. De laatste jaren zat ze voor het raam en groette met een opgestoken hand en een glimlach als hij wegging en naar het raam keek vóór hij de 'Lege Mieden' uit liep en ze lachte naar hem als hij terugkwam. Zijn eerste blik was naar het raam. En hij miste haar in huis. Ze kon niet veel meer doen, maar ze was er, ze vroeg belangstellend naar alles wat hij deed, luisterde naar wat hij vertelde en praatte daar met hem over. De nieuwtjes uit het dorp, de belevenissen van buurtgenoten en kennissen.

De eerste weken waren moeilijk geweest. Sjoerd maakte er een gewoonte van in het begin van de avond naar hem toe te gaan. „Dan zit hij daar, op zijn stoel aan de tafel tegenover haar lege stoel. Het kussentje met die gekke rode bloemen ligt er nog in. Ik word er beroerd van als ik het zie. Maar vader is vrij rustig. „Het enige wat we kunnen doen, jongen, is het aanvaarden," zegt hij en dat is ook zo. Aanvaarden en dankbaar zijn voor de mooie jaren en de herinneringen."

Algauw ging er een rust uit van Simon Rijswijk, die zijn kinderen weldadig aandeed. Hij nam het leven zoals het voor hem voorbestemd was. Toen hij jong was, maakte hij bitter verdriet mee, tranen, opstandigheid en vragen. Waarom overkwam hem dit? Waaraan verdiende hij het? Hoe moest hij verder na de dood van Marie? Later kwam het geluk voor hem terug. Door Frieda. Nu hij haar moest missen, wilde hij geen opstandigheid en medelijden met zichzelf. Het maakte zijn hart donker en koud en het maakte niets ongedaan. Hij moest er vrede mee hebben. Zoals hij tegen de kinderen zei: „Ik heb geleerd dat je in het leven moet aannemen wat je krijgt toebedeeld. Je kunt het niet afwijzen. Blijheid, geluk, zonneschijn, maar ook verdriet en tranen."

Ze hoefden er niet tegen op te zien naar hem toe te gaan. Loudy vond het fijn en moedig van haar schoonvader het zo te kunnen opvatten, haar vader was zieliger geweest toen moeder overleden was.

Het ging nu prima met haar vader. Ze kon glimlachen als ze erover nadacht. Dan zag ze de huiskamer in de Oosterlaan, de donkere meubelen, de toegeschoven vitrage voor de ramen. Niemand kon van buiten naar binnen kijken, maar van binnen naar buiten was ook weinig te zien. Vader, die moeilijk tussen de stoelen doorschoof. Er was toen iets droevigs om hem heen, hij was niet echt bedroefd, maar de sfeer die hij meedroeg, was van een zwijgzaam pessimisme, uitzichtloos en het riep in haar gevoelens op hem te willen helpen, maar ze wist niet hoe. Nu woonde hij in hun dorp, zijn huis was licht, voor de vensters hingen kleine valletjes van witte katoen, hij keek door het achterraam over de weilanden en noemde de vogels die hij zag opvliegen bij naam: Hij deed het roepen van de kraaien na en luisterde naar het hoge zingen van een leeuwerik.

Hij kon opschieten met zijn buren bij wie hij nu en dan binnenliep en die ook bij hem kwamen om een praatje te maken. Hij wandelde de dorpsstraat af naar hun huis, maar vooral naar kleine Simon. Hij was stapel op het kind dat, van zijn kant, opa zag als speelkameraad. En in Berawolde was Lien van Rijssen nog…

Ruim een jaar geleden was vader op een morgen de keukendeur binnengekomen. Het was niet vroeg meer, bijna half twaalf.

„Goeie morgen! U nog hier?" vroeg Loudy. Hij kwam nooit om deze tijd. Dan was hij bezig met zijn eten, waaraan hij de laatste tijd veel zorg besteedde. „Ik heb er weer aardigheid in, kind, om wat klaar te maken, en dat komt omdat ik hier woon, dicht bij jullie en omdat ik Lien heb. Ik ben gistermiddag in Berawolde geweest. Ik moet je erover vertellen. Zal ik in de keuken bij je gaan zitten, dan kan jij toch doorgaan met je eten. Ik heb Lieneke gister gezien."

„Zo…" deed Loudy heel verwonderd, maar het was logisch dat het er eens van moest komen. Ze konden elkaar niet blijven ontlopen.

„Ja. Ik was bij Lien. Ik was er met de bus van twee uur heengegaan en toen kwam Lieneke onverwachts. Dat doet ze nooit, dat weet je, ze belt altijd op of haar moeder thuis is en of ze alleen is. Maar vanmiddag was ze zo in de auto gestapt en naar de Waterstraat gereden. Lien was ook hoogstverbaasd. We hadden het net over haar. Omdat het goed met haar gaat. Maar dat weet je natuurlijk, want Lieneke belt jou af en toe. Dat vind ik vreemd en wonderlijk, dat ze jou belt en jou begrijpt en met jou wil praten en mij wilde ze beslist niet zien. Nou ja, gek is het natuurlijk niet, uiteindelijk heb ik haar moeder gemeen behandeld, maar je zou zeggen dat zo'n vrouw met niemand van mijn familie iets te maken wil hebben. Maar zo is het niet. Enfin, ik zat met Lien aan tafel in de kamer en daar stopt opeens haar autootje voor de deur. Lien schrok ervan. 'Daar is Lieneke', riep ze uit. Ze was bang dat het een vreselijke toestand zou worden, want Lieneke kan onbeheerst uitvallen. Maar wat moesten we? Ik kon niet meer de voordeur uitlopen in de tijd dat zij achterom binnenkwam. En dan, ze had me al gezien en ik dacht: ik blijf zitten. Ik was ook een beetje verstijfd van schrik. Aan de ene kant wilde ik haar al heel lang zien, dat weet je, aan de andere kant was ik bang voor haar en bang voor herrie tussen Lien en haar en ik wist, dat ik dan het slachtoffer zou worden. Het was een vreemde situatie. We zaten allebei als wassen beelden op onze stoelen en we hoorden Lieneke lopen over het pad naast het huis. Zij had ook terug kunnen gaan, want toen ze uit de auto stapte, keek ze door het raam naar binnen en ze moet gezien hebben dat er iemand bij haar moeder aan tafel zat. Maar ze kwam binnen. Ze stapte de kamer in. Lien deed zo gewoon mogelijk. 'Hé hallo, Lieneke', deed ze vriendelijk, 'dit is Swinkels…' Lieneke keek me recht aan. Ik hoorde hoe Lien mijn naam uitsprak: Swinkels… Wat moest ze anders zeggen, meneer, nee dat niet, wat dan? Ze zei dus: Swinkels. Lieneke knikte naar me. Ik voelde me vreemd, niet eens erg zenuwachtig, gewoon vreemd, alsof ik er niet zelf bij was, een wonderlijke situatie. Drie mensen in één kamer: een man, een vrouw en een kind, of liever: een vader, een moeder en een kind. Maar we voelden ons vreemden en dat zijn we ook voor elkaar, Lieneke en ik zeker. Ze ging toch aan de tafel zitten. Ik keek naar haar. Misschien had ik dat niet moeten doen, maar ik was nieuwsgierig. Ze lijkt op mij; ze lijkt eigenlijk het meest op mijn moeder. Lieneke is knapper. Beter verzorgd ook. Zo is dat tegenwoordig. Mijn moeder had geen geld om naar de kapper te gaan. Ze had lang haar, strak uit het gezicht gekamd en van achteren in een soort knot gedraaid. Lienekes haar heeft dezelfde kleur als het haar van mijn moeder. En het is net zo steil. Maar het is goed geknipt, het hangt los langs het hoofd. Het staat haar wel, vind ik. Ze heeft dezelfde ogen als mijn moeder. En ze kan net zo donker kijken. Mijn moeder was geen makkelijke vrouw. Dat is Lieneke ook niet, dat weten we. We zaten een poosje stil bij elkaar. Wat moesten we zeggen? Ik wist het niet. Maar ik vond toch dat ik iets moest zeggen. 'Nu we elkaar zien', begon ik, 'wil ik je zeggen dat ik het prettig vind je te ontmoeten. Het is jammer dat je alles van vroeger niet kunt vergeten.' En opeens, Loudy, gebeurde er iets heel vreemds. Ik zag nog dat Lien een beetje ineenkromp, voorbedacht op een boze uitval, maar Lieneke zei: 'Ik kan het verleden wel vergeten. Waar ik mee tobde, ging u niet aan. U doet me als *vader* helemaal niets. Pappa Van Rijssen was mijn vader.'

'Ja', zei ik, 'Pappa Van Rijssen was jouw vader.'

'U weet dat ik Loudy nu en dan spreek?'

'Ja, Loudy vertelde me daar iets over.'

'Ik voel me veel beter sinds ik Loudy ken.'

'Dat doet me plezier.'

'Ik had het moeilijk met mezelf en dat kwam door alles wat vroeger in mijn leven is gebeurd. Maar het ging niet om mij, het ging om het verdriet dat u mijn moeder aandeed. Dat weet ik nu.' "

Loudy zag het in gedachten voor zich. Lieneke aan de tafel, rechte rug, strakke blik in de blauwe ogen, vader, vol verbazing, maar van binnen blij, bijna opgewonden blij, en Lien van Rijssen een beetje achterover gezakt op de stoel. Hoor Lieneke nou praten met Tjeerd...

Ze luisterde naar vader, die verder ging met Lienekes woorden. 'Ik heb geleerd daar niet meer aan te denken. Want het is voorbij. Jullie zijn allebei bijna oude mensen; wat geweest is, is geweest.' Lien begon te huilen. Dat vond ik een beetje dom, tranen roepen sentiment op en dat is voor Lieneke niet goed, maar ik kon moeilijk zeggen: 'Lien, huil nou alsjeblieft niet,' maar Lieneke zei dat wel. 'Je hoeft nu niet meer te huilen, moeder, ik kan het allemaal aan. Ik heb alles op een rij gezet. Loudy heeft me geholpen en Stefan en een beetje dokter Veldhoven. Ik kan het nu overzien. Alles wat achter me ligt en wat me van binnen opvrat. Daarom ging ik ook niet terug toen ik zag dat u hier aan de tafel zat. En nu ik u zie, moet ik u zeggen dat het me niets doet. U bent een totaal onbekende man voor me, een vreemde. Ik breng u niet in verband met mijn leven. Dat moeder met u wil omgaan, begrijp ik niet, dat gevoel blijf ik houden, ik begrijp het niet. Maar er moeten gevoelens in haar zijn die niet dood zijn gegaan, toen, dertig jaar geleden. Maar het raakt mijn leven niet."

Vader zweeg. Loudy was tegenover hem aan de keukentafel gaan zitten, ze luisterde naar hem. Kon Lieneke op deze manier met hem praten, was ze echt zo flink, speelde ze geen rol met zichzelf... Ze voelde zich goed de laatste tijd, maar dit was een vuurproef...

De geschilde aardappelen lagen in de pan in het water, op haar schoot stond het schilbakje met het mesje. Ze hoorde Simon, die in de kamer speelde met Pim. Ze waren indianen en ze schreeuwden.

„Vader, ik begrijp het niet..."

„Wij begrepen het ook niet, maar het is echt gebeurd. Ik zou bijna zeggen: als een wonder. Het leven is vreemd en vol verrassingen. Ik heb Lieneke gezien. Ze is mijn dochter, ze is het kind van Lien en mij, maar we staan mijlenver van elkaar af, ook al praatte ze nu tegen me. Ze glimlachte zelfs een keer naar me. Ze bleef niet lang, misschien drie kwartier. Toen zei ze dat ze naar huis moest. Lien liep met haar mee naar de auto. Ik weet niet wat die twee met elkaar besproken hebben. Toen Lien de kamer weer binnenkwam begon ze te huilen. 'Tjeerd, snikte ze, ik ben op van de zenuwen.' Nou, je weet hoe het dan gaat, ga even zitten, ik zal wat water voor je halen, huil maar uit, het is ook een toestand, maar het is toch fijn dat ze met me wilde praten, dat ze niet direct in de auto stapte en wegreed... Ja, dat vond Lien ook, maar ze was er toch ondersteboven van. Ik trouwens ook. Wil je wel geloven, dat ik nog tril nu ik dit allemaal vertel? Je eigen kind zien, na zoveel jaren. En dat in gezelschap van de vrouw, die de moeder is. Het is zo onvoorstelbaar, maar het gebeurt. Tussen toen en nu liggen voor ons alle drie lange levensjaren. Ook voor Lieneke. Ze is nu vierendertig. Voor mijn gevoel telde dat gisteren niet mee. Het telde wel mee, begrijp me goed, maar ik voelde steeds de driehoek: vader, moeder en kind. En toch waren we vreemde mensen. Ik vroeg Lien of ze wilde dat ik wegging of dat ik bleef. Ze zei dat ik beter weg kon gaan. Ze wilde alleen zijn en ik begreep dat. En ze had hoofdpijn. Van de spanning natuurlijk. Het was een emotionele middag. En ik vermoed dat er voor Lien de vraag bijkomt of Lieneke dit echt aankon, of het waar is, dat ze alles wat haar dwarszat inderdaad heeft losgelaten en het nu kan overzien. Ik ben bang dat Lien alles van deze middag ziet als een opgeschroefd handelen van Lieneke, misschien ingegeven door de dokter of door Stefan; als je die man ooit tegenkomt moet je niet terugdeinzen, maar jezelf zijn. Je hebt niets met hem te maken, hij betekent niets in je leven. Zo handelde ze. Maar hoe voelde ze zich toen ze in de auto stapte en naar huis terugreed?

Ik vroeg Lien of ze me wilde bellen als er in de loop van de avond iets gebeurde. Stefan kon toch bellen om te vragen waarom Lieneke zo overstuur was? Maar Lien belde niet. Ik ben de hele avond thuisgebleven. Ik durfde het huis niet uit, ik wilde niet bij de telefoon vandaan. Ik had niet de moed naar jullie toe te gaan om erover te praten, het moest eerst maar wat bezinken. Maar ik wilde vooral thuis zijn als Lien belde. Gozen Hendriks kwam nog even langs voor een praatje. Zijn zoon wil het stuk land kopen naast de bakkerij van Schaafsma, zo zie je, dat iedereen zijn eigen besognes heeft. Maar Lieneke is veilig in Drachten gekomen en er is verder niets aan de hand. Ik ben er nog niet rustig onder. Ik wil geloven: nu pas is alles voorbij, na al die jaren, vergeven en vergeten, we hebben er alle drie vrede mee, maar ik kan het niet geloven."

„Het moet de tijd hebben, vader. Het komt heus goed."

En op deze prachtige zomermorgen, met een zon, die gul en stralend alles met zijn warmte omarmde, was Loudy ook heel erg gelukkig. Ze wist nu zeker dat ze zwanger was. Veertien dagen 'over tijd' een licht gevoel van misselijkheid, moeheid en zich loom voelen. Dat had ze anders niet. Wel toen ze Simon verwachtte. In de begintijd. „Mijn vrouwke," zei Sjoerd gisteravond, „ik geloof dat je gelijk hebt, alles, nou ja, wat is alles in zo'n geval, alles wijst erop, maar alsjeblieft, hoop niet te veel! Je weet wat er kan gebeuren als een vrouw te veel bezig is met zwangerschap. Er kan een schijnzwangerschap uit voortkomen, compleet met wegblijven van de menstruatie en opzetten van de baarmoeder en toch is er niets, het is alleen psychisch."
„Zo is het voor mij niet en dat weet je heel goed. Ik wil graag een baby, maar het is geen obsessie als het niet komt."
„Dat is waar." Sjoerd lag naast haar in het warme bed. Ze hoorde zijn stem en uit de klank wist ze dat hij er ook blij mee was, maar hij wilde het niet te uitbundig tonen: stel je voor dat het niet waar was, niet doorging, dan zou ze verdrietig zijn omdat hij er verdriet over had, maar ze hoorde nu de klank van blijheid in zijn woorden: „Het zal heerlijk zijn als er nog een kleintje komt. Het is zo'n heerlijk bezit. Zoals Simon. We hebben hem van dag tot dag om ons heen, vanaf die eerste dag, toen hij als klein bundeltje in zijn wiegje lag. Je leeft er niet altijd bewust mee. Je kunt niet elke dag jubelen: wat ben ik blij met dat ventje, dat zou abnormaal zijn, het wordt gauw gewoon, een kind hebben. Hij hoort bij ons, ik kan me niet meer voorstellen hoe het was zonder hem, maar zo voel ik het toch niet. Je ziet de ontwikkeling. Hij is vier jaar, maar wat kan en weet hij al veel! En het is niet omdat het ons jochie is, maar het is een lief ventje. Niet overdreven druk zoals sommige kleine jongetjes zijn. Als ik het zoontje van Arnold en Betty zie, daar word ik moe van. Dat kind moet de hele dag iets doen. Ergens opklimmen, er weer afvallen, schreeuwen, heen en weer hollen. Arnold is overdag nauwelijks thuis, die heeft er niet zoveel erg in, maar Betty wordt er af en toe gek van. Zo is Simon gelukkig niet. Maar hij is ook niet stil zodat je denkt dat er niet genoeg leven in hem zit. Hij speelt leuk met andere kinderen. Hij zal het fijn vinden op de kleuterschool. En als volgend voorjaar zijn broertje of zusje wordt geboren heb jij weer gehuil om je heen." Hij lachte zachtjes. Hij kon zich nu een voorstelling maken van een kleine baby in huis. „Maar je zult het druk krijgen, want dan moet je Simon naar de kleuterschool brengen, 's morgens vroeg, alleen kan

hij nog niet, dat is te gevaarlijk en je moet hem halen en 's middags hetzelfde verhaal."

„Broertje moet maar mee in de wagen," deed Loudy zorgeloos.

„Dat kleine ding al voor dag en dauw op stap! Ik geloof dat de scholen om half negen beginnen."

Loudy lachte. „Maak je daar nog maar geen zorgen om, daar komt wel een oplossing voor! Eigenlijk had je dit bezwaar eerder naar voren moeten brengen, nu is het te laat."

Hij pakte haar vast, ze bleef lachen, hij hield haar tegen zich aan en kuste haar.

Het werd een fijne winter, waarin ze veel droomde over de baby. Ze maakten het kamertje naast dat van Simon klaar voor de nieuwe bewoner en ze praatten met Simon over het komende kindje om hem er zoveel mogelijk in te betrekken.

„Hij is zo lief," vertelde Loudy op de avond toen het kamertje klaar was, „hij vroeg of hij nu de beertjes en beestjes uit de grote zak onder in de kast neer mocht zetten. Het is de hele voorraad pluche en wol, die hij kreeg toen hij klein was. De baby mag ze allemaal hebben. Hij is een hele tijd bezig geweest ze uit te stallen. Eerst moesten ze allemaal op de commode zitten, maar toen ontdekte hij dat de baby dan niet met de billetjes bloot kan, dus ging er weer een stel weg. Op de stoel. Maar het donkere beertje dat hij van tante Lenie kreeg en waar hij zelf een beetje bang voor was, mocht niet vooraan zitten. Want baby'tje zal er ook bang voor zijn. Die is beslist niet moediger dan hij! En hij bekeek de kleine hemdjes; is het kindje zo klein? Zijn aap kan zo'n hemdje niet eens aan!"

„Ja, hij leeft met ons mee naar de komst van de kleine, maar het is nu nog met ons erover praten, dingen bekijken en neerzetten, maar de baby is er nog niet. Als het zover is verandert er veel in huis. En ik kan me voorstellen dat het voor een jochie van vier jaar moeilijk is. Een kind van twee accepteert het gemakkelijker. Maar Simon ziet dat je veel met het kindje bezig bent. Op schoot met de voeding, in handen voor een boertje, weer op de commode voor een schone luier en ga zo maar door. En hij? Als hij iets vraagt, zeg je: 'Ja schat, ik help je zo.'

Ik weet dat we alles zullen doen om hem niet het gevoel te geven dat hij op de tweede plaats komt en dat komt hij ook echt niet, maar het feit blijft dat een baby vooral de eerste maanden veel tijd en aandacht vraagt. We zullen Simon zo goed mogelijk opvangen."

„We hebben er zelf geen ervaring mee. Ik kreeg geen broertje of zusje en jij hoefde niet jaloers te zijn op Jillie, jij was het troetel-poppetje. Maar er zijn ontzettend veel mensen opgegroeid met een broertje of een zusje zonder daar een complex van over te houden. Met wat begrip redden we het heus wel."

Op een gure, winderige morgen in april werd het kindje geboren. Een meisje. Een stevige baby van acht pond, met gladde wangetjes, donzig blond haar en stevige beentjes.

„Een meisje, Loudy, een meisje!" Sjoerd was zo zenuwachtig, dat was hij bij de geboorte van Simon ook, hij dacht steeds aan de woor-den van zijn vader 'er kan gauw iets misgaan, jongen', maar nu was het voorbij. Loudy lag in het bed, ze lachte, haar gezicht was nat van tranen, van vreugde en spanning, moeheid en pijn, maar ze was er, ze leefde, ze keek naar hem, ze zei zacht: „Sjoerd... het is een meis-je..." en de verpleegster kleedde het kindje aan.

„Een dochter," zei dokter Rindertsma, „en wat voor een dochter, een poppetje! Dat is het voordeel van iets zwaardere kinderen, ze zien er direct glad en mooi uit."

Simon was bij opa Swinkels, maar ze spraken af dat hij zo vlug mogelijk naar huis zou komen. Hij hoorde erbij. „Maar hij moet niet in huis zijn tijdens de bevalling," had Loudy gezegd, „als ik weet dat Simon er is, durf ik geen schreeuw te geven. En dat kan toch wel eens opluchten!"

Sjoerd belde na een uurtje naar zijn schoonvader en weer een half-uurtje later stonden Loudy's vader en haar zoon naast elkaar bij haar bed. Simon met een bos bloemen voor mamma in de hand. Die had-den opa en hij voor haar gekocht. En een pakje voor het kindje. Dat kochten ze al eerder, opa en hij, maar het was een geheim en hij ver-telde het niet aan mamma! Het was een leuke rammelaar met witte en roze balletjes.

Simon stond een beetje bedremmeld naast het grote bed.

„Is ze erg klein? Mag ik haar zien?"

„Ze is nog klein, ze ligt in de wieg. Kom, we gaan samen kijken."

Sjoerd nam zijn zoon bij de hand om hem zijn zusje te tonen.

De komst van de baby bracht een hele verandering in huis, maar het was een gezond kindje, waarmee Loudy wat voeding betreft geen moeilijkheden had.

Het kind werd Frieda Geeske genoemd.

Loudy praatte voor de geboorte van het kindje met vader over de

naam. „We weten wat de regel is. Simon is naar Sjoerds vader vernoemd, onze dochter moet dan naar mijn moeder genoemd worden.
Maar we willen graag Sjoerds moeder vernoemen. Ik vind Frieda
een mooie naam. We kunnen ook niets maken van de twee namen
samen, zoals jullie konden doen met Louise Dina. Loudy is een leuke
naam. Met Frieda en Geeske zijn we aan het passen en meten
geweest, maar er kwam niets leuks uit."

„Het geeft niet, kind. Je weet dat een naam voor mij niet belangrijk
is. En moeder is er niet meer om er blij mee te zijn. Noem het kindje maar Frieda als het een meisje wordt."

„Als het een jongen is, pappa, noemen we hem Tjeerd," zei ze
lachend en ze gaf hem een dikke zoen op zijn wang.

Loudy had het nu druk. De zorgen die Sjoerd maanden geleden
speels maakte over het wegbrengen van Simon naar de kleuterschool, werden al opgelost voor Frieda werd geboren. Want Janke
Modderman die drie huizen verder in de straat woonde, liep viermaal
per dag met haar tweeling naar en van het schooltje en ze zei tegen
Loudy dat ze Simon meteen kon meenemen. En Simon wilde dat
graag, want Bertje en Hansje waren zijn vriendjes en als ze samen op
het speelpleintje kwamen, gingen ze ook meestal met elkaar spelen.
De zomer liep bijna ten einde toen Loudy's vader op een morgen het
huis binnenstapte. Het was nog vrij vroeg in de morgen. Loudy was
in de keuken bezig. In de bijkeuken draaide de wasmachine met
klotsende geluiden alsof ze plezier had in haar werk. Buiten lag
Frieda in de kinderwagen te slapen.

„Ha vader, ik ben zo klaar, even de groente wassen."

„Doe rustig aan."

„Is er iets bijzonders?" Ze vond hem er opgewonden uitzien. Ruzie
met Lien? Ze durfde er niet stilletjes om te lachen. Sjoerd zei vorige
week: als dat stel ruzie krijgt zal vader Tjeerd danig in de put zitten.
Dan moeten wij als kinderen maar geduld met hem hebben.

Toen ze in de kamer kwam zat vader in de stoel voor het raam. Hij
pakte niet de krant of een blad, zoals hij anders deed als hij alleen in
de kamer was. Hij keek naar buiten. Toen ze binnenkwam draaide
hij zich meteen om.

„Ik heb Johannes gisteren gesproken."

„Johannes…" Ze ging op de bank zitten. „Het was natuurlijk voor-
spelbaar dat u hem eens in Berawolde zou tegenkomen. U moet
door het dorp om van de bushalte naar de Waterstraat te komen."

„Ik kreeg het gevoel dat hij naar me uitkeek. Ik zou bijna zeggen: hij wachtte op me." Loudy knikte. Vader moest maar vertellen.

„Ik liep langs de kerk, over het plein. Daar staat een bank. Hij zat op die bank. Nu is het zo, dat ik altijd als ik in Berawolde ben min of meer kijk of ik hem zie. Met een half oog, weet je wel, want ik dacht net als jij: vroeg of laat lopen we elkaar tegen het lijf. Ik wist zelf niet of ik hem graag wilde ontmoeten of juist niet. Aan de ene kant wel, hij is toch mijn broer, aan de andere kant niet, want waar zouden we over praten; de ellende van vroeger weer bovenhalen. Daar hebben we geen van beiden eigenlijk iets aan.

Toen ik gistermiddag bij het plein kwam zag ik hem zitten. Ik maakte er soms een voorstelling van hoe hij eruit zou zien, dikker dan vroeger, dacht ik, maar nog dat ruige haar en in donkere kleren, want hij droeg vroeger ook altijd donkere kleren. Ik nam me voor net te doen of ik hem niet zag als ik hem zou tegenkomen. Rondkijken, precies de andere kant op natuurlijk en misschien liepen er mensen, die iets tegen me zeiden. Maar nu ik hem op die bank zag zitten, wilde ik niet kinderachtig zijn en met een boog om hem heen lopen. Ik stak het plein over. Toen ik vlak bij hem was kwam hij overeind.

'Hé Tjeerd, Tjeerd Swinkels…' zei hij.

Ik bleef stilstaan en ik zei: 'Hé Johannes…' Hij was blij me te zien, dat zag ik aan zijn ogen.

'Dat is in skoft lyn, zullen we hier op de bank gaan zitten? Of loop je mee naar mijn huis? Hier ziet iedereen ons en morgen praat het hele dorp erover. Niet dat het mij wat kan schelen, er is al veel en vaak over mij gekletst, maar je gaat zeker naar Lien van Rijssen, je kunt niet met mij praten…' Het klonk een beetje zielig en teleurgesteld.

Ik zei: 'Ja, ik ga naar Lien, maar ik zeg tegen haar dat ik jou tegenkwam en dat we even met elkaar willen praten. Hoe laat is het nu? Half drie. Zal ik om vier uur bij je komen?' Toen lachte zijn hele gezicht. Ik heb vaak gezegd dat Johannes de beroerdste niet is. Hij had een slechte maat aan Jochem. Hij vroeg nog: 'Weet je de weg?' maar daar lachte hij zelf om. Zo'n kort, hikkerig lachje. Vroeger lachte hij ook al zo gek. Alsof hij niet voluit durfde te schateren. Dat durfde hij ook niet. Want bij ons thuis werd niet schaterend gelachen. Zoals Lien kan lachen. Mijn moeder vond dat overdreven en aanstellerij. Enfin, ik ben naar Lien gegaan en ik vertelde haar dat ik Johannes had gesproken en dat ik naar hem toe zou gaan. En dat heb ik gedaan. Het is vreemd na zoveel jaren weer binnen te stappen in je ouderlijk huis. Ik was er nooit gaan kijken. In Berawolde liep ik altijd van de bushalte rechtstreeks naar de Waterstraat en terug. Maar nu ging ik over de brug en langs de vaart tot aan het huis. Het huis is nog precies als toen, wat de indeling betreft tenminste. Het klompenschuurtje, dan de lage keuken en de woonkamer. Je wilt het misschien niet geloven, maar er staan nog spulletjes in de kamer die er ook stonden toen ik twintig was. De grote kast bijvoorbeeld. Een pronkstuk. Zo'n gesloten, hoge linnenkast met bovenop een kuif met kunstsnijwerk. Het kastenstel, ik geloof dat ze het zo noemen, stond er nog bovenop. Dat zijn drie vazen met ronde buiken, één grote en twee kleine hoge, rechte vazen. Die horen aan de buitenkant te staan. Die grote dikke in het midden. Ik weet niet hoe mijn ouders aan dat stel kwamen, ik kan me niet voorstellen dat ze geld hadden om het te kopen, zo'n stel was toen al een kapitaaltje waard. Johannes heeft wel andere stoelen en een andere tafel gekocht.

'Kijk maar rond', zei hij. Hij was erg vriendelijk, ik kan niet anders zeggen, 'je zult veel van vroeger zien. Och, waarom zou ik het weg-doen? Het was hier, het hoort hier.'

We hebben gepraat. Over vader en moeder. Johannes vertelde over hun ziek zijn en sterven. En hij vertelde over Jochem. Hij kijkt er nu met enige afstand naar en hij weet dat hij altijd in de ban van Jochem is geweest. Ook toen ze samen in het huis woonden, nadat vader en moeder op het kerkhof waren begraven, was Jochem de baas. Hij was soms erg moeilijk, vertelde Johannes, maar dat wist ik al.

Hij zat aan de tafel, Loudy, zijn stoel dichtbij getrokken en hij leun-de met zijn armen op de tafel. Hij heeft dikke armen en grove han-den. En hij praatte, hij bleef praten. Alsof alle stille jaren achter hem, want Jochem is alweer elf jaren dood, ingehaald moesten wor-den. Hij had het zelf in de gaten, hij lachte een beetje, een treurig lachje en hij zei: 'Met een vreemde praat ik hier niet over. Een vreemde begrijpt het toch niet.' Hij bedoelde daarmee dat ik geen vreemde ben. Ik ben zijn broer en ik weet van vroeger. Hij praatte vooral over Jochem. Jochem had een zielig leven, we moesten medelijden met hem hebben. Jochem leefde zichzelf altijd in de weg. Dat was begonnen toen hij jong was en een meisje wilde hebben. Johannes wilde ook wel een meisje en het lukte hem nu en dan een stukje met een 'faam' te lopen en haar een zoen te geven, maar geen meisje wilde met Jochem. Hij was veel hartstochtelijker dan Johannes. Hij probeerde het met Lientje Grettema. Als hij Lientje zag werd hij helemaal dol. Ze daagde hem niet uit, zoals hij later zei, ze keek niet eens naar hem. Maar hij zag haar ronde borsten en dat dikke haar en hij hoorde haar lachen en dat maakte hem helemaal gek. Gek van verlangen. Daar had Lien geen schuld aan. Hij hitste zichzelf op, zoals Johannes het noemde. Als hij zo'n meid had... Johannes zei nu, dat hij geloofde dat Jochem veranderd zou zijn als hij een vrouw had gekregen van wie hij hield en met wie hij niet in de buurt van onze ouders woonde. Maar hij kreeg geen vrouw.

Toen dat tussen Lien en mij gebeurde, kon hij het niet verkroppen dat ze wel met mij wilde gaan. Hij gunde haar moeilijkheden en zorgen omdat ze hem had afgewezen. Gewoon wilde jaloezie. Later praatte hij daarover. Johannes vertelde het me vanmiddag allemaal. Jochem zei: 'Denk je dat ik haar had laten zitten als mij was overkomen wat Tjeerd meemaakte, nee, nooit! Zo'n meid, zo'n vrouw en dan een kind krijgen!' Johannes zei dat Jochem mij een schurk noemde, een slappeling en een gemenerik omdat ik me verschool achter de rokken van Geeske. Ik bracht naar voren dat moeder en vader en Jochem en hij van alles over Lien vertelden en dat moest Johannes toegeven, ja, ja, dat was ook zo, maar Jochem brieste later dat ik gek was geweest daarnaar te luisteren. Ik wist toch wat ik gedaan had. Alleen ik had daarmee te maken. En Lien."

Vader schudde zijn hoofd. „Wat een middag! Ik heb het gevoel mijn leven voor de tweede maal beleefd te hebben. Johannes praatte maar. Er was genoeg uit zoveel jaren en hij ging ook terug naar onze kindertijd. Het was alsof hij alles van iedere dag had opgeschreven en nu het boek opensloeg en begon te lezen. Maar het was geen echt boek met bladzijden en letters, het waren herinneringen, hij wist ze en vertelde ze en ik zat erbij en luisterde. Ik had geen behoefte iets te zeggen. Ik zag alles aan me voorbijtrekken. De klompen bij het achterhuis, waar je bijna je nek over brak als je te vlug naar binnen wilde, het weinige speelgoed dat we hadden en waarom steeds gevochten werd, de konijnen in het hok, waarvoor we gras en distels moesten zoeken en die geslacht werden als ze groot genoeg waren. Zoals de kroppen sla in de tuin werden afgesneden als ze volgroeid waren. De borden op de kale tafel, moeder op zwarte sloffen, vader die moe en chagrijnig van zijn werk kwam en Jochem die steeds weer met zijn grote mond stond te schreeuwen.

Volgens Johannes hebben Jochem en hij Lieneke gevolgd in haar kinderjaren. Want ze hadden diep in hun hart spijt, wroeging van wat ze gedaan hadden. Ze maakten alles kapot voor Lien, voor mij en voor het kind. Ik heb nooit geweten dat ze spijt hadden. Daar vond ik ze te onverschillig en te grof voor. Maar ze hebben het er moeilijk mee gehad. Mijn moeder ook. Dat vertelde Johannes."

„Waarom zochten ze dan geen contact met u…"

„Dat zijn de karakters. En het heeft niets te maken met hun geboortegrond, omdat het Friezen zijn. Ze zijn gesloten, kunnen moeilijk ongelijk bekennen, eigenlijk niet eens aan zichzelf, maar ze hebben het er moeilijk mee. Ik was toch een kind van mijn ouders. Als ik nu aan de vaderrol in ons gezin denk geloof ik, dat heit heus wel van ons hield, maar op een aparte manier."

Tjeerd schudde zijn hoofd, hij glimlachte even. „Wat kan het raar lopen in een mensenleven." Toen keek hij Loudy weer aan en vertelde verder.

„Het werd steeds later en ik dacht: ik moet naar Lien, maar ik kon toch niet wegkomen. We praatten niet alleen over de minder prettige dingen van vroeger, ook over leuke dingen uit onze kinderjaren. De weilanden in om kievietseieren te zoeken, polsstokspringen over de sloten, de 'boezehappert', dat was de boeman die in de vaart zat en alle kinderen, die te dicht aan de wallekant kwamen naar beneden trok. Ik was vreselijk bang voor de boezehappert. Johannes ging koffie zetten en hij legde repen lattekoek op tafel. De geur in het huis was net als vroeger. Het huis ruikt naar koffie en lattekoek. Maar ik moest toch weer weg en ik zei hem dat. Ja, ja, hij begreep het wel. En hij vond het fijn dat ik geweest was en dat wij elkaar weer kenden en hij hoopte dat ik gauw terug zou komen. Ik kon Lien gerust meebrengen. Toen ik opstond bleef ik nog even bij de tafel staan. Je weet dat mijn been altijd stijf is en niet direct aan de wandel wil als ik een poos heb gezeten. Toen zei hij: 'Eigenlijk heb ik op je gewacht, vanmiddag. Ik dacht steeds, dat ik je wel eens zou zien, ik kom niet veel in het dorp, maar ik doe mijn boodschappen bij Hoeksema en ik loop nu en dan een rondje om met de hond, maar ik zag je nooit. Weet je, Tjeerd, ik wil eigenlijk met je praten over dit huis. Het is van mij. Ik kocht het jaren geleden van vader. Het is een oud huis en het heeft niet veel waarde, maar er is een flink stuk grond bij en als ze het huis afbreken is het een prachtig terrein om een woning neer te zetten. Als bouwgrond heeft het waarde. Alles in huis is van mij. Als je om je heen kijkt denk je, dat het niet veel bijzonders is. Maar er zijn kostbare dingen. Ik heb ze verstopt in een kist onder mijn bed. Of verstopt, gewoon erin gedaan, want wat moet ik ermee... Onze ouders waren arme mensen, maar moeder erfde van haar moeder een prachtige Friese gouden kap, een ketting met gitten en een duur gouden slot. Ze kreeg het toen beppe Oortman was overleden. Toen waren Djoeke en Martha al uit huis. Die hadden al jong een dienstje voor dag en nacht, dat weet je. De sieraden kwamen dus hier, maar moeder droeg ze niet en praatte er niet over. Er is meer wat waarde heeft. Wat denk je van het stel boven op de kast? Vaders horloge met zilveren ketting ligt in de la en zo is er nog het een en ander. De kast op zich is antiek en waardevol en ik heb serviesgoed waar menig handelaar met glimmende ogen naar zal kijken'."

Loudy keek haar vader aan. „Hij mag wel oppassen voor inbrekers!"

„Niemand weet het. Als Johannes sterft, zijn onze zusters en ik zijn erfgenamen. Maar, zegt hij, als ik geen contact heb met Djoeke en Martha en jou, zoals het tot nu toe was, zullen ze me op een morgen dood in bed of in de kamer vinden. Wie vindt me? Hoogstwaarschijnlijk een van de buren, die na twee dagen denkt: ik heb Johannes niet gezien en de hond jankt en de kippen kakelen om eten. Zo kan het gaan. Op de een of andere manier komt er iemand binnen. Ze zijn niet bang me dood te vinden. Ze zijn juist nieuwsgierig om hier eens rond te kijken. Ik weet bijna zeker dat ze niet direct naar de politie zullen gaan om te waarschuwen, nee, Johannes lachte sluw toen hij dat zei, hij heeft erover gedacht, hij ziet het voor zich, hij weet wat er gaat gebeuren: ze komen binnen en doorzoeken zijn huisje en wat nemen ze mee... Geen haan zal ernaar kraaien. Hij zei: 'Dat wil ik niet, begrijp je me? De mooie en waardevolle dingen hier in huis, die van onze ouders waren, mogen niet in handen komen van mensen die er niet mee te maken hebben.' Dat zei Johannes.

Ik ging weer zitten, want dit was geen onderwerp dat we zo even konden afhandelen. Ik vroeg Johannes wat hij wilde. Het kwam voor mij nieuw en plotseling naar voren en ik wist niet wat ik moest zeggen. Ik dacht dat de kap en de sieraden bij Djoeke en Martha behoorden te zijn, zij zijn de dochters van moeder, maar Johannes zag dat helemaal niet. Omdat het toevallig dochters zijn? Dingen van zoveel waarde? En het serviesgoed van vroeger, ook naar de vrouwen; waarom? Hij zei: 'Ik heb nooit meer iets van ze gehoord. Van jou ook niet, maar daar was een reden voor. Mijn zusters zijn, nadat moeder begraven was, een enkele keer hier geweest. Djoeke vroeg of mem sieraden had... Nicht Trijntje van oom Rinkel had gezegd...

Jochem leefde toen nog, nou, dat was gauw een bekeken zaak. Djoeke huilend de deur uit en Jochem stampend door de kamer. Djoeke had gelijk. Omdat wij in het huis bleven wonen hadden we nog geen recht op moeders spulletjes. Maar van veel dingen weten ze niets af. Alleen van gepraat in de familie.

De kast, dat weten ze, want die staat er al jaren. Maar Jochem zei dat ik het huis en de hele inboedel van vader en moeder heb gekocht, dus dat er niets, helemaal niets was waar ze een vinger naar kon uitsteken. En ze moest het lef ook niet hebben... Nou, dat had ze ook niet! Ze is weggegaan en we hebben nooit meer iets van haar gehoord.

Maar de laatste tijd denk ik erover hoe het verder moet.' Dat zei Johannes."

Vader leunde vermoeid in de stoel.

„Oom Johannes kan toch contact zoeken met zijn zusters? Ze willen heus wel bij hem komen als hij zegt wat de bedoeling is!"

„Dat denk ik ook wel. Niet omdat het nu direct zulke aasgieren zijn die willen binnenhalen wat er binnen te halen is, nee, want Djoeke en Martha waren echt aardige meiden. Het was het gezin, de omstandigheden, dat maakte dat het met elkaar niet prettig was. Maar Johannes ziet het anders."

„Als u even wacht," Loudy stond op, „schenk ik nog een kopje koffie in. En ik moet kijken bij Frieda, of daar alles goed gaat. Of ze zich niet heeft blootgewoeld."

Maar Frieda sliep heerlijk, het kleine kopje met de roze wangetjes op het witte sloopje. Loudy liep met de koffiekopjes terug naar de kamer. Ze keek op de klok. Nog vroeg, het viel haar mee, na zo'n lang verhaal. Vader ging verder met zijn verhaal.

„Johannes zei, dat hij weinig heeft om over na te denken en dat hij dus veel denkt aan deze dingen. Wie erft van hem en wie neemt de waardevolle dingen mee? Hij zei: 'Jij bent mijn broer en Lieneke is jouw dochter en je hebt nog een dochter. Die heb ik nooit gezien. Lieneke wel. Als je Lieneke even ziet denk je, dat het het evenbeeld is van Lien Grettema. Ze heeft ook frisse, rode wangen, die kunnen wij ons van ons moeder niet herinneren. En ze is opgewekter, blijer, tenminste de keren dat ik haar zag en dat zijn weinige keren. Maar ik keek haar toen wel goed aan en ze lijkt op ons mem. Ze heeft dezelfde ogen, dezelfde uitdrukking erin. Ze leeft in betere omstandigheden, ze heeft een man die goed zijn brood verdient, ze heeft een mooi huis, nou ja, alles is anders dan vroeger, gelukkig wel. Maar ze lijkt op ons moeder. En jouw eigen dochter, Tjeerd, het kind van Geeske en jou. Dat is een echt kleinkind van onze ouders. Ze woont nu in Friesland, in Hartelinge, ja, dat weet ik allemaal, dat wist ik al heel gauw. Lien vertelt wat tegen de buren en dat hindert niets, want het zijn geen geheimen. Iedereen weet dat Lien van Rijssen omgang heeft met een man, met wie ze vroeger verkering had en men weet ook dat Lieneke van Rijssen niet de dochter is van Egbert, maar dat komt meer voor in het leven, daar maakt niemand drukte over. En die man, die nu bij Lien op visite komt, was die getrouwd en heeft die kinderen? Ja, één, een dochter. Dat is dus een kleindochter van Douwe en Rinske Swinkels. Zo zit het in elkaar. En ik denk aan die twee kleindochters van moeder Rinske'."

Loudy zakte onderuit op de bank. „Maar dat is toch niet eerlijk, vader. Ik vind dat de sieraden van beppe bij haar dochters horen. Djoeke en Martha – ik zeg geen tante, ik ken ze niet eens – hebben toch ook kinderen?"

„Ja, maar er is geen één bij die de achternaam Swinkels heeft."

„Dat is waar. En nu verder?" Loudy was nieuwsgierig naar het verdere verloop van het gesprek.

„Verder zijn we nog niet gekomen. Johannes heeft er veel over gedacht en steeds weer kwam voor hem het verlangen, nou ja, verlangen, dat is een te groot woord, maar hij wilde toch graag met mij in contact komen en met mij hierover praten. Daarom wachtte hij op me op de bank op het plein. Het leven steekt vreemd in elkaar. Johannes zei me, dat hij jaren geleden, na de dood van Jochem, veel aan me dacht. Maar ik woonde in het westen. Hij wist niet eens een adres. En hij was niet van plan om op reis te gaan om mij te zoeken. Ik denk niet dat Johannes in de laatste jaren dikwijls uit Berawolde is weggeweest. Waar zou hij naartoe moeten gaan? Misschien naar de markt in Leeuwarden of naar Sneek of Bolsward, als daar iets te doen is. Hij vertelde, dat hij veel fietst. Het is een prachtige omgeving om te fietsen, dat weet je. Het wijde waterland, zoveel meren met vogels en hij fietst naar de kliffen bij Mirnum en Oudemirnum, maar met een trein en een boot naar het westen, nee, dat niet. Maar jij ontmoette Sjoerd, je ging naar Friesland, Lien kwam terug in mijn leven, ik ga naar Friesland en nu spreek ik mijn broer weer en ik zat in het huis van mijn ouders. Sentimenteel heet dat 'daar waar mijn wieg heeft gestaan', nou geloof ik niet dat wij een mooie wieg hadden, het zal wel een kribje zijn geweest, maar het was toch vreemd weer in het huis te zijn. Het gaf me een raar gevoel van binnen. Echt een draai in m'n maag. Over de drempel stappen, de geur ruiken van het achterhuis, het is een lucht van oud hout en eten koken door elkaar; een geur die daar niet meer weggaat."

„Ik kan me voorstellen dat het vreemd was er weer binnen te komen."

„Ik ben echt niet zo gevoelig, maar het deed me toch wat. Ook om Johannes te ontmoeten. Ik zou Djoeke en Martha graag weer zien. Niet omdat we veel met elkaar gespeeld hebben, dat was gewoon niet zo, maar het zijn mijn zusters. We hadden dezelfde ouders en onze kinderjaren waren in hetzelfde huis en onder dezelfde omstandigheden."

„Er hoeft niets overhaast te gebeuren. Oom Johannes is toch niet van plan gauw dood te gaan? En dan," opeens lachte ze. Tjeerd keek naar haar en later zei hij 'je hebt toch iets van Jochem in je, Swinkelsstreken', „vader, zullen wij ervoor zorgen in zijn laatste uren bij hem te zijn. Dan weten we precies waar we alles in huis moeten vinden!" Ze lachte nog even, toen zei ze: „Dat is natuurlijk niet leuk en ik meen het ook niet. Jullie moeten nog eens met elkaar praten en dan contact zoeken met de zusters. Ik wil de sieraden van mijn grootmoeder graag hebben, niet om de waarde en niet om ze te verkopen, maar een gouden kap is een heerlijk bezit en een ketting van echte gitten, daar kom ik van ons geld niet aantoe, maar we moeten het niet hebberig en begerig zien.

Alles keert nu ten goede, hoe zal ik het zeggen: u bent destijds halsoverkop uit Berawolde weggegaan, u liet alles achter, de hele familie en al was het een lastige familie, het was toch uw familie. Nu komt het weer een beetje terug."

„Ja, kind. En het doet me goed."

„Hebt u er met Lien over gepraat?"

„Dat moest ik wel en dat wilde ik ook. Ik moest toch zeggen waarom ik zo lang bij Johannes bleef? Maar ik vertelde niet over de kostbaarheden in de kist." Hij keek Loudy aan met iets van schuldgevoel in zijn ogen.

„Het lijkt wel of we een kostbare schat hebben gevonden!" Ze probeerde de sfeer een beetje te ontspannen.

„Dat is ook zo, kind. Voor mij wel. Al met al zullen er niet veel bezittingen in het huis zijn, zoveel erfde mijn moeder nu ook weer niet, maar de geestelijke waarde ervan is groot. Ik sprak met Johannes af de volgende week weer bij hem te komen. Hij vroeg of jij hem zou willen ontmoeten."

„Dat kan even wachten. Maar ik wil het wel. Hij is tenslotte mijn oom."

Simon kwam uit school. Toen hij al in de tuin huppelde, schreeuwde hij nog naar Hansje en Bertje. „Dan nemen we een grote plank en die doen we over de tafel…"

Janke stak haar hand op naar Loudy. „Tot straks", riep ze naar Simon, „vier boterhammen eten, anders kun je die grote plank niet tillen!" Simon lachte er schaterend om. Hij kwam dansend de kamer binnen. „Ha pake, blijft u bij ons eten?"

„Dat kunt u wel doen, vader."

„Nee kind, ik ga naar huis." Hij stond moeilijk op. „Ik ben moe van het gepraat. Maar ik moest het je vertellen. Ik heb er vannacht niet van geslapen. Er kwam zoveel boven. Ik zei tegen mezelf: laat het nou los, Tjeerd Swinkels, het loopt heus niet weg vannacht, morgenochtend vind je het weer en dan is het dag, de zon schijnt, alles ziet er anders uit en er is niets om over te piekeren. Maar in het donker dacht ik aan mijn moeder en mijn vader. Hebben ze, toen ze ziek waren, aan me gedacht en verlangden ze me nog één keer te zien? Ze waren te stijfkoppig om dat iemand te vertellen. En ik was jong en ik schoof mijn hele familie opzij. Ze hadden voor mij afgedaan. Maar als je ouder wordt ga je er anders over denken."

Vanbuiten klonk gehuil en Simon danste om Loudy heen. „Mem, mammie, juffie zei dat ze poppenkast gaat spelen, straks als we weer op school komen en Frieda huilt, hoor je dat niet?"

„Ja jochie, dat hoor ik. Ik zal haar meteen pakken, ze heeft zo zoet geslapen de hele morgen!"

„Nou, ik ga," Tjeerd Swinkels was al bij de keuken, „ik kom gauw terug. Breng je me even naar het poortje, Simon?"

Simon keek alsof hij wilde zeggen. „Kun je dat niet alleen vinden?", maar toen hij nog klein was, bracht hij pake altijd naar het poortje als hij wegging en pake vond dat leuk. Nou, hij wilde het nog wel doen. Ze liepen samen om het huis heen.

Die avond vroeg Sjoerd, toen de rust in huis was neergedaald, de kinderen in bed, de afwas gedaan, de koffiepot op het lichtje in de keuken en de kopjes gevuld op tafel voor hen: „Niets bijzonders gebeurd zeker vandaag?"

„Ja jongen, ja, iets heel bijzonders." Hij zag aan haar gezicht dat het geen kleinigheid was. Een grappige opmerking van Simon of een grote kunst van Frieda, een kleine poging bijvoorbeeld zich om te draaien van hun ruggetje op haar buikje. Maar dat kon ze nog niet. Loudy vertelde hem het hele verhaal.

„Loudy, sorry, dat ik erom moet lachen, maar het is zoiets wonderlijks! We kennen dat huis, we hebben het van buitenaf gezien, slecht onderhouden en rommelig en in dat huis staat gewoon onder het bed van ouwe Johannes Swinkels een kist met kostbare sieraden…"

„Je moet niet denken dat het een kist vol diamanten is, dat is het niet. Maar toch een gouden kap, een prachtige ketting en wat kleine dingen, een broche en dergelijke."

„Ik zei laatst tegen je," het hele verhaal drong nog niet goed tot hem door, „dat wij nooit iets erven en kijk nu eens…"

„Ho, ho, ik heb over erven niet gesproken! En ik vind het niet leuk dat je er grappen over maakt."

„Dat doe ik niet, maar het komt me als zo onwerkelijk voor."

„Als je het nuchter bekijkt, is het niet wonderlijk. Gewoon de feiten. De twee broers van vader, vrijgezellen, die in het huis van hun ouders blijven wonen. Om narigheid met de andere kinderen te voorkomen zegt de vader, ver voor zijn dood, dat het het beste is als een van de mannen het huis koopt. Dan kunnen ze er later niet uitgezet worden. De vader vraagt een redelijk bedrag, misschien een te laag bedrag, dat weet ik niet, maar in elk geval koopt Johannes het huis en ze blijven er samen wonen. Mijn beppe kwam niet uit een rijke familie, maar er waren wel sieraden en mooie dingen bij haar ouders, zoals serviesgoed, en daarvan erfde ze toen haar ouders overleden. Maar wat moest ze met een dure ketting om haar hals? Daar had ze geen behoefte aan. Ze had geen tijd en niet de gelegenheid om ermee te pronken. Ze had zelfs geen echt mooie japon. De spullen werden dus bewaard. Maar wie weet hoe vaak mijn grootmoeder de sieraden uit de kast haalde en ze bekeek, als ze alleen thuis was. De spulletjes bleven in huis. Johannes kocht het huis met de inboedel. Misschien praatten de beide zusters wel eens over de sieraden van hun moeder, maar met Jochem in huis konden ze niets beginnen. Nu is Johannes alleen en als ik vader hoor vertellen is het geen beroerde man. Hij denkt er over wat er gaat gebeuren als hij dood gaat. Vooral als hij plotseling dood gaat. Dan komen de buren in zijn huis. Of andere mensen. Als ze gaan rondkijken en het antiek zien…"

„Ja, zo is het. Maar het komt me vreemd op mijn dak vallen. Zoiets als: we hebben nog een suikeroompje…"

„Zo zie ik het niet. Ik vind dat de zusters van vader en oom Johannes erbij betrokken moeten worden."

„Ik heb je altijd gezegd dat je een schat van een vrouw bent! Nu ligt de kans open om een gouden oorijzer te pakken te krijgen en schitterende, kostbare sieraden. Vergeet niet, dat het veel geld opbrengt als je ze niet wilt houden omdat ze voor jou geen sentimentele waarde hebben en gaat verkopen. Een antiek servies in de kast, wat denk je daarvan en die grote kast, waarover je praatte… Ik weet niet of Johannes hem goed heeft onderhouden, in de boenwas gezet, maar als het echt een oude kast is, is het een pronkjuweel. En dan een kaststel er bovenop… Maar jij, mijn lieveling, zegt: 'we moeten de tantes erbij halen.' Ik vind het ontzettend lief van je. En je hebt gelijk. Wij hebben er geen recht op. Het zijn spullen van hun ouders."

Loudy glimlachte naar hem.

„Maar het is wel een hele geschiedenis. De ontmoeting met Johannes zal je vader hebben aangegrepen."

„Ja. Hij zei, dat hij vannacht bijna niet heeft geslapen."

„Ik kan het me voorstellen."

Een week later ging Tjeerd Swinkels weer naar zijn broer en een week daarna ging Loudy met hem mee. Sjoerd nam een vrije middag om op de kinderen te passen. Loudy voelde haar hart kloppen toen ze naast vader over de weg langs de vaart liep. Ze spraken geen woord. Ook in de bus naar Berawolde zwegen ze allebei.

„Hier is het."

„Ja, dat weet ik."

Johannes kwam hen in de keuken tegemoet. Een man van dik in de zestig, een beetje te dik, gebogen, maar met vriendelijke ogen in een rimpelig gezicht.

„Zo, zo mijn kind, jij bent de dochter van Tjeerd. Ja, ja, ik ziet het. Je lijkt een beetje op hem. Niet veel. Zo, zo, dus jij bent Loudy. Kom binnen. Het is hier niet zo mooi," hij liep op oude sloffen, hij schoof voor hen uit naar de woonkamer, „maar dat heeft je vader je zeker al verteld."

Het was vrij donker in de kamer. Er waren alleen vensters aan de voorkant, maar het waren geen grote vensters en de gordijnen, die ervoor hingen, waren tegen elkaar aangeschoven. Het was aan de noordzijde, zodat het zonlicht er nu, in het begin van de middag, niet binnenviel.

Tegen de ene zijwand stond de kast, eigenlijk te groot en te massief voor de kamer, tegen de andere zijwand stonden drie stoelen. Voor het raam, tussen de twee ramen in, een ouderwetse theetafel, waarop een serviesje stond onder een kleedje. Het was een enigszins morsig kleedje. Op de grote tafel lag een donker kleed. Er stond niets op. Geen plantje, geen asbak. Aan de ene kant van de tafel, voor het raam, stond een stoel. Een stevige, houten stoel met een hoge rugleuning. Loudy begreep, dat dit de stoel van Johannes was. Vader nam twee stoelen, die tegen de zijwand stonden, zette ze bij de tafel en beduidde Loudy te gaan zitten.

„Ik heb koffie gemaakt, dat lusten jullie wel, hè? Vroeger dronken we veel thee, Jochem kon niet best koffie verdragen, daar kreeg hij maagpijn van. Ik zei wel eens, welnee, dat komt niet van de koffie, dat komt van je kwaaiigheid." Johannes zette kopjes op tafel, hij schudde zijn hoofd en lachte een beetje, „want hij kon zich om niets kwaad maken. Het was meer gewoonte dan dat hij zich echt boos maakte. Want het waren vaak dingen waar hij helemaal niet bij betrokken was. Als de buurvrouw de was aan de lijn hing, ik noem maar wat, terwijl iedereen kon zien dat er een fikse regenbui naderbij kwam, mopperde hij in de keuken. Dat stomme mens, dat ziet ze niet eens, hang maar buiten en straks rennen om het weer binnen te halen en dan klagen tegen Rompke dat ze het zo druk heeft! Nou ja, ze doet maar. Maar dan keek hij na een paar minuten of het al regende en als het begon te spatten en buurvrouw naar de lijnen holde, stond hij te schetteren. Dan zei ik: wat kan het je schelen, laat dat mens, het is jouw vrouw toch niet. En het zijn jouw hemden en broeken niet die nat regenen. Nou, dan was het hek helemaal van de dam! Trouwens," hij lachte naar hen, „dat zei ik niet, nee, ik zei nooit iets in de geest van: jouw vrouw, want het is tot hij ouder werd altijd een zwak punt geweest dat hij niet getrouwd was. Ik denk nu vaak over Jochem en ik denk, dat hij het voor zichzelf moeilijk had. Hij begreep zichzelf niet, dat was het. Hij had zijn buien en zijn driften en het leven ging niet zoals hij wilde, hij had misschien wel eens het idee dat hij er zelf ook geen goed aan deed, maar hij was niet in staat daar verandering in te brengen. Tegenwoordig zoeken de mensen uit wat ze denken en hoe ze denken. Ik lees daarover in de krant. In onze tijd gebeurde dat niet. Je leefde er maar op los. Maar het was moeilijk met hem om te springen. Ik was het gewend en ik liet hem kletsen, ik hoorde hem niet eens. En hij keek uit om het tegen mij niet te gek te maken, want ja, het huis was van mij, dat wist hij, hij kon het destijds niet kopen, hij had geen geld en hij kreeg geen krediet bij de bank. En ik kookte meestal het eten. Als hij het moest doen kregen we niet veel bijzonders op tafel. Nee, hij hield mij te vriend," Johannes schoof in zijn stoel, „maar een gezellige man om mee te leven, nee, nee, dat was het niet." Hij roerde in het koffiekopje en dronk het leeg.

„Maar nu moeten wij eens praten. Je vader en ik hebben al gepraat en hij vertelde jou een en ander."

„Ja, oom Johannes."

„Ik vind het grappig klinken, 'oom', hoewel we hier in Friesland omke zeggen, dat weet je zo langzamerhand wel, je woont hier al een poosje, maar je hoeft me geen omke te noemen. Zeg maar gewoon Johannes. Ik ben niet gewend oom genoemd te worden. Goed, dat was dat. Je vader heeft je verteld, dat ik bang ben dat er na mijn dood raar met de spulletjes wordt omgesprongen als niemand van mijn familie er iets van weet. Zo was het tot nu. Ik zag Tjeerd niet en ik zag Djoeke en Martha niet. Vreemde mensen kunnen alle waardevolle dingen meenemen en dat wil ik niet. Tjeerd is al een beetje een oude man, in de zestig, maar jij bent jong, jij bent zijn dochter, de kleindochter van Douwe en Rinske Swinkels en ik vind dat jij iets te zeggen hebt in deze zaak."

„Dat vind ik niet. Ik heb geen enkel recht. Alles is van u."

„Kind, ik zei je net, dat het gaat over als ik dood ben. Maar," hij boog zich over de tafel, „misschien is het niet zo gek om je nu de dingen die je wilt hebben, te geven. Ik kijk er nooit naar. Alles zit in de kist. Ik heb er alleen maar zorgen over."

„Maar dat wil ik niet, Johannes." Ze keek hem recht aan. Ze zag zijn ogen, die scherp naar haar keken. Er was waakzaamheid in, maar ook zachtheid. Vader zei het al: Johannes is geen beroerde man…

„Ik vind dat u uw zusters hierin moet betrekken."

Hij leunde naar achteren in de stoel. „Wat zal ik daarvan zeggen," hij zuchtte, „ik heb ze jarenlang niet gezien en ik weet niets van ze. Maar het zijn onze zusters, dat is waar, het zijn dochters van Douwe en Rinske Swinkels." Ze zaten zeker tien minuten zwijgend bij elkaar aan tafel. Loudy voelde zich vreemd. Deze omgeving, een ietwat duistere kamer, waarin ze zich opgesloten voelde door de drie donkere muren, want het behang op de wanden was donkerrood met bloemmotieven. Er was te veel hout in de kamer. Er hing een bedompte lucht. Wat vader laatst zei over de keuken: oud hout en een etenslucht, dat was ook in de kamer. En ze zat er met deze twee mannen, haar eigen vader en haar oom. Er was een vreemde sfeer om hen heen, alles van vroeger was er nog, ze kon zich voorstellen hoe haar grootmoeder door de kamer liep, een magere vrouw, die veel zorgen had en haar grootvader, vermoeid, niet gelukkig en dan Jochem... Het was of de woorden altijd waren blijven hangen. In een atmosfeer van onvrede en onbehagen.

„Maar hoe komen we bij Djoeke en Martha? Tjeerd, wat zeg jij ervan?"

„Ik wil er wel wat over zeggen, maar het zijn jouw bezittingen."

„Ik vraag je om raad. Ik ben blij dat jullie hier zijn. Nu komt er een oplossing voor mijn probleem. En dat is: wat gebeurt er na mijn dood met alles hier... Met het huis en de grond kan niet veel gebeuren. Dat staat bij de notaris genoteerd en jullie drieën zijn mijn erfgenamen, maar de spullen in huis..."

„We moeten Djoeke en Martha vinden."

„Dat zal toch niet moeilijk zijn? Hebt u geen adressen van hen?"

„Nee. We hebben wel adressen van ze gehad, maar Jochem heeft de hele doos met kaarten en briefjes met adressen op een avond in de kachel gegooid en verbrand."

„Er is natuurlijk aan te komen."

„Ja, ze zijn niet van de aardbodem verdwenen, ze wonen nog in Nederland, maar ik weet echt niet waar."

Ze praatten nog een poosje, toen vroeg Johannes: „Dus jij blijft erbij, kind, dat je tantes hier moeten komen om mee te delen in alles wat hier nog van hun ouders in huis is?"

„Ja, dat vind ik wel."

„Je bent een goede vrouw, dat wil ik wel zeggen. Het is toch verleidelijk al die mooie dingen zelf in te pikken. Dat is geen prettig woord, nee, dat moet ik anders zeggen, maar zo is het natuurlijk wel. Gewoon inpikken. Ik zal de kist pakken, dan kun je het zien."

Met iets van ontroering nam Loudy het snoer in haar handen. Het was werkelijk schitterend. Diep zwarte, grote gitten, in goud gevat en een mooi slot. Ze hield het in haar handen. Het was of haar handen veranderden en de handen van haar grootmoeder werden. Magere, rimpelige, knokerige handen. Hoe dikwijls nam grootmoeder dit snoer uit de kast om ernaar te kijken? Ze droeg het nooit. En de vrouw die het daarvoor had; wat betekende het voor haar? Niemand kon het vertellen. De zonen van grootmoeder stopten het gewoon in het kistje. Een broche in de vorm van een vogeltje, een gouden speld en enkele ringen met prachtige stenen. Een kerkboekje met een gouden slotje, het grote, zwarte horloge van grootvader Swinkels met een prachtige zilveren kast.

„Hoe gaan we verder?" vroeg Johannes toen hij de kist terugbracht naar de slaapkamer.

„Zal ik proberen de tantes op te sporen? Sjoerd en ik hebben een auto, wij kunnen er misschien makkelijker achteraan gaan dan jullie. Maar ik wil me niet opdringen."

„Nee, we zijn blij als jij en je man ervoor willen zorgen."

Na veel speurwerk waren de adressen van de zusters gevonden. Djoeke heette nu Tesselaar en woonde in Drenthe. In een klein buurtschap vlak bij Hooghalen. Martha trouwde met Harmen Smit. Ze hadden een kleine kruidenierswinkel in een dorp dicht bij de stad Groningen.

„Dat weten we dus," zei Sjoerd de avond nadat de berichten waren binnengekomen.

„Ja, dat weten we. En nu verder."

„Het lijkt me het beste erheen te gaan. Dit is niet iets om over op te bellen. Hallo, u spreekt met een nicht van u, de dochter van uw broer Tjeerd en het gaat om de verdeling van de sieraden van uw ouders…"

„Sjoerd toch, doe niet zo zot…"

„Dat zei ik toch, zo kan het niet. We gaan erheen. We vragen of de kinderen een dagje bij Jillie kunnen en dat kan natuurlijk. Ze is veel te blij als ze komen. Ze loopt de hele dag met Frieda te zeulen en verwent dat kind meteen, maar voor een erfenis moet je iets over hebben."

„Sjoerd toch, praat er niet zo vervelend over! Dat vind ik niet leuk."

„Daar heb je gelijk in. Ik begrijp zelf ook niet waarom ik er af en toe een grapje over moet maken. Ik denk, omdat het me allemaal zo onwerkelijk voorkomt. Maar in ieder geval hebben we nu de adressen van de zusters. Ga jij naar Jillie om te vragen wanneer ze de kinderen een dagje kan hebben of zal ik het doen? We moeten een en ander niet te lang uitstellen. Je weet niet wat er gebeurt. Johannes is per slot van rekening een oude man. En het is voor hem beter dat het zo snel mogelijk tot een oplossing komt. Dan leeft hij geruster. Dan zijn zijn bezittingen op de goede plaatsen terechtgekomen."

Ze keek niet naar hem. Ze wist dat hij om haar een plezier te doen zo afgemeten sprak.

Jillie wilde de kinderen graag een dagje hebben.

„Die kleine Frieda vind ik een snoesje! En Simon is zo'n lekker ventje, hij kan gezellig babbelen en hij zingt zo grappig. Als hij in het derde zinnetje een woordje verkeerd zegt, begint hij verheugd weer helemaal opnieuw en dan kijkt hij trots als hij dat moeilijke woordje goed naar buiten heeft weten te werken. Ja, breng ze maar gauw. Of nee, ik kom ze halen. Dan ga ik met Frieda in de wagen naar huis. Loop ik als een pauw zo trots achter de kinderwagen."

Ze reden 's morgens op tijd weg. „Wil je eerst bellen om ons bezoek aan te kondigen?" had Sjoerd gevraagd.

„Misschien is dat niet zo gek. Het kan tenslotte zijn dat de dames niet thuis zijn. Djoeke met de vrouwenvereniging op excursie naar Friesland en Martha naar een groothandel om inkopen te doen. En ze zullen dan ook niet vreselijk verbaasd zijn als we voor de deur staan. Maar wat moet ik zeggen?"

„Het probleem wat ik laatst naar voren bracht. Je moet niet te veel zeggen. Alleen: 'Mevrouw Tesselaar, ik wil graag met u over een belangrijke kwestie praten.' Denkt ze natuurlijk meteen aan hun ontspoorde zoon, want de aard van Jochem dwaalt door de familie, dus moet je er meteen aan toevoegen, dat er niets ernstigs aan de hand is, dat ze nergens bang of bezorgd voor hoeft te zijn…"

„Bel jij even als je het zo goed weet."

„Nee, jij bent de nicht."

Loudy draaide het nummer van de familie Tesselaar.

„Met mevrouw Tesselaar," klonk een vriendelijke stem.

„Mevrouw Tesselaar, mag ik u vragen, is uw eigen naam, uw meisjesnaam Swinkels?"

Even stilte aan de andere kant, toen een aarzelend antwoord: „Ja, dat klopt."

„Mevrouw Tesselaar, ik wil graag bij u langskomen om te praten. Er is niets ernstigs aan de hand, niets om u ongerust over te maken…"

Ze zag Sjoerd, die op de bank zat en heftig met zijn hoofd knikte.

Ze maakte een afspraak voor donderdagmorgen. Deze donderdagmorgen. Ze belde ook naar Martha Smit.

„Dat is handig," dacht Sjoerd, „als die zusters in de tussentijd geen ruzie hebben gekregen, belt Djoeke naar Martha en zegt dat ze vanmorgen een vreemd telefoontje hebben gehad." Ze reden door de prachtige provincie. Het was schitterend weer, het was inmiddels augustus geworden. Volop zomer. De kruinen van de bomen waren vol en zwaar van grote,groene en lichtbruin getinte bladeren. In de bermen bloeiden klaver en boterbloemen. In de weilanden graasde loom het zwartbonte vee. De zon scheen. Het was rustig op de wegen. Loudy keek genietend om zich heen. „Repeteer maar niet wat je tegen de dames wilt zeggen," raadde Sjoerd haar aan, „want de kans is groot dat het gesprek heel anders verloopt dan je denkt. En het hangt er natuurlijk van af hoe de dames zijn."

Maar Loudy had toch het begin van haar verhaal in haar hoofd. U kent mij niet, ik ben Loudy Swinkels, de dochter van uw broer Tjeerd en ik ben getrouwd met Sjoerd Rijswijk, hij is met me meegekomen. We willen u wat vertellen over de familie...

Tegen half elf naderden ze Hooghalen, waar ze op zoek gingen naar het huis van de Tesselaars.

„We zeggen voorlopig 'het gezin Tesselaar'," stelde Sjoerd onderweg voor, „we weten niet hoe groot het gezin is. Misschien alleen Djoeke en haar man en een zwarte poes die steeds langs je benen loopt, dat vind ik zo'n eng gevoel, en een hond die gromt omdat hij jou niet vertrouwt. Maar misschien doemen achter moeders rug bij de voordeur vier neven en nichten op. Zitten we meteen goed in de familieleden."

„Ik geloof dat jij zenuwachtiger bent dan ik."

„Ja. Ik ben zenuwachtig. Ik ben niet bang, maar gewoon gespannen. Hoe is die tante, hoe verbaasd is ze als ze hoort waarvoor we komen, wat zegt ze... Zulke vragen heb je nog een pepermuntje?"

„Gekkerd!" schold Loudy lachend.

Ze reden langzaam de straat in. Nummer vierenvijftig. Een kleine, vrijstaande, gezellige woning. Hagelwitte gordijnen, aan de zijkanten opgenomen. „Broekmodel, noemde mijn moeder dat," babbelde Sjoerd. „Toen ik klein was vond ik dat een gekke naam. Ik zag helemaal geen broek. Maar het staat wel vriendelijk."

Er stonden veel groene planten achter de lage, brede vensters. Voor het huis was een leuke tuin met perken uitbundig bloeiende rozenstruiken.

„Hier moet het zijn." Sjoerd reed de wagen de parkeerstrook op. In de kamer stond een vrouw. Ze keek door het raam, langs de planten, naar hen. Ze liep naar de gang toen ze hen over het tuinpaadje zag naderen, wachtte op de bel en trok de deur open. In haar ogen was nieuwsgierigheid, maar vooral waakzaamheid. Je kunt nooit weten. Haar man had gezegd: „Het kan van een kerkgenootschap zijn, ze komen je een blije boodschap brengen. Of het is van een handelsonderneming in kookpannen. Ze willen je een nieuwe set aansmeren, voor deze speciale gelegenheid krijg je een melkkoker cadeau. Of iets van een loterij…"

„Dag mevrouw Tesselaar. Ik ben Loudy Swinkels, de dochter van uw broer Tjeerd…"

Djoeke Tesselaar had tientallen mogelijkheden bedacht maar deze niet.

„Wat zeg je… de dochter van Tjeerd… hoe is 't yn'e goedichheit mooglik!! Kom binnen. En dit is je man? We hebben van alles bedacht, Martha ook, want je belde Martha ook, maar dit… Kom mee naar de kamer. Ik ben helemaal in de war. Ik heb jullie nog niet begroet, nog geen hand gegeven. O kind, de dochter van Tjeerd, van Tjeerd en Geeske." Ze dribbelde zenuwachtig om hen heen. Ze keek steeds naar Loudy.

„Hoe is het met Tjeerd…" Ze zaten nu in de lage stoelen in de kamer. Diepe, gemakkelijke stoelen. Djoeke wachtte het antwoord niet af, Loudy zei niets. Ze zag hoe nerveus de vrouw was. Er spookten opeens veel beelden door Djoekes hoofd, dingen van vroeger, vader en moeder, het lage huis, ze hoorde Jochem bijna en Tjeerd, Tjeerd was kleiner en magerder en daar tussendoor dacht ze: wat zal Martha hiervan zeggen…

„Het is toen raar gegaan met onze Tjeerd," zei ze later. Ze zat wat voorovergebogen in de stoel, de handen in elkaar gevouwen. „Dat is toen erg raar gegaan. En niet goed. Helemaal niet goed. Hoe is het met je moeder?"

„Mijn moeder is overleden. Al dertien jaar geleden."

„Och, mijn kind toch, wat erg dat ik naar haar vraag, maar ik wist het niet. We hebben geen contact meer met Friesland. Alleen Johannes woont er misschien nog. Jochem is overleden. Daarvan hebben we bericht gehad van dominee Scherpenzeel uit Berawolde. Niet dat mijn broers in de kerk kwamen en de dominee zal ook de begrafenis niet hebben geleid, maar hij kende hem wel en hij zorgde ervoor dat Martha en ik op de hoogte werden gesteld van het overlijden van Jochem. Och kinderen," ze zei 'kinderen', maar ze keek alleen naar Loudy, „je vader vertelde misschien nu en dan over ons gezin. Een moeilijk gezin. Martha en ik hebben er vaak over gepraat. De laatste jaren doen we dat niet meer. We raakten erover uitgepraat. We hadden alles besproken. We waren tot de conclusie gekomen dat het vooral een gezin was van ontevreden mensen. Vader was ontevreden omdat hij hard moest werken, lange dagen had en weinig loon kreeg en dat uitte zich in een mopperige, chagrijnige stemming. Moeder was ontevreden omdat ze het veel te druk had, en te veel zorgen had en bijna nooit een woord van waardering ontving. Niet van vader. En hij was weer niet leuk tegen haar omdat ze niet leuk was tegen hem. De drie jongens en wij, de meisjes, groeiden op in die sfeer. Bijna nooit gezellig, we hadden niet het gevoel ouders te hebben die blij met ons waren. En als je steeds gescheld om je heen hoort, begin je zelf ook te schelden. Als afweer. Vooral Jochem kon er wat van. Het was een nare, vervelende jongen en hij bracht moeder vaak tot wanhoop. Maar het rolde als een bal achter elkaar aan. Hij was ontevreden, werd niet begrepen, er werd niet naar hem geluisterd en dat maakte hem opstandig. Zijn enige wapen was een grote mond. En knokken met zijn handen. Martha en ik hebben alles uitgeplozen en op een rij gezet. Maar toen was het natuurlijk al te laat om er iets aan te doen en wij konden er destijds, als kinderen, niets aan veranderen." Opeens keek ze Loudy strak aan. „Weet je waarom je ouders uit Friesland weggingen?"

„Ja, we weten alles."

„Neem me niet kwalijk dat ik zo begin af te draaien, het overvalt me, ik denk opeens aan zoveel dingen, maar het is niet goed. Jullie zijn hier gekomen om mij iets te vertellen." Ze stond op. „Ik zal iets inschenken. Neem me niet kwalijk. Ik ben een beetje in de war." Toen ze naar de keuken liep, keken Sjoerd en Loudy elkaar aan en knikten naar elkaar.

Daarna vertelde Loudy in zo weinig mogelijk woorden over haar ontmoeting met Sjoerd, hun huwelijk, het wonen in Hartelinge, het zoeken en vinden van Lien Grettema. Het huwelijk van Lien met Egbert van Rijssen...

„Zo, zo", zei Djoeke, „ja, ze is toen met Egbert getrouwd..." en het ongeluk dat Egbert het leven kostte. Het hernieuwde contact tussen Tjeerd en haar.

Djoeke Tesselaar luisterde bijna met open mond.

„Ik moet alles in grote lijnen vertellen, anders zitten we hier vanavond om acht uur nog. Maar u begrijpt dat het allemaal niet zo eenvoudig en gemakkelijk is gegaan. Maar goed, vader gaat af en toe naar Lien om een praatje te maken en wat te drinken en Lien komt nu en dan naar ons dorp."

„Wat kan het toch raar lopen in het leven." Djoeke roerde veel te lang in haar kopje, ze deed het gedachteloos. „Dat die twee elkaar weer zijn tegengekomen… Ze zeggen wel eens 'de wereld is soms zo klein' maar dat is het in dit geval niet. Ze zagen elkaar vele jaren niet, maar ik ben ervan overtuigd dat ze elkaar in gedachten niet uit het oog hebben verloren. Tjeerd was destijds helemaal gek van Lientje. Hij handelde in paniek. Maar," ze maakte een verontschuldigend gebaar, „laat ik nou niet weer beginnen te praten, want dan komt er zoveel los, dan wordt het wel tien uur vanavond!"

„Misschien praten we er later nog eens over. Maar ik wil nu iets anders zeggen. Dat is het eigenlijke doel waarvoor we komen." Loudy glimlachte naar het blozende gezicht tegenover haar. Deze zuster van vader leek niet op hem. De wangen waren nu rood van opwinding en de ogen keken haar met een vreemde glans aan.

„Een paar weken geleden ontmoette mijn vader Johannes. Ik zeg niet oom Johannes, want hij heeft me gevraagd dat niet te doen. We zijn nu grote mensen met elkaar, zegt hij. Wy binne no greate mins-ken mei elkoar. Ontmoeten is eigenlijk het goede woord niet. Johannes wachtte op mijn vader. Hij wist natuurlijk van zijn visites aan Lien, dat weet het hele dorp. Hij wilde mijn vader spreken. En ik zal u zeggen waarover. Hij woont alleen in het huis. Het huis is van hem. Hij kocht het van zijn vader."

„Ja, dat weet ik. Vader had wel in de gaten dat die twee nooit zou-den trouwen en altijd in het huis zouden blijven. Als het op vaders naam bleef staan, moest er gedeeld worden bij zijn overlijden en wie weet wat die drommelse meiden dan zouden uithalen om hun broers een hak te zetten…" Ze lachte. „Johannes heeft het voor een klein prijsje gekocht. Maar Martha en ik waren daar niet boos om. We hadden het allebei goed en we zijn gelukkig met onze gezinnen. We hadden medelijden met die twee kluizenaars daar aan het water."

„Het huis is van Johannes. Het is op zich niet veel waard, want het is oud en er is in de loop der jaren niet veel aan opgeknapt. Maar er is een flink stukje grond bij. Johannes maakt zich er niet druk om. Alles staat bij de notaris op papier. Als hij overlijdt komen de erfge-namen naar voren. Maar er is meer. In het huis zijn mooie dingen."

„Ja zeker, dat weet ik. Mijn moeder had mooie sieraden. Ze erfde ze van haar moeder. Mijn moeder kwam niet uit een arm gezin, zoals vader. Haar ouders waren ook niet blij toen ze met Douwe Swinkels aankwam, maar het waren geen mensen die er een drama van maakten. In het begin hebben ze mijn ouders ook geholpen met geld, maar Douwe wilde dat niet aannemen en deed erg lelijk tegen hen. Maar de sieraden heeft mijn moeder toch van haar moeder gekregen. Zijn die nog in huis?"

„Ja."

„Mijn hemeltje, zulke mooie dingen! Ze kunnen wel gestolen worden!"

„Ze liggen in een kist en die kist staat onder het bed van Johannes."

„Och, och, het is te hopen dat niemand ervan weet, want dan is het vandaag of morgen toch verdwenen. Moeder had een gouden oorijzer en een gouden dasspeld, die droeg haar moeder op haar omslagdoek. En een broche met een vogeltje. Toen wij kleine meisjes waren, mochten we er af en toe naar kijken. Als we met mem samen thuis waren, vader en de jongens niet in de buurt. En dan streelden we het vogeltje. En moeder wreef de kap op met een warme doek, dat weet ik nog goed. Er was ook een horloge. Een grote 'knol', zoals moeder dat noemde. Van haar vader. Met een dikke, zilveren ketting. Hij droeg het horloge in een klein zakje in zijn vest."

„Al die dingen zijn nog in huis. En Johannes maakt zich nu zorgen. Als hij plotseling komt te overlijden of ziek wordt, als ze hem naar het ziekenhuis brengen, wat gebeurt er dan? Hij ziet zijn buren niet direct aan voor diefstal, maar stel je voor dat ze binnenkomen omdat ze Johannes een paar dagen niet hebben gezien en ze gaan rondkijken in het huis en ze vinden de kist onder zijn bed, ze doen hem open en wat zien ze…"

„Je vertelt het als een spannend jongensboek," lachte Sjoerd opeens. Djoeke keek hem bijna kwaad aan. „Nee, het is geen jongensboek, het is de volle waarheid. Er ligt daar voor een kapitaal in huis en niet alleen een kapitaal wat geldwaarde betreft, het zijn spullen van ons mem, van onze pake en beppe. Martha en ik vroegen ons vaak af wat er met de sieraden gebeurd zou zijn. Harmen, dat is de man van Martha, dacht dat Jochem alles had verkocht. Om het geld. Hij hechtte geen waarden aan een ketting met gitten. En het is zo'n prachtige ketting. Heb je hem gezien?"

„Ja. Ik ben met vader meegeweest naar Johannes."

„Gunst kind, hoe is het allemaal mogelijk…"

„Johannes weet niet wat hij moet doen. Hij weet dat het mooie dingen zijn, maar hij doet er niets mee. Ze liggen daar maar. Hij wil ze eigenlijk wel kwijt, ze moeten uit zijn huis voor er iets met hem gebeurt." Djoekes hersenen werkten opeens op volle toeren. Ze keek van de een naar de ander. De ogen flitsten snel heen en weer. Ze boog zich voorover en greep Loudy's handen vast. „Jij kunt het allemaal krijgen van Johannes, wil je dat zeggen…"

„Ja. Ik kan het allemaal krijgen. Maar dat wil ik niet. De spullen zijn van uw moeder en van Martha's moeder en de moeder van mijn va-
.der."

„Mijn God," Djoeke huilde, „laat me maar even," de tranen liepen over haar wangen, „laat me maar even, mijn God, wat vind ik dit heerlijk!" Er was gestommel bij de achterdeur.

„Dat is Gerrit-Jan," huilde Djoeke, „mijn man." Hij stapte de kamer binnen, zag twee vreemde, jonge mensen en zijn snikkende vrouw. „wat is hier aan de hand?", vroeg hij een beetje boos. Hij was op het land aan het werk en dacht: ik ga thuis kijken, wat het was met dat telefoontje, je weet maar nooit en Djoeke is alleen…

„O Gerrit, het is zo'n lang verhaal, dit famke is Loudy, de dochter van Tjeerd, van Tjeerd en Geeske. En die jongen is haar man. Ze zijn bij Johannes geweest en Johannes heeft alle mooie dingen van us mem nog, de kap en de ketting met de gitten en…"

„Zo, dat is mooi. Jullie dachten dat Jochem alles naar een opkoper gebracht zou hebben."

„Ja, maar dat is niet zo. O meiske, vertel jij het nog een keer, ik… mijn keel zit dicht… als mem dit wist…" Loudy vertelde Gerrit-Jan Tesselaar over de angst van Johannes.

„Het is ook een angstig bezit voor een oude man. Er kunnen ook gewoon dieven komen. Je leest dikwijls genoeg dat oude, alleenstaande mensen worden overvallen. En het huis staat helemaal vrij, er zijn geen buren die iets horen. Misschien het blaffen van de hond, want Johannes zal wel een hond hebben. Maar of de buren daarop reageren is de vraag. Zo, zo, is alles nog in huis," hij schudde zijn hoofd, „wat een risico. Maar mensen als Johannes, en zo was Jochem vroeger ook, hechten geen waarden aan zulke kostbaarheden. Een ketting en een kap en nog een paar van die dingen. Nou, nou, wat een belevenis…"

Djoeke kwam terug uit de keuken. Haar gezicht zag rood en opgezet.

„En wat is nou de bedoeling?" vroeg Gerrit nuchter. Dat wilde hij eigenlijk wel weten.

„Johannes wil de dingen uit zijn huis hebben. Hij wil ze Loudy geven, maar dat wil ze niet. Ze zegt dat wij, Martha en ik, er ook recht op hebben, o kind, wat vind ik dat lief van je..."

„Lief..." mengde Sjoerd zich nu in het gesprek, „het is rechtvaardig. Loudy zou niet gelukkig zijn met de sieraden als ze er steeds aan moest denken dat er nog twee dochters van haar grootmoeder leven."

„Het is heel mooi, heel mooi." Gerrit-Jan knikte met zijn hoofd. Het was een lange man met een bol gezicht, grijze ogen, dikke wenkbrauwen en een bijna kaal hoofd. Eigenlijk een lelijke man. Maar de uitdrukking in de ogen maakte alles goed. Een begrijpende, lieve man.

Er werd nog heel wat over gesproken. „Maar we willen vandaag ook nog naar Martha. We hebben twee kleine kinderen, die zijn uitbesteed bij mijn zuster, we kunnen er dus morgen niet weer op uit gaan."

Djoeke maakte een paar boterhammen klaar, zette een pot thee en samen aten ze aan de grote tafel in de keuken.

Djoeke vertelde dat ze twee kinderen hadden, een jongen en een meisje, die in Assen naar hogere scholen gingen en pas na vijf uur thuis zouden komen.

„U hoort nog wel van ons," zei Loudy toen ze in de gang stonden en afscheid namen, „en... wilt u Martha niet bellen? We willen ons bezoek graag als een verrassing houden."

„Een verrassing is het, kinderen, heerlijk om jou te zien en weer wat van Tjeerd en Johannes te horen, ik weet zeker dat ik ze nog eens zie in mijn leven, het zijn toch mijn broers..."

Ze stapten in de auto.

„Hè, hè," zuchtte Loudy toen ze de straat uit reden, „dat was dat."

„Zeg dat wel. Maar ik kan me voorstellen dat die vrouw," hij keek van opzij naar haar en lachte, „je tante, het er moeilijk mee had. Zoals ze zelf zei, er komen zoveel herinneringen boven en het zijn over het algemeen geen fijne herinneringen."

Martha Smit was een heel andere vrouw. Zij leek op vader, wist Loudy, toen de vrouw de deur opende en hen wantrouwig aankeek. Lang, mager, een smal gezicht met een grauwe kleur en stug haar. Maar toen Loudy zei wie ze was veranderde het gezicht. „Dus do bist

Tseard syn dochter, hoe is dat nou mogelijk, hoe kon je me vinden en is dit je man, kom binnen…"

Ze reageerde minder emotioneel dan haar zuster. Maar Loudy wist dat dat in het karakter zat, vader zou ook niet zijn gevoelens zo laten blijken.

Toen Loudy over de sieraden praatte zei ze: „Ze zijn er dus nog. Djoeke en ik dachten dat Jochem ze verkocht zou hebben. Maar echt geldzorgen hadden die twee niet, daar hoefden ze het niet om te doen. Ze verdienden allebei een flink loon en ze hadden weinig nodig. Geen dure kleren, geen dure meubelen, ze gingen niet op reis, geen kinderen en ze aten een goedkope, stevige pot. Wat heerlijk dat alles er nog is… Ik zou er heel graag iets van hebben. Als herinnering aan mijn moeder. Vroeger heb ik vaak gedacht, als kind en ook toen ik groter werd, dat ik een akelige moeder had. Maar als je ouder wordt, zie je het anders. Ze had het moeilijk. Vader was geen prettige man. Ze waren nooit leuk tegen elkaar. Nooit is natuurlijk overdreven, dan hadden ze het niet zo lang met elkaar uitgehouden, maar waar moesten ze heen? Dat was vroeger niet zo eenvoudig. Je moest geld hebben en voor jezelf kunnen zorgen en dat kon een vrouw als moeder niet. Huishoudster worden, dat was het enige. Maar ze had vijf kinderen, dan loop je niet zo hard weg. En misschien voelde zij het niet zo heftig als wij, kinderen, het zagen. We hebben niets van haar, Djoeke niet en ik ook niet. Maar we wisten dat er mooie dingen in huis waren. Wat heerlijk dat Johannes die altijd heeft bewaard en dat hij ze nu onder ons wil verdelen, want zo is het toch, dat heb ik goed begrepen?"

Pas laat in de avond reden ze terug naar huis.

Loudy was vreselijk moe.

„Zak even onderuit," stelde Sjoerd voor, „en doe je ogen dicht. Zet de hele boel aan de kant, de tantes en de ooms aan tafel en de kist onder Johannes' bed en rust uit. Als we thuiskomen is Jillie bij ons, ze zal Frieda op haar nachtrust brengen, zoals ze dat noemt: ik vind het een kostelijke uitdrukking. Als een kippetje dat op stok gaat, ons kleine meiske. En als het te laat wordt naar haar zin brengt ze Simon bij zijn beertje onder de dekens. Maar als dat niet gebeurt, kom je thuis weer in drukte en praten, praten, praten…"

„Als jij dan nu even je mond wilt dichthouden…"

„Misschien doe ik mijn ogen ook even dicht, ik ben bekaf."

„Sjoerd, nee…"

„Maak je niet ongerust. Ik ben klaarwakker. Ik hou de weg in de gaten. En nu stil. Ik wil je niet meer horen."

Begin oktober kwamen de broers en zusters Swinkels bij elkaar in hun ouderlijk huis.

„Gerrit-Jan en Harmen komen niet mee," berichtte Djoeke via de telefoon aan Loudy, „Martha en ik komen liever eerst samen. Maar we zien er vreselijk tegen op. Je moet niet denken dat ik niet graag naar Berawolde kom, dat weet je, ik ben ontzettend blij dat jij geweest bent en dat ik Johannes en Tjeerd weer zal zien en dat ik misschien iets krijg van moeders sieraden, maar dat eerste moment, er binnenkomen… Ik denk er steeds aan. Martha ook. We bellen elkaar de laatste tijd vaak, we zijn er vol van. We moeten er steeds over praten en er komen voortdurend weer nieuwe dingen van vroeger naar boven. Maar we vinden het allebei moeilijk om na al die jaren weer binnen te stappen en onze broers te zien."

„Hoe komen jullie hierheen?"

„Dat is geen probleem. Martha kan autorijden. Ze komt de dag voor we naar Friesland gaan," ze lachte opeens hikkerig via de lijn, „Gerrit zegt 'voor jullie de moedige schoenen aantrekken', hierheen. Ze blijft een nachtje slapen en dan vertrekken we de volgende dag naar Berawolde. Ik heb een briefje van je vader gekregen. Er stond niet veel in. Echt een mannenbriefje, zo van 'daar praten we dan wel over', maar er moest toch een dag vastgesteld worden. Dat is dus twaalf oktober geworden. Omstreeks koffietijd aan de vaart."

„Ik denk dat u zich geen zorgen hoeft te maken. Ik ben nu een paar maal bij Johannes geweest en het is een rustige, aardige man. Dat geldt trouwens voor vader ook."

In de avond van die dag kwamen vader en zijn zusters naar hen toe.

„Loudy, meisje," Djoekes gezicht was warm en rood, van spanning en opwinding, „je had gelijk, er was niets om bang voor te zijn. Dat wisten we natuurlijk wel, bang waren we ook niet, maar het is toch een vreemd gevoel na zoveel jaren het huis weer binnen te gaan. Er is zo weinig veranderd, hoe is het mogelijk, na zoveel jaren! Maar Johannes laat alles bij het oude als het niet noodzakelijk is er iets aan te veranderen. Als een stoel op zijn vier poten blijft staan en je erop kunt zitten hoeft er geen nieuwe stoel te komen. Het was prettig er weer te zijn en ook triest. Het is begrijpelijk dat er veel herinneringen bovenkomen en we praatten met z'n viertjes over vroeger.

Och ja, er is veel gebeurd. Er waren verhalen waarvan Martha en ik niet wisten en wij vertelden dingen die de jongens niet wisten. Wat zeg ik nou, de jongens! Het zijn twee oude mannen! Maar in onze ogen zijn het de jongens, zo noemden we ze vroeger alle drie."

„En de kist…"

Djoeke zuchtte. Martha was op een stoel bij de grote tafel gaan zitten. Ze leunde zwaar met haar armen op de tafel. Ze was moe, ze had hoofdpijn, ze voelde zich verdrietig en gelukkig tegelijk.

„Johannes heeft ons alles laten zien." Djoeke praatte zachter, ze voelde weer de spanning van die middag, toen Johannes naar zijn slaapkamer ging en met de kist de kamer binnenkwam. „Er waren een paar dingen, die in mijn herinnering anders waren, zoals de broche van het vogeltje, die was kleiner dan ik me voorstelde. Maar het gittensnoer, wat prachtig… En de kap van vaders horloge, daar zit zo'n mooie kast omheen, schitterend."

„Wat hebben jullie ermee gedaan?" Loudy vroeg het, ze wilde het weten.

„Nog niets. Johannes wil alles uit zijn huis hebben. Tjeerd wil zelf ook niets, maar jij krijgt in zijn plaats natuurlijk. En jij was er niet bij. We spraken af, dat we gauw weer bij elkaar komen. Er is nog zoveel te vertellen. Over onze gezinnen, de kinderen, onze mannen… Die komen de volgende keer mee. Over veertien dagen. Dan komen jij en Sjoerd ook en dan praten we verder."

En dat gebeurde.

„Ik weet dat alles veel waarde heeft," zei Loudy er van tevoren over, „maar ik wil absoluut niet dat we er als aasgieren op afvliegen. Voor Djoeke en Martha zijn er herinneringen aan verbonden, de sieraden van hun moeder en ze mochten er als kind af en toe naar kijken. Ik zou me niet gelukkig voelen als ik probeerde er zoveel mogelijk uit te slepen."

„Wij worden nooit rijk," stelde Sjoerd hoofdschuddend vast, „maar ik ben blij dat je er zo over denkt."

Djoeke, als oudste van de dochters, mocht het eerst kiezen en koos het snoer. Ze was er verschrikkelijk blij mee. Martha kreeg het vogeltje met kleine diamantjes in de kuif op zijn kopje, een prachtige ring en de gouden kap. Voor Loudy was het horloge van grootvader Swinkels, een smal, zilveren armbandje, een ring en een lepeldoosje met zilveren lepeltjes.

„We bewaren het horloge voor Simon. Hij heet niet Douwe en hij heet niet Swinkels, maar hij is wel een kleinzoon van Douwe Swinkels. We kopen er een glazen stolp omheen, daar kan het klokje in hangen."

Toen Djoeke en Loudy weggingen kusten ze Loudy op beide wangen. „Bedankt, mijn kind, bedankt voor alles. We komen gauw weer, dat hebben we al afgesproken. We hebben zoveel in te halen…"

HOOFDSTUK 4

Het was winter. December was voorbij. Een gezellige, maar drukke maand voor Loudy. Simon was nu vijf jaar en Frieda negen maanden. Koudy genoot. Ze vond het heerlijk om naar Simons gebabbel te luisteren en het was prettig met Frieda bezig te zijn.

In januari viel wel wat sneeuw, maar het was niet zoals enkele jaren geleden, toen de tuinen in één nacht tot sprookjestuinen werden getoverd en de wereld stiller en zachter leek onder de witte pracht. Dit jaar zorgde het kleine laagje sneeuw naast vorst van vijf, zes graden voor gladde wegen en veel ongemak.

Op een morgen werd Loudy met een wee gevoel vanbinnen wakker. Ze hoorde Simon, die riep of hij naar beneden mocht en Frieda, die kennelijk rechtop in haar bedje stond en op haar manier ook riep. Ze kon nog geen woord zeggen, maar aan de klanken was te horen dat ze het nu wel bekeken had op haar kamertje. Bovendien was ze nat en koud en ze wilde naar de huiskamer. Maar Loudy voelde zich niet goed. En het bed was zo heerlijk warm. Ze keek op het wekkertje. Half acht, ja, dan moest ze er toch uit. Het was voor de kinderen een redelijke tijd om te roepen. Sjoerd was al weg. Die wilde 's morgens op tijd op kantoor zijn. „Dan kan ik tot een uur of negen lekker even wat doen," zei hij altijd. „Na negen uur begint de telefoon te ratelen en komen er allerlei mensen binnen, dan is het met mijn rust gedaan." Ze moest eruit. Simon moest gewassen en aangekleed worden en een boterhammetje eten voor hij naar de kleuterschool stapte. En Frieda moest in bad. „'s Morgens ben je een stinkdiertje," zei ze wel eens lachend tegen het kleine ding. Maar vanmorgen had ze geen zin. Zou ze griep krijgen? Het was niet te hopen, want met Frieda om zich heen kon ze niet in bed kruipen. Nou ja, opstaan, de dekens wegslaan en doorpakken.

„Mamma komt…" riep ze naar het ongeduldige tweetal. Maar toen ze naast het bed stond voelde ze zich duizelig en misselijk. En opeens dacht ze: nee, dat niet, mijn hemel, dat niet… niet zwanger… nu niet…

Frieda is nog maar negen maanden, een schat van een kind, maar er is zoveel werk aan, nee, niet in verwachting, ze wilden er misschien nog een kind bij, hoewel Sjoerd vaak zei, dat ze blij moesten zijn met hun gezonde tweetal, maar later, over een paar jaar, dat zou kunnen, maar niet nu… Ze voelde zich vreselijk naar en moest naar het toilet om over te geven.

„Ja kaje, make dalie…" riep Frieda luid vanuit haar bedje. Ze werd ongeduldig, ze hoorde mamma, maar mamma kwam niet. Ze begon te huilen.

Simon gleed uit zijn bedje. „Mammie, wat doe je…"

„Mammie is een beetje ziek, m'n knechtje, wacht maar even, ik kom zo…"

„Frits was gisteren ook ziek. Die moest ook overgeven. Op school, een rotzooi, juffie was een beetje boos. Dat moet je in de w.c. doen, zei ze. Jij doet het in de w.c., jij wil die rommel niet op de slaapkamer. Het stinkt ook. Het stonk gisteren op school ook."

Ze hoorde hem de trap afgaan. Dat hinderde niet. Simon deed geen stoute dingen. Hij dribbelde gewoon wat rond in de kamer. En daar was het lekker warm, Sjoerd draaide de verwarming hoger als hij benedenkwam.

Frieda brulde nu hartverscheurend.

Loudy haalde een paar maal diep adem, brr, wat voelde ze zich rot, nou, eerst Frieda maar uit bed plukken en verschonen. Ze kon haar straks wel in bad doen. Misschien knapte ze na een uurtje op. Een kopje thee drinken en een biscuitje eten, misschien ging het dan weer. Stel je voor dat ze zwanger was, nee, dat wilde ze niet, maar zo mocht ze er niet over denken, nou ja, toch wel, het was te vlug. En het kon eigenlijk niet. Ze gebruikten voorbehoedsmiddelen, maar er kon altijd iets verkeerd gaan. Gek, tóen, na Simon wilde ze zo graag zwanger raken, toen hij twee jaar was, maar het gebeurde niet en nu met een peuter van negen maanden, waaraan nog veel werk was, zou het wel zo zijn…

Beneden babbelde Simon druk om haar heen. Hij wilde helpen. Hij zette de bordjes op de tafel, bood aan zelf zijn snoet te wassen, „en ik kan mijn pyjama uitdoen, dat doe ik elke morgen zelf en ik kan mijn broek en mijn trui aantrekken. En een schone onderbroek. Zal ik dat doen, mam? Je hoeft mij niet te helpen. Kijk, Frieda kwijlt. En ze gooit het theebekertje om. Dat moet je niet doen, gekke meid, mamma is een beetje ziek." Maar dat begreep Frieda niet. Ze zat in de kinderstoel en timmerde met haar lepeltje op het houten blad.

Toen Sjoerd thuiskwam vroeg hij: „Wat is er aan de hand? Je ziet wit en je hebt waterige oogjes. Griep? Ik heb vandaag al vier mensen gehoord, die een griepgeval in huis hebben."

„Ik hoop dat het dat is."

„Hoop dat het dat is… Nou, een goede griep is heus zo lekker niet. Ik wil niet zeggen dat jij geen griep kunt krijgen, dat is natuurlijk onzin, maar het zal een hele toestand worden, want dan moet je echt in bed. Griep is gevaarlijk, daarmee kun je niet doorlopen. Hoe het dan met de kinderen moet weet ik niet. Je kunt Frieda niet de hele dag in de box zetten. Nou ja, misschien valt het mee… En anders moeten we…" Hij keek naar Loudy. Hij zag dat ze iets wilde zeggen. „Ik denk dat het iets anders is, Sjoerd. Ik denk dat ik in verwachting ben."

„In verwachting, lieverd en we pakken het zo serieus aan, nee, dat kan niet."

„Ik was vanmorgen misselijk. Ik heb overgegeven."

„Dat wijst erop. Dat zou wat zijn!! Frieda is nog zo klein, net negen maanden. Je hebt het druk en het is voor je lichaam ook niet goed, zo vlug achter elkaar. Denk je het echt?"

„Zeker is het natuurlijk niet. Het was alleen vanmorgen, maar ik schrok er wel van."

„Dat begrijp ik. Ik zeg niet dat ik het niet fijn vind als er nog een kindje komt, dat weet je wel, dat is het niet, dat is het voor jou ook niet, maar het is te vlug, we willen het nu nog niet. We moeten het nog afwachten. Er niet te veel over denken, want dan wek je misselijkheid op. Als je steeds denkt: ben ik misselijk… ben ik misselijk, nou, dan voel je al een draai in je buik en in je maag. Zo zou het mij tenminste wel gaan. Ik schrok me eerst wild bij het idee dat je griep zou krijgen. Maar nu zou het eigenlijk prettig zijn als het een griepje was. Dan ben je er na een dag of zes, zeven weer vanaf."

Maar Loudy was echt zwanger.

„Ik kan naar de dokter gaan en hem zeggen, dat we er niet blij mee zijn. Hij zal dat begrijpen. Hij weet hoe klein Frieda nog is. Misschien geeft hij me iets waardoor het loskomt. Het is nog in het begin, het is nog niets."

„Dat mag je niet zeggen, het is wel iets. Het begin van een mensenleven. Maar ik ben het met je eens als je zegt dat het nog geen echt kindje is. Het heeft nog geen vorm en het kan nog niet denken. Dat geloof ik tenminste niet. Maar het idee, Loudy…"

„Ik voel het net zo. Ik loop er de hele dag over te tobben. Ik vind het vreselijk weer zwanger te zijn, weer negen maanden me akelig en rot voelen en van de zomer met een dikke buik lopen en ik heb zoveel werk aan Frieda. Het is een schat van een kind, maar er is elke dag wasgoed en ze houdt me zo bezig. Als ze 's middags slaapt is het even rustig, maar langer dan een uurtje slaapt ze niet. En dan Simon, die bijna elke dag vriendjes meebrengt uit school, daar krijg ik ook wat van. Ze zijn erg lief, dat wil ik niet zeggen, maar ze zijn zo druk! Ze hollen door het huis. En het gekke is, dat ze bijna niet bij de andere kinderen thuis spelen. Alleen bij die twee van Janke. Daar mogen ze alles. Janke heeft een grote speelzolder. Ze denkt af en toe dat het plafond naar beneden komt, maar tot nu toe is het niet gebeurd. Simon gaat er graag heen, maar die andere broekemannen komen het liefst hier. Ik weet dat het goed is dat hij met andere kinderen speelt, maar af en toe loopt mijn hoofd om. Als ik eraan denk dat ik dat moet doormaken als ik me zo gammel voel als nu en dan Frieda, die niet meer in de box wil, ik moet er niet aan denken."

„Het is toch vreselijk jammer dat we er niet blij mee kunnen zijn," Sjoerd praatte zacht, ze zaten naast elkaar op de bank, Loudy leunde tegen hem aan, zijn arm was om haar heen. „Weet je nog toen Simon klein was, toen wilden we het zo graag en toen gebeurde het niet."

„Sa is it libben, zou vader zeggen.

„Ja."

Ze zwegen een poosje.

„Zal ik morgen naar de dokter gaan? Dan breng ik Frieda even bij Jetske."

„Het gaat niet om Frieda bij Jetske brengen."

„Nee, dat is het niet, ik weet het. Ik voel me er ellendig onder, Sjoerd, ik denk er de hele dag en de halve nacht aan. Ik weet dat het niet goed is dit kindje niet te willen, maar we moeten het ook nuchter zien. Al het werk; ik zal voor Simon en Frieda weinig tijd hebben. Soms denk ik, dat het goed is geweest dat het vier jaar duurde voor Frieda kwam. We hebben volop van Simons kleutertijd kunnen genieten en ik had tijd om met hem bezig te zijn, hem veel dingen te leren. Zo wilde ik het met Frieda weer doen. De uren waarop Simon naar school is, alle tijd voor haar hebben. Haar alle aandacht geven. Dat heeft zo'n klein hummeltje nodig. Niet overdreven doen natuurlijk, ze hoeft echt niet bij elk kikje uit de box genomen te worden en op mijn schoot te zitten, maar ik wil haar leren spelen en haar gadeslaan. Daar zal niet veel van terechtkomen als er weer een kleintje in huis is. En Simon en Frieda waren allebei voorbeeldige baby's, maar je weet dat we toch de eerste maanden niet zoveel rustige nachten hebben gehad. Simon wilde 's nachts om twee uur nog wat voeding en Frieda begon af en toe zomaar te huilen. We wisten niet wat er aan de hand was, bedje lekker warm, de dame werd verschoond, klein beetje drinken in een flesje, poppie bij de hand, maar ze huilde toch. Als ik een poosje met haar in mijn armen liep was het weer goed.

Zuster Witteveen vertelde toen op het consultatiebureau, dat kleine kinderen, als ze alleen in een ruimte zijn en hun mamma niet zien, het gevoel kunnen hebben dat mamma weg is en nooit meer terugkomt. Ik weet niet of het waar is, want wat er in zo'n klein bolletje omgaat kan ik niet raden, maar het is wel een feit dat ze weer stil was als ik een poosje met haar liep te neuriën in de kamer. Dan sliep het hummeltje direct weer, maar ik was klaarwakker en koud en kon niet in slaap komen. We moeten erop rekenen dat het bij een volgende baby weer zo zal gaan. Ik hoorde toen van andere moeders dat er voor hen de eerste twee, drie maanden ook geen sprake was van lange nachten doorslapen."

„Je hebt gelijk. Maar naar de dokter gaan om te vragen... Het is voor mij moeilijk er iets over te zeggen. Als ik thuis ben, help ik zoveel mogelijk, ik stop Simon 's avonds onder de douche, ik lees hem voor en als ik kan helpen doe ik dat, maar er blijft voor jou veel werk over. Toen we trouwden maakten we dolle plannetjes en we wilden vier of vijf kinderen en eigenlijk wil ik dat nog wel. Maar toen wisten we niet hoeveel werk er aan die kleine mensjes is."

„Als Frieda een jaar of drie is... dan kan het beter." „Ja. Maar we staan nu voor de keuze. Zullen we er geen spijt van krijgen dit leventje te hebben afgebroken?"

„Het is nog niets en we kennen het niet." Loudy kroop tegen hem aan en huilde zachtjes. „Misschien is het overdreven dat ik me er zoveel zorgen om maak. Als het kindje komt moeten we ons er doorheen slaan en als ik denk aan de moeders van vroeger, met grote gezinnen en veel minder hulpmiddelen dan ik nu heb, maar ik ben er ook van overtuigd dat die vrouwen niet allemaal vreselijk blij waren met hun kinderschaar. Ze kregen ze gewoon en ze moesten er wel voor zorgen. Dan komt ook het begrip, er weinig tijd voor hebben, weer voor de dag. Zoals grootmoeder Swinkels geen tijd had om zich met Jochem te bemoeien toen ze Johannes als dreumes om haar heen had en Tjeerd in de wieg lag. En wastobbes vol vuile luiers in het achterhuis. Wat dat betreft heb ik het veel gemakkelijker, maar ik zie er toch tegen op. Het begint nu eigenlijk al. Ik voel me 's morgens zo beroerd, ik kan eigenlijk niet blijven lopen. Als er weer zo'n golf komt zet ik Frieda in de box, daar zit ze in elk geval veilig, maar ze krijst alles bij elkaar!"

„Het is een moeilijke beslissing en ik kan je niet raden. Want ik wil niet, dat je denkt dat ik jouw werk onderschat als ik zeg, dat we dit kindje toch moeten accepteren. Maar als dokter je iets geeft zodat het loskomt, en het gaat dood – ik ben zo bang dat we toch af en toe zullen denken: hoe zou het geworden zijn…"

„Als je zo praat maak je me helemaal ziek. Maar je hebt gelijk. Vanmorgen keek ik naar Simon toen hij voor hij naar schooltje ging door de kamer stapte. Het is zo'n fier, leuk ventje. Zijn leventje is begonnen in mijn buik. Als een klein vruchtje. En Frieda, met haar bolle wangetjes in de box. Een pop van een kind. Wie weet welk een schatje dit kleintje wordt… En het is een kind van ons samen, wij zorgden voor dit leven, wij zijn er verantwoordelijk voor…"

„Je geeft nu het antwoord op alle twijfels, Loudy…"

Ze knikte alleen.

„Ik beloof je je zoveel mogelijk te helpen. Dat is vaak moeilijk, want ik ben de hele dag van huis, maar ik kan misschien 's morgens eerder opstaan en Frieda in badje doen, als jij met de baby bezig bent…" Ze zaten dicht tegen elkaar en voelden zich gelukkig. Blij, met deze beslissing.

Het voorjaar kwam. In de tuin bloeiden de dicht bij elkaar gepote tulpenbollen nu met frisse bloemen in helgeel en zachtrood op ranke stengels. Vanuit het kamerraam zag Loudy de mahoniestruik, die vol zat met beeldige besjes van een zoet turquoise kleur en laag bij de grond de nachtviolieren in lila en wit.

Carla en Peter, die nog steeds in Leiden woonden, kwamen een weekend logeren. „We zien elkaar zo weinig," besliste Carla daarover via de telefoon, „we komen naar Friesland, zoeken een leuk hotelletje bij jullie in de buurt en we willen de hele zaterdag en de hele zondag bijpraten!","Als je genoegen neemt met een kleine logeerkamer hoef je geen hotelletje te zoeken, dan kun je bij ons terecht, dat is toch veel gezelliger! Maar je loopt de kans 's nachts gewekt te worden door het gehuil van Frieda, want die droomt, dat denken we tenminste. Ze zit dan met een angstig gezichtje rechtop in haar bedje. Sjoerd zegt, dat ze niet over elfjes droomt. Misschien over kaboutertjes, maar die kereltjes wil ze kennelijk 's nachts niet bij zich in bed hebben."

"Als wij bij jullie logeren jaag ik dat tuig het huis wel uit! Ik heb die lui nooit gemogen. Vroeger al niet. Mijn moeder zei dat ze 's nachts de troep opruimen in sommige huizen, maar ons deurtje liepen ze steeds voorbij!"

"We vinden het erg leuk als jullie komen. Het is waar, we zien elkaar te weinig, maar wij kunnen er met twee kleine kinderen niet op uit. Het zou trouwens een te grote drukte voor je zijn want je weet dat ik weer in verwachting ben? Ja, we willen een flink gezin en daar moet je wat aan doen, hè? In het begin vond ik het niet leuk. Ik was vreselijk beroerd, je kent die verhalen wel, duizelig en overgeven en met twee ogen alles vierdubbel zien, maar dat is nu voorbij."

"Het zal wel een drukke tijd voor je worden."

"Ja, eigenlijk is het een beetje te vlug na de geboorte van Frieda, maar ja, het is nu eenmaal zo gegaan. En Sjoerd helpt me zoveel hij kan. Trouwens," Loudy lachte er hartelijk om, „kleine Simon begrijpt de situatie ook al. Gisteren lag er iets op de grond, hij bukte zich om het te pakken. Dat kan jij niet, zei hij, het baby'tje zit in de weg. En ik ben echt nog niet zwaar; het is nu bijna vijf maanden."

Carla en Peter kwamen en het werd een erg gezellig weekend.

Nu en dan gingen Sjoerd en Loudy op bezoek bij oom Johannes. Simon vond het daar schitterend. Het oude huis straalde voor hem iets geheimzinnigs uit, de donkere balken, het lage schuurtje, waar van alles te vinden was aan stokken en gereedschap en het bootje van oom Johannes, dat aan een houten steigertje in de vaart lag.

Ze troffen Lien van Rijssen vaak op zondagmorgen, als ze bij vader een kopje koffie dronken. En nu en dan zagen ze daar ook, wat Sjoerd noemde, een van de 'nieuwe' ooms en tantes.

Op zaterdagmiddag gingen ze als het kon even naar vader Rijswijk. Daar kwamen Jillie en Eelke ook. Vader Rijswijk was blij met hun bezoek. „Ik weet wel dat jullie door de week geen tijd hebben om langs te komen. Vooral Loudy, die kan niet weg, Simon komt vroeg uit het schooltje en Frieda slaapt en 's morgens hebben jullie je werk in huis. Ik wil het eigenlijk niet zeggen, want dan durven jullie niet weg te blijven en zo is het heus niet, als het je niet uitkomt, moet je niet komen, maar ik kijk uit naar de zaterdagmiddag. Dat mogen jullie gerust weten. En als de kleinkinderen meekomen ben ik helemaal in de wolken. Die van Jillie en Eelke komen natuurlijk mee, maar Reitse en Hermientje zijn alweer zo groot, die hebben andere dingen aan hun hoofd. Maar zoals ze vorige week aan tafel zaten te spelen met Simon, heerlijk was dat. Als moeder dat had kunnen zien…"

Van Lieneke hoorde Loudy niet veel meer. Wel via haar moeder, die zei, dat het goed ging. Ze kwam nog vaak in Berawolde en als ze vader Tjeerd daar trof, praatte ze gewoon met hem. Maar een vastere band kwam er van haar kant niet en vader vond dat ook niet nodig.

Dokter Rindertsma had aantekeningen gemaakt en Loudy gezegd dat hij de komst van de baby half september verwachtte. Dat rekende ze zelf ook al uit; de verjaardagen van Simon en zijn broertje of zusje zouden dicht bij elkaar liggen.

Maar op een middag in het begin van augustus voelde Loudy opeens een vreemde pijn onder in haar buik. Het was nog vroeg, twee uur en het was stil in huis. Simon was naar school en Frieda sliep boven in haar bedje. Ze kon dus rustig op de bank gaan zitten en wachten tot dit overging. Ze maakte zich geen zorgen. Ze voelde af en toe wel wat pijn. Dan in haar borsten, dan in haar buik en haar benen prikkelden vreemd. Maar dat hoorde er allemaal bij. Een kind groeit nu eenmaal niet zonder slag of stoot in je lichaam. Toch was dit een vreemde pijn. Ze kwam terug. Heftiger dan zo-even. Ze wachtte nog vijf minuten en voelde toen angst bovenkomen, bijna zeker weten, dat dit niet goed was. Dit was niet gewoon kramp hebben, ook niet iets in haar maag of darmen. Wat moest ze doen… Niet zo blijven zitten, ze was alleen in huis en er kwam voorlopig niemand binnen. Janke kwam om kwart voor vier langs, dat duurde nog bijna twee uur. Twee uren… Misschien kon ze Janke dan niet meer wenken… Opeens greep een wilde paniek haar aan. Ze moest iets doen, niet wachten, het ging niet goed, ze voelde het, ze wist het zeker.

Ze liep moeilijk naar de telefoon en draaide het nummer van Sjoerds kantoor.

„Met Loudy, kom vlug naar huis, ik ben niet goed." Daarna draaide ze het nummer van de dokter en zei tegen mevrouw Rindertsma: „Met Loudy Rijswijk. Ik verwacht een baby. Ik voel me niet goed." Vijf minuten later stond de auto van de dokter voor de deur. Ze zag hem komen, maar ze had niet de kracht van de bank op te staan en de voordeur te openen.

Hij liep achterom en kwam de kamer binnen. Bijna gelijktijdig stopte Sjoerds wagen voor de deur.

„Doe de gordijnen dicht," zei de dokter tegen Sjoerd, „ik zal haar onderzoeken." Hij keek naar Loudy's gezicht. „Ik bel eerst de ambulance. Ze moet naar het ziekenhuis. Het kindje komt. Wanneer is de tijd, over ruim een maand pas? Ja," hij liep naar het toestel en draaide een nummer.

„Bel jij Jillie, vraag of ze hier komt. Voor Simon en Frieda. Anders Jetske."

Tien minuten later stond de ambulance voor de deur. Twee broeders tilden Loudy op de brancard, schoven haar de ziekenwagen in. Een van hen ging naast Loudy zitten, Sjoerd stapte voorin naast de andere broeder, die nu achter het stuur zat.

In de loop van de avond werd de baby geboren. Een meisje, dat bijna vijf pond woog en door de kinderarts in de couveuse werd gelegd.

„Het valt mij nog mee dat het kindje vijf pond is." De dokter kwam naast het bed zitten. Loudy was volkomen uitgeput. Het was geen zware bevalling geweest, maar ze maakte zich zoveel zorgen. Bijna acht maanden, het was een gevaarlijke tijd, zou het kindje wel goed zijn, was er niets met de hersentjes en als dit kindje overleed, ze wilden het eigenlijk niet, toen, acht maanden geleden, maar als ze het nu niet mochten houden, zou ze haar leven lang verdriet hebben, eigen schuld, je wilde het niet... Maar zo was het natuurlijk niet. Er worden meer kindertjes geboren met zeven of acht maanden en dat is heus geen straf voor de ouders. Er sterven ook kindertjes, die na negen maanden zwangerschap geboren worden, ze moest zichzelf niets inpraten, maar ze kon haar gedachten en vooral haar gevoelens niet bedwingen. Ze lag in het bed en huilde. Sjoerd zat naast haar. Hij wist wat ze voelde. Hij wilde er niet over praten. Het hielp haar niets. Ze geloofde hem als hij zei, dat wat ze toen dachten nu niet meer van waarde was, ze zou knikken, haar verstand zei dat hij gelijk had, maar vanbinnen bleef het knagen. Ze mocht het kleine hoopje even zien, de zuster hield het in haar armen naast haar gezicht voor het werd vervoerd naar de couveuseafdeling. Een smal, rimpelig gezichtje, blauw en zorgelijk. Meer zag ze niet. Een lelijk kindje. Maar dat zei niets. Het hinderde ook niet of het kindje lelijk was. Als het maar bleef leven. Als het maar bij hen mocht blijven. Ze zou er alles voor doen, alles aan geven, voor zorgen zoveel ze kon, dat beloofde ze allemaal. Aan wat en aan wie, misschien aan het kindje zelf. In gedachten was ze bij het kleine wezentje, dat nu ook vocht voor haar leven.

Ze was na de bevalling in de verloskamer naar een kamertje gebracht, waar ze alleen lag. „Is dat," vroeg ze Sjoerd huilend, „omdat het met mij ook niet goed gaat... Mensen die dood gaan leggen ze vaak alleen in een kamertje en ik voel me niet goed, ik heb veel bloed verloren, dat weet ik zelf..."

„Lieveling, nee, dat is het niet, echt niet. Maar je ligt hier lekker rustig en dokter Kuipers, de vrouwenarts, heeft gezegd, dat ik bij je mag blijven zitten. Dat kan op zaal niet. Daar moet het bezoek op tijd weg, dat weet je. En daar is het nu te druk voor jou. Dat is alles, daarom lig je hier. Ik blijf nog een poosje bij je, want thuis gaat het goed. Ik heb opgebeld. Jillie en Eelke hebben de kinderen meegenomen naar hun huis. Jillie heeft het kleine bedje van Reitse en Hermientje nog op zolder staan, dat haalden ze naar beneden en nu slapen onze peuters op dat leuke kamertje onder het schuine dak. Bij elkaar op één kamer, volgens Jillie is dat goed voor ze. Want het was voor hen natuurlijk ook een toestand, mamma en pappa zo opeens weg. Simon weet dat hij weer een zusje heeft. Hij had liever een broertje." Sjoerd praatte zachtjes en langzaam, als ze naar hem luisterde haalde het de gedachten van haar zorgen af en misschien viel ze in slaap. De zuster gaf haar een tabletje dat haar kalmeren zou. Hij bleef stil op de stoel zitten en praatte zachtjes door. „Ze zijn dus goed verzorgd. Toen ik belde liep Simon in zijn pyjama rond. Frieda sliep al. Jillie nam pop Lotje mee en het kleine beertje..."

Na een minuut of tien viel Loudy in slaap. Later wist ze nog, dat ze het gevoel had weg te zinken in een onpeilbare diepte, alles werd licht om haar heen, ze viel en viel, in een flits was er nog de gedachte 'ga ik sterven...' maar het was te mooi en ze voelde haar lichaam nog. Toen sliep ze. Na een paar minuten stond Sjoerd op. Een zustertje kwam binnen. Ze glimlachte. „Mevrouw slaapt, ja, dat was te verwachten en het is goed voor haar. U kunt nu beter naar huis gaan. We houden haar echt in de gaten, ik blijf op de afdeling, eigenlijk alleen om op haar te passen. Niet dat er direct gevaar is, maar dokter Kuiper sluit de mogelijkheid van een bloeding niet uit."

„Mag ik nog even bij de baby kijken?"

„Ja, dat mag. Het gaat goed met het kleintje. Ik denk dat ze gauw uit de couveuse kan, want vijf pond is een goed gewicht. Met een gewicht van vijf pond voor een te vroeg geboren kind zijn we blij, maar in de couveuse kan het kindje gemakkelijker alle functies van het kleine lichaampje op orde stellen." Het was een jong verpleegstertje met een lief gezichtje, warme, bruine ogen en donker haar, dat onder het witte kapje uitkrulde.

„Dank u wel, zuster. Het was zo'n enerverende middag, het overviel ons, we verwachtten de baby pas over vijf, zes weken. Maar dat weet u natuurlijk allemaal."

„Gaat u naar huis, drink een kop lekkere, sterke koffie en probeer uit te rusten. Dat hebt u wel verdiend." Loudy werd pas na een paar uur wakker. Ze voelde zich veel beter. Het verpleegstertje was in de kamer.

„Ik voel me veel beter. En hoe is het kindje?"

„Goed. Naar omstandigheden goed. Ze is te licht en te klein en ze is te vroeg gekomen, maar ze redt het wel, naar wij verwachten en hopen. Het valt ons dikwijls op," het meisje kwam dichter bij het bed staan, „hoeveel kracht zulke kleine wezentjes hebben om te vechten voor het leven." Je weet niet, dacht Loudy, hoe je me met deze woorden raakt…

„Dat heb ik eens gelezen, ja," zei ze zacht.

„Hopelijk redt dit kleine meisje het ook. Hoe heet ze?"

„U zult het niet geloven, maar we hebben nog geen naam voor haar. We praatten erover, maar we dachten er nog weken de tijd voor te hebben."

„Het komt nog wel. Namen genoeg! Zal ik drinken voor u halen? En wilt u iets eten? Een beetje vla of een beschuitje?"

„Ik wil graag een kopje koffie, maar het moet geen sterke koffie zijn. Ik voel mijn maag en ik denk dat die sterke koffie niet accepteert."

„We hebben een koffiepotje in de keuken op de afdeling. Daar zetten we koffie in als we nachtdienst hebben, dan zijn we met z'n tweeën hier. En we maken vaak een heerlijk vers bakje voor een kraamvrouw die de strijd achter de rug heeft! Ik zet een lekker, slap bakje." Ze lachte weer.

„Ik raadde uw man aan thuis een kom sterke koffie te drinken."

„Dat had hij wel nodig. En verdiend. Hij was ook helemaal in de war."

„U belde hem toen u voelde dat het niet goed ging? Dat is goed geweest. Wie weet hoe het anders was gelopen. Maar daarover denken en praten we niet, want alles is goed gegaan en u beiden redt het wel, de kleine, naamloze baby," ze lachte bijna schaterend, „en u. Weet u dat de ukkepuk een bandje om het armpje heeft waarop staat: Rijswijkje?"

Toen Sjoerd de volgende middag tijdens het bezoekuur kwam zat Loudy al een beetje hoger in de kussens.

„Alles goed, lieveling?" Sjoerd kuste haar, „hè, dat was een dag gister! Ik ben, voor ik hier kwam, bij onze kleine meid gaan kijken. Het is een klein hoopje, dat daar ligt, maar ze zijn erg tevreden over haar en als het zo doorgaat mag ze morgen uit de couveuse. De ademhaling gaat goed en ze heeft naar maatstaven van deze afdeling een redelijk gewicht."

„We moeten haar een naam geven."

„Daar dacht ik gisteravond aan. Ik ben eerst onder de douche gegaan toen ik thuiskwam, het was of ik veel lasten en zorgen van me kon afspoelen. Toen heb ik jouw vader gebeld en mijn vader en Jillie. Ik zei haar, dat de zuster me sterke koffie had voorgeschreven en ik vroeg of ik die bij haar kon krijgen. Ze holde bij wijze van spreken al naar de keuken om het water ervoor op te zetten. Ik keek nog even bij onze kleintjes, nou ja, kleintjes, we hebben een nog kleinere. Als je Simon in het logeerbed ziet liggen is het al een hele knul en Frieda met die appelwangetjes in Hermientjes bedje, dan is de baby een heel klein kindje. En dat is het ook. We moeten haar een naam geven. Heb jij erover gedacht? De vorige keren was het gemakkelijk, namen uitzoeken hadden onze voorvaderen al gedaan, maar dit meisje van ons wordt niet vernoemd. We geven haar de mooiste naam die we kunnen vinden. En er zijn veel mooie namen. Ik zal ze niet opnoemen, daar is de lijst te lang voor. Heb jij een idee?"

„Ik dacht aan Elisabeth. Dat is een naam waar veel van te maken is. Els, Elsbeth, Liesbeth, Betty, noem maar op. Als wij haar Elsje noemen… Dat vind ik een lieve naam. Ze kan er later, als ze groot is, dat is nu bijna niet voor te stellen, maar we hopen dat het ervan komt, zelf iets anders van maken als ze dat wil."

„Elsje… ons Elsje… dat klinkt lief. Zullen we dat doen? Ik moet vandaag of morgen naar het gemeentehuis om de geboorte aan te geven."

„Ze heet nu: Rijswijkje."

„Rijswijkje Rijswijk, nee, dat is niet mooi. Elsje Rijswijk."

Na tien dagen mocht Loudy het ziekenhuis verlaten. De kinderarts kwam een dag voor ze naar huis mocht op de zaal, waarheen ze twee dagen na de bevalling was gebracht.

„Mevrouw Rijswijk, ik kom even met u praten. U mag de baby mee naar huis nemen en ik weet dat u dat ontzettend graag wilt. Het kindje is gezond, dat kan ik met mijn hand op mijn hart zeggen, maar het is een klein kindje, dat veel zorg vraagt. Voor een gezonde baby kunnen we zes voedingen per dag voorschrijven, u weet dat zelf, u hebt nog twee kinderen, maar dat zal met dit kindje niet gaan. Ze kan niet zoveel per keer opnemen. Het zullen minstens acht voedingen van steeds kleine porties moeten zijn. En ik weet zeker dat ze de nacht niet kan overbruggen. Er zitten dus moeilijkheden vast als u haar mee naar huis wilt nemen. Ze mag hier nog een paar weken blijven. Onze verpleegsters hebben tijd om het kindje te voeden. Ook 's nachts. U hebt een moeilijke tijd achter de rug. Ik stel dus voor de baby hier nog even te laten."

In Loudy stormden de gedachten dooreen. Nee, nee, ze kon het kindje hier niet laten, ze wilde het meenemen, het moest bij haar zijn, de baby had haar nodig, de baby hoorde bij haar…

„Ik zie dat het een moeilijk voorstel is en ik kan dat begrijpen. Er spelen veel emoties mee. U bent gelukkig dat u dit kindje heeft mogen behouden en nu wilt u het zo vlug mogelijk bij u hebben. Maar u moet er toch over nadenken. Het is heus beter voor uzelf, dat u tot rust kunt komen. En daar zie ik niet veel in. Nog twee kinderen thuis en de jongste daarvan is erg klein, heb ik begrepen?"

„Een jaar en vier maanden."

De arts schudde zijn hoofd. „Daar is ook nog veel werk aan. U moet er echt over denken."

„Ik zal er met mijn man over praten."

Sjoerd vond het moeilijk. „Ik geloof dat de dokter gelijk heeft. Jij bent nog niet sterk genoeg en dan de zorg voor zo'n kleine baby…"

Ze leunde in de kussens. Tranen in haar ogen. „Toen, weet je nog, Sjoerd, toen wilde ik het met mijn verstand benaderen. Nu kan ik dat niet meer. Elsje is gekomen, Elsje is ons kindje en we moeten voor haar zorgen. Ik weet dat het vreselijk moeilijk zal zijn, maar we moeten het doen. Ze hoort bij ons. Als ik eraan denk dat ik naar huis zal gaan en zij hier achterblijft op de babyafdeling… De verpleegsters zijn echt lief voor haar en ze vertroetelen de kleintjes, maar ik wil het zelf doen. Ik ben haar moeder. Ze hoort bij ons."

„Misschien kunnen we hulp krijgen. Iemand die je helpt het huis schoon te houden. Het zal geld kosten, maar dat moet er voor een halfjaar maar vanaf. Daarna zien we wel weer. Wellicht kun jij 's avonds een paar uur slapen als ik Elsje het flesje geef en een schone luier omdoe. Daar ben ik handig in sinds Frieda, dat weet je."

Loudy en Elsje kwamen thuis. Jillie zorgde voor een grote pot koffie, op de schaal stonden gebakjes klaar, Simon stond op de stoel voor het raam om te kijken of pappa's auto er aankwam en Frieda trommelde met een stokje op de rand van de box.

Toen Loudy binnenkwam, de baby in een warm dekentje gewikkeld, brak het lawaai los. Simon was door het dolle heen van vreugde, mamma was er weer en Frieda gilde en wilde uit de gevangenis zo vlug mogelijk naar mamma toe. Loudy wist niet wie ze het eerst moest pakken.

Sjoerd nam de baby over en droeg haar naar boven, waar het wiegje – met warme kruiken – klaarstond.

„Mijn lievelingen," Loudy zat op de bank, in de ene arm Simon geklemd, in de andere arm Frieda, die op haar klauterde en haar met de handjes in het gezicht sloeg van blijdschap.

„Rustig, lieverdje toch, ja, mamma is er weer en mam blijft nou. Begrijp je dat? Nee, dat begrijp je nog niet. Maar het is echt waar. Rustig nou, Simon, jij ook, jochie, mamma weet niet wat ze moet doen met twee van zulke wildebrassen op haar schoot…"

's Avonds pas daalde de rust een beetje over het huis. Jillie kookte het eten en zorgde voor de afwas, Sjoerd douchte Simon en hielp hem in zijn pyjama. Hij mocht nog even beneden blijven, bij mamma. Want hij had zoveel te vertellen over juffie op school en over Bertje, en Tineke was gevallen, haar hele knie stuk en opa Rijswijks hond was ziek en tante Jillie kon lekkere koekjes bakken.

Sjoerd bracht Frieda naar boven. „Stil een beetje," probeerde hij het kindje te sussen, „je zusje slaapt," maar Frieda begreep er niets van en kraaide van plezier. Hoe het allemaal in elkaar stak wist ze niet, maar mamma was er weer en pappa en dat was heerlijk.

Toen ook Simon naar boven was gebracht, stelde Sjoerd voor. „Ga jij nu ook naar bed. Het is niet gezellig, dat weet ik, maar je bent beslist moe en wie weet word je vannacht wakker gemaakt door Elsje. Ga lekker in bed liggen, de schemerlampjes aan, neem desnoods een boek mee. Ik breng je straks een kopje thee en een lekker chocolaatje, ja, dat hebben we in huis. Misschien dommel je tussendoor even in, maar in elk geval rust je uit. En als ik beneden blijf, hoef je niet te praten."

Zo zat Loudy in de kussens. In hun eigen bed. Het was een goed voorstel van Sjoerd. Ze voelde zich moe, geestelijk moe ook. Ze was bang voor al het werk dat haar te wachten stond. Ze onderschatte het niet, ze was bang dat ze het niet aan zou kunnen. Maar zo negatief moest ze natuurlijk niet zijn. Het kwam ook omdat ze zich nog niet goed voelde. Maar ze werd elke dag beter. En sterker. Als het vloeien eenmaal ophield, knapte ze beslist op. Dokter had haar een recept voorgeschreven voor versterkende middelen en met Sjoerd sprak ze af dat ze voorlopig alleen aan de kinderen zouden denken. Samen een oplossing zoeken, samen het werk doen. Heerlijk hier te liggen. Het boek lag op het nachtkastje. Ze was te moe om te lezen. Ze trok het grote licht uit, alleen de schemerlampjes aan beide kanten van het bed brandden.

Het was stil in huis. De kinderen sliepen. Hun drie kinderen. Simon, Frieda en Elsje. Wie had dat kunnen denken toen ze jaren geleden Sjoerd voor de eerste keer zag in het restaurant in Didam, tussen al die mensen.

Ze soesde een beetje weg. Fijn niet meer te moeten praten. Een goed voorstel van Sjoerd. Hij zat nu beneden en las de krant.

Hoorde ze Elsje? Ze deed haar ogen open en richtte zich een beetje op.

Nee, het was Elsje niet. Frieda misschien. Die murmelde wel vaker in haar slaap.

Vader was even geweest vanmiddag. Om een uur of vijf. Hij bleef niet lang, in zulke dingen was vader verstandig. Misschien was het hem ook te druk bij haar in huis. „Wat een geluk, kind, dat je de dokter belde en Sjoerd... Wie weet wat er anders was gebeurd..."

Vader Rijswijk kwam ook even. Hij hield alleen haar hand vast en ze wist waaraan hij dacht.

Heerlijk hier te liggen. Geen knellende kleren aan. Ze hoorde geluiden van beneden. Sjoerd, die in de keuken de kraan opendraaide. Nu ging hij thee zetten. Na de thee was het tijd voor Elsjes flesje. Zou Sjoerd dat kunnen doen; het was nog zo'n klein hummeltje. „U moet er goed om denken dat ze lekker warm blijft," zei zuster Van Dam vanmorgen nog, „dus als u met haar bezig bent, moet het niet te lang duren." Ze zou het straks tegen Sjoerd zeggen. Vlug een schone luier omdoen. „Die dingen zijn veel te groot," zei hij vanmiddag al, „ze kan er wel drie keer in. Als je die dunne beentjes uit de dot witte stof ziet komen, is dat geen gezicht."

Zo begon een erg drukke periode voor Loudy. Elsje vroeg ontzettend veel tijd en aandacht. Ze dronk het flesje langzaam en met moeite leeg, achtmaal per dag. Ze viel er steeds bij in slaap. Dan maakte Loudy haar wakker. „Je moet het echt opdrinken, lieverdje, anders word je geen grote meid. Je bent erg lief als je slaapt en slaap is goed, maar je moet ook drinken."

Ze zat dan met het kindje in haar armen. Kleine Frieda kroop over de vloer. Ze wilde niet meer in de box. Ze schreeuwde hartverscheurend als ze in haar gevangenisje werd gezet. Over de vloer was ze lief. Maar Loudy moest steeds op haar letten, want ze zag nergens gevaar. En alles was mooi om aan te pakken. „Frieda, niet doen, nee, nee, dat mag niet!" Als ze zacht praatte, deed Frieda of ze het niet hoorde, zo'n lief stemmetje van mamma, dat was geen verbod. Als Loudy luider sprak, echt vermanend, liet het kindje op haar schoot verschrikt de speen uit haar mondje glippen en begon te huilen. Met lange, verschrikte kreetjes. Als het flesje eindelijk leeg was, bleef Loudy nog met de baby zitten, want als ze overeind kwam en met het kindje naar de wieg liep, golfde het eten uit het kleine mondje.

„Ik maak me er echt zorgen over," zei ze tegen Jillie, „dat is toch niet goed? Het lijkt wel of het maagje geen voedsel verdraagt."

„Er zijn veel kindertjes die dat doen. Spugers, noemen ze die. Klaske Rovers heeft ook zo gesukkeld met de jongste. Dat duurde tot het kindje drie maanden was. Je weet dus wat je te wachten staat! Maar toen was het ook van de ene op de andere dag over. Nu is kleine Steven bijna twee jaar en het is een pracht van een jongen."

„Maar hij kwam niet met acht maanden."

„Nee, het was een voldragen kindje. Maar het was wel een spuger."

Een jong vrouwtje van de Klinkeweg hielp Loudy tweemaal in de week met het werk in huis. Dat was heerlijk. Alles zag er schoon en gepoetst uit. Maar er waren zoveel andere dingen.

„Mogen Richie en Bartheld weer eens komen spelen?" vroeg Simon, „vroeger mocht het ook."

„Nee Simon, het kan echt niet, lieverd. Elsje moet slapen en Frieda scharrelt over de vloer, nee, we moeten nog een poosje wachten voor er weer vriendjes kunnen komen spelen." Als Elsje sliep hield Loudy zich met Frieda bezig. „Je moet leren lopen, mijn schatje. Mamma houdt je vast: stap… stap…" Frieda kraaide van plezier, maar ze had geen aandacht voor de looples.

„Je moet ook praten. Je kunt al een paar woordjes zeggen. Pappa en mamma, maar je moet er nog meer leren. Als ik je voer, dit is een 'hap'. Zeg dat eens: hap." Maar Frieda sloeg met haar handjes in het bord en zat onder de appelmoes en de aardappelpuree.

's Avonds zakte Loudy doodmoe op de bank. „Afgeknoedeld, noemden we dat vroeger. Het is bijna niet te doen. Ik zit zoveel tijd met de voeding van Elsje en het kan niet vlugger. En ik mag niet zeggen: laat de rest maar, want dan krijgt ze te kort. Doorgaan dus. En in haar neusje knijpen als ze in slaap valt. In de tussentijd moet ik Frieda in de gaten houden en bezighouden. Het is tenslotte ook nog een krielkippetje. Een kindje dat aandacht nodig heeft en als Elsje er niet was zou ik haar die aandacht kunnen geven. En dan het overgeven van Elsje, ik word er moedeloos van. Ik wacht na elke voeding van zeker tien minuten, daar zitten we dan, op hoop van zegen, blijft het erin of komt het eruit. Dan ga ik heel voorzichtig overeind, ik probeer Elsje in dezelfde houding te houden, ik loop met haar naar de wieg, maar de meeste keren komt toch bijna alles er weer uit. Het is onbegrijpelijk dat ze nog groeit. Af en toe geeft Frieda een ruk aan de wieg, ze klimt er bij op en ze heeft stevige knuistjes. Vandaag of morgen valt de wieg om als ik even niet kijk. Ik neem haar mee als ik naar de keuken of de bijkeuken moet om wasgoed in de machine te stoppen of om er de spullen die klaar zijn uit te halen. Dan schuift ze daar over de vloer zodat ze smerig als een bouwvakker wordt. Frieda in het gras. Torretjes grijpt ze zo vast. Ik weet niet of ze er af en toe één in haar mond stopt, ik kan niet steeds naar haar kijken. Ze heeft er een paar woorden bij geleerd: wil nie… wil nie…"

De eerste twee maanden hielden ze het vol dat Loudy in het begin van de avond een paar uur naar hun slaapkamer ging om te rusten. „Ik breng vrouw en kinderen om zeven uur naar bed," zei Sjoerd eens lachend. Maar toen Loudy zich beter voelde, wilde ze dat niet meer. Ze vond het ongezellig voor Sjoerd en ze miste de knusse avonden met hem samen in de kamer. Maar veel rust hadden ze niet, want Elsje huilde bijna elke avond. En door het gehuil werd Frieda dikwijls wakker, die dan ook een keel opzette.

Elsje was een klein baby'tje, maar het was een mooi kindje. Ze had een fijn kopje, bleek en teer als porselein. Een rood mondje, waarvan de lipjes zachtjes trilden als ze huilde. Donkere oogjes, die ernstig konden kijken. Alsof ze zelf ook vond, dat ze een moeizaam bestaan had.

Loudy keek vaak naar haar als ze het kindje in haar armen hield. Was er iets mis met dit meiske, was er iets niet goed aan haar... Maar de oogjes keken haar aan en het mondje bewoog soms als wilde ze iets zeggen.

Toen Elsje drie maanden was kwam Jillies voorspelling een beetje uit, het spugen werd iets minder. En de kinderarts die Elsje Rijswijk nog onder zijn hoede had, zei dat Loudy moest proberen de nachtvoeding over te slaan. De porties over de dag verdeeld iets groter maken, het kindje mocht dus niet minder krijgen, maar misschien kwam ze de nacht nu zonder voeding door. Maar de baby voelde er helemaal niet voor en prompt om twee uur, half drie klonk een ijl, maar aanhoudend gehuil door het huis. Sjoerd werd er niet wakker van. Of, dacht Loudy soms, hij houdt zich slapende. De ene nacht dacht ze, als ze in Elsjes kamertje het flesje in de verwarmer zette: het is goed dat Sjoerd doorslaapt. Hij heeft de hele dag gewerkt en morgen moet hij weer werken en hij moet fit op kantoor zitten, hij moet zijn aandacht bij de cijfertjes kunnen houden. Maar een andere nacht, als ze rillerig in het kamertje stond, het huilende kind in de wieg, dacht ze mokkend: ik moet alles doen, iedere nacht weer. Het is zijn kind toch ook! Ik zit er de hele dag al mee. Maar meneer slaapt lekker door. „Hou je snuitje toch eens dicht," viel ze soms uit tegen Elsje, „straks wordt Frieda nog wakker! Dan denkt ze dat een nieuwe dag begint. Hoe krijgen we haar dan weer stil."

Na zeker drie kwartier met Elsje bezig te zijn geweest, kroop ze dan weer in bed. Als nu in 's hemelsnaam alles maar stil bleef, ze wilde zo graag slapen en lekker warm onder de dekens liggen.

Na een halfjaar ging het beter met Elsje wat de voeding betreft, maar het kindje huilde nog veel. Ze was wat dikker geworden, ze zag er goed uit, maar het was geen gezellige, ronde baby zoals Frieda vroeger was. „Ik vind Frieda het liefst," verklaarde Simon, „Elsje is een jankerd."

Frieda kon nu lopen. Dat was prachtig. Ze waggelde op haar dikke pootjes door de kamer.

„Het volgende tafereel," zuchtte Loudy op een avond, „Frieda op het potje."

„Daar had je eerder mee moeten beginnen," zei Sjoerd boven de krant, „ze is nu al twee jaar!"

„Eerder mee moeten beginnen! Ik probeerde het eerder, maar het is een heel gedoe. Broekje uit, luier af, zitten op de po, maar als ik me omdraaide was ze er alweer vanaf gelopen. Ze snapte er helemaal niets van. Ze begreep niet wat ze op dat gekke ding moest doen. En ik heb geen tijd om bij haar te blijven zitten. Weet je hoe vaak per dag ik de kleintjes verschoon?"

„Ja, dat weet ik," zei Sjoerd, maar ze had het gevoel dat hij niet eens hoorde wat ze zei.

„Ik word er stapelgek van."

„Je moet je niet aanstellen. Simon gaat naar school, je hebt er maar twee in huis. Vroeger waren er moeders die drie, vier kleintjes om hun benen hadden en heel wat minder machines in huis om het werk gemakkelijker te maken."

„Het is gemeen van je om dit te zeggen, je weet heel goed hoeveel werk er aan de kinderen is. En jij doet er de laatste tijd weinig aan. Het is inderdaad zo, dat het wat de voeding betreft met Elsje veel beter gaat, maar er blijft nog genoeg over. En de kinderen hebben ook aandacht nodig. Niet alleen wassen en voeden. Ik moet me ook met Frieda bemoeien."

„Die krijgt aandacht genoeg, die redt zich wel. Ik geef toe dat we hebben afgesproken dat ik 's avonds zoveel mogelijk zou helpen, maar ik ben na een dag werken bekaf als ik thuiskom. En wat staat me te wachten? Simon wil rovertje met me spelen, hij ligt steeds met een wollen muts half over zijn ogen getrokken in een hinderlaag achter een stoel en pief-paft om me heen, Frieda wil dat ik me met haar bemoei, alle poppen op schoot en liedjes zingen, Elsje heeft gelukkig nog geen ambities. Die laat me met rust."

„En jij wilt thuiskomen en met de krant gaan zitten. Kopje koffie erbij, rust om je heen."

„Als dat zou kunnen…"

„Nee, dat kan niet," riep ze fel, „dat weet je als je drie kinderen aan-schaft! Maar troost je, ik loop soms met dezelfde gevoelens rond. Het lijkt allemaal zo leuk, drie kinderen, o, wat is dat gezellig in huis, maar het komt er gewoon op neer dat je je een ongeluk holt, de hele dag bezig bent met vieze luiers en bordjes eten naar binnen werken en rommel opruimen. Ik doe niet anders dan opruimen."

„Je hebt er spijt van…" klonk zijn stem opeens zacht. En zij had spijt van haar woorden. „Och nee, dat niet, want ze zijn lief, maar het is soms wel wat te veel."

„Je pakt het niet goed aan. Je moet alleen doen wat noodzakelijk is in zo'n huishouden."

„Dat ben ik met je eens, maar alles wat ik doe is noodzakelijk."

„Dat geloof ik niet."

„Zeg alsjeblieft niet dat jij mijn hele bedrijf wel eens zult doorlichten om te kijken wat er aan mijn werkwijze mankeert!" riep ze weer driftig.

„Het is misschien waar dat ik geen volmaakte huisvrouw ben, dat zal heus wel, maar ik zeg je dat er ontzettend veel werk aan de kleintjes is en dat is gewoon zo! Misschien deden huismoeders vroeger alles anders, maar ik wil dat de kinderen schoon zijn, dat het huis schoon is, dat hun bedjes niet stinken en ga zo maar door…"

„Bedaar alsjeblieft, wind je niet op."

„Jij hebt gemakkelijk praten."

Ze was razend. Ze ging op de bank zitten en greep de krant. En als ze de krant uit had, nam ze zich voor, pakte ze een boek. En ze zette vanavond geen koffie. Als hij koffie wilde hebben, zorgde hij daar zelf maar voor. En als een van de kinderen riep ging zij er niet heen. Laat maar brullen. Je vader komt wel bij je…

Het bleef die avond rustig boven. Alsof de kinderen de stemming in de huiskamer aanvoelden. Loudy zette geen koffie en Sjoerd vroeg er niet om. Tegen tien uur, toen hij begreep dat er die avond geen koffie werd gezet, haalde hij een flesje bier uit de kelder, nam een glas uit de kast en streek weer in zijn stoel neer.

Loudy ging naar boven zonder iets tegen hem te zeggen. Ze kleedde zich uit, douchte en stapte in bed.

Ze was boos op Sjoerd, maar ze had spijt van haar woorden over de kinderen. En toch dacht ze er nu en dan zo over. Was dit nou het heerlijke van kinderen hebben, zoveel werk, zo weinig tijd voor jezelf, helemaal geen tijd voor jezelf. Want 's avonds was ze bezig met het opvouwen van het wasgoed, met strijken en met kleine reparaties aan broekjes, hemdjes en jurkjes.

En toch hield ze dolveel van ze. Natuurlijk, het waren ook schatten van kinderen. Simon was een heerlijk joch. Als ze Simon alleen had… Dan was er tijd om naar zijn verhalen te luisteren. Simon had veel fantasie. Niet meer dan andere kinderen, dat geloofde ze niet, hoewel ze dat niet wist, want hij speelde bijna niet meer thuis met zijn vriendjes. Als ze hem alleen had, kon ze zich verdiepen in zijn gedachtegang. Het ging vaak over ridders en kastelen; wat wist het kind van ridders en kastelen… Misschien vertelde juf op school erover. Of de vader van Bertje en Hansje Modderman. „Daar hebben ze zulke prachtige boeken," zei Simon laatst, „met heel mooie platen. Hun vader kan erg mooi vertellen. Hij leest voor, maar hij vertelt er ook bij." Daar moesten de fantasieën over de ridders vandaan komen. Simon was vaak ridder. Maar zij begreep die ridder niet goed. En dat was jammer.

Zo was het ook met Frieda. Ze had te weinig tijd voor het kind. Ze bemoeide zich wel met haar, zo erg was het ook niet, stel je voor, maar toch had ze niet genoeg tijd voor Frieda. Elsje vroeg te veel aandacht. Ze waren alle drie lief en ze zou ze voor geen goud willen missen, maar ze kon er niet ten volle van genieten. Dat was het. En als Sjoerd het begreep en zij er met hem over kon praten, maar dat was er de laatste tijd niet bij. Ze vroeg zich soms af of er iets anders was wat hem bezighield. Iets op de zaak misschien. Vroeger vertelde hij over zijn werk. Geen belangrijke dingen, want echt belangrijke dingen gebeurden er niet. Maar ze babbelden er genoeglijk over. Een collega vertelde over zijn vakanties en Sjoerd berichtte haar daar weer over. Maar ze hadden geen tijd meer om te praten. Onder het eten kwamen ze er niet aan toe. Simon had meestal het hoogste woord en ze besloten hem te laten praten. Wanneer moest het kind hun anders zijn schoolavonturen vertellen? Frieda schreeuwde daar doorheen. Zelf moest ze erbij blijven om toe te zien of Frieda haar bordje wel leeg at en het niet van de kinderstoel op de vloer gooide. Praten over zijn werk was er dus niet bij. Het was ook niet belangrijk, het waren simpele verhalen. Maar het was genoeglijk samen te praten. Maar voor zij 's avonds goed en wel zat, was het niet vroeg meer. Dan de televisie erbij. Sjoerd keek graag naar spannende detectivefilms, die echter vaak in afleveringen vertoond werden, zodat hij vele avonden zoet was.

Ze draaide zich om in bed.

Was ze gelukkig?

Ze schrok van die vraag. Was ze gelukkig… Ja, toch wel. Maar het geluk was anders dan ze zich had voorgesteld. Ze hoorde eens voor de radio een gedicht voordragen over het huwelijk. Het was een lang gedicht en ze was niet van plan ernaar te luisteren, maar iets in de stem van de verteller boeide haar. Het gedicht begon heel simpel over het huwelijksbootje en ze dacht: „Wat onnozel, daar zijn al honderden gedichtjes, rijmpjes en versjes over gemaakt. Stap in mijn bootje en vaar met me mee!" Ze wist nog dat ze er stilletjes om lachte. Maar ze bleef luisteren.

En ja hoor, daar kwam de huwelijkszee. Maar de dichter beschreef het in fijn gekozen en mooi aaneengeregen woorden, hij tekende bijna een groot, zacht deinend watervlak. Glad als een spiegel in het maanlicht, schitterend met duizenden flonkertjes in de zomerzon. Het is niet erg als het water rimpelt, zei hij. Dan is het niet saai om te varen. Maar er kunnen hoge golven komen. Golven op de huwelijkszee betekenen zorgen, gevaren, ruzies... De dichter koos er sterke woorden voor uit en de voordrachtkunstenaar sprak de zinnen met diepte in zijn stem, het kreeg bijna iets dreigends. Ze wist nog dat ze ging zitten en bleef luisteren. De hoge golven waren niet beangstigend als er dijken waren, hoge, sterke dijken, die het gevaar binnen de perken hielden. En havens, waarin een boot en zijn bemanning kon schuilen en veilig zijn. „Want achter de dijk is de veilige haven, daar zijn de woorden van rust en van troost, daar is een stem die de angst doet vergeten..." Zo ongeveer ging het gedicht. Toen het uit was, vond ze het mooi. Ze dacht er nu aan.

In hun huwelijk waren nog geen hoge golven geweest waar ze bang voor was. Er waren moeilijkheden en angsten om Elsje maar ze droegen het samen.

Ze lag stil in het bed en dacht aan dit alles. Gek om nu aan dat gedicht te denken.

Ze was boos op Sjoerd.

Boos op Sjoerd...

Ze voelde opeens weer hoe hij haar dicht tegen zich aanhield toen ze wist dat ze voor de derde keer zwanger was en daar zoveel moeite mee had. Zij voorzag al het werk dat nu om haar heen was, terwijl ze niet eens wist dat ze zo met de baby zouden tobben. Ze wilde de dokter vragen de zwangerschap ongedaan te maken. Als dat gebeurd was hadden ze Elsje nu niet. Het kleine gezichtje met de wijze oogjes. Soms dacht ze dat het kindje veel wist en begreep. Onzin natuurlijk, zo'n klein kindje... Maar toen ze Simon verwachtte wist ze bijna zeker dat hij wist wat zij dacht en voelde. Ze praatte er later met Lieneke over. Bij Frieda was dat gevoel veel minder en nu met Elsje... Het waren andere gevoelens.

Toen ze eenmaal drie maanden in verwachting was, was ze blij met het komende kindje, ze was ermee verzoend. Ook omdat Sjoerd er blij mee was. Ze zouden het samen dragen. En hij hielp haar goed, ze moest eerlijk blijven. Ze besefte opeens dat het iets anders was wat haar dwars zat. Diep verborgen het weten van de andere gedachten in haar hoofd. En gevoelens in haar hart. Soms, als ze met Elsje in haar armen zat... onzin natuurlijk, zo moest ze niet denken. Het kwam gewoon omdat ze het druk had. Maar dat ging voorbij. Over een paar jaar zou Frieda naar de kleuterschool gaan, Simon naar de eerste klas en dan had ze alleen Elsje thuis. Dan ging alles goed. Maar ze zat er nu middenin en Sjoerd hielp haar niet genoeg. Hij wilde 's avonds rustig zitten, ja, dat wilde zij ook... Het bleef dagenlang tussen hen hangen. Ze waren niet echt boos op elkaar, ze praatten gewoon, maar het was niet zoals vroeger. Killer, onpersoonlijker en het maakte haar verdrietig. Ze dacht er niet de hele dag aan, zo erg was het niet en ze had geen tijd om te piekeren, maar het liep als een stille draad door haar denken. Ze had het gevoel alleen te staan vlak naast Sjoerd. Ze moest er niet aan toegeven. Dit was een van de rimpelingen in het water uit het gedicht. Maar het ging voorbij. Ernstig was het niet. Het kwam door de bedrijvigheid van hun jonge gezin.

Ze hield het ruim een week vol. Ze kreeg niet de indruk dat Sjoerd ermee bezig was, misschien dacht hij er niet eens aan. Of hij dacht: ze heeft het druk, laat maar gaan. Dat was natuurlijk ook geen oplossing. Die avond zei ze: „Je bent de laatste tijd zo stil. Is er iets?"

„Stil, ja, misschien ben ik wel stil. Maar stel je voor dat ik druk was hier in huis! Van je holderdebolder, vader komt thuis! We hebben al drukte genoeg. Simon tijgert door de kamer, compleet met grommen en brullen en Frieda is af en toe een vrouwtje uit een wafelkraam. Alleen Elsje is de rust zelve. Maar dat kind kan er ook niet bovenuit."

„Je weet best wat ik bedoel. Als de kinderen naar bed zijn praat je ook niet. Tenminste niet over iets, dat je dwarszit. En ik heb het gevoel dat iets je dwarszit."

„Dat is ook zo."

„Is het ons gezin..."

„Nee. Daar spraken we eerder over. En ik heb spijt van mijn woorden van toen. Ik zei dat jij het niet goed aanpakt. Maar.dat is onzin en dat meende ik niet. Ik weet dat je het erg goed doet. Het valt tenslotte niet mee met twee zulke kleine hummeltjes. Vooral aan een baby als Elsje is ontzettend veel werk. Nee, het is op mijn werk."

„Op je werk?"

„Ja. Er is iets aan de hand, laat ik het zo zeggen. Niets verontrustends, zo is het beslist niet. Maar ik doe de dagelijkse administratie, tik de rekeningen, neem bestellingen en orders aan, dat weet je en ik zie de cijfers. De hoofdboekhouding doe ik niet, dat zou ik er ook niet bij kunnen hebben. De telefoon rinkelt om de haverklap en elk moment komt er iemand het kantoor binnen om wat te vragen of wat te zeggen. Maar goed, tussen de bedrijven door kom ik met mijn werk wel klaar. De hoofdboekhouding gaat naar het accountantskantoor waar Peter vroeger werkte, dat weet je, zo leerden wij elkaar kennen." Hij keek haar even aan en lachte. Ze dachten allebei aan Opatya en het witte hotel.

„Maar Peter is naar Leiden vertrokken om dicht bij Carla te zijn en gelijk heeft hij. Cijfers kan hij ook in Leiden op papier zetten, een vrouwtje als zij kwam hij in Sneek vast niet tegen. Onze paperassen gaan nog steeds naar het kantoor in Sneek. Maar ze hebben het daar erg druk. Het is niet zo dat ik, als ik op eenendertig december de papieren inlever, half januari de balans en de verlies- en winstrekening op mijn bureau krijg en die met Beersing samen kan inkijken. Dat begrijp ik best, ze hebben daar meer te doen en ze moeten het hele jaar werk hebben. Voor wij de officiële cijfers zien is het juni, soms zelfs juli. Toen Peter er nog was, maakte hij voor ons een globaal overzicht zo omstreeks deze tijd, begin februari. Niet alle kosten gespecificeerd, maar wel met het resultaat 'dat is verdiend'. Maar dat is voorbij en ik dacht aan het begin van dit jaar: Ik moet zelf de cijfers maar eens uitwerken... Dat deed ik en het resultaat was niet bevredigend, we waren inderdaad in winst achteruitgegaan. Nu had ik daar een vermoeden van. Ik kan het niet verklaren. Er wordt goed gewerkt in de hallen, er komen orders binnen, het is echt druk en bedrijvig, we verkopen goed en toch liep het voor mijn gevoel terug. Ik rekende mijn tellingen nog eens na en nog eens, tenslotte ben ik wel boekhouder, maar geen accountant. Ik kon iets over het hoofd hebben gezien of verkeerd hebben geboekt. Maar dat was niet zo. Ik vroeg Kees op een middag of hij tijd had naar me te luisteren. Hij had direct in de gaten dat het een belangrijke zaak was en we bogen ons samen over de lijsten. Hij had in zijn achterhoofd ook het gevoel dat de bedrijfsresultaten een beetje terugliepen, maar Kees is een man die over zoiets niet echt gaat denken als hij het niet zeker weet en hij kon dat pas zeker weten als de cijfers voor hem lagen. Dat was toen dus het geval.

Hij schrok een beetje. Je moet niet denken dat het alarmerend is, maar, het is zoals Kees zegt, er moet een stijgende lijn zitten in een bedrijf en waarom liep het terug? We vergeleken de omzetcijfers en het bleek dat er niet minder verkocht was. We vergeleken de diverse posten en algauw kwamen we bij het loonbedrag. 'Daar zit het voor een deel in,' wist Kees ook direct, 'we hebben er twee man bij, dat weet je, Wiebe Welhof en Jan van der Linden, maar de omzet is niet hoger geworden. Als ik het met mijn nuchtere verstand van de zakenman bekijk zeg ik, dat we vorig jaar met twee man minder dezelfde omzet hadden. Ra, ra, hoe kan dat...' Maar hij wist wel hoe het kon en ik wist het ook. En daar praatten we samen over. Kees is een fijne vent. Hij heeft het bedrijf overgenomen van zijn vader. Zijn vader was nu niet direct een prettig mens, echt 'de baas'. Zo'n verstandhouding met zijn personeel wilde Kees niet. Echt dat gevoel van 'baas en knecht'. Hij is amicaal tegen de jongens in de hallen, hij maakt een praatje met ze, heeft begrip als iemand een extra vrije dag wil hebben en noem maar op. Maar, zei hij me die middag, ik voel dat er misbruik van wordt gemaakt. En dat is ook zo, Loudy. De jongens werken erg gezellig met elkaar. Op maandagmorgen bespreken ze de voetbalwedstrijden van de zondag en dan beginnen ze zeker drie kwartier, als het geen uur is, later aan hun werk. En ze bepraten de televisie-uitzendingen, nemen langer koffiepauze dan is afgesproken en ga zo maar door. Toen in het begin van het vorige jaar hun klacht kwam, dat ze het te druk hadden en dat er eigenlijk een paar mensen bij moesten, dacht Kees, dat dat kwam omdat het drukker was geworden. We kregen een paar grote orders binnen. Nou, als er mensen bij moesten dan kwamen die mensen erbij. En Wiebe en Jan werden in de ploeg opgenomen. Nu schrokken we van de uitslag. Ik wil niet zeggen dat het alleen in die loonpost zit, maar het loopt natuurlijk wel aardig op, met alle lasten erbij.

Maar nu komt het, wat mij betreft. Kees Beersing is een man die zulke dingen meteen aanpakt en hij belegde een bespreking met het personeel. En hij zei, dat de cijfers hadden uitgewezen dat er iets niet klopte, dat er minder hard gewerkt werd...

Ze waren niet onder de indruk, dat was te begrijpen, het doet ze niet veel, ze hebben het gevoel dat Kees toch genoeg verdient. Zijn prettige manier van werken met hen is eigenlijk paarlen voor de zwijnen geworpen. Tjerk Westerbaan zei, dat hij de fout niet bij hen moest zoeken, maar bij zichzelf. Hij kocht verkeerd in, dat zou het zijn. Of de verkoopsprijs lag te laag. Na die middag proefden we de sfeer in de fabriek van 'we moeten nu niet harder gaan werken, jongens, dan bekennen we dat we inderdaad te kort deden'. Ze gaan dus gewoon op de oude voet door.

Nu kijken ze mij erop aan. De jongens, zoals ik ze altijd noem. Mijn kameraden. Ze doen rot tegen me. Ze denken dat ik ze heb verklikt, dat ik tegen Kees vertel, dat ze 's morgens staan te kletsen en onder werktijd af en toe een kwartiertje nemen om uit te rusten. Als ik door de hallen loop hoor ik gemene opmerkingen 'Moast kontrole-arje' of 'Je had slavendrijver moeten worden, je bent te laat geboren, die tijd is voorbij.'

Vorige week kwam Kees het kantoor binnen met een gezicht als een donderwolk. 'Wat is er aan de hand?' vroeg ik. 'Ik heb er twee ontslagen,' riep hij. 'Het kan me niet schelen of ze er drukte van maken en de bond erbij halen en weet ik wat ze allemaal achter de hand hebben. Dit is mijn bedrijf, mijn geld zit erin en als ik mensen in dienst neem zeg ik ze dat ze moeten werken, daarvoor neem ik ze aan en dan zullen ze ook werken!' Hij ging flink tekeer. Zelf zat hij er vreselijk mee, hij vond het beroerd te meer daar hij ervan overtuigd is dat hij goed is voor zijn mensen. En dat is hij ook! En nu is er toch een onaangename stemming onder het personeel. Hij ontsloeg niet de twee die er het laatst zijn bijgekomen, maar een paar van de oude groep, want dat zijn de raddraaiers. Die twee waren natuurlijk razend en spuiden hun woede bij de anderen, die het als 'jongens met elkaar' voor hen opnamen. Maar ik ben ervan overtuigd dat ze weten dat de fout bij hen zelf ligt. Dat toegeven is moeilijk. En zo staan de zaken nu. Het werken is niet plezierig meer. Ze zien mij als heulend met de baas en als een verrader, een klikspaan. Maar het zijn simpel de cijfers, die een en ander uitwijzen. Ik kan er niets aan veranderen. Ik moet erboven staan, ik moet het me niet aantrekken. Kees zegt, dat de zaak gaat luwen als die twee een paar weken weg zijn. Dan denkt de rest aan het eigen hachje. Want ze vinden niet direct zulk prettig en goed betaald werk. En daar heeft Kees gelijk in. Maar nu zit het me hoog. Als een van de mensen op kantoor komt voel ik de vijandschap."

„En dat vertel je me nu pas."

„Ja, dat is niet goed, lieverd, dat weet ik. Maar jij hebt het druk, je bent 's avonds nog in de weer en ik wilde je niet met deze problemen belasten. Je denkt en tobt erover, maar je kunt er niets aan veranderen. Ik hou me vast aan Kees Beersing. Dan is het over een paar maanden voorbij."

„Denk jij dat dat echt zo is?"

„Ja. Ik geloof het wel. Maar zo prettig als het was zal het voorlopig niet meer zijn."

Elsjes eerste verjaardag werd een blijde feestdag. De avond tevoren hingen Sjoerd en Loudy de slingers op. Elsje zou daar nog niets van begrijpen, maar voor Simon en Frieda was een verjaardag niet compleet als er geen slingers aan het plafond hingen.

Toen ze ermee klaar waren legde Sjoerd de schaar terug in de la van de kast en deed het doosje met de punaises in het keukenkastje.

„Ze zal haar oogjes uitkijken morgenochtend," hij ging in zijn stoel zitten, „gewoon kijken. Ze is heel anders dan Simon en Frieda, toen die zo klein waren. Weet je nog hoe schaterend Simon kon lachen als hij in zijn nekje werd gekriebeld, dan gilde hij van pret. En als ik een toren bouwde van de blokken. Een hoog en wiebelend ding, hij keek er met grote ogen naar. Als het ding omviel – hij zag het aankomen, zijn snoetje was dan gespannen en ja hoor, daar viel pappa's kunstwerk, domme pappa, kan niet eens een goeie toren bouwen! Wat had het kereltje dan een plezier. Elsje lacht nooit zo uitbundig. Frieda is nog vrolijker dan Simon. Die hinnikt al als een jong veulentje als je een hand uitsteekt om haar te kriebelen en als ik bezig ben met het bouwen van de toren voorziet ze de val en heeft voorpret. En als het ding dan omvalt, kraait ze van plezier. Ik denk dat Elsje fijne binnenpretjes heeft. Het is een ernstig kindje. Eigenlijk vreemd, zo'n klein hummeltje, wat weet ze nog, niets, want je mag aannemen dat ze van alle zorgen, die om haar heen waren vlak na haar geboorte, niets weet."

Het werd een gezellige, maar drukke dag met veel visite en veel cadeautjes voor de kleine meid.

Toen ze 's avond eindelijk in bed lagen, dacht Loudy over de dag na. 's Morgens Simon en Frieda, die in hun pyjama's naar beneden holden, de pakjes in de hand, om aan het feest te beginnen. „Lang zal ze leven!"

Frieda schreeuwde boven alles uit. Elsje keek verbaasd, maar ook geamuseerd van de een naar de ander. Wat er aan de hand was, begreep ze niet, maar leuk was het wel. Een lieve, slappe pop, een blokkendoos, een eendje, waarop ze kon zitten en als ze met haar beentjes op de grond zich afzette ging het ding vooruit. Dat was al een beetje lopen.

Toen Simon naar school was en Frieda rustig speelde, ruimde Loudy vlug de kamer op. Elsje in bad, boven de bedden rechttrekken en weer naar beneden.

Jillie kwam al vroeg. Ze praatte over Eelke, die te streng was voor de kinderen.

„Ik begrijp hem vaak niet. Toen we pas verkering hadden vertelde hij me – dat was het eerste verhaal dat ik van hem hoorde en daarom bleef het me bij – dat hij strenge ouders had. De kinderen mochten niet veel. Ik vergeleek het met mijn ouders, moeder Frieda deed steeds haar best het voor ons zo plezierig mogelijk te maken en vader Simon vond het heerlijk als er een blije stemming in huis was. Maar vooral Eelkes vader heerste met straffe hand en boze blik, om het zo te zeggen. Eelke vond dat toen vreselijk. Maar nu doet hij bijna hetzelfde met onze kinderen! Ik vind dat helemaal niet nodig. Reitse en Hermientje zijn echt geen vervelende kinderen. Ze kibbelen wel eens, maar daar bemoei ik me niet mee. Na tien minuten spelen ze weer met elkaar. Maar Eelke komt er meteen tussen en stuurt de een naar boven, snikkend natuurlijk; de ander moet dan voor straf op een stoel blijven zitten. Overdreven, lijkt me. Hij zegt dat hij op deze manier dat gevit en geharrewar eruit krijgt en dat dat moet, want anders groeien ze op tot lastige mensen. Maar het is nu al zo, dat wij het met zijn drietjes gezellig en plezierig hebben als Eelke niet thuis is.

Als hij binnenkomt, slaat de stemming om. Dan zijn de kinderen zichzelf niet meer. Houten poppen, die weinig zeggen en geen dingen doen waarvoor ze straf kunnen oplopen. Eelke denkt dan dat hij het ideale gezin te pakken heeft. Maar hij weet niet wat hij mist en wat hij kapotmaakt. Met hem praten helpt niet. Vader heeft vroeger eens tegen me gezegd, dat hij me geen strobreed in de weg zal leggen als ik met Eelke de Winter wilde gaan, het was mijn keus, maar hij zei me, dat Eelke geen gemakkelijk karakter had. Geen blije, vrolijke man. Dat is hij inderdaad niet. Hij bedoelt het op zijn manier goed, dat is wat de kinderen betreft ook zo, maar volgens mij bereikt hij juist het tegenovergestelde.

Ik ontmoette dominee Geerlings laatst bij onze buren. Toevallig raakten we in gesprek, over dit onderwerp. 'De menselijke geest zit heel wonderlijk in elkaar,' zei dominee toen. En alsof hij voelde wat mijn probleem was, zei hij, dat het toch verbazingwekkend is, dat ouders, die in hun jeugd door hun ouders werden geslagen, dikwijls hun eigen kinderen ook weer slaan. Je zou zeggen, dat ze weten hoe vreselijk dat is en ze doen dat beslist niet, maar het is precies andersom. Misschien iets van een vergelding, een wraaknemen, dat diep verborgen in hun zielenleven zit. Dominee wist er ook geen antwoord op. Zo erg is het bij Eelke natuurlijk niet, hij geeft de kinderen wel eens een tik, maar hij slaat ze niet echt. Hij is alleen streng. Ze mogen dit niet en ze mogen dat niet. Kinderen, die in hun jeugd te veel mogen, kunnen later niet tevreden zijn met minder."

Loudy hoorde het hele verhaal aan. Ze begreep Jillie, ze wist ervan natuurlijk, hierover was al eerder gesproken in de familie. Vader Rijswijk zei eens: ze zullen er moeilijkheden mee krijgen als de kinderen groter worden. Ze kunnen nu niets beginnen, maar als ze op een leeftijd komen dat ze zich kunnen verdedigen gaan hun monden open. Het zal mij benieuwen wat er dan gebeurt.

Was het nu al zover?

Tegen half elf kwam Jetske en toen werd het gesprek lichter en luchtiger. Elsje scharrelde over de grond met de nieuwe speelgoedjes.

„Wat een verschil met een jaar geleden, hè?" Jillie keek vertederd naar het kleine meisje. „Ik zag haar in de couveuse. Eigenlijk een kindje om bang van te worden, zo klein en tenger. En nu is het een lieverdje. Nog altijd klein, maar ze is schattig om te zien."

Vader Rijswijk kwam even langs. „Ja, damesvisite. Ik dacht: misschien komt jouw vader nog, Loudy, maar nee, hij is er niet."

„U bent toch niet bang voor vrouwen?"

„Nee, wis en waarachtig niet," lachte hij, „maar ik weet niet of jullie echt gesprekken hebben over vrouwenzaken, dan wil ik jullie niet storen."

„Nee hoor. We praten over van alles en nog wat. De kinderen, onze mannen en onze vaders!", lachte Jetske.

Vroeg in de middag kwam Lien van Rijssen. Loudy had juist de afwas klaar en Elsje naar haar bedje gebracht voor een middagslaapje, toen ze de voordeurbel hoorde. Ze wist dat het Lien was, de anderen kwamen allemaal achterom. Eigenlijk jammer dat Lien kwam, want ze wilde juist, na een blik op de klok, lekker even rustig op de bank zitten vóór de volgende visite zou komen...

„Ik ben vroeg, hè?" stapte Lien opgewekt de gang in, „ik dacht, dan is het nog rustig bij je. Elsje ligt in bedje? Ja, dat dacht ik al. Ik zie haar straks wel, want zo lang slaapt ze 's middags niet. Misschien vandaag wel, na de spanning van cadeautjes krijgen." Ze zakte neer op de bank.

„Ik wil een ogenblik met je praten over Lieneke. Niets aan de hand hoor, alles gaat daar uitstekend. Maar ik zie je nooit alleen, je vader is er altijd bij. Niet dat hij niet mag horen wat ik zeg, natuurlijk wel, er is geen woord geheimzinnigs aan, maar mannen begrijpen soms niet precies wat vrouwen bedoelen. Zo is het toch?" Ze lachte naar Loudy en die knikte. „Ze ratelt soms zo," zei vader een poosje geleden, „wel gezellig hoor, maar er zijn veel woorden die ze kan overslaan, die zijn niet belangrijk in het gesprek. Maar ach, het is leuk om naar haar gebabbel te luisteren."

„Het gaat goed met Lieneke. Ze is de depressie helemaal te boven. Ze praatte er niet vaak met me over en ik wilde er niet over beginnen, want het was toch zo, dat het uiteindelijk mijn schuld was. Dat zal wel, dat is te begrijpen in dit geval. Maar wat kon ik er destijds aan doen dat het zo gelopen is en wat kon ik er later aan doen? Ik praatte er dus nooit over met Lieneke, maar een poosje geleden begon ze zelf. Om het me allemaal uit te leggen. Ik wist niet wat ik hoorde. Maar ik zei niets, want het ging echt op de toon van: jij hebt dit nooit beseft, moeder, maar ik ben zo vreselijk gevoelig. Het zal wel waar zijn. Nu blijkt dat ze ook in haar kinderjaren al problemen had. Ik geloof het niet. Ze praatte dat zichzelf in, toen die narigheid begon. Ze wilde zo gevoelig zijn, anders dan andere mensen. Nu blijkt dat het al begonnen is nog voor ze geboren werd!" Lien lachte er hartelijk om. „Ik geloof er niets van, dat zei ik al, maar als zij denkt dat het zo is en het nu kan loslaten omdat alles op een rijtje is gezet en ze het volkomen begrijpt, prima toch? Ik wilde nog zeggen: pas maar op, dat jouw kinderen geen innerlijk conflict hebben opgelopen in de tijd toen jij zo raar deed! Ha, ha! Bastiaan is een stil ventje, die kan gedacht hebben dat zijn moeder niet van hem hield. Maar ik heb het niet gezegd, ben je gek! Dan maakt ze daar weer een probleem van. Nee, zo dom ben ik niet. Dat geldt ook voor Stefan. Het is best een pittige jongen hoor, een man kan ik wel zeggen, maar in mijn ogen is het nog het ventje dat vroeger bij ons op de boerderij speelde. Maar gemakkelijk is hij niet. Als alles loopt zoals hij het wil, ja, dan wel. Maar als het tegenloopt is Stefan eigenlijk een kind, dat gauw begint te janken. Dat was toen dat met Lieneke speelde toch ook? Daar weet jij natuurlijk niet van, maar als hij bij me kwam om erover te praten hoorde ik voornamelijk, dat het voor hem ook niet meeviel, hij had het moeilijk…"

Loudy glimlachte. Lien besloot haar relaas met: „Maar wat het ook is geweest met Lieneke, ze is er doorheen en daar gaat het om. En wat ze gelooft, is verder niet van belang."

Zo simpel is dat.

Het was een prettige dag geweest. „Heerlijk dit te kunnen vieren," zei Sjoerd 's avonds aan tafel, „de eerste verjaardag van ons kleintje. Ik heb vandaag vaak aan vorig jaar gedacht."

„Ik kwam daar bijna niet aan toe, maar tussen de bedrijven door, ja. En Jillie begon er vanmorgen over. Als je Elsje nu ziet… Als ik denk aan al die uren met haar op schoot, steeds weer met dat flesje in het mondje zitten, dan weer alles eruit gooien, wat een werk, maar het is allemaal goed afgelopen, het is een schat van een kindje."

In de winter leerde Elsje lopen. Dat ging opeens ongemerkt. Ze stond bij een stoel, keek naar een andere stoel, schatte de afstand, dat was hooguit drie pasjes, dat moest mogelijk zijn. Sjoerd en Loudy zaten allebei in de kamer en keken zwijgzaam toe. Opeens rechtte Elsje het smalle ruggetje, richtte de blik op de stoel en daar ging ze… Ze greep met haar handjes naar de zitting en keek toen om, naar pappa en mamma, een triomfantelijke blik in haar ogen.

„Goed zo, meiske," prees Sjoerd haar en Elsje lachte.

Frieda kwam meteen aanhollen uit de poppenhoek. „Wat deed ze, mam?"

„Ze liep van die stoel naar die stoel."

Frieda greep haar zusje vast en probeerde haar om te draaien. „Nu weer terug," riep ze.

„Nee, nee, zo vlot gaat dat niet, Frieda, laat haar los. Ze is veel te blij dat ze dit heeft volbracht." Maar dat begreep Frieda niet.

Elsje liet zich op de grond zakken en kroop naar de poppenhoek. „Zal ik poppie voor je in het bedje doen? Dat kan jij niet."

Frieda knielde naast haar neer. Elsje ging erbij zitten. „Ja, ja," zei ze en keek toe hoe Frieda de pop in het bedje frommelde en de dekentjes eroverheen legde.

„Het is een klein, lief meisje, onze Frieda," glimlachte Sjoerd.

„Ze is bijna anderhalfjaar ouder. Ze kan veel meer. En dat wil ze tonen. Ze wil Elsje helpen. Maar het moet natuurlijk niet te veel helpen worden."

„Nee. Dat is iets waarop we moeten letten. Ze schelen weinig in leeftijd, maar nu is het goed te merken. En Frieda is een handige tante."

„Dat is het zeker. En beweeglijk. Ik moet ogen achter en voor hebben met haar. Maar ze is wel lief. Nee Frieda, doe maar niet, laat Elsje zelf de pop uit het bedje halen, dat kan ze wel." Inderdaad, Elsje trok de pop bij een beentje onder het dekentje vandaan.

„Maar zo moet dat niet…"

„Nee, maar Elsje is nog klein. Ze weet dat niet. Speel jij maar met je eigen pop, waar is Lotje, kijk, daar in de hoek en laat Elsje met haar eigen spulletjes bezig zijn." Het was een klein voorval, maar niet onbelangrijk en Loudy besefte dat. Frieda was ouder, sneller en levendiger.

Elsje wachtte af, keek belangstellend naar alle handelingen van haar zusje. En steeds vaker moest Loudy zeggen: „Frieda, nee, laat Elsje nou even gaan… Kindje, ze redt dat zelf wel… Bemoei je er niet mee… Frieda, ga jij nu in je eigen hoekje spelen…"

Elsje leerde moeizaam praten.

Soms, als Loudy het kindje op schoot zag, maakte ze zich zorgen. Was Elsje wel helemaal goed… Dan keek ze naar het smalle gezichtje en de grijsgroene ogen, die haar toch verstandig aankeken. Maar er was een ondoorgrondelijke blik in. Misschien hadden Simon en Frieda dat vroeger ook, ze herinnerde het zich niet, het was haar nooit opgevallen. Misschien verbeeldde ze het zich ook en keek Elsje gewoon naar haar. Maar ze lachte niet direct naar haar. Dat deed Frieda vroeger wel. Als ze die op schoot nam, kon ze zien dat het kindje het heerlijk vond bij mamma te zitten. Elsje accepteerde het gewoon. En als ze het kindje weer op de grond zette, was het ook goed. Dan kroop ze naar haar speelgoed, nam een balletje of een popje in de handen en zat daar stilletjes mee. Loudy sloeg het gade en ze wist dat er in haar hart ongerustheid was en dat het in deze winter steeds sterker was geworden.

Op een avond begon ze erover tegen Sjoerd. „Soms denk ik: is Elsje wel helemaal goed…"

Hij keek haar verschrikt aan. „Loudy toch, wat heb je, wat is dit? Elsje is niet zo vlug als Simon en Frieda, maar ze heeft een achterstand gehad bij haar geboorte. Daar komt het door."

„Ik bedoel niet dat ze later praat dan de andere twee. Ze begint al een beetje te babbelen. Ze kan pappa en mamma zeggen en ze roept Simon met Sien en Frieda met Rie. Ze kan de klanken dus vormen. De rest komt nog wel. En ze loopt een beetje. Maar kruipen gaat gemakkelijker. Dat is het allemaal niet. Ze is niet echt achterlij k, maar…"

„Loudy, lieveling toch," Sjoerd schrok geweldig van het woord 'achterlijk', „zoiets mag je niet zeggen en zo is het ook niet."

„Eigenlijk bedoel ik dat ook niet. Maar ik heb het gevoel dat Elsje anders is dan andere kinderen."

„Anders dan Simon en Frieda. Maar als we tien kinderen hadden zou je ontdekken dat ze alle tien anders waren. Ook al hebben ze dezelfde ouders. Elsje is een ernstig kindje."

„Een ernstig kindje… hoe kan dat nou, zo'n klein ding? Zo'n kindje moet blij en vrolijk zijn, maar dat is ze niet."

„Ze lacht niet overal om. Er zijn grote mensen, die schateren als je een gekke bek trekt, er zijn er ook, die juist een heel fijnzinnige grap nodig hebben om te kunnen lachen. Bij die categorie gaat Elsje horen."

„Ik zie het zo niet."

„Je moet je geen zorgen maken. Elsje begint te praten; de meeste kinderen van ruim een jaar praten niet beter dan zij. Elsje begint te lopen; de meeste kinderen lopen niet goed voor ze anderhalf zijn en ga zo maar door. Het is alleen geen vrolijke lachebek. Dat verwachtte je misschien omdat Simon lekker kan lachen en Frieda helemaal tekeer kan gaan van pret. Zo is Elsje dus niet. Misschien heeft ze veel van de karakters van jouw ouders in zich. Ik bedoel daar niets onvriendelijks mee, dat weet je, maar als ik de verhalen achterelkaar zet, was jouw moeder geen vrolijke vrouw en je vader is ook geen man die de feeststemming erin brengt."

„Dat is waar." Ze wilde zich graag gerust laten stellen. Nu ze Sjoerd hoorde praten, wist ze dat hij gelijk had met wat hij zei. Toch, als ze kleine Els op schoot had, kon ze zich niet losmaken van het gevoel dat het kindje anders was dan haar andere twee. Ze speurde het snoetje af maar er was niets bijzonders aan te zien. De gladde wangetjes, het mondje met kleine, witte tandjes, het dunne, vlassige haar, de oogjes, die haar te vaak strak aankeken.

Ze praatte er niet meer over met Sjoerd. Maar ze wist, dat ook hij hun jongste kindje met aandacht gadesloeg. Maar er was niets bijzonders.

Toen het voorjaar kwam kon Elsje goed lopen. Ze was tenger en licht, ze liep gemakkelijk, bijna dansend door de kamer. En ze praatte heel wat woordjes duidelijk en gebruikte ze op het juiste moment. Loudy raakte er steeds meer van overtuigd dat ze zichzelf zorgen had gemaakt die er niet waren. En toch bleef ze Elsje nauwlettend volgen, er was een band met dit kindje, anders dan met Simon en Frieda. Van hen hield ze ook dolveel, maar het was anders. Het waren kindertjes die haar hulp en verzorging nodig hadden, maar wat ze zelf konden doen, deden ze zelf. Met Elsje had ze steeds het gevoel dat ze bij haar moest zijn. Misschien kwam het door de eerste maanden van het prille leventje. Het kindje steeds op schoot, in haar armen, dicht bij zich. Een vorm van niet kunnen loslaten. Daar moest ze voor oppassen, dat mocht niet. Elsje moest een zelfstandig mensje worden als alles goed was met haar. En alles was goed. Ze wist wat ze wilde. Maar als ze iets niet kon bereiken, huilde ze niet oorverdovend zoals Simon vroeger deed. Of zoals Frieda, die het gewoon op een andere manier probeerde te bereiken. Nee, Elsje berustte dan. Bijna zwijgzaam. Ze huilde wel eens, maar het was een bijna geluidloos huilen en het duurde nooit lang.

Loudy kon het niet verklaren, maar ze voelde dat ze dit kindje moest begeleiden. Er was iets in Elsje dat haar hulp en steun nodig had. Ze dacht erover als ze alleen thuis was. Vaak dacht ze dan aan Lieneke. En weer aan zichzelf. Zij wilde Elsje niet... liever niet... waren het diep verborgen schuldgevoelens tegenover het kindje en voelde het kindje dat... och nee, ze voelde het alleen zelf. Ze moest daar niet aan toegeven. Het was niet nodig. En het maakte haar ongelukkig. Ze moest het loslaten. Zij had geen schuld. Duizenden vrouwen denken bij een zwangerschap: liever niet... maar later zijn ze blij met de baby en denken er niet meer aan dat ze het toen niet wilden. Ze hebben dan juist vaak een gelukzalig gevoel van 'heerlijk dat het toch is doorgegaan'. Zo moest ze het zien.

Maar er bleef een koud plekje in haar hart. Een koud plekje voor zichzelf. Als dit een van de golven was uit het lied van de dichter over de zee, was het een kleine, zo te zien ongevaarlijke golf, maar ze moest ervoor oppassen. En er was geen haven om binnen te lopen, om te schuilen in twee armen, die het begrepen en het konden wegnemen, want ze praatte er niet over met Sjoerd.

Frieda was vier jaar geworden. Sjoerd en Loudy hingen de avond voor de feestdag de slingers weer aan het plafond.

„Je hebt een paar nieuwe gekocht?"

„Ja. Zo langzamerhand waren er een paar kapot gegaan."

„We doen ook niet anders dan feestvieren met ons kroost," lachte Sjoerd vanaf de keukentrap, „hoe vaak hebben we de boel versierd? Even uitrekenen, daar ben ik tenslotte boekhouder voor!"

„Gaat dat wel uit je hoofd?"

„Moeilijk, maar ik zal het proberen. We zijn begonnen toen Simon drie jaar werd. Hij is nu acht, dat is voor hem dus zes keer. Frieda kreeg vanaf haar eerste verjaardag de papieren rozen boven haar kopje, dat is dus vier keer, samen tien en Elsje heeft twee verjaardagen achter de rug. Twaalfmaal klom ik op stoelen bij de muren, liet punaises uit mijn handen vallen en hing die lastige slinger met de sterren te laag. Maar nu heb ik ervaring. Je hebt er wel leuke slingers bijgekocht, echt feestelijk, dat rood en blauw."

De verjaardag zelf was een groot feest geworden. Maar het fijnste vond Frieda, dat ze nu naar de kleuterschool mocht. Spelen met andere kinderen, verhaaltjes horen van de juf. Ze hadden daar een keukenhoek, met een echt kraantje en een poppenhoek met bedjes en een wagentje en kleertjes in een kastje en ook een poppenkast. Simon zei, dat juf Anneke mooi kon spelen over Jan Klaassen en Katrijn en die gekke dood van Pierlala. Ja, Frieda wilde graag naar school. In huis was het nu rustig. Dit was de tijd waarover Loudy droomde toen ze het zo verschrikkelijk druk had. Zie je, ze kwam erdoorheen, natuurlijk kwam ze erdoorheen. Maar het was haar wel eens te veel geweest.

De band met Elsje werd zo mogelijk nog hechter. Alle zorgen in het denken dat het kindje misschien niet goed was, waren verdwenen, want Elsje was stiller dan de andere twee, maar haar verstand was goed. Ze babbelde, ze speelde rustig in haar eentje en had een ruime fantasie. Niet zo woest als Simon vroeger, maar het was een meisje; die dromen niet van ridders te paard en vechtpartijen met inbrekers. Op een middag in de zomer zat Loudy aan de grote huiskamertafel te naaien. De stof gleed onder het voetje van de machine door. Deze naadjes nog even doen, dat kon voordat de kinderen uit school kwamen. Elsje speelde op de grond bij het kindertafeltje met het winkeltje. Ze stapelde alle doosjes op elkaar, zette de kleine flesjes op een rijtje en praatte tegen een fantasieklant.

De machine roetsjte over de stof. Ziezo, dat was klaar. Ze ruimde de boel op, vanavond kon ze ermee verdergaan.

Terwijl ze daarmee bezig was stormde Frieda om het huis, hup, zwiepend ging de keukendeur open en ze holde binnen.

„Dag mam!" Rode wangen in een fris snoetje, de knopen van het vestje los.

„Dag meid, hoe was het op school?"

„Goed. Wat doe je, Els, zo moet je dat niet doen," en fors stapte Frieda op het speeltafeltje toe en strekte haar handen uit om wat volgens haar verkeerd stond op te ruimen.

„Frieda, niet doen, bemoei je er niet mee," riep Loudy, „Elsje speelt zo lief…"

Frieda draaide zich met een ruk om en Loudy zag de grote, blauwe ogen. Ze schrok. Er was een heel vreemde blik in. Ze nam die blik in zich op, het was bijna een ogenblik van verbijstering, dit kind en die blik in de ogen, het was geen boosheid, geen woede, bijna iets van haat of jaloezie… Ze voelde hoe ze trilde.

Onzin natuurlijk om zich over zo'n klein voorval druk te maken, ze verbood de kinderen vaker als ze Elsje niet rustig lieten spelen, vooral Frieda had er een handje van Elsje alles af te pakken en dat mocht niet: „laat dat kindje toch," riep ze dan en dan liet Frieda meestal los en pruttelde iets van „maar ze doet het niet goed", soms zei ze ook „ik wil haar helpen" en dan voelde Loudy een warmte in zich komen voor dit kleine meisje, want Frieda was ook nog maar een hummel met haar vier jaren.

Maar nu keken Frieda's ogen haar aan. En niet even, in een flits, het was of ze elkaar vasthielden, op een afstand vasthielden en of er iets tussen hen groeide, op dat ene moment. Loudy voelde zich onzeker, ze wilde iets zeggen tegen dit kind, maar daar kwam ze niet aan toe, want op hetzelfde moment hoorde ze roepen bij de achterdeur. Een hoge, harde jongensstem. Hansje Modderman stormde de kamer al binnen. „Buurvrouw Rijswijk, Simon is gevallen!" Hij stond hijgend naast haar, een opgewonden gezicht, rode wangen van het hollen. „Op het schoolplein. Meester heeft hem de klas in getild en de dokter is geweest…"

Ze schrok vreselijk. „Gevallen, hoezo, waar heeft hij zich bezeerd?"

„Zijn knie. Het bloedde erg."

Wat moest ze doen? Ze kon Frieda en Elsje niet samen in huis laten, vooral na dat van zo-even niet, Frieda's grote ogen. Ze pakte Elsje van de grond. „Kom vlug," zei ze tegen Frieda, „dan stappen we op de fiets…"

Hansje rende voor haar uit naar buiten. Zijn fiets lag voor de tuinpoort op het trottoir. Ze zette Elsje in het bakje voorop en Frieda achterop de fiets en trapte zo snel ze kon naar de school.

In de lerarenkamer zat Simon op een stoel, zijn rechterbeen op een andere stoel. Hij had gehuild, hij snikte nog een beetje, om zijn knie was een dik verband.

„Mevrouw Rijswijk, bent u erg geschrokken? Dat is geloof ik niet nodig, maar u weet hoe dat gaat met kinderen. Ik zei tegen Hansje, dat hij even naar u moest toegaan om het te zeggen. De jongens waren aan het spelen op het plein, veel te wild natuurlijk. Ik zeg honderden keren tegen ze: wees toch wat rustig en trek en scheur niet zo aan elkaar, maar dat geeft niets. En bij zo'n zwieber, zoals ze dat noemen, viel Simon. Op zijn knie. Het zag er echt lelijk uit. We droegen hem meteen naar binnen en wasten de wond schoon, maar Chiel de Ronde en ik vonden het toch beter dokter te bellen. Straatvuil, u weet het, kan gevaarlijk zijn. Dokter was thuis en hij kwam meteen. Hij heeft de wond verder schoongemaakt en er verband omgedaan. Het is niets ernstigs, maar het zal echt wel pijn doen." Hij keek naar Simon, die bibberig knikte. „Het doet vreselijk veel pijn," zei hij. „Ach, jochie toch…" Frieda en Elsje stonden er allebei met beteuterde gezichtjes bij.

„Heb je 'au'?" vroeg de kleinste.

„Een zere knie, dat zie je toch?" antwoordde Frieda; het klonk lief. Ze wilde Simon de moeite van het antwoorden besparen.

„Ik breng Simon met de auto naar huis. Hij kan niet lopen."

„Dan stap ik nu op de fiets. Ik ben er zo." Meester droeg Simon het huis binnen en zette hem op de bank. Toen meester de deur uit was begon Simon weer te huilen. „Het doet zo zeer en het is de schuld van Dirk, die liep me gewoon ondersteboven. Hij zag me wel, maar hij liep niet om me heen, hij liep in volle vaart tegen me aan en daar lag ik. Hij deed het expres, dat gemene joch! Flip heeft het gezien en Bertje en die zeiden het ook. Meester heeft hem een standje gegeven, maar daar trekt Dirk zich niets van aan."

„Maar jij zit ermee. Goed dat dokter direct kwam om je knie te verbinden. Als het erg pijnlijk blijft, bel ik hem straks op om te vragen of hij iets kan geven. Maar misschien zakt de pijn. Je moet je er niet zo druk over maken, je hebt wel eens meer een zere knie gehad. Voor je gevoel is het nu veel erger omdat de dokter erbij is geweest, maar dat deed meester omdat er vuil van het plein in de wond gekomen kan zijn en dat mag natuurlijk niet. Dan gaat het etteren en dat moeten we niet hebben. Wil je iets drinken? Zal mamma een kopje thee zetten, je krijgt er wat lekkers bij, dat is goed voor je maag. Die knort dan niet. Ik ruim even vlug de naaimachine weg."

Elsje was weer naar haar winkeltje gegaan en Frieda zat in een stoel, de duim in haar mond, te kijken naar haar gewonde broertje.

„Wat hebben we nu?" vroeg Sjoerd toen hij thuiskwam, „een gewonde in huis? Zo, dat is een grote lap, nou ja, verband moet ik zeggen." Simon vertelde van de valpartij en dat dokter gekomen was en dat meester hem met zijn auto had thuisgebracht.

„Dus morgen niet naar school..."

Simon grijnsde. „Nee, dat kan natuurlijk niet."

Simons knie was toch behoorlijk gewond geraakt en het duurde bijna twee weken voor hij weer kon lopen.

In die tijd werd vader Rijswijk ziek. Jillie kwam om erover te praten. „Jij kunt moeilijk weg, je hebt Simon thuis en Elsje, daarom kom ik bij jou, want het staat me helemaal niet aan."

„Hoezo? Sjoerd dacht dat het niet zo ernstig was. Griep."

„Ja, griep. Dat zegt dokter ook. Ik denk ook dat het dat in het begin was. Snipverkouden en je weet hoe vader is, vreselijk eigenwijs, hij loopt zo in zijn overhemd de tuin in, maar de wind is de laatste tijd koud en scherp. Hij begon te hoesten en is toen naar dokter gegaan. Een drankje, wat pilletjes, oppassen, Rijswijk... en verder niet. Meer kan de dokter ook niet zeggen, dat weet ik wel. Ik weet ook hoe vader bij hem in de spreekkamer heeft gezeten. Vriendelijk knikkend, niets aan de hand, wat hoesten en wat snotterig, ja, dat zijn de symptomen. Wachten tot de dokter het recept heeft uitgeschreven. Als het niet gaat, Rijswijk, dan hoor ik dat graag... Ja dokter, komt voor elkaar... Maar er zit volgens mij meer achter."

„Hoe bedoel je dat? Denk jij dat hij een ernstige ziekte heeft?"

„Nee, dat denk ik niet. Maar hij is de laatste tijd stil en lusteloos." Loudy knikte. „Het leven heeft voor hem weinig waarde meer."

„Hij vindt er eigenlijk niets aan." Jillie keek haar recht aan. Ze keken allebei even naar Simon, hij las in een jongensboek, hij sloeg een bladzijde om en ze zagen zijn ogen langs de regels gaan. „Ik kan het me voorstellen. Wat heeft hij nog? Het enige wat hem interesseert zijn onze verhalen over de kinderen, maar daar zit niet veel variatie in. Hermientje en Reitse doen het goed op school en Simon ook, Frieda dartelt op de kleuterklas en Elsje groeit lekker. Dat is elke week hetzelfde verhaal.

Eelke vertelt over het werk op het land, ja, vader weet precies wat er moet gebeuren... Het is allemaal goed, maar het boeit hem niet. Hij is veel alleen. Met die hond. Het is echt een lief beest, maar soms irriteert het me zoals vader ermee omspringt. Zo overdreven lief. Het beest ligt aan zijn voeten als hij in de stoel zit, het dier zit vlak naast zijn stoel als hij eet. En hij geeft het dier veel te veel eten, het wordt een log geval.

Wil je geloven, Loudy, dat ik het een beetje een ziekelijke verhouding vind... Alsof hij al zijn liefde aan Kazan moet geven. In zijn houding voel ik ook iets van 'ik heb niets anders'. Nee, het zint me niet. De eerste jaren na moeders overlijden vond ik hem flink, toen viel het me erg mee zoals hij zich er doorheen sloeg. Maar nu is hij op een dood punt aangekomen. Dat is het juiste woord: dood punt. Ik heb het gevoel dat hij niet verder wil leven." Ze praatte zachter, om Simon. Zou het kind naar hen luisteren? Och nee, het boek was spannend. „Hij ligt nu in bed en ik ga een paar maal per dag naar hem toe. Hij wil niets. Ik breng hem eten, echt zijn lievelingskostjes; een dunne groentesoep, daar houdt hij van, groene groenten, wat aardappeltjes en een stukje vlees. Ik weet niet zeker of hij het opeet. Ik kan niet bij hem blijven zitten en wachten tot het bord leeg is. Het is voor ons ook etenstijd.

Ik denk er soms aan hulp voor hem te zoeken. Van de gezinszorg bijvoorbeeld. Eén of twee ochtenden per week komt dan iemand zijn huis schoonmaken, zo'n vrouw drinkt koffie met hem en babbelt met hem."

„Hij zal 'nee' zeggen als je met het voorstel komt, maar als je doorzet, vindt hij het achteraf wel prettig. Zo gaat het vaak." Jillie ging weer naar huis.

Simon kwam heel voorzichtig van de bank af, hinkelde tussen de tafel en een stoel door en probeerde zijn gewonde been op de vloer te zetten.

„Oei, dat voel ik best, dat doet pijn, zeg! Ik probeer drie stappen."

„Ja, overdrijf ook maar niet." Ze lachte naar hem. Hij wilde graag flink zijn, maar het lopen viel hem tegen.

Toen Simon weer naar de bank en het boek was teruggekeerd dacht Loudy aan vader Rijswijk en Jillie.

Rimpels in het water. Voor allebei. Vader Rijswijk was 'aan het laatste hoofdstuk van zijn leven' begonnen, zoals hij het zelf noemde. Maar het werd anders geschreven dan hij het zich voorstelde. Toen Frieda nog leefde was de ouderdom geen somber gat. Samen oud worden, het knus en gezellig hebben en praten over de kinderen en kleinkinderen en bezig zijn met de kleine, dagelijkse dingen om hen heen. Nu was hij alleen.

Elke nieuwe dag gaapte hem als een kille holte aan en als in de avond de duisternis viel, was hij bang voor de lange uren alleen.

Jillie dacht aan haar vader. „Hij is me zo dierbaar," zei ze eens tegen Loudy. „Ik weet niet hoe ik dat moet uitleggen. Jij houdt van je vader en Sjoerd en Eelke houden van hun vader, maar ik weet zeker dat tussen mij en mijn vader een andere band is. Hij is zo van mij. Als hij sterft, zal ik het gevoel hebben dat iets heel eigens van me is weggegaan. De steun in mijn léven, de zekerheid. Ik weet altijd: mijn vader is er. Mijn vader is anders voor me dan Eelke. Dat is mijn gelijke. En anders dan de kinderen, daar moet ik voor zorgen. Mijn vader staat achter me, hij grijpt me vast als ik val, hij is mijn achtergrond. Ik weet niet hoe ik het moet zeggen."

Maar Loudy begreep haar. En nu was die vader in moeilijkheden en Jillie wilde hem helpen, maar ze kon hem niet helpen. Niemand kon hem helpen. Zo hebben we allemaal onze zorgen, dacht ze. Vanbinnen verborgen.

Levend in onze gedachten.

Zij tobde stilletjes over Frieda. De ogen van twee weken geleden lieten haar niet los. Ze vertelde er niet over aan Sjoerd. Ze wist niet hoe ze dit moest zeggen, het zou raar klinken 'ze keek boos naar me...' Sjoerd zou er hartelijk om lachen. „Onze kleine spinnekop kijkt vaak boos!

Het ene moment stampend met het voetje, het andere moment lachend en lief als een madeliefje. Nee, daar moet je niets achter zoeken. Het kind is vier jaar en ze beheerst zich niet. Als ze boos is, is ze boos en ze kan ook boos zijn op mamma en pappa en als ze blij is, is ze blij." Sjoerd zou het niet begrijpen en dat was logisch. Hij zag het niet. Maar het liet haar niet los. Wat was dit in Frieda? Ze wist het niet. Ze keek de voorbije twee weken met meer oplettendheid naar het kind, maar ze was zoals ze altijd was. Ze kwam iedere morgen en middag vrolijk uit school, met opgewonden verhalen over de juf en de andere kinderen van de klas. Liesje zei zus en zo en Marietje deed dit en dat en ze mocht morgenmiddag bij Bennie spelen, dat vond mamma toch goed? Ze was uit school met Bennie meegegaan naar zijn huis, Bennie moest natuurlijk vragen of ze bij hem mocht spelen, hij wou het graag, zij ook, want Bennie had mooi speelgoed en Bennie was leuk om mee te spelen en Bennies mamma zei: „Natuurlijk mag dat…"

Loudy keek glimlachend naar haar. „Wat zei mevrouw Huisman: 'Natuurlijk mag dat, Frieda is een schat van een vriendinnetje…?' "

Daar lachte Frieda om. Loudy vroeg zich af of het echt een spontane lach was. Ze moest zich niet aanstellen. Een kind van vier jaar, wat zocht ze daar nou achter… Frieda was gewoon een vrolijke meid. Ze dartelde door het leven. Ze was druk, ze kwetterde de hele dag en ze bemoeide zich op een beetje bazige manier met veel te veel dingen. Maar ze zat ook tussen Simon en Elsje in. Simon hoefde ze niets te leren en niets wijs te maken en niet te helpen, die zei alleen 'blijf af'. Ondanks dat probeerde ze het steeds weer. Vaak grappig om het gade te slaan.

Over Elsje kon ze wel de baas spelen. Elsje helpen met de poppen, Elsje voordoen hoe een huisje te tekenen, de bal uit Elsjes handen pakken, och, het was eigenlijk normaal, kinderen met elkaar. Wie ouder is en sterker, is de baas.

's Avonds vertelde ze Sjoerd wat Jillie had gezegd.

Hij knikte. „Toen moeder was overleden dacht ik, dat vader vlug achter haar zou aangaan. Omdat het leven hem niet meer interesseerde. Het viel me ontzettend mee zoals hij de draad weer oppakte. Ik wil niet zeggen dat hij opbloeide, dat is onzin, hij miste haar erg, maar hij sloeg zich er goed doorheen. Hij probeerde voor zichzelf het leven aantrekkelijk te maken. Hij praatte het zich aan. Zo zie ik het. Hij had zijn kinderen nog en zijn kleinkinderen en die waren dicht om hem heen, dat was toch heerlijk? Er zijn mensen die hun kinderen in Australië hebben zitten, die lui krijgen één keer in de maand een lange brief en daar moeten ze het mee doen. Wat dat betreft is hij bevoorrecht. En hij heeft lieve kinderen. Jillie komt om de haverklap bij hem langs, zijn schoondochter wat minder, maar die heeft drie kleine kinderen, die kan niet gemakkelijk weg, maar ze komt toch geregeld op de thee. En op zondagmorgen, gezellig samen koffiedrinken, ja, gezellig…"

Sjoerd legde een cynische klank in zijn stem. „Zo dacht vader en zo denkt hij nog, geloof mij. Maar diep in zijn hart vindt hij er niets meer aan. Hij komt de dagen door. Als hij blijft ademen en eten en drinken, gaan de dagen en nachten voorbij. Maar er is geen plezier meer aan het leven. Hij is alleen. Met ons allemaal om zich heen is hij alleen nu moeder weg is. Hij kon het een tijd volhouden, ik denk, als je er eerlijk met hem over praat, hij met een grijns zal zeggen, 'mezelf voor de gek houden.' Je weet hoe hij zoiets kan zeggen. Een halve lach, zo noem ik dat, hij lacht niet echt en toch is er een trek op zijn gezicht. Maar nu geeft hij de moed op. Hij is grieperig, hij voelt zich niet lekker en hij ligt alleen in het bed. Hij wil niet beter worden. Het is wel goed zo. Hij heeft het leven geleefd, hij hoeft niet verder."

„Sjoerd toch... zo oud is vader nog niet!"

„Welnee. Maar hij wil niet verder."

„Zo somber zie ik het niet in."

„Let op mijn woorden. Ik weet dat een mens niet kan sterven wanneer hij dat wil, maar vader werkt niet mee om beter te worden. En dat is een kwalijke zaak."

„Jillie wil naar het hoofd van de gezinszorg gaan. Misschien kan hij hulp krijgen."

„Geen gek idee. Het is voor haar ook een hele drukte om voor vader te zorgen. 's Morgens zijn ontbijtje klaarmaken, later op de morgen koffie brengen of koffiezetten en het eten klaarmaken. Maar als hij een vrouw de deur krijgt binnengeschoven die hem niet aanstaat verzeker ik je, dat hij haar in korte tijd het huis weer uit heeft. En de kans is groot dat ze hem niet aanstaat. Niet om het mens op zich, maar gewoon omdat het een vreemde vrouw is. De dochter van Joop Steen zit ook in de gezinszorg. Een jong, hups ding. Stel je voor dat die bij vader komt. 's Morgens opgewekt alle ramen opengooien en zijn bed in de wind hangen en de radio hard aan..."

„Doe niet zo zot. Ze weten toch dat hij ziek is? Daarom komen ze hem helpen."

„Ik hoop dat het goed afloopt. Ik zou het vreselijk vinden als er iets met vader gebeurde. Het is een goede man. We begrijpen wat hem dwarszit en hoe hij zich voelt, maar we kunnen hem niet helpen. We kunnen hem zijn vrouw niet teruggeven."

„Een huishoudster..."

„Het voorstel alleen al... Nee, daar hoef je niet mee aan te komen."

„Hij moet haar niet als 'een andere vrouw' zien, alleen als hulp."

„Alsjeblieft!"

„Nou zeg, je doet net of het een abnormaal voorstel is. Er zijn duizenden mannen die een huishoudster hebben en heel vaak gaat het ontzettend goed."

„Ik ken die verhalen. Hij alleen en zij alleen; die twee stakkers zijn mooi met elkaar af. En zo lang het goed gaat, heeft de familie er geen omkijken naar."

„Doe niet zo onaardig! Je doet alsof ik dit voorstel om van de zorg voor vader af te zijn. Maar je weet heel goed, dat het dat niet is. Dat je erover piekert hoe het wel moet begrijp ik, maar daarom hoef je een normaal voorstel niet zo snel af te wijzen."

Ze was echt boos. Zo'n gek idee was het niet. Jetske zei vorige week nog, dat een nicht van Klaas naar een plaatsje als huishoudster zocht. Haar man was drie jaar geleden overleden en na die drie jaar kon ze het alleen-zijn nog niet verdragen. Voor het geld hoefde het niet. Ze redde zich best en ze wilde ook niet bij iedereen, stel je voor, maar een vriendelijke, nette man... Jetske vertelde het vrolijk. Toen dacht Loudy al eventjes aan vader Rijswijk.

„Het komt ook wel allemaal vandaag op mijn dak." Loudy keek hem aan, wat bedoelde hij...

„Vanmorgen een laaiende ruzie met Pieter Vervoort. Er kwam gisteren een spoedorder voor Kieleman binnen. Ik gaf hem door naar de hallen zoals ik alle orders doorgeef, een hele stapel tegelijk. Ik vergat dat dit een spoedorder was. Hij werd dus gewoon afgewerkt, op de rij af. Het was mijn schuld en het was dom, maar zo ging het. Een fout dus. Dat zei ik ook tegen Kieleman, die vanmorgen vroeg belde wanneer hij de spullen voor de deur kon verwachten. Ik wilde geen verhalen ophangen van 'de telefoon ging' of 'de fabriek brandde bijna af', al die smoesjes, nee, ik zei gewoon dat ik het vergeten was. Hij ging akkoord, als het dan maar zo vlug mogelijk kwam. Natuurlijk meneer Kieleman, ik ga er meteen achteraan. Telefoon neergelegd en de fabriek in. Ik zei tegen Pieter, dat die order voor Kieleman eerst moest... En hij begon toch uit te varen en te schelden! Dat hij wel zal beslissen of de order van Kieleman eerst gaat of niet. Wie regelt het werk in de hallen, wie is de voorman? Als de papieren niet in het vak 'spoed' zitten, heeft hij niets met haast en voorrang te maken. Enfin, een hele rel. Om niets natuurlijk.

Gewoon machtsvertoon, mij willen pakken. Nog van toen, die herrie over het niet hard genoeg werken. Er kwamen meteen een paar lui op af, blij te kunnen schreeuwen en in de hoop dat Kees het zou horen. Die hoorde het wel, dat vertelde hij later, maar hij dacht: even laten gaan…

Ik begon ook te schreeuwen. Ik was razend. Want dit was gewoon treiteren. Ik riep, dat hun praatjes mij niet interesseerden; het enige wat ze te doen hadden was deze bestelling zo snel mogelijk afwikkelen en verzenden naar Kieleman. Het moest vanmorgen de deur nog uit. Weer geschreeuw van 'dat zal ik wel uitmaken' van Vervoort en toen kwam Kees. Wat er aan de hand was. Ik zei, dat ik vergat een order als spoedorder door te geven, dat de klant gebeld had en dat ik de mannen had gevraagd die zaak eerst af te werken. Kees meteen: stom van jou, maar we maken allemaal wel eens een fout – als we werken tenminste. Hij begreep het direct en suste de zaak. Toen gingen de mannen weer aan het werk, Kees naar de tekenkamer en ik terug naar kantoor. Ik weet dat ik mezelf over zulke dingen niet druk moet maken. Maar dat van toen zit me nog altijd dwars. Het was mijn schuld niet. Ik ben als boekhouder verplicht mijn baas te waarschuwen als de cijfers teruglopen. Net zo goed als ik het hem moet melden als een klant niet wil betalen. Ik noem maar wat. Vorige week kwam ik een van de lui, die toen zijn ontslag heeft gehad, in ''t pompeblêd' tegen. Hij keek me vuil aan, om bang van te worden. Zulke mensen kletsen tegen iedereen en maken me zwart. Dat is vervelend in een klein dorp. Ik voel gewoon hier en daar wat mijn vader noemt, een broeihaardje zitten. Kees dacht toen, dat het gauw vergeten en vergeven zou zijn, maar dat is toch niet zo."

„Sjoerd toch…"

„Ja, zeg dat wel, Sjoerd toch… Ik zit ermee. Kees Beersing deed het woord toen, maar hem rekenen ze het niet zo aan. Het is opgebouwd door geklets. Wie weet dat ze wel eens staan te praten, Kees niet, want als Kees in de buurt is werkt het hele stel als bezige bijen. Wie dan, Sjoerd Rijswijk natuurlijk. Die zit achter het raam van het kantoor te koekeloeren… Kees en ik hebben er later over gepraat. Hij zei dat het zonde van de tijd was over zoiets kinderachtigs een boom op te zetten, maar hij weet dat ik er verschrikkelijk mee zit. Zoals Kees praat, geef ik hem volkomen gelijk. Ik moet erboven staan. Ik weet voor mezelf dat mij geen schuld treft, ik heb gedaan wat ik moest doen en de mannen weten zelf heel goed dat ze veel tijd verkletsen. Misschien weten ze dat niet, dringt het niet eens tot hen door. Maar dat hoef ik me dan niet aan te trekken.

Ik ben het roerend met Kees eens, maar toch voel ik me ongelukkig. Het is onrechtvaardig. Ik krijg de schuld, als er van schuld sprake is tenminste. Maar zo traag werken doe ik niet, dat doen zij en het is mijn plicht dat naar voren te brengen als we de gang van zaken in het bedrijf bespreken. Nu Kees er iets van zegt, zeggen ze niet 'wat een lastige baas', nee, dan heeft Kees gelijk, het is zijn bedrijf tenslotte. Als hij denkt dat het niet goed gaat, moet hij dat zeggen, maar hij denkt dat het door hen niet goed gaat en dat is niet waar. Ze werken hard. Ze zijn 's avonds moe als ze naar huis gaan. Maar het verhaal dat de loonpost de teruggang in 't bedrijf is, komt bij die cijfervreter vandaan, die koekeloert door het kantoorraam, hij zegt dat ze niet hard genoeg werken... Als je het zo ziet, is het ook mijn schuld."

„Je moet er toch boven staan, Sjoerd."

„Ja, dat moet ik. En het zal voorbijgaan, wat dat betreft ben ik het met Kees eens. Zulke toestanden gaan wel weer over, maar op het ogenblik is het vervelend. En Pieter Vervoort is een mannetje dat zo'n rel diep in zijn hart wel leuk vindt. Een beetje sensatie, een onderwerp van gesprek, het samen eens zijn van de mannen in de hallen. Karsten is ook zo'n figuur. Ze voelen zich sterk staan met hun hele groep."

HOOFDSTUK 6

Acht jaren gingen voorbij. Acht fijne, heerlijke jaren. Er was veel drukte in het gezinnetje, maar het was een gezond en blij druk-zijn. Vrolijkheid in huis met luide, lachende stemmen. Nu en dan geharrewar tussen de kinderen onderling, maar het zou abnormaal zijn als dat niet zo was.

Ze gingen soms heftig tekeer, vooral Frieda tegen Simon, maar de ondertoon was vaak toch plagend en van een mild sarcasme, want als puntje bij paaltje kwam, namen de kinderen het voor elkaar op.

Sjoerd en Loudy hadden het goed samen. Ze waren blij met de kinderen, ze leefden met ze mee, volgden hen en ze praatten veel samen. Het goede daarvan zagen ze acht jaar geleden in, toen Sjoerd de moeilijkheden op zijn werk had. Hij was ervan overtuigd dat hij in zijn recht stond, hij handelde goed, maar de mensen in de werkplaats zagen het anders.

„Je moet er met me over praten," zei Loudy toen. „Ik kan er niets aan veranderen, dat weet ik wel, ik kan niet naar de werkplaats gaan en zeggen 'pas op hoor, jullie mogen mijn Sjoerdje niet plagen" maar ik wil weten wat jou bezighoudt."

„Dat mag je ook weten. En ik wil erover praten, hoewel ik het aan de andere kant kinderachtig van mezelf vind dat het me zo bezighoudt. Ik weet dat Kees gelijk heeft. Hij zegt dat ik het bij het rechte eind heb en dat de jongens te bekrompen zijn om hun fouten in te zien, daar kan ik niets aan doen. Zo is het misschien ook. Gewoon doorwerken, geen acht slaan op het gerommel. Kees zegt: je denkt maar dat ze niet meer verstand hebben dan kleine kinderen. Die kun je ook niet alles uitleggen, ze begrijpen het niet. Maar je trekt je niets aan van wat ze zeggen. Ik vind niet dat Kees gelijk heeft. De mannen zijn mij sluw genoeg. Ze schuiven mij de schuld in de schoenen en ik kan me niet voorstellen dat ze zelf niet in de gaten hebben dat de schuld bij hen ligt."

Er was veel over gepraat. Maar langzaam loste het probleem zichzelf op, och, belangrijk was het natuurlijk niet en na een jaar werd er niet meer over gesproken. Of toch wel, Sjoerd vertelde het op een avond. „Zo gaat het in het leven. We praatten vanmorgen over een klant, die een jaar of tien geleden met zijn hoofd tegen de trapleuning achter in de kleine hal bonkte. Het kwam hard aan en hij liep een forse hersenschudding op. 'Dat was voor jij alles in de werkplaats in de gaten hield', zei Vervoort 'als je daar toen al mee bezig was geweest had je die vent kunnen waarschuwen. Nu heeft hij er jarenlang last van gehad.' En daar lachte hij om."

Vader Rijswijk woonde nog in zijn huis aan de Lege Mieden. Ruim zeven jaar geleden was Grietje Lagewaal bij hem gekomen als huishoudster. 'Lange Griet' werd ze in het dorp genoemd. Ze was lang en mager, ze had een rechte rug en een strak gezicht. Ze was stil; vader Rijswijk zei: „Ze zegt geen vier woorden als ze het met drie af kan," maar hij was blij met Griet in huis. Ze was anders dan Frieda en dat vond hij prettig. Niemand kon Frieda vervangen, hij wilde niet denken 'zo zou Frieda het ook gezegd hebben'.

Griet zorgde goed voor hem, het huis was schoon en het eten lekker en op tijd klaar. En hij was niet meer alleen. Dat was het voornaamste. Als ze tegenover hem zat aan de tafel, hij met zijn pijp en achteroverleunend in de stoel naar buiten kijkend naar de mensen die voorbijgingen en de auto's, die door de Lege Mieden reden, was hij tevreden met Grietje tegenover zich. Ze breide veel. Meestal sokken. Voor haar schoonzoon, die ook in het dorp woonde. Wiebe van Dalsen. Hij was met haar dochter Froukje getrouwd. De breipennen rikketikten door in een zelfde ritme, het hield even op als Grietje aan de volgende pen begon. Wiebe en Froukje kwamen nu en dan, niet vaak en Grietje ging naar hen toe, maar ook niet vaak.

„Het gaat goed met ze, wat zal ik er heen lopen, praten over koetjes en kalfjes, meer is 't niet," en ze bleef in huis bij Simon. In de zomer de zonnegordijnen neergelaten voor de kamerramen, de keuken-stoelen buiten op het plaatsje in de schaduw van de perenboom. In de winter de kachel aan en de theepot op het lichtje. „Wil je nog een kopje thee, Siem…"

„Ja, schenk maar in."

En dan pakte ze de sok weer op. Het leven was goed, er gebeurden geen spannende en nare dingen. Grietje breide de steken twee recht en twee averechts zonder ernaar te kijken. Ze keek ook naar buiten. Dan zei Simon Rijkwijk: „Daar gaat Jan Rindertsma, zeker even bij zijn zoon kijken" en Grietje knikte. Ze hoefde niet te zeggen: „Ja, Jan Rindertsma." Ze wisten allebei dat het Jan Rindertsma was. Of hij naar de boerderij van zijn zoon ging, wisten ze niet zeker. Dus zei ze niets. De pennen tikten rustig door.

„Laat u nooit een steek vallen?", vroeg Frieda eens. Ze vond het een grote kunst, insteken en omslaan zonder ernaar te kijken.

„Bijna nooit," antwoordde Grietje, „maar als het gebeurt voel ik het direct en dan zoek ik de steek weer op."

Op weg naar huis zei Frieda: „Stom gezegd van tante Grietje. Natuurlijk zoekt ze de steek weer op! Als ze dat niet doet komen er laddertjes in de sok en hij wordt te krap ook" en Simon lachte toen: „Tante Grietje zegt nooit wat te veel volgens pake, maar deze woor-den waren echt verspilling. Kwam natuurlijk door Frieda, zo'n waterval, daar wilde zij een paar drupjes bij doen!"

Lien van Rijssen woonde nu bij vader.

„Dat dit gebeurt," zei hij toen ze besloten bij elkaar te gaan wonen – want dat heen en weer reizen was lastig – „wat is het leven vreemd en kan het vol verrassingen zijn. Wie mij dit jaren geleden voorspel-de zou ik voor een fantast gehouden hebben; Lien en ik bij elkaar." Hij was er erg gelukkig mee. Hij zag er veel beter uit, hij was vrolij-ker en opgewekter, maar dat kon ook niet anders, want Lien was pratend en lachend om hem heen. „Als ik haar door het huis zie stappen moet ik vaak denken aan een mus," zei Sjoerd eens, „zo'n bedrijvig, rond vogeltje, dat kwettert en trippelt en met het kopje draait en met z'n kraaloogjes alles in de gaten houdt."

Met de kinderen was het in die acht jaar gegaan zoals Loudy in haar gedachten had gezien.

Simon was nu zestien. Een lange, enigszins magere jongen met dik, blond, krullend haar. Een gemakkelijk kind voor Sjoerd en haar. En een lieve jongen. Er waren nooit moeilijkheden met hem. Hij fietste iedere dag met een groep jongelui naar de middelbare school in Sneek. Hij leerde niet echt gemakkelijk, hij moest ervoor werken om goede cijfers te halen, maar dat deed hij ook. Hij maakte zijn huiswerk zonder dat ze er achteraan moesten zitten. Hij had veel vrienden, ook op de voetbalclub – dat voetballen stelde niet zoveel voor, maar ze hadden veel plezier met elkaar – en ook vriendinnetjes, maar het was wat Sjoerd noemde 'nog kinderspel'.

Frieda was in april twaalf jaar geworden. Een stevig meisje met helblauwe ogen, waarnaar Loudy dikwijls keek. Ze konden stralend blauw zijn, dan was het of de zon erin lachte, heel het vrolijke en drukke van Frieda's natuur straalden ze uit. Ze waren donkerblauw als de jongedame boos en verontwaardigd was. Ze had veel vriendinnetjes, maar het was wel vandaag die en morgen die, het was geen vast ploegje, zoals Simon om zich heen had. Kees en Alfred en Tjerk en Menno, dat waren de jongens die geregeld bij hen over de vloer kwamen. Stoere verhalen, bulderend gelach, kleine hatelijkheden, maar nooit echt venijnig. Een leuk stel. Meisjes hadden zo'n vaste vriendinnenschaar minder vaak. En vooral met Frieda in hun midden zou het niet meevallen. Loudy kon erom glimlachen. Je kreeg sneller ruzie met Frieda dan met Simon. Die sloeg geen acht op elk woord van zijn vrienden, maar Frieda wel. Ze kon op maandag met een verhaal over Lammie thuiskomen. „Ik was het er niet mee eens en dat heb ik gezegd ook." Loudy grijnsde in stilte om het verontwaardigde smoeltje en om de felle, blauwe ogen.

„En Mats en Anneke zeggen dat ik gelijk heb…" Maar op donderdag was het weer goed met Lammie. Het was wel zo dat Frieda, zo jong als ze was, de meisjes om zich heen een beetje naar haar hand zette. De kinderen wilden graag in het ploegje opgenomen zijn, want ze hadden veel plezier met elkaar. Ze maakten een toneelstukje als meester jarig was en mochten dat opvoeren in de klas. Frieda had de leiding. Ze organiseerde in de winter een sinterklaasfeestje op haar kamertje en in de zomer zorgde ze voor fietstochtjes naar een strandje aan een van de meren in de omgeving. „Er zit leiderstalent in dat kind," dacht Sjoerd. Maar Loudy zag het niet als leiderstalent. Frieda overheerste de kinderen, ze was de baas en ze wilde de baas zijn. Soms zei Loudy er iets van. „Lieverd, je bent zo haantje de voorste, laat Lammie het nou eens regelen," maar Frieda deelde bijna dramatisch mee, dat ze dat geprobeerd had, maar dat er toen helemaal niets van terecht was gekomen. Dus moest zij het wel doen...

„Ik ben blij met zo'n bijdehante zus," stelde Simon vast, „ze moet flink studeren en dan gaat ze het bedrijfsleven in. Frieda wordt directrice van een snoepjesfabriek of een stoelenmatterij. Ze heeft geen geld om zelf wat op te zetten, maar dat is geen probleem. Ze trouwt de bleke zoon van de eigenaar van een fabriek waarvan de branche haar aanstaat en de zaak is geregeld. Wij krijgen allemaal een baan, hè Friedeltje? Menno wil langs de weg, als je die uitdrukking soms nog niet kent: hij wil vertegenwoordiger worden. Fred moet in de boekhouding, hij is bang voor koude oren en wintertenen en ik zit naast jou op twee stoelen in de 'directiekamer'."

„Onze wervelwind," noemde Sjoerd haar vaak. Hij was gek met zijn oudste dochter.

Elsje groeide op zoals Loudy verwachtte dat ze zou opgroeien. Een rustig kind. Niet echt stil, want ze praatte en lachte veel, maar niet zo schaterend en luid als Frieda. Alles ging rustig en evenwichtig. „Wat een verschil toch, die twee meiden van ons. Als Frieda lacht, duikt de zon door een donkere wolk heen om te kijken wat er aan de hand is; als Elsje lacht, verstopt de zon zich achter een wit wolkje uit bescheidenheid." Zo zei Sjoerd het eens. Hoe kwam hij erop, maar het was goed uitgebeeld.

Elsje was tenger, ze had lichtgrijze ogen in een fijn gezichtje. Steil donkerblond haar. Ze was vaak alleen.

„Breng een meisje van school mee naar huis om te spelen," raadde Loudy haar aan toen ze kleiner was. Maar Elsje wilde dat niet. „Ik zou niet weten wie," zei ze. Ze waren aardig en zij speelden op school ook met ze, maar na schooltijd hoefde zij geen van de kinderen om zich heen. Als Frieda met een hele club de keuken binnenstormde, sloot Elsje zich op in haar kamertje.

Ze tekende veel. Maar echt goed tekenen kon ze toch niet. Loudy verwachtte vroeger, dat het kind iets artistieks in zich zou hebben. Maar tot nu toe kwam het er niet uit. Maar ze was ook nog jong, tien jaar. Op een middag in deze lente kwam ze uit school met takjes, blaadjes en kleine bloempjes in haar handen.

„Kijk mam… Ik ga ze drogen. Een paar weken geleden heb ik ook bloempjes gezocht en gedroogd onder een stapeltje boeken. De blaadjes van de gele boterbloemetjes zijn prachtig geel gebleven en de viooltjes blijven ook goed van kleur."

„Wat ga je ermee doen?"

„Dat weet ik nog niet. Misschien wel niets."

Ze ging naar boven. Loudy was bezig met het eten, dekte de tafel en maakte een sausje voor de groente. Sjoerd kwam thuis. Simon zat in de kamer te lezen in een boek dat hij voor zijn lijst moest doorworstelen en Frieda zette haar fiets kletterend tegen het raamkozijn.

„Hallo, gaan we al eten? Wat ruikt het hier lekker! Wat eten we?"

„Niet aan de deksels komen, je verbrandt je handen. Roep Elsje maar, we kunnen aan tafel gaan. Pappa, Simon…" Frieda tetterde aan de trap.

„Hoe kunt u dat Frieda toch vragen, weer een hele fanfare op de onderste traptree…"

Elsje kwam beneden. Loudy zag, terwijl ze de schalen op de onderzetters op de tafel zette, de glimlach op het gezichtje. Een blije, gelukkige glimlach. Waar kwam dat vandaan? De gesprekken aan tafel waren zoals gewoonlijk nogal luidruchtig. Simon vertelde over een van de jongens in zijn klas, die een ongeluk met zijn brommer had gehad.

„Te hard gereden zeker," stelde Sjoerd vast.

„Hè pap, doe toch niet zo vervelend. Waarom moet het juist de eigen schuld zijn van die knaap. Dat is toch nergens voor nodig?"

„Alle jongens rijden te hard volgens pappa," mengde Frieda zich in het gesprek, „en dat is ook vaak zo, dat moet je toegeven. Zie jij die jongen van Veenstra wel eens door het dorp stormen?! Vandaag of morgen rijdt hij tegen de werkplaats van Rotteveel op…"

Simon keek op. „Hoe weet jij…"

„Ik weet niets." Frieda at gewoon door.

„Het is Pim Veenstra en hij is tegen de schuur van Rotteveel gereden…"

„Pappa heeft dus gelijk. Wil jij een ander daar de schuld van geven? Zette Rotteveel stiekem de muur een paar meter vooruit soms?"

„Nee, maar Pim moest uitwijken voor een auto, die het parkeerterrein kwam oprijden."

„Het is een parkeerterrein, daar mag je oprijden als je je auto kwijt wilt. Het is geen circuit."

Sjoerd en Loudy keken elkaar over de schalen heen aan. Ze grijnsden allebei.

„Vertel je ons over Pim Veenstra of…"

„Dat was ik van plan. Maar u hoort het, Frieda weet er alles van."

„Ik wist niet dat die jongen een ongeluk heeft gehad. Maar hij rijdt veel te hard, dat moet je toegeven. Is het ernstig?"

„Ja, behoorlijk. Zijn rechterbeen op twee plaatsen gebroken en zijn hoofd heeft een klap gehad."

„Dat is niet zo mooi. Ligt hij in het ziekenhuis?"

„Ja. In Sneek."

„Goede hemel! Het zijn heus aardige dingen, die brommers, maar je moet er niet te hard op willen rijden."

„Ik wil ook zo'n ding."

„Dat kan ik me voorstellen en ik heb er niets op tegen. Een auto is tenslotte ook gevaarlijk en ik rijd er dagelijks mee. Maar je moet ermee kunnen omgaan. En je niet laten opjagen. Ik zie het op de weg ook. Er zijn mensen die niet kunnen dulden dat een ander vóór hen rijdt. Dan moeten ze passeren. En juist dat passeren brengt de meeste ongelukken. Je moet je verstand erbij houden. Of je nu in een auto rijdt of op een brommer. Maar je bent op een brommer natuurlijk veel kwetsbaarder. Je gaat zo onderuit. Mag ik de aardappelen even?"

„Pim heeft ook te wild gedaan, dat is gewoon zo. Hij verwachtte niet dat er een wagen de parkeerplaats zou opkomen, maar dat kan gebeuren, dat is inderdaad waar. We gaan morgenmiddag naar hem toe."

„Weet je dat het goed met hem gaat?"

„Ja. Menno en ik zijn uit school bij zijn moeder geweest. Ze zei, dat het goed was dat wij erheen gingen. Hij hangt met zijn been in de touwen en zijn hoofd zit dik in het verband." Er werd over Pim Veenstra doorgepraat. Elsje zei: „Wat lijkt me dat vervelend, steeds met je been omhoog."

„Het hangt in een verband," wist Frieda.

„Ja, maar je been bengelt toch in de lucht en je kunt niet lekker op je zij gaan liggen of je omdraaien."

„Dat is waar. Fientje zegt altijd 'eigen schuld, dikke bult' en dat weet Pim nu ook."

Na het eten waste Loudy af, Frieda droogde de borden en kopjes en Elsje zette ze op hun plaats in de keukenkast.

„Mag ik nog even naar Lammie, mam?" vroeg Frieda. „Meester vroeg vanmorgen of een van ons poppenkast kan spelen. Ik heb niets gezegd, want ik probeerde het laatst bij Marry thuis, Marry's broertje heeft zo'n kast en ook poppen, maar het is echt niet gemakkelijk. Niemand in de klas stak zijn vinger op. Ik vroeg wat meester daarmee wilde en toen zei hij, dat het de bedoeling is, dat een paar kinderen van onze klas op de kleuterschool een poppenkastvoorstelling geven. We moeten zelf een verhaal verzinnen. Omdat er niemand was die zei dat hij dat wel kon, zei meester, dat we het moesten proberen. Twee aan twee. Lammie en ik moeten het samen doen. Geert Smit begon meteen over de veldwachter, die door Jan Klaassen in een grote kist wordt gestopt en met een bootje naar de andere kant van de oceaan wordt vervoerd, waren we van die lastpost af. Maar meester zegt dat bij de poppenkast geen bootje is en dat we er geen andere voorwerpen bij mogen maken. Er zijn zes poppen, er is een hondje, een bezem, een mattenklopper en nog een paar dingen. Lammie heeft het opgeschreven."

„Ga maar, maar om acht uur thuis, denk je daarom?"

Ze was al bij de kamerdeur. „Weten jullie een goed onderwerp? Pappa, u misschien? U kon vroeger gekke verhaaltjes verzinnen."

„Daar moet ik even over denken."

„Dat duurt te lang," stelde Simon vast. „Ze moet het nu weten."

„Dan weet ik niets. Ik lees hier net in de krant…" Maar Frieda was al weg.

Elsje was naar boven gegaan. Ze kwam een paar minuten later beneden met iets in haar handen.

„Kijk mam, wat ik gemaakt heb van de bloemetjes…"

Ze had de kleine bloempjes en de blaadjes heel kunstzinnig geschikt op een stukje bijna wit papier. Daarover deed ze, om het geheel op de juiste plaats te houden, het glasplaatje van een foto uit een fotolijstje.

„Beeldig, Elsje, schattig!"

„Ja, hè mam." Ze was er erg blij mee.

„Wat heb je daar?", vroeg Sjoerd.

„Kom hier kijken. Het ligt nu plat op de tafel. Ik ben bang dat het verschuift als ik het oppak."

Sjoerd en Simon kwamen allebei kijken.

„Dat is zeker mooi," beaamden ze allebei en Sjoerd zei: „Je kunt er misschien transparant papier over plakken of heel dun, doorzichtig plastic. Of vast lijmen."

„Dat zal ik proberen. Maar het is moeilijk. De steeltjes zijn erg dun. Ik heb ze met een stopnaald op hun. plaats geschoven."

Ze keek ernaar, het hoofd een beetje schuin.

Het stukje bleef op het tafelkleed liggen. Loudy keek er af en toe naar. Ze voelde een vreemde ontroering. Het was zo lief en zo goed van verhouding en kleur opgesteld en dat voor een kind van tien jaar. Ze keek naar Elsje. Ze zat op de bank. Ze had een boek in haar handen, maar Loudy had het gevoel dat ze niet echt las. Het kind was er zelf ook blij mee. Niet om het hebben, want het stelde niets voor, een paar gedroogde bloemetjes en een paar blaadjes en takjes, maar het was de voldoening dit gemaakt te hebben. Zoiets kunnen maken.

Even na acht uur kwam Frieda binnen.

„En… is het gelukt?" vroeg Loudy.

„We hebben een begin voor een verhaaltje, maar dat is toch moeilijk. We hadden wel een plannetje, maar we moeten het met de poppen kunnen spelen. Dus niet te veel van die houten klazen tegelijk op de proppen. En er kunnen ook niet te veel poppen tegelijk opkomen en afgaan. Dat is het moeilijkste. Wat is dit?"

Ze liep op de tafel toe en boog zich over Elsjes kunstwerkje.

„Dat heeft Elsje gemaakt. Mooi hè?"

„Mooi? Een paar weggooibloemetjes, en een paar verrotte takjes, wat heb je daar nou aan." Voor Loudy het kon verhinderen legde ze haar hand op het glasplaatje en wreef alles door elkaar.

Elsje vloog van de bank. „Naar kind, blijf er met je handen vanaf!" Ze keek naar de ravage. Er was niets van de bloempjes over. Ze lagen fijngewreven door elkaar. Elsje begon te huilen.

„Ach," suste Sjoerd, „zo erg is het toch niet, je hebt nog wel meer bloemetjes denk ik."

„Ik vind het wel erg," zei Loudy, „waarom doe je dat nou, Frieda?"

„Het stelt toch niets voor?"

„Voor jou niet, maar voor Elsje wel. En ik vond het mooi en pappa en Simon ook."

„Ja," Simon keek nijdig naar zijn zus, „en waarom jij er meteen met je grote grijphanden aan moet zitten is mij niet duidelijk."

Elsje nam het blaadje op, ze snikte nog, ze liep naar de prullenbak en liet de bloempjes erin glijden. Ze liep naar de kamerdeur en was verdwenen. Ze hoorden haar voetstappen langzaam op de trap.

„We hebben nu als begin dat Katrijn het toneel opkomt…"

„Hou je verhaal alsjeblieft voor je," viel Loudy uit, „ik vind het niet leuk van je dat je Elsjes schilderijtje kapot hebt gemaakt."

„Schilderijtje, poeh! Je kunt alles wel een schilderijtje noemen, twee madeliefjes en een boterbloem…"

„Ga naar boven. Ik wil je de hele avond niet meer zien."

Sjoerd keek haar boos aan. „Je houdt je brutale opmerkingen maar voor je."

„Misschien kan ik het voor de poppenkast gebruiken," Frieda ging stampvoetend de deur uit en liep de trap op.

Na een halfuurtje ging Loudy naar boven. De deur van Elsjes kamertje was op slot. Ze tikte zachtjes op de deur. „Elsje…" zei ze.

De deur ging open.

„Het is niet zo erg hoor, mam, Frieda heeft wel een beetje gelijk, het zijn maar verdroogde bloemetjes en er zijn er nog genoeg, ik heb er veel meer in mijn doosje, maar ik vond zelf dat ze zo goed bij elkaar lagen. Ik was er een beetje trots op." Ze lachte alweer. De lichtgrijze ogen zacht stralend.

„Ik vond het ook erg mooi, lieverd."

„Ik ga het morgen weer proberen. En dan laat ik het boven, Frieda hoeft het niet te zien."

„Dan kom ik kijken."

Loudy kocht in de boekwinkel plakplastic en hielp Elsje het voorzichtig over de kleine kunstwerkjes te trekken. Want kunstwerkjes vond ze het, één voor één.

„Ik ga proberen ze na te tekenen, mam."

„Heb je kleurpotloden waar die fijne kleurtjes bij zitten?"

„Eigenlijk niet. Er stond op zolder nog een doos potloden van vroeger. Daar krasten we toen kleurboeken mee vol. Ik heb die doos gepakt. Er zitten genoeg potloden in, maar ze hebben niet die hele fijne kleuren."

„Als ik in Sneek kom zal ik in een winkel waar ze tekenbenodigdheden verkopen voor je kijken of er een doos is met meer kleuren."

„Dat zou heerlijk zijn, mam. Want ik kan geen zachtlila kleuren als ik geen potlood heb met die kleur!"

Het gevoel een aparte band te hebben met Elsje was steeds in Loudy geweest. Het was niet zo dat ze minder hield van Simon en Frieda, maar het was anders. Een fijne draad van elkaar beter begrijpen misschien. Frieda was zo anders dan zij vroeger was. Ze wist dat ze ervan droomde zo te zijn als Frieda. Op haar school, vroeger, was ook zo'n meisje, Lettie Zomerdijk. Zo te zijn... 's Avonds in bed speelde ze het toen wel eens. Dan stond het hele clubje om haar heen geschaard, de gezichten opgeheven en zij zei wat er gebeuren moest. Ze had dolle plannetjes en de meisjes waren enthousiast. Ze riepen: „Ja Loudy, ja!" Maar in werkelijkheid stond ze erbuiten. Ze hoorde niet eens tot de kring rond Lettie Zomerdijk. En daar verlangde ze naar, om in het kringetje te komen, maar het lukte niet. Ze stond aan de kant met Nellie. Nu had ze een dochter die zo was. Dat was heerlijk. Maar echt begrijpen deed ze het niet. Iets van er met verbazing naar kijken was er nog. Ze hield dolveel van Frieda, maar er was in dit kind nooit een herkennen van iets van vroeger van zichzelf. Alleen dat: ernaar kijken, maar er niet bijhoren. Elsje begreep ze veel beter. Ook al was Elsje anders dan zij vroeger. Elsje had geen behoefte aan klasgenootjes om zich heen, zelfs niet aan een vast vriendinnetje. Misschien zou dat lukken als ze een meisje ontmoette dat een beetje was als zij, dromerig, houden van lieve sprookjes, waarin alles goed en mooi was, kijken naar vlinders en torretjes, ze met voorzichtige vingertjes van het pad op het gras tillen, „want als er iemand met grote schoenen komt, trapt hij zo'n beestje zo dood". Maar zo'n meisje was er niet in haar klas. Ze praatte anders met Elsje dan met Frieda. Eigenlijk praatte ze nooit met Frieda. Het kind praatte ook niet met haar, het waren geen echte gesprekjes. Frieda vertelde, druk gebarend met haar handen en zij luisterde en zei: „Zo, zo, dat is leuk" of: „Doe alsjeblieft voorzichtig, meiske."

Met Elsje was het anders. Het kind was nog maar tien jaar, maar soms dacht Loudy dat er tussen hen geen leeftijdsverschil was, niet het gevoel 'moeder en kind'. Het was vreemd dat te denken en ze kon ook niet goed omschrijven hoe het was.

„Mam, wilt u met me meegaan bloemetjes plukken? In het weiland van Breider staan kleine klokjes, zo schattig! Ik ben er van de week geweest, maar toen kwam een grote jongen en die zei dat ik niet op het land mocht komen. Ik was bang voor hem, hij deed zo raar. Ik ben maar weggegaan. Maar als u meegaat, durft hij natuurlijk niets te zeggen. En misschien is hij er vandaag niet. En het is toch niet erg om een paar van die kleine bloemetjes te plukken? Er staan er zoveel! Langs de waterkant staan lisjes. Ik weet dat ze lisjes heten, dat staat in pappa's boek in de kast. Ik weet niet of ze dezelfde kleur houden als ik ze droog en dat moet wel, anders kan ik er geen mooi plaatje van maken."

Ze gingen samen naar het weiland van Breider en plukten de bloemetjes. Die nare jongen stond op het erf van zijn vader en keek naar hen, maar hij bleef daar staan en zei niets.

De tekeningen werden steeds beter. „Ik moet erg voorzichtig doen. En vooral niet te grote bloemen maken. Ik teken eerst met een dun potlood. En die doos met kleurpotloden is zo mooi…"

Er ging iets stralends uit van Elsje. Loudy keek vaak naar haar als ze aan de grote tafel in de kamer bezig was met haar tekeningen of plakwerkjes, want dat deed ze ook graag. Huisjes tekenen, met luikjes, die in groen en rood werden ingekleurd, uitknippen en op stevig karton plakken. Een waterput naast het huis, een hondje, een boom met veel takken en zachtgroene bladeren.

Het kind was gelukkig, zoals Simon en Frieda gelukkig waren. Alle drie anders, maar alle drie thuis in hun eigen wereldje.

Na het incident met de droogbloemen waagde Frieda het niet meer Elsjes spulletjes in de war te schoppen.

„Waarom deed je dat?", had Loudy haar de volgende dag onderhanden genomen. „Jij houdt niet van knutselen en tekenen, maar Elsje wel. Zij plaagt jou toch ook niet met de poppenkastvoorstelling?"

Maar Frieda vond dat heel wat anders. De poppenkastvoorstelling was echt iets, dat deden ze met elkaar en mamma zou zien hoe leuk het werd als ze alles goed geleerd hadden! Dat van Elsje was toch zomaar wat prutswerk? Maar ze zou er in het vervolg niet meer naar kijken en er nog minder aankomen!

Twee weken later kwam ze enthousiast uit school.

„We hebben geoefend op de kleuterschool. Die poppenkast is veel groter, dat gaat veel beter dan dat kleine ding van Marry's broertje. En het ging zo goed! Juffrouw Verbergen kwam naar ons kijken en ze zei, dat we een leuk verhaal hebben gemaakt en dat we prima speelden. Lammie en ik doen het samen, maar een paar meisjes doen mee, wat meester noemt: achter de schermen. Ze moeten in een hoek staan, dicht bij elkaar, met de koppen naarelkaar toe zal ik maar zeggen, hun ruggen naar de buitenkant en zij moeten zorgen voor de geluiden. In ons verhaal gaat het op een gegeven moment hard waaien, we hebben vreselijk gelachen toen ze het voor de eerste keer deden. Het leek meer op een aanstormende locomotief. Dat is dus veranderd en nu loeien ze als de wind met Sinterklaas in de schoorsteen. En Nienke is 'de bel'. Als Katrijn rustig zit te lezen gaat de bel. Tingeling, roept Nienke dan. De eerste keer kwam ze daar veel te laat mee. Ze kan natuurlijk niets zien als ze met haar hoofd in dat kringetje staat. Maar ze kan het horen aan wat er daarvoor wordt gezegd. Maar ze belde niet. Lammie hield de kop van Katrijn vast en riep 'als het nog lang duurt val ik van mijn stokje'. Wij gierden natuurlijk van het lachen. Nienke ging meteen als een klokkenluider tekeer. Wat een gedoe. Maar heel leuk. Meester zegt, dat we het mogen opvoeren in onze klas. Omdat hij het zo goed vindt! En misschien op de ouderavond, over een paar weken. Dat zou enig zijn, want dan kunnen jullie het ook zien. En het is echt moeilijk hoor, poppenkast spelen!"

Een week later kwam ze huppelend de keuken binnen.

„Het gaat door, meester zei het vanmiddag, we spelen poppenkast op de ouderavond!! Meester heeft er met meester Jansen over gesproken en die vond het een goed idee. Dan kunnen de ouders zien, dat wij niet alleen domme sommen leren en schrijflessen hebben, maar ook nog wat anders. Jullie komen toch kijken?"

„Natuurlijk. We gaan altijd naar de ouderavonden, dat weet je, er moet al echt iets bijzonders zijn als we thuisblijven. Maar nu gaan we beslist."

Toen Sjoerd en Simon thuiskwamen, kregen die het verhaal ook te horen. „Je moet daarin doorgaan, Frieda," dacht Simon hardop, „dan reis je alle kermissen in het land af met je poppenkast. Je zult zien, dat je daar een knappe boterham in kunt verdienen."

„Maar wat moet jij dan? Jij wilt toch bij mij in het bedrijf komen werken? Nou, dan ga jij met een centenbakje rond, dat is ook nuttig werk. En je vangt het eerst van ons twee de centjes!"

„Wanneer is dat feest?" vroeg Sjoerd.

„Volgende week donderdag. Ik heb er zo'n zin in." Frieda deed achter een stoelleuning gebukt de bewegingen, die ze met haar handen moest maken, na. Er zat geen poppenkop op haar vingers en het was eigenlijk een zot gezicht. Elsje keek er glimlachend naar.

Het was dinsdag voor de grote dag, zoals Frieda het af en toe noemde, haar eerste opvoering. „Haar eerste optreden voor publiek," zei Simon erover, „mensen, let op, geef hier uw aandacht aan, dit wordt een avond, die in de toekomst nog dikwijls genoemd zal worden. Zo begon de grote actrice Frieda Rijswijk haar carrière, in een zaaltje achter het dorpscafé 'It Pompeblêd' in haar geboortedorp Hartelinge in Friesland. Weet u niet waar u dat moet zoeken? Wij ook niet. Maar daar is Frieda Rijswijk geboren. Daar trad ze voor de eerste maal op. Wel achter de schermen verborgen, achter het gordijntje van een kleuterschoolpoppenkast, maar haar werk trok zeer de aandacht en werd alom bewonderd…"

„Simon, alsjeblieft, houd op, je maakt het kind nog ijdel."

„Welnee," lachte Frieda, „ik weet heel goed dat hij me plaagt, maar jullie zullen er anders over denken na donderdagavond." Ze schaterde van pret. En Loudy vroeg zich af wat het kind echt meende.

Maar die dinsdag kwam Elsje uit school met fletse ogen en rode wangen. Ze liep langzaam de keuken door naar de kamer.

„Wat is er?" vroeg Loudy geschrokken. Ze was altijd bezorgd als Elsje niet in orde was.

„Ik weet het niet. Ik heb 't zo warm en m'n hoofd is een beetje raar."

„Pijn in je hoofd?"

„Nee, geen pijn, maar wiebelig. Het begon vanmiddag onder de leesles al. Juf zag het en ze vroeg, of ik misschien naar huis gebracht wilde worden. Maar zo erg was het toen nog niet. Nu is het nog niet erg, want ik ben alleen naar huis gelopen, maar het is net of mijn hoofd losstaat."

„Duizelig dus," stelde Loudy vast.

„Ja." Elsje viel op de bank neer en deed haar ogen dicht.

„Ik zal een kussen van boven halen, dan ga je lekker op de bank liggen.

Zal ik ook je nachtjaponnetje meebrengen? Dan kunnen je kleren uit. Dat rokje zit misschien een beetje strak. Je gaat lekker op de bank liggen. Misschien is het over als je even kunt slapen. Het is nog rustig hier, Frieda moet weer repeteren."

Ze grijnsden er allebei even om. Frieda poppenkast, noemde Simon haar de laatste dagen, want het kind praatte over niets anders. Maar Sjoerd zei: „Het is belangrijk voor haar. Ze heeft het verhaal zelf geschreven, ze is nog maar twaalf jaar, het is nog een kind."

Dat was ook zo en ze bedoelden niets met hun plagerijtjes. Elsje lag op de bank onder de deken. De wangen werden steeds roder. Ze dommelde even in, maar was erg onrustig. Loudy keek steeds naar haar. Wat was dit? Ze had geen pijn. Zij noemde van alles op, keelpijn, pijn in je buik, waar voel je pijn? Maar ze had geen echte pijn. Ze voelde zich gewoon slecht.

Toen Elsje weer wakker was, nam Loudy de temperatuur op. Negendertig-vier.

„Ik bel de dokter, meiske, hij moet maar even komen kijken wat er aan de hand kan zijn. Misschien geeft hij je een paar pilletjes of een drankje, dan ben je vlugger beter."

De dokter kwam. Inmiddels was Frieda ook thuisgekomen. Loudy liep haar in de keuken tegemoet. „Stil eventjes, Elsje is ziek."

„Ziek? Hoe kan dat nou? Ze was vanmiddag nog op school."

„Ja, maar ze voelde zich in de klas al niet lekker. Ik heb de koorts opgenomen. Negenendertig-vier en dat is te hoog." Frieda kwam stil de kamer binnen en keek naar haar zusje. De dokter kwam. Hij onderzocht Elsje, maar kon niets vinden. „Ik moet eerlijk zeggen dat ik het niet weet. Ik kan medicijnen voorschrijven om de koorts te onderdrukken, maar u weet, dat koorts een natuurlijk afweermiddel van het lichaam is en als het niet nodig is, geef ik liever geen medicijnen. Het lijkt me het beste dat Elsje naar haar eigen bed gaat, in haar kamertje, daar is het rustiger en dan kijken we het even aan. Vindt u dat goed?"

„Als u denkt dat het het beste is, dokter…"

„Ik kan niets met zekerheid zeggen, maar ik zie geen symptomen. Er zijn geen vlekjes in haar keel, ik beluisterde haar longen, maar die zijn prima en ik onderzocht of het misschien in de richting van de blindedarm kan gaan, maar in die richting reageert ze niet. Ik wil het liever even afwachten. Als Elsje naar bed gaat en u houdt haar natuurlijk in de gaten, kom ik vanavond nog langs. Dan neem ik medicijnen mee, zodat we direct met een kuur kunnen beginnen als dat nodig is. Voor de nacht mag de koorts niet hoger oplopen."

Elsje strompelde naar boven. Ze klaagde alleen over hoofdpijn, maar volgens de dokter kon dat ook komen van de koorts. Beneden was de stemming gedrukt.

„Jullie zijn extra bang voor Els," zei Simon onder het eten.

„En dat begrijp ik best. Na alle verhalen over vroeger, toen ze zo'n zwak baby'tje was. Maar eigenlijk is Els nooit ziek."

„Nee, ze is nooit ziek," herhaalde Loudy. Maar ze was inderdaad attenter op een hoestje van Elsje dan van Frieda.

„Als ze donderdag maar beter is…" kwam Frieda.

„Dat duurt nog twee dagen. Als de koorts vanavond niet zakt, krijgt ze penicilline en dan knapt ze vlug op," dacht Sjoerd.

„Maar het moet natuurlijk een oorzaak hebben," Loudy schepte wat salade uit de wijde kom, „koorts komt niet zomaar. Het is zoals dokter zegt: een aanwijzing."

„Vreemd dat ze nergens pijn heeft. Alleen in haar hoofd."

„We moeten het afwachten. Ik ga direct na het eten bij haar kijken. Voor ik met onze toetjes kom."

Elsje lag stil in bed. Ze sloeg haar ogen even op toen Loudy binnenkwam.

„Het ligt hier beter," fluisterde ze, „lekker stil."

In de avond kwam de dokter weer. De koorts was niet gezakt en hij gaf het flesje met de tabletten aan Loudy.

„Je moet veel drinken," hij legde even zijn hand op Elsjes voorhoofd, „ik kom morgenochtend direct na het spreekuur bij je kijken. Ik denk dat je je dan veel beter voelt, want deze tabletten zijn uitstekend. Houd je maar rustig. En veel drinken. Ook al vind je het niet lekker, je moet steeds een paar slokjes nemen, dan komt het toch naar binnen."

Het werd een nare avond. Loudy wilde zich niet ongerust maken, een ziek kind, dat was toch niet abnormaal. Elk kind was wel eens ziek. Maar meestal wist je wat het was. Zoals de kinderziektes, die Simon en Frieda allebei hadden gehad. Elsje niet. Dat was toen vreemd. „Els zal het ook wel krijgen", zei dokter toen Frieda onder de witte blaasjes van de waterpokken op de bank lag, maar dat gebeurde niet.

Ze voelde zich zelf ook wel eens niet lekker, maar ze had dan geen koorts. Dokter zei het ook, het is een aanwijzing dat er iets in het lichaam niet goed is, maar wat... Ze maakte zich toch ongerust. Sjoerd ook. „Het blijft in gedachten een zorgenkind, maar eigenlijk is dat niet goed, want Elsje is nooit ziek. Het is een tenger ding, maar ziek is ze nooit."

„Dat is waar, maar ik maak me toch zorgen."

„We moeten niet overdrijven. Als morgen de koorts is gezakt en ze weer opknapt, is het voor niets geweest als we ons nu van alles in het hoofd halen."

En zo was het ook, de volgende dag voelde Elsje zich veel beter. De koorts was gezakt. „Mijn hoofd doet nog wel raar, niet zeer, maar raar. Alsof het los zit, maar dat is niet zo, het zit nog goed op mijn nek, maar het is wiebelig."

De dokter was wel tevreden. „Doorgaan met de tabletten en lekker in bed blijven. Rust is altijd goed. Heb je je ergens druk over gemaakt? Misschien te veel ingespannen bij de gymnastiekles?" Maar Elsje zei, dat dat niet het geval was.

Beneden in de kamer vroeg hij Loudy: „Kan het kind zich ergens zorgen om maken? Het lijkt me onmogelijk, een meisje van tien jaar, maar we weten lang niet altijd wat zich in die bolletjes afspeelt."

„Ik zou niet weten waarover, dokter." Even dacht ze aan het poppenspel van Frieda; was Elsje daar misschien jaloers op? Maar nee, ze hoorde Frieda's verhalen aan en lachte erom. En Loudy had niet het gevoel dat zij graag achter de poppenkast wilde zitten om de kleuterschoolkinderen te vermaken en later de ouders op een ouderavond. Nee, dat was het niet.

„Het gaat nu de goede kant op wat de koorts betreft. Ik maak dit vaker mee. Een kind, maar het kan ook met een volwassene zijn, is niet goed, heeft verhoging, we weten niet waar het vandaan komt en na een paar dagen is het zomaar voorbij. Er moet iets in het lichaam zijn geweest, maar het lost met behulp van medicijnen weer op. Ik verwacht dat het met Elsje ook zo zal gaan. Een paar dagen rust kan geen kwaad en als de koorts is gezakt mag ze naar beneden. Lekker door mamma verwend worden is voor een kind ook wel eens goed."

In de loop van de woensdag knapte Elsje inderdaad op. Maar ze vond het prettig in haar eigen bed te blijven. Loudy kwam nu en dan een poosje bij haar zitten, las voor uit een verhalenbundel en ze babbelden samen wat.

Donderdagmorgen kwam ze, toen de rest van de familie de deur uit was, tegen tien uur beneden. Ze zag er veel beter uit. Geen rode wangen meer en de vreemde glans was uit de ogen verdwenen.

„Jij blijft morgenavond thuis, hè?" vroeg Loudy de avond daarvoor aan Simon, „je weet dat we naar de ouderavond van Frieda moeten."

„Ja, ik blijf thuis. Jullie kunnen niet wegblijven nu Frieda op de planken komt. En Els en ik redden het best samen. Ik pas wel op haar. We gaan allebei lekker lezen, hè zusje, ik heb nog een stapel boeken die ik moet doorworstelen."

Maar die middag tegen een uur of vijf zag Loudy de blosjes op Elsjes wangen weer opkomen. En ze zag de bange blik in de ogen, die er dinsdag ook was geweest. Zou de koorts weer opzetten, dat kon toch niet, het kind kreeg tabletten, de kuur was nog niet eens afgelopen...

Sjoerd zag het ook. Hij wisselde een snelle blik met Loudy.

„Voel je je niet goed, Els?"

„Nee, ik word weer zo warm en zo klam."

„Wil je liever slapen, boven, in je eigen bed?" Ja, dat wilde ze liever. Frieda moest om kwart over zeven al in 'It Pompeblêd' zijn.

„We hoeven niet verkleed natuurlijk, niemand ziet ons, maar meester zegt dat het goed is dat we allemaal op tijd komen. Dan kunnen we het nog één keer doornemen en alles klaarzetten. De 'generale repetitie', noemt hij het! Alsof we een groot toneelstuk op de planken zetten. Maar meester zegt, dat poppenkast spelen eigenlijk nog moeilijker is."

Simon bracht haar naar de zaal toe. Ze zat achter op zijn bagagedrager en later vertelde hij lachend: „Ze kwetterde tot aan de deur!"

Loudy keek bij Elsje. Ze schrok van het kind. De wangen waren roder, het hele gezichtje was opgezet. De verschrikte blik in de ogen was dieper geworden.

Ze nam de temperatuur op. Die was veel te hoog. Ze liep snel de trap af.

„Ik bel de dokter weer, Elsje heeft negenendertig-negen. Ik blijf bij haar, Sjoerd, ik kan nu toch niet weggaan? Simon, ga jij met vader mee naar de poppenkast. Ik kan nu onmogelijk naar een poppenkast gaan kijken terwijl Elsje zo ziek is."

„Overdrijf je niet?"

„Nee, ga zelf maar kijken. Ze is echt ziek." Ze liep naar de telefoon en draaide het nummer van de dokter en sprak met hem. „Ik kom," zei hij.

Sjoerd kwam beneden. „Je hebt gelijk. Je kunt beter thuisblijven. Eigenlijk bleef ik ook liever thuis. We weten niet wat er aan de hand is. Misschien toch de blindedarm. Klaagde ze gisteren niet over buikpijn?"

„Ja, een beetje. Maar ze ligt natuurlijk al een paar dagen in bed en ze eet weinig."

„Zal ik mij verkleden en met u meegaan?", vroeg Simon, „we kunnen het Frieda niet aandoen dat er bijna geen familie van haar in de zaal zit."

„Doe dat. Gaan jullie samen. En klap hard als het is afgelopen, dat vinden de kinderen prachtig."

De twee mannen gingen de deur uit, Loudy keek ze na. Simon was bijna net zo groot als Sjoerd. Hun zoon... en ze gingen kijken naar het optreden van hun dochter en zusje, hun Frieda... Het zou een teleurstelling voor het kind zijn dat mamma niet kwam kijken. Het was ook jammer, maar het kon niet anders. Elsje was te ziek om haar bij Simon achter te laten. Ze liep terug de kamer in. Ze wachtte op de dokter. Zijn auto stopte voor de deur, ze liep naar de gang om hem binnen te laten. Hij ging meteen door naar boven. Bij Elsjes bed stond hij even heel stil en keek naar het kind.

„Waar heb je pijn, meiske…"

„Eigenlijk nergens, maar ik voel me zo raar, zo licht, alsof ik zweef." Loudy voelde haar hart wild in haar keel kloppen. Ze was bang… Ze moest zich beheersen, iedereen heeft wel eens koorts en voelt zich rot, maar dit kleine meisje van haar… Dokter onderzocht haar weer. „Ik zal iets anders geven, ik heb het meegenbracht. Dan stoppen we met deze tabletten."

„Kan dat, dokter…"

Hij keek haar even aan. „Als het gevaarlijk was, deed ik het niet. Dat begrijpt u, mevrouw Rijswijk. En ik doe het ook liever niet, maar de koorts moet naar omlaag. Neem meteen een pilletje in. Ik kom vanavond nog even kijken."

Loudy liet de dokter uit. Ze vroeg hem niets. Ze wilde vragen: dokter, hebt u een vermoeden, zegt u het maar eerlijk, maar ze durfde het niet te vragen… Stel je voor dat er wel iets ernstigs aan de hand was, mijn hemel nee, dit kleine Elsje van hun, dit kind, waar ze zoveel zorgen om hadden toen het een kleine baby was…

Ze ging naast Elsjes bed zitten. „Doe jij je ogen maar dicht en probeer wat te slapen."

Ze bleef de hele avond bij het zieke kind zitten. Ze ging alleen een keer naar beneden om een kopje thee te zetten. Elsje wilde ook thee. Met veel melk. Niet veel suiker. „Dat is zo zoet," zei ze zacht, „dat lust ik nou niet…"

De koorts zakte toch een beetje. Loudy nam het niet op, ze sprak met de dokter af het tegen half elf te doen, hij kwam na half elf nog langs, het was laat, ja, maar het nieuwe medicijn moest tijd hebben zijn werking te kunnen doen. Loudy zat stilletjes in het meisjeskamertje. Foto's van sierlijke danseresjes aan de wand, poppen in het rotanstoeltje, rommeltjes op het tafeltje.

Tegen half elf nam ze de temperatuur op. Gelukkig, het was lager. „De koorts zakt," ze trok het laken en de ene deken hoger over Elsje heen, „ik ga nu naar beneden, want ze komen zo thuis. Ik ben gauw terug. De dokter komt ook nog, dat weet je, hè? Hij zal blij zijn dat het iets beter gaat."

Ze wachtte in de huiskamer. De gordijnen waren niet dichtgetrokken. Omstreeks deze tijd zouden ze terugkomen, ruim half elf, het werd voor de kinderen toch tijd om naar huis te gaan, maar de avond was in de eerste plaats bedoeld voor de gesprekken tussen onderwijzend personeel en de ouders en dat programma moest worden afgewerkt. Maar later dan half elf werd het niet.

Ze keek naar buiten. Een donkere avond. Het licht van de lantaarnpaal voor het huis van Klaas en Jetske wierp breed een lichtbundel over de straat. Lichten van autolampen, die aan kwamen dansen, langsgingen en snel weggleden. Er liepen nu mensen over de stoep. Die kwamen er kennelijk vandaan. Ze hoorde hun stemmen. Nu kwamen ze zo. Wat zou Frieda vertellen en kwetteren!

De auto stopte voor de deur. Loudy bleef zitten. Ze zouden uitstappen, Frieda als eerste, ze zou om het huis heen hollen – iedereen ging vrijwel nooit 'voor-om', altijd 'achter-om' – en binnenkomen rennen.

Maar Sjoerd stapte alleen uit. Hij liep over het tuinpad en maakte de voordeur open. Loudy bleef naar de auto kijken, verwonderd. Wat vreemd, Simon stapte nog niet uit en Frieda ook niet. Ze bleef ernaar kijken alsof ze een film zag die ze niet begreep. Sjoerd liep terug naar de auto en hielp Frieda bij het uitstappen. Hij droeg het kind bijna. Er was dus iets gebeurd, er was iets met haar, mijn hemel, wat zou er zijn… en juist vanavond, de grote avond voor Frieda…

Ze liep hen in de gang tegemoet. Frieda kwam in Sjoerds armen binnen.

„Wat is er, wat is er met Frieda?" riep ze verschrikt.

„We gaan eerst naar de kamer." Sjoerd knikte in de richting van de trap, Elsje hoefde niet alles te horen.

In de kamer stond hij met Frieda in zijn armen, het kind stijf tegen zich aangeklemd. „Wat is er nou aan de hand! Vertel nou toch! Is het poppenspel mislukt, ging het niet goed, wisten jullie opeens de tekst niet meer…"

„Nee, dat is het niet," begon Sjoerd rustig. „Het was voor Frieda een teleurstelling…" maar voor hij verder kon praten richtte ze haar hoofd op en schreeuwde wild: „Jij was er niet!!" Ze zei nooit 'jij', Sjoerd en Loudy vonden het niet nodig door de kinderen met jij en jou te worden aangesproken, maar Frieda dacht daar nu niet aan, ze stootte de woorden uit, Loudy keek verbijsterd naar haar, de ogen stonden wild en fel, de wangen waren nat en vlekkerig van tranen,

„jij was er niet... je zou komen kijken... maar je was er niet, je was bij Els... altijd Els... altijd Els..."

Sjoerd liep voorzichtig met haar in zijn armen gekneld naar de bank, zette haar behoedzaam neer en ging naast haar zitten. Ze kroop meteen weer weg in zijn armen.

„Kindje toch, lieverd, doe niet zo mal, Elsje is ziek, dat weet je, ze heeft hoge koorts, mamma moest bij haar blijven."

„Je was niet bij mij!"

Het hoofd met de dikke bos blonde krullen kwam vanuit Sjoerds arm, Loudy zag even het gezichtje, rood en opgezet en ze hoorde de stem, bijna brullend: „Je was er niet... je was er niet... mamma, je was er niet!!"

„Mijn hemel, Frieda'tje toch, Elsje was opeens zo ziek..."

„Altijd Elsje, altijd Elsje!" De stem sloeg wild over. Ze hing zwaar tegen Sjoerd aan, hij wist niet wat hij moest doen, de hele weg naar huis gilde ze, ze was volkomen overstuur.

Het was in de achterzaal van 'It Pompeblêd' begonnen toen het poppenspel was afgelopen. Het was geweldig leuk geweest, de kinderen deden het fantastisch en de mensen in de zaal klapten enthousiast. Meester Dobbema kwam naar voren en zei, dat het prima gegaan was, het kon niet beter.

De speelsters verdienden een warm applaus! Toen nam hij Frieda en Lammie bij de hand en stapte met hen het toneel op. Daar stond, stralend, hun blonde dochter, hun wervelwind, heel trots en gelukkig. Haar ogen keken de zaal in, Sjoerd stak zijn hand op in een gebaar van 'hier zitten we' en toen zag hij haar gezichtje veranderen. Het trok strak, de teleurstelling lag er zo duidelijk op dat hij ervan schrok. Hij wist zeker dat ze het geklap van de vaders en moeders niet hoorde en hij besefte in één ogenblik dat alles voor haar geen waarde meer had, want haar mamma was niet geweest om naar haar te kijken. Hij had diep medelijden met haar, zoals ze daar stond, alleen en verloren aan de hand van meester Dobbema en te midden van haar vriendinnetjes.

Het kon niet anders, Loudy moest bij Elsje blijven, maar dit kind, dat was het nog, twaalf jaar, ook al had ze veel praatjes, het was nog een kind zoals ze daar stond met die rechte benen en een jurkje van bloemetjesstof, een kind, dat er vol van was dat pappa en mamma, maar vooral mamma, haar verrichtingen zouden zien. Ze oefende ervoor, ze fantaseerde en droomde erover en Sjoerd besefte nu dat de triomf was dat ze het voor mamma opvoerde. Maar mamma was er niet.

„Er is wat met Frieda," zei Simon toen naast hem en Sjoerd hoorde spanning in zijn stem.

„Ja." Hij bleef rustig zitten. De gordijnen schoven aaneen voor het toneel, om hen heen stonden de mensen op om naar huis te gaan, maar zij wachtten op Frieda.

„Het is een teleurstelling voor haar dat mamma er niet is."

„Ik kan het me voorstellen. Maar het kon niet anders."

„Nee, het kon niet anders, maar ze is nog maar twaalf, jongen." In de deuropening naast het toneel verscheen toen Jan Dobbema. Hij keek even rond, Sjoerd zag de zoekende ogen op hem gericht, meester liep snel het trapje af en kwam naar hen toe.

„Meneer Rijswijk, kom vlug mee. Frieda is zo overstuur, we begrijpen er niets van, het ging zo goed, ze deed het voortreffelijk en nu…"

Sjoerd liep achter hem aan.

Achter de gesloten gordijnen zat Frieda op de grond, ineen gedraaid en snikkend als een hoopje ellende. De klasgenootjes stonden er bang naar te kijken.

„Gaan jullie maar naar de koffiekamer, kinders," zei meester, „jullie krijgen nog limonade en wat lekkers." Hij deed de deur achter hen dicht. Sjoerd knielde bij het snikkende kind neer.

„Frieda toch, wat heb je nou, hier is pappa, we vonden het zo mooi, we hebben zo genoten, je deed het geweldig…"

„Mamma was er niet!!", ze schreeuwde het wild, „mamma was er niet!!"

„Elsje is ziek, dat weet je, de koorts liep weer op, de dokter is geweest, mamma kon echt niet weg." Hij praatte langzaam, maar hij wist dat ze zijn woorden niet hoorde, ze bleef roepen: „Mamma was er niet…"

Met Simons hulp tilde hij haar overeind, ze gaf niet mee, ze bleef zwaar in zijn armen hangen. Meester stond er verslagen bij. „Hoe kan dat nou, ik begrijp er niets van, tenminste niet van Frieda."

In een paar woorden vertelde Sjoerd over de ziekte van Elsje en dat zijn vrouw daarom vanavond onverwachts niet kon gaan.

„Maar het komt wel goed," zei hij, „laat ons hier maar even zitten. Dan zijn de meeste mensen naar huis."

Jan Dobbema schoof twee stoelen aan. Sjoerd ging zitten en nam

Frieda op zijn schoot. Ze hing dicht tegen hem aan en bleef snikken en roepen. Woorden, die hij niet kon verstaan. Ze was volkomen overstuur.

Pas na een kwartier zei Sjoerd: „Zullen we nu naar huis gaan…"

En nu zat hij hier met haar op de bank. Ze leunde tegen hem aan. Hij voelde pijn in zijn arm, maar hij bleef zitten. Hij zag het ontredderde gezicht van Loudy. Ze was bang en geschrokken en ze begreep dit niet.

„Laat haar maar even bijkomen," zei ze tegen Sjoerd. Ze wist opeens in volle omvang de vreselijke tegenvaller voor het kind dat zij niet op haar feestavond, want het was een feestavond voor Frieda, was geweest. Ze wist niet dat het kind er zo op gesteld was dat juist zij, mamma, kwam kijken. Frieda praatte daar niet over. Het was tot vanavond vanzelfsprekend geweest dat mamma kwam kijken en ze was ook beslist gaan kijken als dat van Elsje er niet tussenkwam, maar dat het zo'n grote teleurstelling was, begreep ze niet. Ze voelde dat er meer achter zat, het was niet alleen deze avond; de woorden: „altijd Els… altijd Els…"

Het was niet waar, Elsje was vaker bij haar, maar dat kwam omdat Elsje geen vriendinnetjes had met wie ze uit school ging spelen, Elsje was thuis. Er moest een diep verborgen jaloezie zijn. Hoe was dat mogelijk? Het was onrechtvaardig van het kind, maar wat begreep ze daarvan, ze was nog zo jong. Ze voelde zich alleen: mama bleef bij Elsje…

„Maar kindje luister nou eens naar mamma," probeerde ze het na een kwartier opnieuw. Sjoerd zat nog steeds met het kind tegen zich aan gedrukt, ze verstopte haar gezichtje in zijn jasje.

„Ik luister niet naar jou!! Ik luister niet naar jou!!"

De bel ging.

„Dat is de dokter. Hij wil voor de nacht nog bij Elsje kijken."

Simon liep naar de voordeur en liet de dokter binnen.

„Wat is hier aan de hand?", vroeg hij, „nog een patiënte erbij?"

„Geen patiënte, dokter. Frieda is wat overstuur."

„Wat overstuur? Hoe kan dat nou, waarom?" Hij deed een paar stappen in de richting van de bank.

„Ga weg!!" gilde ze, haar gezicht kwam even tevoorschijn, ze draaide zich naar hem toe. „Ik weet het wel!!"

„Wat weet je wel?"

„Niks… niks…" En ze huilde weer.

471

„Zullen we eerst bij Elsje kijken?", stelde de dokter voor, „hebt u de temperatuur vanavond opgenomen?"

„Ja. Om tien uur."

Achter de gesloten kamerdeur vertelde Loudy in het kort wat er met Frieda aan de hand was.

„Een kind kan zich over zoiets erg druk maken. Ik kan het me wel een beetje voorstellen. Ze verheugde zich op deze avond en het is voor de kinderen niet in de eerste plaats het spelen van het spel, maar het is vooral hun kunnen laten zien aan de grote mensen. Dat geldt trouwens ook voor echte toneelspelers. Maar dat Frieda zich er zo druk over maakt, is toch wat griezelig. Ze ziet er echt overspannen uit. Ik moet straks bij haar kijken. Een keer boos en nijdig zijn is niet erg, maar dit gaat in de richting van hysterie en daarvoor moeten we oppassen. Ze wist toch dat Elsje ziek is?"

„Ja, maar de koorts zakte vanmiddag. Toen dacht ik dat ik naar de schoolavond kon gaan. Simon bleef thuis. Maar vlak voor de voorstelling liep de koorts weer op. Enfin, dat weet u."

„Ja."

Elsje lag stil in haar bed. „Wat is er allemaal beneden?"

„Frieda is een beetje in de war." Loudy schrok zelf van de woorden. Wat zei ze nou, in de war, was het niet gewoon een heftige boosheid?

„Ging het niet goed met Katrijntje?" Elsje lachte er even om.

„Ja, het ging prima. Maar het viel haar erg tegen dat ik niet in de zaal zat om naar haar te kijken."

„Mam, wat akelig…"

„Ja."

„En gilt ze daarom nu zo?"

„Ze zal zo wel bedaren. Hoe is het met jou?" De dokter voelde de pols en keek naar het blaadje, waarop Loudy de temperaturen van die dag geschreven had.

„Het is niet verontrustend nu," hij keek Loudy aan, „straks nog een pilletje en veel drinken." Hij keek naar Elsje: „Ik kom morgenochtend weer bij je kijken. Je hebt echt nergens pijn? Je moet het eerlijk zeggen hoor, ik kan niet in je lijfje kijken en eigenlijk moet de koorts ergens vandaan komen. Hoewel het vaker voorkomt dat kinderen flinke koorts hebben zonder een echte aanwijzing. Na een paar dagen is het voorbij." Elsjes gezichtje was smaller geworden in deze dagen. De ogen stonden groot en glanzend.

„Ga maar lekker slapen. Slaap is een goed middel. Tot morgen, hè?"

Hij drukte even het smalle, witte handje dat op de deken lag.

In de huiskamer probeerde de dokter met Frieda te praten, maar het was niet mogelijk. Ze bleef tegen Sjoerd aanhangen en zei geen woord.

„U hebt kinderaspirientjes in huis? Geeft u haar één, desnoods twee. Ik geloof dat het beter is haar met rust te laten."

In de gang zei hij: „Ik wilde in de kamer niet zeggen, dat ze gewoon boos is, misschien wakkerde dat het vuurtje weer aan en dat heeft het kind nu niet nodig, maar ik denk dat u zich niet ongerust hoeft te maken. Ze is gewoon boos. Maar dat gaat vanzelf over."

De dokter ging weg. Loudy bleef in de gang staan. Geleund tegen de muur. Boos, nee, dat was het niet. Teleurgesteld en vooral jaloers... Jaloers op haar aandacht voor Elsje... Het was een ongegronde jaloezie, maar het kind voelde het zo...

Ze nam uit het medicijnkastje een paar kinderaspirientjes en ging terug naar de kamer. Een glas water stond op de tafel.

„Kom meiske, neem dit maar even, dan knap je weer op."

Frieda wilde het eerst niet, ze bleef bokkig tegen Sjoerd aanhangen, maar hij richtte haar wat op en zei dat ze moest slikken. Ze deed het. Loudy voelde het als een steek: voor pappa deed ze het wel.

Opeens stond Frieda op. Ze zag er vreemd uit, Loudy dacht even 'verfrommeld', met het haar slordig om het hoofdje, de ogen gezwollen en halfdicht van het huilen, de vlekkerige wangen. Ze zei niets. Ze liep door de kamer naar de gangdeur, opende die en bijna als een beeld, zo recht en strak ging ze door de deur. Sjoerd, Simon en Loudy keken ernaar. Het was niet grappig om te zien, realiseerde Loudy zich later. Het was beklemmend, alsof het kind wel leefde, maar met gedachten en gevoelens ver van hen weg.

Ze hoorden de voetstappen langzaam de trap op gaan.

Sjoerd bukte zich opeens, hij trok zijn schoenen uit, sloop naar de gang en keek haar na.

„Was je bang dat ze van de trap zou vallen?" vroeg Loudy toen hij terugkwam.

„Nee. Bang dat ze naar Elsje zou toegaan." Ze zag angst in zijn ogen. „Ik weet niet wat ik hiervan moet denken. Ik geloof wat de dokter zegt, het gaat in de richting van hysterie. Ze is volkomen doorgedraaid. En dat voor zo'n jong kind, nog onbegrijpelijker voor een kind als Frieda. Heb jij er ooit iets van gemerkt dat ze jaloers was op Elsje? Want dat is het. Ze riep:, Altijd Elsje... altijd Elsje...' Er is geen reden voor haar om jaloers te zijn op Els, dat weten wij, we houden evenveel van haar als van Els, maar het kind heeft het zich in het hoofd gezet. Hoe lang al? Misschien alleen vanavond. Door de teleurstelling."

Loudy knikte naar hem. Maar het was niet alleen vanavond, het was al veel langer, veel langer... Vier jaar was ze, ogen met haat, nee, daaraan moest ze niet denken, dat was anders, een boosheid van even... Blije, vrolijke Frieda: het was geen jaloers kind.

„Ik geloof niet dat jullie jezelf iets moet verwijten." Simon had zijn schoenen ook uitgetrokken, hij strekte zijn lange benen. Loudy keek naar zijn sokken. Grote sokken over grote voeten. Kleine Simon was geen kleine Simon meer, blije Frieda was niet blij meer en Elsje was ziek.

„Het is wat vader zegt, Frieda is te jong om het allemaal te begrijpen. Maar er is echt niets aan de hand."

Loudy dacht opeens aan Lieneke van Rijssen. Ze hoorde de stem bijna: „Als je lacht, ben je vrolijk, als je 's nachts huilt, ziet niemand je tranen..."

Dat denken ze, de dwaze grote mensen. De eigen moeder kijkt er niet eens doorheen.

Sjoerd stond op. „Ik ga bij haar kijken." Loudy wist dat hij bang was voor deze Frieda. Hij wilde weten of ze al sliep of onder de dekens lag te huilen, maar hij wilde vooral weten of ze in haar eigen kamertje was... niet bij Elsje. Je kon niet weten wat zo'n kind in blinde jaloezie deed...

„Altijd Elsje..." had ze gezegd.

Loudy vroeg Sjoerd niets. Ze was niet bang dat Frieda Elsje iets zou doen. Frieda was niet jaloers op Elsje.

Ze liet Sjoerd gaan. Ze wilde niet praten. Ze kon niet praten. Ze zat in de stoel en steunde met haar hoofd tegen de hoge leuning. Ze deed haar ogen dicht. Ze was moe, maar vooral bedroefd, vanbinnen bedroefd. Ze begreep opeens zoveel. Frieda benijdde Elsje niet om de aandacht die zij Elsje gaf, maar Frieda was verdrietig, bij vlagen verdrietig omdat zij, mamma, haar niet meer aandacht gaf. En het was niet dat zij er steeds aan dacht, beslist niet, dan kon Frieda niet zo'n blij kind zijn, maar verborgen van binnen kwam het voortdurend even voor de dag. Ze wilde de aandacht die mamma aan Elsje gaf niet afnemen, ze gunde het Elsje, ze hield van haar zusje, maar daarnaast stond zij.

Loudy voelde zo sterk de gevoelens van het kind, dat het was alsof het haar alles vertelde, nu, op dit moment, terwijl er geestelijk zo'n muur tussen hen was opgetrokken. Ze voelde tranen in haar ogen komen en ze hield ze niet tegen. Frieda wilde dat zij, naast Elsje, aandacht had voor haar. Meer aandacht voor haar. Het ging er niet om of ze aandacht genoeg kreeg, het ging erom hoe Frieda het voelde. En dat was dat mamma te weinig bij haar leventje betrokken was. Zij voelde het gemis van het kind niet. Ze leefde in de overtuiging dat ze het goed deed, maar ze deed het niet goed. Haar eigen kind voelde zich soms los van haar staan. Nee, niet los, zo was het niet, wel dichtbij, maar het kind wilde nog dichterbij. Flarden van korte opmerkingen kwamen opeens boven en ze wist duidelijk hoe Frieda het gevraagd en gezegd had. „Had u vroeger veel vriendinnetjes, mamma?" Ze antwoordde: „Nee, niet zoveel als jij hebt."

Ze wist nu nog dat er iets van triomf in Frieda's stem was geweest toen ze verder vroeg: „Wilde u wel graag veel vriendinnetjes? Vindt u het leuk dat ik veel vriendinnetjes heb?"

Ze gaf het antwoord zonder nadenken, zonder meer achter de vragen te zoeken: „Ja kindje, dat vind ik fijn."

Nu pas begreep ze de inhoud van de vragen. Ben je niet erg blij, mamma, met een dochter die zo vlot is als jij vroeger wilde zijn... Frieda zou de diepere betekenis er zelf niet in zoeken, daar was ze te jong voor, maar Loudy wist zeker dat het erachter stak. Het kind wilde in moeders gunst zijn, moeder moest trots op haar zijn.

„Grootpa Swinkels zegt, dat jullie vroeger niet vaak lachten. Is dat zo? Maar u wilt graag lachen, hè? Vindt u het fijn dat ik vaak lach?" „Heerlijk, kind."

„U moet er geen drama van maken," praatte Simon tegen haar, „we weten hoe Frieda is. Ze is fel als ze boos is en vanavond was ze gespannen omdat ze voor al die mensen moest spelen, ze dacht dat u in de zaal zat en het spel volgde. Dat vond ze heerlijk. Mamma zag wat ze deed en hoe knap ze was."

Loudy hoorde zijn woorden, hij besefte niet hoe die haar nu raakten. „En toen kwam de teleurstelling, dat u er niet was extra hard aan. Alles bij elkaar was het even te veel voor ons Friedeltje. Maar u moet het zich niet zo aantrekken. Morgen kletst ze honderduit over Jan Klaassen."

„Misschien wel, jongen, maar het zit me nu niet lekker."

„Nee, dat zie ik!" Hij lachte. „Ik ga naar bed. Ik moet morgenochtend nog wat nakijken. Dat wilde ik vanavond doen, als ik bij Elsje thuis bleef, maar dat liep anders. En blij dat haar grote broer kwam kijken was onze poppenspeelster niet eens!"

„Nee, ze heeft je niet gezien."

Voor hij de kamer uitging, zei hij: „En vergeet niet, dat u ook gespannen bent door Elsje. Ze is ziek." Ze hoorde zijn voetstappen zo zacht mogelijk op de trap. Lieve jongen.

Sjoerd kwam terug in de kamer. „Ze slapen allebei."

„Frieda kon niet wakker blijven. Het is twaalf uur, alle drukte en spanning van vanavond, de nachtmerrie daarna en tot slot twee tabletjes. Het is een vechtjasje, maar dat alles bij elkaar was te veel." Ze probeerde het op een luchtige toon te zeggen om Sjoerd de indruk te geven dat ze zich er niet echt druk over maakte.

Het werd stil in de kamer. Sjoerd pakte de krant, maar Loudy wist bijna zeker dat hij de lettertjes niet zag en de woorden niet in zich kon opnemen. Zijn gedachten waren bij Frieda. Maar het was goed dat hij zich achter de krant verschool. Nu hoefden ze niet te praten. Ze wist dat ze hem niet kon zeggen wat ze voelde. Ze kon het niet onder woorden brengen en hij zou het niet begrijpen. Hij zou zeggen dat er geen sprake was van schuld. Het was een samenloop van omstandigheden. Elsje was ziek, zij bleef thuis, dat kon niet anders, ze mocht een kind met bijna veertig graden koorts niet aan de verantwoordelijkheid van een jongen van zestien jaar overlaten. „En elk kind, Loudy," zou Sjoerd zeggen, „dat zijn of haar moeder in de zaal verwacht bij zo'n optreden, zo'n eerste spel voor grote mensen – het is een gebeurtenis in een kinderleven – zal diep teleurgesteld zijn als het hoort dat moeder er niet is. Onze Frieda beleeft zo'n emotie heel sterk. Zoals ze heftig boos is en dansend blij van vreugde kan zijn."

Hij had gelijk, ze had geen schuld door thuis te blijven. Het was de teleurstelling voor Frieda, het viel haar tegen, het moment na de poppenkast, ze dacht mamma's gezicht te zien, goed zo, mijn meiske, dat heb je prachtig gedaan, maar ze zag mamma niet. Morgen begreep ze alles en zou het goed zijn. Wat Sjoerd verontrustte, was dat ze zich er zo vreselijk over opwond, zo onbeheerst…

Maar het was niet deze avond alleen. Het was van veel langer. Ze zag Frieda's gezicht alsof het stond afgedrukt op tientallen plaatjes, die aan haar voorbijschoven. Grote, blauwe ogen die haar recht aankeken, maar waarin zij de vraag niet zag. Verwijtende ogen, strakke ogen, die niets wilden verraden, maar stilletjes bedelden. Ze gleden langs en ze zag ze. Sjoerd liet de krant zakken en keek naar haar. Ze deed haar ogen open. Misschien dacht hij dat ze even sliep.

Hij zei: „Morgen denkt Frieda er waarschijnlijk anders over, maar ze moet zich toch leren beheersen. Ze is nog klein, maar op deze manier een tegenslag opvangen is niet goed. Daarin moeten we haar niet steunen."

Opeens lachte hij. Een bevrijdende lach. „Dan hebben we over een paar jaar een drama als het eerste vriendje het uitmaakt en wie weet hoeveel tragedies we beleven voor ze met de enige juiste het grote geluk binnenstapt."

Loudy grijnsde. „Misschien kan ik morgen met haar praten." Maar hoe praten en waarover wel of niet? Alleen over deze avond. Het kind begreep zelf niet wat dieper zat. Ze voelde het, maar zou het niet onder woorden kunnen brengen.

Zij kon het herstellen. Er lagen nog veel jaren voor haar. Ze dacht aan Lieneke van Rijssen. Die voelde zich als kind vaak ongelukkig en zij dacht, toen Lieneke dat vertelde, dat elk kind zich wel eens ongelukkig voelt. Ze kende het van zichzelf. De vraag wat er was tussen vader en moeder en bang zijn voor de voelbare spanning tussen haar ouders.

Haar moeder voelde haar zorgen niet en dat maakte haar vaak eenzaam. Later glimlachte ze erom. Een kind is dikwijls te gevoelig. Het denkt alleen aan zichzelf en begrijpt zichzelf niet. Later is het voorbij.

Lien van Rijssen zag het in Lieneke niet.

Zij zag het niet in Frieda.

Maar er was nog tijd om haar op te vangen.

Dat denken luchtte op, ze voelde het bijna als een bevrijding.

Dit voelen en denken was een flits. Een blije flits. Ze keek op naar Sjoerd, die nog tegenover haar zat als even te voren.

„Of je praat overmorgen met haar. Laat het even betijen. Het is nog een kind. Ze moet het zelf op een rijtje zetten en inzien dat het niet anders kon."

Voor ze naar hun slaapkamer gingen, keken ze bij de meisjes. Elsje sliep, maar haar ademhaling was onrustig en toen Loudy haar hand op het voorhoofdje legde, voelde dat warm aan. Ze liet de deur van het kamertje openstaan, opdat zij elk geluidje dat Elsje maakte, kon horen.

Frieda sliep. Ze lag op haar buik, haar gezicht half onder de dekens. Het was of de haren meer krulden dan anders.

Het werd een onrustige nacht zonder veel slaap. Af en toe dommelde Loudy even in, om dan weer wakker te schrikken; droomde ze, riep Elsje, even kijken, hoorde ze Frieda huilen. Dan droomde ze weer… dat Frieda ver weg was, ze zag het kind en ze liep naar haar toe, maar de afstand werd niet kleiner en ze was zo moe…

Ze was blij toen ze de volgende morgen uit bed kon stappen. Elsje was ook wakker.

„Hoe is het, meiske?”

„Die bom is gelukkig uit mijn hoofd.”

„We zullen de temperatuur opnemen.”

De koorts was gezakt tot zevenendertig-acht. Loudy zuchtte opgelucht.

Ze ging naar beneden, zette thee en koffie, maakte de ontbijttafel klaar en verzorgde Simons 'broodtrommeltje', zoals hij het zelf noemde.

Frieda riep van boven. Loudy ging naar de trap.

„Mam, ik heb zo'n pijn in mijn hoofd, hoef ik niet naar school? Mam…” smekend.

Loudy keek omhoog. Een blonde ragebol, een treurig snoetje, een verkreukeld nachtponnetje en twee blote voetjes.

„Blijf vandaag maar thuis. Kruip nog lekker even in bed. Als pappa en Simon weg zijn, kom ik bij je kijken.”

Trip-trap gingen de voetjes snel over de overloop.

Sjoerd sneed zijn boterham. „Als ze hoort dat Elsje nu niet meer zo ziek is…”, hij praatte langzaam, de gedachten kwamen in hem op en hij sprak ze meteen uit, „gistermiddag niet ziek, gisteravond wel, nu weer niet…”

„U denkt dat Frieda kan denken dat Els het expres deed,” haakte Simon erop in.

„Elsje kan geen hoge koorts krijgen wanneer ze dat wil,” viel Loudy uit.

„Dat weten wij, maar Frieda ziet het misschien anders. Dat Elsje ziek wilde zijn om mamma thuis te houden. Ik denk aan wat Frieda riep: altijd Elsje… altijd bij Elsje…”

„Dat is het niet,” wist Loudy beslist, „ze is niet jaloers op Elsje.”

„Ik weet het nog niet zo zeker. En jaloezie is een vreselijk metgezel.”

Toen Sjoerd en Simon waren weggegaan, liep Loudy naar boven. Ze zette de deuren van de slaapkamers van de kinderen wijdopen.

Ze ging eerst naar Frieda. Met opzet eerst naar haar. „Hoe is het met je?"

Het kind keek haar schuw aan. „Ik heb nog hoofdpijn."

„Wil je in bed blijven of kom je liever beneden? Dan maak ik een boterhammetje voor je klaar of je eet een beschuitje en je neemt een kopje thee. Soms is het goed om je hoofd rechtop te houden als je hoofdpijn hebt. Je ligt nu zo plat op je kussen."

„Ik kom straks wel."

„Goed. Ik kijk even bij Elsje. Na het spreekuur komt dokter langs."

„Is ze nu weer beter?"

Loudy voelde zich gespannen. „Beter niet, maar de koorts is gelukkig omlaaggegaan."

„Alleen gisteravond was ze ziek." Het klonk bitter. Dus toch...

„Ja, gisteravond liep de koorts plotseling op. Dokter is toen gekomen en hij gaf andere medicijnen. Die hielpen gelukkig."

Frieda zei niets, ze knikte alleen. Maar Loudy zag dat het huilen haar nader stond dan het lachen. Misschien alleen door de herinnering aan gisteravond.

Ze waste Elsje, hielp haar een schone pyjama aan te trekken, verschoonde het bed en vroeg wat ze wilde eten of drinken. Na tien uur kwam Frieda de kamer in.

„Bent u boos om gisteravond, mam..."

„Nee, niet boos, meisje. Ik begrijp dat je het niet leuk vond dat ik er niet was, maar het kon echt niet anders. Elsje was erg ziek."

„Ja, dat weet ik nu. Stel je voor dat ze naar het ziekenhuis moest en u was er niet..."

„Zo is het."

„Vertelde pappa over ons verhaal? Het was mijn verhaal, ik heb het helemaal alleen bedacht." Nee, Sjoerd vertelde er niet over en zij vroeg er niet naar, maar het was Frieda's verhaal, Frieda's eerste verhaal. „Pappa vertelde over Jan Klaassen, die iets vreselijk doms deed, maar ik weet het niet meer zo goed."

„Een leuk verhaal!!"

„Ja, erg leuk. Meester zei dat het helemaal goed was."

Ze bleef praten met het kind. Toen Frieda naar boven ging om haar kleren te halen dacht ze aan het lied van de dichter. Rimpels in het water. Dat zijn strepen of kringen en je ziet ze, je kijkt ernaar en misschien vind je ze niet mooi omdat de dichter zegt, dat rimpels het

begin van golven kunnen zijn. Rimpels in het water voor haar…
Als ze zich over de rimpels boog, haar hart en haar hand ernaar uitstrekte en ze aanraakte, veranderden ze van vorm, dan waren het
geen rimpels meer, maar mooie patronen en in die vormen wist ze,
dat er voor haar een weg was naar morgen.